А Н Н А

ТОДД

После – долго и счастливо

Москва
2015

УДК 821.111-31(73)
ББК 84(7Сое)-44
  Т50

Anna Todd

AFTER EVER HAPPY

Фото автора © Photograph by JD Witkowski

Перевод с английского *М. Манелис*

Художественное оформление *П. Петрова*

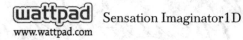 Sensation Imaginator1D

www.wattpad.com

Тодд, Анна.

Т50   После — долго и счастливо / Анна Тодд ; [пер. с
англ. М. В. Манелис]. — Москва : Издательство «Э»,
2015. — 544 с. — (Модное чтение).

ISBN 978-5-699-83939-1

Тесса и Хардин вместе уже год. Они очень изменились — это уже не «плохой парень» и «хорошая девочка».
Это «Хесса» — двое людей, которые не могут жить друг без
друга. Но ничто так не опасно для чувства, как испытания
судьбы. А в жизни Тессы и Хардина испытания случаются
то и дело, словно судьба всерьез решила проверить их союз
на прочность. Ревность, разочарования, депрессия, поте-
ря близких — хватит ли у них сил не сломаться, сохранить
свою любовь? Об этом — заключительная книга тетралогии
«После».

УДК 821.111-31(73)
ББК 84(7Сое)-44

*Всем,
когда-либо боровшимся за то,
во что они верили*

Пролог

Хардин

Много раз в жизни я чувствовал себя ненужным, даже лишним — в самом плохом смысле этого слова. Моя мама, Триш, старалась, правда старалась, но этого было недостаточно. Она слишком много работала и часто спала днем, ведь всю ночь ей приходилось проводить на ногах. Триш старалась изо всех сил, но мальчик, особенно такой, каким был я, нуждался в отце.

Кен Скотт был измученным жизнью, неотесанным, жаждущим успеха человеком, от которого мне, что бы я ни сделал, никогда не доставалось ни похвалы, ни одобрения. Маленький жалкий Хардин, пытающийся заслужить похвалу мужчины, чьи крики и брань переполняли наш тесный убогий домик, в те времена был бы счастлив узнать, что этот бездушный человек — не его отец. Вздохнув, мальчик взял бы со стола книгу и спросил маму, когда к ним приедет Кристиан — хороший дядя, который смешил его, цитируя отрывки из старых книг.

Но теперь я, уже взрослый Хардин Скотт, имеющий проблемы с алкоголем и подверженный вспышкам гнева, передавшимися по наследству от жалкого подобия отца, вне себя от ярости. Меня предали, я запутался и чертовски зол. Это немыслимо, моя жизнь не может оказаться банальным сюжетом из дешевых сериалов с подменой отцов. Перед глазами всплывают забытые сцены из прошлого.

Вот мама разговаривает с кем-то по телефону. Это случилось на следующее утро после того, как одно из моих эссе выбрали для местной газеты.

— Я просто подумала, что вам захочется узнать: Хардин — настоящий умница. Весь в отца, — похвалила она.

Я оглядел нашу маленькую гостиную. Темноволосый, вырубившийся прямо в кресле человек, у ног которого валяется бутылка виски, — никакой не умница.

«Он самое настоящее дерьмо», — подумал я, но тут человек зашевелился, а мама быстро повесила трубку.

Я, тогда еще слишком маленький и наивный, никак не мог понять, почему мы с Кеном Скоттом никогда не были близки, почему он никогда не обнимал меня, как обнимали моих друзей их отцы. Он никогда не играл со мной в бейсбол и ничему не учил — разве что напиваться в стельку.

Неужели все эти переживания зря? Неужели на самом деле мой отец — Кристиан Вэнс?

Комната кружится, и я разглядываю человека, который, возможно, и есть мой настоящий отец. В его зеленых глазах и линии подбородка мне чудится что-то знакомое. Дрожащими руками он откидывает волосы со лба, и я застываю на месте, понимая, что делаю то же самое.

Глава 1

Тесса

— Не может быть.

Я встаю, но тут же опускаюсь обратно на скамейку, и, кажется, даже трава покачивается под ногами. Хотя погода холодная, людей в парке все прибывает: семьи с маленькими детьми, шарики и подарки в руках.

— Это правда. Кристиан — отец Хардина, — говорит Кимберли. Ее сверкающие голубые глаза серьезны.

— Но Кен... Хардин так похож на него.

Я вспоминаю, как впервые встретилась с Кеном в кафе-мороженом. Сразу же стало понятно, что он отец Хардина. Те же темные волосы и тот же рост — ошибиться невозможно.

— Разве? Я не вижу сходства, разве что цвет волос. У Хардина и Кристиана одинаковые глаза, да и черты лица тоже.

«Разве?»

Я представляю себе всех троих. У Кристиана, как и у Хардина, ямочки на щеках и те же глаза... Но это в голове не укладывается. Кен Скотт — отец Хардина, по-другому и быть не может. По сравнению с Кеном Кристиан выглядит слишком молодо. Мне известно, что они одного возраста, но, хотя Кен все еще хорош собой, алкоголизм не прошел для его внешнего вида даром.

— Этого... — Я пытаюсь подобрать слова и лишь ловлю ртом воздух.

Кимберли смотрит на меня виновато.

— Понимаю. Мне так хотелось поделиться с тобой. Я ужасно себя чувствовала, скрывая все это, но ведь это не моя тайна. — Она накрывает мою руку своей и осторожно сжимает. — Кристиан уверял меня, что расскажет Хардину, как только разрешит Триш.

— Просто... — глубоко вздыхаю я. — Где Кристиан? Он рассказывает все Хардину прямо сейчас?

Я снова встаю, и Кимберли отпускает мою руку.

— Мне нужно к нему. Он ведь...

Подумать страшно, как Хардин отреагирует на такую новость — особенно после того, как прошлой ночью застал Триш и Кристиана вместе. Для него это будет слишком.

— Да, он сейчас с ним, — подтверждает Кимберли. — Триш так и не дала окончательного согласия, но Кристиан сказал, что почти уговорил ее, а ситуация уже выходила из-под контроля.

Я вытаскиваю телефон. Не могу поверить, что Триш скрывала все это от Хардина. Я была о ней лучшего мнения, в особенности как о матери, а выходит, я совершенно не знаю эту женщину.

Пытаюсь дозвониться до Хардина.

— Я сказала Кристиану, что будет лучше, если он признается во всем Хардину в твоем присутствии, но Триш настояла, чтобы они поговорили с глазу на глаз... — Кимберли поджимает губы, взгляд блуждает.

Автоответчик безжизненным тоном предлагает оставить сообщение. Кимберли молча сидит рядом, я снова набираю номер, но Хардин опять не берет трубку. Я в отчаянии.

— Кимберли, отвези меня к нему, пожалуйста.

— Конечно. — Она вскакивает и зовет Смита.

Я смотрю на мальчугана, идущего к нам походкой мультяшного дворецкого, по-другому и не скажешь, и внезапно до меня доходит, что Смит — не только сын Кристиана, но и... брат Хардина. У Хардина есть маленький брат. И тогда я думаю о Лэндоне... Как изменятся их отношения с Хардином? Как поведет себя Хардин, когда узнает, что их не связывают кровные узы? А Карен? Как же милая Карен с ее вкусной выпечкой? А Кен, прилагающий столько усилий, чтобы наверстать упущенное, чувствующий себя виноватым перед мальчиком, который не стал ему настоящим сыном и чье детство было ужасно? Кен хоть вообще знает? Голова идет кругом, мне просто необходимо увидеть Хардина. Он должен знать, что я рядом и что мы справимся с этим вместе. Представить не могу, что он сейчас чувствует. Наверняка потрясен.

— Смит в курсе? — спрашиваю я.

— Мы думали, что да, судя по его отношению к Хардину, но он никак не мог об этом узнать, — отвечает Кимберли, немного помолчав.

Мне жаль Кимберли. Ей и так пришлось пережить измену жениха, а теперь еще это. Смит подбегает и одаривает нас загадочным взглядом, будто хорошо знает, о чем мы только что говорили. Разумеется, это невозможно, но вид, с каким он молча идет к машине, заставляет меня задуматься.

Мы едем через Хэмпстед, пытаясь отыскать Хардина и его отца, и острое ощущение тревоги у меня в душе то разгорается, то угасает.

Глава 2

ХАРДИН

В баре слышен треск ломающегося дерева.

— Хардин, перестань! — откуда-то сбоку, отраженный эхом, доносится голос Вэнса.

Снова треск, за ним звон бьющегося стекла — приятный, распаляющий мою жажду к насилию. Мне необходимо что-нибудь сломать, причинить боль, пусть даже какому-то предмету.

Именно это я и делаю.

Крики вырывают меня из полуобморочного состояния. Я опускаю взгляд на руки и вижу, что держу обломок ножки дорогого стула. Подняв глаза, вижу пустые, встревоженные и незнакомые лица и пытаюсь отыскать среди них лишь одно — лицо Тессы. Но ее здесь нет, и в этот момент, охваченный яростью, я не могу понять, хорошо это или плохо. Она бы испугалась, переволновалась за меня, начала бы паниковать и суетиться, звать меня по имени, заглушая звенящие в ушах стоны и вопли.

Я торопливо отбрасываю кусок деревяшки, будто он обжигает кожу, и чувствую, как кто-то обнимает меня за плечи.

— Уводи его отсюда, пока не вызвали полицию! — Никогда не слышал, чтобы Майк так громко кричал.

— Отпусти меня на хрен!

Я отмахиваюсь от Вэнса и бросаю на него свирепый взгляд. Глаза застилает красная пелена.

— Ты что, в тюрьму захотел?! — кричит он мне почти прямо в лицо.

Мне хочется повалить его на пол, сжать пальцы на его горле...

Но пара женщин своими воплями помешали тому, чтобы меня опять унесло в темную пропасть. Я оглядываюсь: дорогущий бар, осколки бокалов на полу, сломанный стул, испуганные лица посетителей, раздумывающих, как им выбраться из этой неразберихи. Всего через несколько секунд их шок превратится в злость — на того, кто помешал их поискам счастья по завышенной цене.

Я пулей проношусь мимо официантки и выскакиваю наружу. Кристиан не отстает.

— Садись в машину, и я все тебе объясню, — раздраженно говорит он.

Опасаясь, что копы и правда могут появиться в любой момент, я подчиняюсь, но при этом не знаю, как мне себя чувствовать и что говорить. Хоть он и признался, я не в состоянии осознать его слова. Это настолько невероятно, что просто нелепо.

Я сажусь на пассажирское сиденье, как раз когда он устраивается за рулем.

— Ты не можешь быть моим отцом, это невозможно. Сплошная бессмыслица — в каждом твоем слове.

Я осматриваю дорогую арендованную тачку и думаю, значит ли это, что Тесса осталась в том чертовом парке, где я ее высадил.

— У Кимберли ведь есть машина?

— Естественно, есть, — с удивлением отвечает Вэнс.

Мы мчимся по дороге, и низкий гул двигателя становится все громче.

— Мне жаль, что ты вот так об этом узнал. Все вроде бы наладилось, но потом вдруг стало рассыпаться на части.

Я молчу, понимая, что сорвусь, как только открою рот. Впиваюсь пальцами в ноги: легкое ощущение боли успокаивает.

— Я все объясню, только не делай поспешных выводов, ладно?

В его глазах я вижу сожаление. Меня этим не разжалобишь.

— Нечего говорить со мной как с ребенком, — огрызаюсь я.

Вэнс смотрит на меня, потом снова на дорогу.

— Ты ведь знаешь, что я вырос с твоим отцом, Кеном. Сколько себя помню, мы всегда дружили.

— В первый раз слышу. — Бросив на него сердитый взгляд, я отворачиваюсь и смотрю на проплыва-

ющий за окном пейзаж. — Похоже, я вообще ни хрена не знаю.

— В общем, так и было. Мы росли вместе, почти
как братья.

— И потом ты трахнул его жену? — перебиваю я.

— Слушай, я пытаюсь все тебе разъяснить, так что,
прошу, не перебивай.

Вэнс почти рычит, костяшки на руле побелели. Он
делает глубокий вдох, чтобы тоже успокоиться.

— Отвечу на твой вопрос: нет, все было не так.
Твоя мама и Кен начали встречаться в старших клас-
сах, когда она переехала в Хэмпстед. Красивее девушки я никогда не видел.

Внутри все сжимается от воспоминания о том, как
Вэнс ее целовал.

— Но Кен сразу же ее очаровал. Они не расставались ни на минуту, как и Макс с Дениз. Впятером мы
были, можно сказать, бандой. — Углубившись в свои
дурацкие воспоминания, он вздыхает, и его голос
становится отстраненным. — Она была остроумной,
сообразительной и по уши влюбилась в твоего отца...
Черт, я не сумею называть его как-то по-другому...

Из груди Вэнса вырывается стон, и он постукивает
пальцами по рулю, словно подгоняя себя.

— Кен был умным, даже одаренным, но, когда до-
срочно поступил в университет и получил полную сти-
пендию, он стал слишком занят. Слишком занят для
нее. Часами просиживал за учебниками. А мы про-
должали общаться вчетвером, без него, и мы с твоей
мамой... В общем, у нее появились чувства ко мне,
а мои к ней только усилились.

Вэнс ненадолго замолкает, перестраиваясь в другой ряд, и включает вентиляцию, чтобы в салон попа-
дало больше свежего воздуха. Воздух все равно остается тяжелым и липким, Вэнс продолжает рассказывать, а у меня голова идет кругом.

— Я всегда ее любил, и она это знала. Но любила его, а он был моим лучшим другом, — говорит он, сглатывая. — Через какое-то время мы стали... близки. Не в сексуальном смысле, просто мы оба перестали сдерживаться и отдались чувствам.

— Избавь меня от дерьмовых подробностей. — Держа руки на коленях, я сжимаю кулаки и заставляю себя заткнуться, чтобы дать ему договорить.

— Ладно-ладно, я понял. — Он смотрит вперед. — В общем, пошло-поехало, и вот мы уже вовсю крутим роман. Кен даже не догадывался. Макс и Дениз что-то подозревали, но оба молчали. Я умолял твою маму оставить Кена, ведь он перестал обращать на нее внимание. Знаю, это безумие, но я ее любил. — Он сводит брови. — Она была единственным спасением от моей тяги к саморазрушению. Кен был мне дорог, но любовь к ней застила глаза. Я ничего не мог с собой поделать.

— И... — Я подталкиваю его продолжать после нескольких секунд тишины.

— Так вот... Ну, когда она рассказала о беременности, я подумал, что мы могли бы сбежать вместе. Она вышла бы замуж за меня, а не за него. Я пообещал, что перестану бездельничать, если она выберет меня, и буду рядом с ней... с тобой.

Я чувствую, что он смотрит на меня, но не хочу встречаться с ним взглядом.

— Твоя мама сочла, что я для нее недостаточно надежен, и вот я уже молча слушаю, как они с Кеном объявляют о том, что ждут ребенка и поженятся на той же неделе.

«Какого черта?»

Я поворачиваю к нему голову, но он не сводит глаз с дороги, явно блуждая в воспоминаниях.

— Я хотел, чтобы она была счастлива, и не мог ее опозорить, не мог поставить под удар ее репутацию, рассказав Кену или кому-то еще о том, что было между нами. Все убеждал себя, что в глубине души он должен понимать: она носит не его ребенка. Твоя мама клялась, что он не притрагивался к ней несколько месяцев. — Плечи Вэнса заметно передергиваются. — Я был шафером на их скромной свадьбе, стоял рядом, одетый в костюм. Знал, что он даст ей то, чего не могу дать я. Я даже не собирался поступать в университет. Занимался лишь тем, что страдал по замужней женщине и запоминал отрывки из старых романов, на которые моя жизнь никогда не будет похожа. У меня не было ни планов на будущее, ни денег, а ей было нужно и то, и другое, — вздыхает он, стараясь вырваться из объятий прошлого.

Наблюдая за ним, я удивляюсь тому, что приходит мне в голову и что я чувствую себя вынужденным сказать. Кулаки у меня сжимаются, и, пытаясь взять себя в руки, я расслабляюсь.

Затем снова сжимаю кулаки и, не узнавая собственного голоса, спрашиваю:

— То есть мама использовала тебя, чтобы поразвлечься, а потом бросила, потому что у тебя не было денег?

Вэнс тяжело выдыхает:

— Нет. Она меня не использовала. Знаю, со стороны кажется именно так, но вся эта ситуация чертовски запутанная. Ей нужно было думать о тебе и о твоем будущем. Я был настоящим раздолбаем, просто бестолочью. И мне нечего было ей предложить.

— Зато теперь у тебя миллионы, — с горечью замечаю я.

Как он может защищать ее после всего случившегося? Что с ним такое? Но вдруг во мне что-то переворачивается, и я думаю о матери. Потеряв двух мужчин, впоследствии разбогатевших, она вкалывает на тяжелой работе и возвращается по вечерам в маленький унылый домишко.

— Да, — кивает Вэнс. — Но откуда мне было знать, что у меня что-то получится? У Кена все шло хорошо, а у меня нет. Вот и все.

— Пока он не стал каждый вечер надираться в хлам.

В душе снова разгорается ярость. Меня пронизывает острое ощущение предательства — видимо, я никогда не справлюсь с гневом. Пока Вэнс наслаждался светской жизнью, я рос с гребаным алкоголиком.

— В этом я тоже облажался, — говорит он.

Я так долго был уверен, что знаю этого человека, действительно знаю.

— После твоего рождения мне пришлось через многое пройти, но я поступил в университет и любил твою маму на расстоянии...

— Пока не?..

— Пока тебе не исполнилось пять. Это был твой день рождения, и мы все собрались на праздник. Ты выбежал на кухню, зовя папу... — Вэнса подводит голос, и я сильнее сжимаю кулаки. — К груди ты прижимал книжку, и я на миг забыл, что ты зовешь не меня.

Я бью кулаком по приборной панели и требую:

— Выпусти меня из машины.

Не могу больше это слушать. Все так чертовски запутано. У меня не получается осознать все сразу. Уж как-то слишком.

Вэнс пропускает мою вспышку мимо ушей и продолжает вести машину по жилому району.

— В тот день я сорвался. Потребовал, чтобы твоя мама рассказала Кену правду. Я больше не мог смотреть на то, как ты растешь. К тому моменту мой переезд в Америку был решенным делом. Я умолял ее поехать со мной и взять тебя, моего сына.

«Моего сына».

Внутри у меня все переворачивается. Нужно выбраться из машины, хоть бы и на ходу. Я смотрю на милые домики, мимо которых мы проезжаем, и думаю о том, что, несомненно, предпочел бы физическую боль этой.

— Но она отказалась и сообщила, что сделала тест... и что все-таки ты не мой ребенок.

— Что?

Я потираю виски. Если бы это помогло, я бы разбил головой приборную панель.

Бросаю на него взгляд и вижу, что он стреляет глазами то вправо, то влево. Заметив, с какой скоростью мы мчимся, я понимаю, что он пропускает все светофоры и знаки остановки, лишь бы не позволить мне выпрыгнуть из машины.

— Наверное, она запаниковала. Не знаю. — Вэнс поворачивается ко мне. — Я был уверен, что она лжет. Много лет спустя твоя мама призналась, что не делала никаких тестов. Но в тот момент она была непреклонна: сказала, чтобы я забыл обо всем, и извинилась за то, что ввела меня в заблуждение насчет моего отцовства.

Я весь сосредоточен на своем кулаке. Сжать, разжать. Сжать, разжать...

— Прошел еще один год, и мы снова стали разговаривать... — продолжает он, но его тон неуловимо меняется.

— Ты имеешь в виду, снова стали спать вместе.

Очередной тяжелый вздох срывается с его губ.

— Да... Каждый раз, оказываясь рядом друг с другом, мы повторяли одну и ту же ошибку. Кен много работал, готовился к получению степени магистра, а она сидела дома с тобой. Ты всегда был так похож на меня: когда бы я ни зашел, тебя было не оторвать от чтения. Не знаю, помнишь ли ты, но я всегда приносил тебе книги. Подарил тебе свой экземпляр «Великого Гэтс...»

— Хватит.

Неясные воспоминания затуманивают голову, и мне становится досадно от нежности в его голосе.

— С перерывами так продолжалось несколько лет, и мы думали, что никто ничего не замечает. Это была моя вина: я никак не мог перестать ее любить. Что бы я ни делал, мысли о ней не давали мне покоя. Я переехал ближе к вам, поселился в доме прямо через улицу. Твой отец знал. Не представляю, откуда, но стало ясно, что он знал.

Немного помолчав и свернув на другую улицу, Вэнс добавляет:

— Тогда он и начал пить.

Выпрямившись, я ударяю ладонями по приборной панели. Он даже не вздрагивает.

— Значит, ты оставил меня с отцом-алкоголиком, который стал таким только из-за вас с мамой? — Моя ярость заполняет салон машины, я еле дышу.

— Я пытался ее убедить, Хардин. Не хочу, чтобы ты винил мать, но я уговаривал ее забрать тебя и переехать ко мне. Она отказалась. — Вэнс проводит рукой по волосам, подергивая их у корней. — С каждой неделей он пил все больше и все чаще, но она по-прежнему не хотела признаться, что ты мой сын. Даже мне, поэтому я и уехал. Вынужден был уехать.

Вэнс замолкает, и когда я снова смотрю на него, вижу, что он быстро моргает. Я тянусь к дверной ручке, но он прибавляет газу и несколько раз нажимает на кнопку блокировки дверей: «щелк-щелк-щелк» разносится по машине.

Когда Вэнс продолжает рассказывать, его голос звучит глухо:

— Я переехал в Америку и много лет ничего не слышал о твоей маме — до того момента, пока Кен в конце концов не ушел от вас. У нее не было денег, она работала не покладая рук. К тому времени мои доходы прилично выросли. Конечно, я зарабатывал не так много, как сейчас, но и не мало. Я вернулся сюда и нашел нам жилье, нам троим, и в его отсутствие заботился о ней, но она все больше от меня отдалялась. Сбежавший черт знает куда Кен прислал документы на развод, и все равно она не хотела заводить со мной постоянные отношения. — Вэнс хмурится. — Всего, что я сделал, ей было недостаточно.

Я помню, как он забрал нас к себе после ухода отца, но никогда особо об этом не задумывался. Даже не предполагал, что причина тому — их с мамой общее прошлое или то, что я мог оказаться его сыном. Мое пошатнувшееся мнение о ней вконец испортилось. Я потерял к ней последнее уважение.

— В общем, когда она переехала обратно в тот дом, я так и продолжал помогать вам деньгами, но сам вернулся в Америку. Твоя мама стала возвращать мои ежемесячные чеки, не отвечала на звонки, и я начал подозревать, что она нашла кого-то другого.

— Нет. Просто каждую минуту каждого дня она работала. — В подростковые годы мне было одиноко дома, поэтому я и связался с плохой компанией.

— Думаю, она надеялась, что он вернется, — поспешно говорит Вэнс, затем замолкает. — Но он не вернулся. Многие годы он продолжал пить, пока что-то наконец не заставило его понять, что пора остановиться. Несколько лет мы с ним не общались, но он связался со мной, когда переехал в Штаты. На тот момент он завязал с выпивкой, а я только что потерял Роуз. После твоей мамы Роуз была первой женщиной, глядя на которую я не видел лица Триш. Она была невероятно милой и подарила мне много счастья. Я знал, что никого не полюблю так сильно, как твою маму, но с Роуз мы жили душа в душу. Мы были счастливы и строили жизнь вместе, но на мне словно висело проклятие... и она заболела. Роуз родила Смита, но ее я потерял...

Эта мысль меня изумила.

— Смит.

Я был так занят попытками сложить эту чертову путаницу в цельную картину, что даже не подумал о мальчишке. Что это означает? Черт.

— Я решил, что этот маленький гений даст мне второй шанс стать отцом. После смерти его матери он помог мне найти себя. Я постоянно вспоминал о тебе в детстве: Смит выглядит так же, как ты в том возрасте, только волосы и глаза у него светлее.

Помню, Тесса сказала то же самое, когда мы познакомились с парнишкой, но сам я не вижу сходства.

— Это... просто охренеть, — вот и все, что пришло мне в голову.

В кармане вибрирует телефон, но я лишь смотрю на свою ногу, будто это какой-то воображаемый звук, и не могу пошевелиться, чтобы ответить на звонок.

— Знаю, и мне жаль. Когда ты переехал в Америку, я подумал, что смогу быть рядом, не принимая на себя роль отца. Я продолжал общаться с твоей мамой, взял тебя на работу в «Вэнс» и постарался сблизиться настолько, насколько ты мне позволил. Я наладил отношения с Кеном, хотя враждебность между нами никуда не денется. Наверное, он жалел меня после того, как я потерял жену. К тому времени он очень сильно изменился. Я хотел лишь быть ближе к тебе и радовался любому общению. Знаю, теперь ты меня ненавидишь, но мне хотелось бы верить, что хоть какое-то время у меня все получилось.

— Ты лгал мне всю мою жизнь.

— Я знаю.

— И мама тоже, и оте... Кен.

— Она по-прежнему все отрицает. — Вэнс находит для нее очередное оправдание. — До сих пор не признает всей правды. У Кена всегда были подозрения, но твоя мама никогда их не подтверждала. Наверняка он все еще цепляется за призрачный шанс, что ты его сын.

Нелепость его слов заставляет меня закатить глаза.

— Ты хочешь сказать, Кен Скотт настолько тупой, что считает меня своим сыном после всех лет, что вы трахаетесь у него за спиной?

— Нет. — Вэнс останавливается у обочины, глушит мотор и смотрит на меня внимательно и серьезно. — Кен не тупой. Он лелеет надежду. Он любил тебя — и сейчас любит — и только из-за тебя бросил пить и вернулся к учебе. Хотя знал, что ты можешь оказаться не его ребенком, но, несмотря ни на что, сделал все это ради тебя. Он сожалеет о том, что тебе пришлось вынести столько дерьма, и о том, что случилось с твоей мамой.

Я вздрагиваю: перед глазами проносятся образы, населяющие мои кошмары. Оживают воспоминания об ужасе, который сотворили с ней те пьяные солдаты много лет назад.

— Она что, не делала никаких тестов? Откуда ты вообще знаешь, что ты мой отец? — Поверить не могу, что задаю этот вопрос.

— Я знаю. И ты тоже это знаешь. Все всегда говорили, как ты похож на Кена, но я уверен, что в твоих жилах течет моя кровь. Если прикинуть по времени — не сходится, он никак не может быть твоим отцом. Она не могла забеременеть от него.

Я смотрю на деревья за окном. Снова вибрирует телефон.

— Почему сейчас? Почему ты рассказываешь мне об этом сейчас? — спрашиваю я, повысив голос. Терпение у меня кончилось.

— Потому что твоя мама сходит с ума от беспокойства. Две недели назад Кен упомянул, что тебе надо сделать анализ крови, это нужно для Карен, и я сообщил об этом Триш...

— Анализ на что? И при чем тут вообще Карен?

Вэнс бросает взгляд на мою ногу, затем на свой телефон, лежащий на центральной консоли.

— Тебе лучше ответить. Кимберли тоже звонит мне.

Но я качаю головой. Позвоню Тессе, как только выберусь из машины.

— Мне правда очень жаль. Не знаю, о чем я, черт возьми, думал, когда пошел прошлой ночью к ней домой. Она позвонила мне, и я просто... Не знаю. Кимберли должна стать моей женой. Я люблю ее больше всего на свете — даже больше, чем когда-либо любил твою маму. Это другая любовь, взаимная. Кимберли для меня — все. Снова встретившись с Триш, я сделал огромную ошибку и всю оставшуюся жизнь буду ее исправлять. Не удивлюсь, если Ким меня бросит.

«Только избавь меня от исповеди неудачника».

— Еще бы, Капитан Очевидность. Не нужно было пытаться трахнуть мою маму на кухонной стойке.

— Ее голос звучал испуганно. — Он сердито смотрит на меня. — Она сказала, что перед свадьбой хочет удостовериться, что ее прошлое осталось в прошлом, а я ведь настоящий специалист по принятию неверных решений.

Ему явно стыдно. Он постукивает пальцами по рулю.

— Я тоже, — бормочу я себе под нос и тянусь к дверце.

Он пытается схватить меня за руку.

— Хардин. Погоди.

Я отдергиваю руку и выбираюсь из машины. Мне нужно время, чтобы осознать все это дерьмо. Меня только что завалили ответами на вопросы, которые я даже не собирался задавать. Нужно отдышаться, успокоиться, уйти от него — к моей девочке, моему спасению.

— Тебе лучше держаться от меня подальше. Мы оба это понимаем, — говорю я, когда вижу, что он не трогается с места.

На мгновение Вэнс задерживает на мне взгляд и, кивнув, оставляет меня на улице одного. Осмотревшись, я замечаю неподалеку знакомую вывеску — значит, до маминого дома всего несколько кварталов. Тянусь в карман за телефоном, чтобы позвонить Тессе. В ушах стучит пульс. Мне необходимо услышать ее голос, необходимо, чтобы она вернула меня к реальности.

Глядя на здание и ожидая ответа, я чувствую, как внутри меня борются демоны, затягивая в приятный мрак. С каждым гудком они тянут все сильнее и все глубже, и вскоре я ловлю себя на том, что ноги несут меня через улицу.

Засунув телефон обратно в карман, я открываю дверь и встречаюсь с привычными картинами моего прошлого.

Глава 3

ТЕССА

Я переступаю с ноги на ногу, на полу хрустит разбитое стекло. Терпеливо жду — настолько терпеливо, насколько у меня сейчас получается.

Майк заканчивает беседовать с полицией, и я наконец подхожу.

— Где он? — спрашиваю я не слишком любезно.

— Уехал с Кристианом Вэнсом.

Взгляд Майка ничего не выражает. Его вид помогает мне немного успокоиться и понять, что он ни в чем не виноват. Сегодня день его свадьбы, и он испорчен.

Не обращая внимания на шепот любопытных зевак, я оглядываю обломки деревянной мебели. Желудок сводит, но я пытаюсь держать себя в руках.

— Куда они отправились?

— Не знаю. — Он закрывает лицо руками.

Кимберли трогает меня за плечо.

— Слушай, если мы еще будем здесь, когда полицейские закончат с теми парнями, они, возможно, захотят поговорить и с тобой.

Я перевожу взгляд с двери на Майка, затем киваю и иду вслед за Кимберли к выходу. Не горю желанием привлекать к себе внимание копов.

— Можешь еще раз набрать Кристиану? Извини, просто мне нужно поговорить с Хардином. — Выйдя на улицу, я вздрагиваю от холода.

— Попробую, — обещает она, и мы идем через парковку к ее взятой напрокат машине.

Я вижу, как еще один полицейский заходит в этот роскошный бар, и меня начинает медленно охватывать страх. Я боюсь за Хардина, но не из-за полиции, а из-за того, как он справится с ситуацией, оставшись наедине с Кристианом.

Смит спокойно ждет на заднем сиденье машины. Я опираюсь локтями о багажник и прикрываю глаза.

— Как это ты не знаешь? Мы его найдем! — рявкает Кимберли, отрывая меня от моих мыслей, и нажимает отбой.

— Что происходит? — Мое сердце колотится так громко, что я боюсь не расслышать ответ.

— Хардин вышел из машины, и Кристиан потерял его из виду.

Кимберли завязывает волосы в хвост.

— Скоро уже эта чертова свадьба, — добавляет она, переведя взгляд на Майка, который в одиночестве застыл у дверей бара.

— Это катастрофа, — вздыхаю я, мысленно молясь, чтобы Хардин вернулся сюда.

В очередной раз достаю телефон, и моя паника немного рассеивается, когда я вижу его имя в списке пропущенных звонков. Дрожащими руками набираю номер и жду. Жду. Нет ответа. Звоню снова и снова, но каждый раз попадаю на голосовую почту.

Глава 4

Хардин

— Виски с колой, — бросаю я.

Пристально глядя на меня, лысый бармен достает пустой стакан и наполняет его льдом. Жаль, я не догадался пригласить Вэнса: выпили бы вместе, как отец и сын.

«Черт, вот дерьмо».

— Лучше двойной, — уточняю я заказ.

— Понял, — с сарказмом отвечает громила.

Мой взгляд натыкается на старый телевизор на стене, и начинаю читать надписи внизу экрана. Идет реклама страховой компании, и на весь экран показывают хохочущего ребенка. Никогда не пойму, почему в каждой гребаной рекламе надо снимать детей.

Бармен молча придвигает ко мне по деревянной стойке стакан, и в этот момент ребенок из рекламы издает звук, который, судя по всему, считается еще более «милым», чем его смех. Я подношу стакан к губам, а мысли мои уже далеко отсюда.

— Зачем ты принесла домой детские вещи? — спросил я.

Она присела на край ванны и завязала волосы в хвост. Я начал волноваться, не помешана ли она на детях, потому что со стороны именно так это и выглядело.

— Это не детские вещи, — засмеялась Тесса. — Просто на упаковке изображен отец с ребенком.

— Я правда не понимаю, кого они хотят этим привлечь.

Передо мной лежал набор для бритья, купленный Тессой, и я разглядывал пухлощекого ребенка, удивляясь, каким боком этот ребенок, черт возьми, связан со средствами для бритья.

— Я тоже не понимаю, но, наверное, изображение малыша помогает поднять продажи, — пожала она плечами.

— Возможно, за счет женщин, которые покупают эту фигню для своих парней и мужей, — уточнил я. Ни один мужчина в здравом уме не взял бы такое с полки.

— Нет, я уверена, что мужчины, у которых есть дети, тоже бы его купили.

— Ну конечно.

Я открыл коробку и разложил перед собой ее содержимое, затем поймал взгляд Тессы в зеркале.

— Миска?

— Да, это для крема. С помощью кисточки побреешься чище.

— И откуда тебе известны такие подробности? — удивился я, надеясь, что она узнала об этом не от Ноя.

— Посмотрела в Интернете! — широко улыбнулась она.

— А как же иначе. — Моя ревность исчезла, а Тесса в шутку пнула меня. — Раз уж ты такой эксперт в искусстве бритья, помоги мне.

Я всегда пользовался обычной бритвой и кремом, но не стал отказываться, ведь она так серьезно подошла к делу. И, честно говоря, мысль, что она меня побреет, чертовски возбуждала. Улыбнувшись, Тесса встала и подошла к раковине. Взяла тюбик и выдавила крем в миску, а затем взбила его кисточкой в пену.

— Готово. — Она с улыбкой подала мне кисточку.

— Нет, давай ты. — Я вернул ей кисть и обнял за талию. — Забирайся повыше.

Я подсадил ее на стойку с раковиной и, как только она устроилась, развел ее ноги в стороны и стал между ними.

Окуная кисточку в пену и проводя ею по моему подбородку, она смотрела на меня настороженно, но внимательно.

— Мне не особо хочется куда-то идти сегодня. Много работы. Ты меня все время отвлекаешь.

Я сгреб в охапку ее грудь и нежно сжал. Ее рука дернулась, отчего крем попал мне на шею.

— Хорошо, что ты не держала в руках бритву, — пошутил я.

— Действительно, — усмехнулась она.

Прикусив полные губы, она взяла новый станок для бритья.

— Ты точно хочешь, чтобы это сделала я? Боюсь случайно тебя поранить.

— Не дрейфь, — ухмыльнулся я. — Ты ведь наверняка прочитала в Интернете и про этот этап бритья.

Она по-детски показала мне язык. Я наклонился, чтобы поцеловать ее, пока она не приступила к делу. Тесса ничего не ответила, потому что я был прав.

— Но знай, если порежешь меня — сразу беги, — засмеялся я.

— Стой ровно, — снова нахмурилась она.

Сначала ее рука слегка дрожала, но затем она стала уверенно водить бритвой по моим щекам.

— Лучше просто поезжай без меня, — сказал я и закрыл глаза.

Ощущение от того, что она бреет мне лицо, было приятным и на удивление успокаивающим. Мне не хотелось идти на ужин к отцу, но Тесса уже с ума сходила от постоянного пребывания в квартире, так что, когда Карен пригласила нас, она тут же ухватилась за предложение.

— Если сегодня мы останемся дома, то перенесем встречу и пойдем к ним в эти выходные. Ты успеешь все доделать к концу недели?

— Наверное... — жалобно ответил я.

— Тогда позвони и скажи им. Как только закончим, я займусь ужином, а ты сможешь поработать.

Она коснулась пальцем моих губ, чтобы я поджал их, и осторожно провела бритвой вокруг рта. Когда она закончила, я сказал:

— Допей вино, которое осталось в холодильнике. Оно уже несколько дней как открыто — скоро превратится в уксус.

— Я... я не знаю. — Она сомневалась, и я понимал почему.

Я открыл глаза, а она потянулась рукой назад, чтобы намочить полотенце.

— Тесс. — Я приподнял пальцами ее подбородок. — Ты можешь пить в моем присутствии. Я не какой-нибудь алкоголик в завязке.

— Ты прав, но я не хочу тебя смущать. И вообще, не стоит мне пить столько вина. Если ты не пьешь, то и мне не нужно.

— Моя проблема не в алкоголе. Вот если я зол и пьян — это проблема.

— Я знаю, — вздохнула она.

Она действительно знала.

Она провела мокрым полотенцем по моему лицу, стирая остатки крема для бритья.

— Я веду себя как засранец, только когда пытаюсь при помощи алкоголя справиться с трудностями, а в последнее время никаких трудностей не было, так что все в порядке. — Даже я понимал, что это не дает твердых гарантий. — Я не хочу быть одним из тех типов вроде моего отца, которые напиваются в лоскуты и становятся опасны для окружающих. А раз ты, как выяснилось, единственный дорогой для меня человек, я больше не желаю пить, находясь рядом с тобой.

— Я тебя люблю, — просто ответила она.

— И я тебя люблю.

Испортив невероятно серьезный момент, тем более что мне не хотелось развивать эту тему, я опустил взгляд на ее тело. Тесса все еще сидела на раковине, и на ней была одна из моих белых футболок, под которой скрывались только черные трусики.

— Пожалуй, мне не стоит тебя отпускать, раз теперь ты умеешь еще и брить. Ты готовишь, убираешь...

Она стукнула меня и закатила глаза.

— А что мне от этого будет? Ты неряха, помогаешь готовить только раз в неделю, если повезет. По утрам всегда угрюмый...

Я прервал ее, положив руку между ее ног и сдвинув в сторону трусики.

— Хотя кое-что у тебя получается хорошо, — ухмыльнулась она, и я скользнул внутрь нее пальцем.

— Только «кое-что»? — Я добавил еще один палец, и она, застонав, откинула голову назад.

Бармен хлопает рукой по стойке прямо перед моим носом.

— Я спрашиваю, вам повторить?

Моргнув несколько раз, я опускаю глаза на барную стойку, затем смотрю на него.

— Да. — Я пододвигаю к нему стакан, и, пока жду очередную порцию, воспоминание меркнет. — Еще один двойной.

Старый лысый бармен отворачивается к полкам, и в этот момент я слышу, как женский голос удивленно произносит:

— Хардин? Хардин Скотт?

Обернувшись, я вижу смутно знакомое лицо Джуди Уэлч, давней маминой подруги. Вернее, бывшей подруги.

— Ага, — киваю я, отмечая, что годы ее не пощадили.

— Черт! Сколько уже прошло... лет шесть? Семь? Ты здесь один? — Опираясь на мое плечо, она взгромождается на соседний барный стул.

— Да, около того, и да, я тут один. Моя мама не будет тебя преследовать.

У Джуди несчастное лицо женщины, которая всю жизнь слишком много пила. У нее такие же крашеные светлые волосы, как и раньше, когда я был еще подростком, а силиконовая грудь кажется слишком крупной для такого стройного телосложения. Я помню, как она дотронулась до меня в первый раз. Трахаясь с подругой матери, я чувствовал себя мужчиной. А теперь, глядя на нее, понимаю, что не вставил бы в нее даже член лысого бармена.

— Ты так повзрослел, — подмигивает она.

Передо мной появляется выпивка, и я опустошаю стакан за пару секунд.

— Как всегда разговорчив. — Она снова похлопывает меня по плечу и говорит бармену, что ей налить. — Пришел утопить свои беды в алкоголе? Проблемы в личной жизни?

— Ни то, ни другое. — Я верчу стакан в руках, прислушиваясь к стуку льдинок о стекло.

— Ну а я пришла, чтобы залить и свои беды, и свои проблемы. Так что давай-ка мы с тобой выпьем, — говорит Джуди с улыбкой, памятной мне по далекому прошлому, и заказывает нам по порции дешевого виски.

Глава 5

ТЕССА

Кимберли так кричит по телефону на Кристиана, что после разговора ей приходится остановиться и перевести дыхание. Она кладет руку мне на плечо.

— Надеюсь, Хардин гуляет, чтобы проветрить голову. Кристиан сказал, что просто дал ему возможность успокоиться, — со вздохом неодобрения говорит она.

Но я знаю Хардина, и мне известно, что он «проветривает голову» не с помощью обычной прогулки. Я снова пробую ему дозвониться, но тут же попадаю на голосовую почту. Он и вовсе отключил телефон.

— Как думаешь, он придет на свадьбу? — смотрит на меня Ким. — Ну, чтобы закатить скандал?

Мне хочется ответить, что он не станет этого делать, но, учитывая, как давит на него вся ситуация, полностью отвергать такую возможность нельзя.

— Поверить не могу, что вообще предлагаю такое, — тактично говорит Кимберли, — но, может, тебе все-таки стоит пойти на свадьбу, чтобы по крайней мере не дать ему все испортить? К тому же он наверняка пытается тебя найти, и, если никто не отвечает на звонки, там он, скорее всего, и начнет искать.

От мысли, что Хардин заявится в церковь, мне становится дурно. Но я эгоистично надеюсь, что он все же придет туда, иначе у меня совсем не останется шансов его отыскать. Его телефон отключен, и я с беспокойством думаю, хочет ли он вообще, чтобы его нашли?

— Наверное. Может, мне постоять снаружи, у входа? — отвечаю я.

Кимберли одобрительно кивает, но напрягается, когда на парковку заезжает блестящий черный БМВ и останавливается рядом с ее арендованной машиной.

Появляется Кристиан — в костюме.

— Есть новости?

Подойдя к нам, он наклоняется, чтобы поцеловать Кимберли в щеку — видимо, по привычке, но она отстраняется прежде, чем его губы касаются ее кожи.

— Прости, — шепчет он.

Покачав головой, она поворачивается ко мне. Я переживаю за нее, Кимберли не заслуживает предательства. Хотя, видимо, так и бывает: предают тех, кто этого не ожидает и не заслуживает.

— Тесса пойдет с нами и будет высматривать Хардина у церкви, — начинает объяснять она. Затем ловит взгляд Кристиана. — Чтобы уж наверняка никто не испортил этот знаменательный день, пока мы все будем внутри.

В ее голосе слышна злость, но она не дает воли чувствам.

Кристиан смотрит на невесту, качая головой.

— Мы не едем на эту чертову свадьбу. Только не после всего этого дерьма.

— Почему нет? — спрашивает Кимберли, смерив его убийственным взглядом.

— Из-за всего случившегося... — Вэнс показывает на нас двоих. — И еще потому, что оба моих сына намного важнее любой свадьбы, и в особенности этой. Вряд ли, находясь с ней в одном помещении, ты будешь спокойно сидеть и улыбаться.

Его слова удивляют, но в то же время хотя бы немного успокаивают Кимберли. Я молча наблюдаю. Кристиан впервые назвал Хардина и Смита своими «сыновьями», и это сбивает с толку. Я хотела бы столько сказать этому человеку, бросить ему в лицо столько полных ненависти слов, но знаю, что не стоит. Лучше от этого не станет, а мне нужно сосредоточиться на том, как найти Хардина, и попытаться представить, как он справляется с новостями.

— Люди станут болтать. Особенно Саша, — хмурится Кимберли.

— Мне плевать на Сашу, на Макса — на всех. Пусть болтают. Мы живем в Сиэтле, а не в Хэмпстеде.

Он протягивает руки и сжимает ее ладони. Она не противится.

— Для меня сейчас главное — исправить ошибки, — говорит он дрожащим голосом.

Холодная ярость, которую я ощущаю по отношению к нему, начинает рассеиваться, но только слегка.

— Не нужно было выпускать Хардина из машины, — говорит Кимберли, не отнимая своих рук у Кристиана.

— Вряд ли получилось бы его остановить. Ты же знаешь Хардина. А кроме того, у меня заклинило ремень безопасности, и я не увидел, куда он пошел... Черт возьми! — восклицает он, и Кимберли осторожно кивает, соглашаясь.

Наконец я чувствую, что пора бы и мне заговорить:

— Как думаете, куда он отправился? Если он не появится на свадьбе, где мне его искать?

— Ну, я только что проверил оба бара, которые точно открыты так рано, — хмурится Вэнс. — На всякий случай.

Когда он смотрит на меня, выражение его лица смягчается.

— Теперь я понимаю, что не стоило его уводить и говорить с ним наедине. Это была огромная ошибка. Ему сейчас нужна именно ты.

Не в состоянии ответить Вэнсу что-то хоть более-менее вежливое, я просто киваю и достаю из кармана телефон, чтобы еще раз набрать Хардину. Знаю, что его телефон окажется выключенным, но я должна попробовать.

Пока я звоню, Кимберли и Кристиан держатся за руки и молча пытаются рассмотреть что-то в глазах друг друга.

— Церемония начнется через двадцать минут. Если хочешь, могу тебя подвезти, — говорит Кристиан, когда я нажимаю отбой.

Кимберли отмахивается.

— Я сама ее отвезу. А ты бери Смита и возвращайся в отель.

— Но... — начинает он, но, заметив выражение ее лица, разумно решает не продолжать. — Ты ведь приедешь потом к нам? — В его глазах страх.

— Да, — вздыхает она. — Я не собираюсь бежать из страны.

Паника Кристиана сменяется облегчением, и он отпускает руки Кимберли.

— Будь осторожна и позвони, если что-нибудь понадобится. Ты знаешь, где находится церковь?

— Да. Дай мне свои ключи, — протягивает она руку. — Смит уснул, и я не хочу его будить.

Я мысленно аплодирую ее стойкости. На месте Кимберли я бы совсем растерялась. Я и так сейчас растеряна — внутренне.

Не прошло и десяти минут, как Кимберли уже высаживает меня у маленькой церкви. Большинство гостей уже внутри, всего несколько отставших еще поднимаются по ступенькам. Я сажусь на скамейку и смотрю по сторонам, чтобы не пропустить Хардина.

Отсюда мне слышно, как начинает играть свадебный марш. Я представляю, как Триш в белом платье идет по проходу к жениху. Она улыбается. Она счастлива и красива.

Но Триш в моем воображении не похожа на мать, которая способна скрыть от единственного сына, кто его настоящий отец.

Последние гости заходят внутрь, чтобы увидеть, как сочетаются браком Триш и Майк, и на ступеньках никого не остается. Время идет, и я слышу почти каждый звук, доносящийся из маленькой церкви. Полчаса спустя под радостные возгласы гостей жениха и невесту объявляют мужем и женой, и я понимаю, что пора уходить. Не знаю, куда пойду, но нельзя просто сидеть здесь и ждать. Скоро Триш выйдет из церкви, а последнее, чего мне сейчас недостает, — это ссора с новобрачной.

Я направляюсь в ту сторону, откуда мы приехали. По крайней мере, мне так кажется. Точно не помню, но все равно особо некуда идти. Снова достаю телефон и набираю Хардину, но он по-прежнему недоступен. Мой мобильный наполовину разряжен, но я не хочу его отключать — вдруг Хардин позвонит.

Продолжая поиски, я бесцельно брожу по району и время от времени заглядываю в бары. Солнце в лондонском небе начинает клониться к закату. Нужно было попросить у Кимберли одну из взятых напрокат машин, но в тот момент я не могла мыслить ясно, а у нее и так своих забот полон рот. Машина Хардина до сих пор стоит у бара «Гэбриэлз», но у меня нет запасного ключа.

С каждым шагом к другой части города красота и изящество Хэмпстеда сходят на нет. У меня болят ноги, весенний воздух с заходом солнца становится все холоднее. Не стоило надевать платье и эти дурацкие туфли. Знай я, чем сегодня все обернется, выбрала бы спортивный костюм и кроссовки — так легче было бы искать Хардина. В будущем, если я снова куда-нибудь с ним поеду, это будет моя стандартная одежда.

Спустя некоторое время я уже не в состоянии понять, играет разум со мной злую шутку или улица, на которую я забрела, действительно знакома. Вдоль нее выстроились такие же домики, как на улице Триш, но, когда Хардин вез нас сюда, я дремала, да и себе сейчас не доверяю. Хорошо, что вокруг в основном пусто. Похоже, все местные жители уже дома. Если бы сейчас народ только начал расходиться из баров, моя паранойя зашкалила бы. Я едва не плачу от облегчения, когда вижу вдалеке дом Триш. Уже стемнело, но горят фонари, и, подходя ближе, я все больше убеждаюсь, что это действительно ее дом. Не знаю, там ли Хардин, но, если нет, надеюсь, что хотя бы дверь не заперта и я смогу зайти и попить воды. Я часами бесцельно колесила по городу. Повезло, что в итоге я оказалась на единственной улице, которая может быть мне хоть чем-то полезна.

Я подхожу ближе к дому Триш, и мое внимание привлекает светящаяся вывеска — потрескавшаяся, в форме пивной бутылки. Небольшой бар приткнулся между жилым домом и переулком. По спине пробегает дрожь. Наверное, Триш было нелегко остаться жить здесь, рядом с баром, откуда пришли солдаты, которые искали Кена и напали на нее. Хардин как-то сказал, что она просто не могла позволить себе переехать. То, как он отмахнулся от проблемы, удивило меня. Но, к сожалению, когда не хватает денег, еще и не такое бывает.

Вот где он сейчас, думаю я.

Я открываю железную дверь маленького бара и тут же смущаюсь из-за своего наряда. Заходя в подобное место в платье и босиком, с туфлями в руках, я выгляжу как сумасшедшая. Туфли я сняла час назад. Бросаю их на пол и снова надеваю, вздрагивая от боли, когда ремешки впиваются в мозоли на лодыжках.

Народу в баре немного, и, оглядевшись, я тут же замечаю Хардина: он сидит за барной стойкой и подносит к губам стакан. Сердце у меня замирает. Хотя я и знала, что найду его в таком состоянии, сейчас моя вера в него пошатнулась. Я всей душой надеялась, что он не станет заливать боль алкоголем. Прежде чем подойти к нему, я делаю глубокий вдох.

— Хардин, — хлопаю я его по плечу.

Он поворачивается ко мне на стуле, и при виде его внутри у меня все переворачивается. Глаза у него налились кровью, глубокие красные прожилки так расчертили белки, что от них почти ничего не осталось, щеки горят. Запах алкоголя настолько сильный, что я почти чувствую его вкус. У меня начинают потеть ладони, пересыхает во рту.

— Смотрите, кто пришел, — бормочет Хардин.

В его стакане выпивка плещется на самом донышке, и меня передергивает, когда я замечаю на стойке перед ним еще три пустых стакана.

— Как ты вообще меня нашла? — Он откидывает голову и проглатывает остатки виски, а затем кричит человеку за барной стойкой: — Повторить!

Я подхожу так близко, что мое лицо замирает прямо перед лицом Хардина. Он не может отвернуться.

— Малыш, ты в порядке? — Конечно, он не в порядке, но я не знаю, как себя вести, пока не пойму, в каком он настроении и сколько выпил.

— Малыш, — загадочно повторяет он, словно думая в этот момент о чем-то другом. Но потом возвращается к реальности и одаривает меня убийственной улыбкой. — Да-да, я в порядке. Садись. Хочешь выпить? Давай, выпей. Бармен, еще один!

Человек за барной стойкой смотрит на меня, и я качаю головой, отказываясь. Ничего не замечая, Хардин придвигает еще один стул и похлопывает по сиденью. Я осматриваюсь в небольшом баре, а затем забираюсь на барный стул.

— Так как ты меня нашла? — снова спрашивает он.

Его манера беспокоит меня и сбивает с толку. Он явно напился, но меня волнует не это, а пугающее спокойствие в его голосе. Мне знаком этот тон, и обычно он не предвещает ничего хорошего.

— Я несколько часов бродила по округе и наконец узнала дом твоей мамы через дорогу. И поняла... ну, поняла, что надо искать здесь. — Я вздрагиваю, вспоминая рассказы Хардина: Кен проводил все вечера в этом самом баре.

— Мой маленький детектив, — нежно говорит Хардин, протягивая руку и заправляя выбившийся локон мне за ухо. Несмотря на растущее беспокойство, я не дергаюсь и не отстраняюсь.

— Пойдем со мной? Давай переночуем в отеле, а утром уедем.

Бармен подает ему стакан, и Хардин с серьезным видом смотрит на выпивку.

— Пока нет.

— Пожалуйста, Хардин. — Я ловлю его налитый кровью взгляд. — Я очень устала и знаю, что ты тоже устал.

Я пытаюсь использовать против него свою слабость, не упоминая ни Кристиана, ни Кена. Придвигаюсь ближе.

— У меня дико болят ноги, и я так соскучилась по тебе. Кристиан пытался тебя найти, но не смог. Я уже целую вечность на ногах и очень хочу вернуться в отель. Вместе с тобой.

Я знаю его слишком хорошо и поэтому уверена: если стану сильно давить своей болтовней, он сорвется, и его спокойствие исчезнет в один миг.

— Он плохо старался. Я начал пить, — Хардин поднимает свой стакан, — в баре прямо напротив того места, где он меня высадил.

Я наклоняюсь к нему, но он начинает говорить прежде, чем я успеваю сообразить, что ответить:

— Выпей. Тут моя знакомая, она тебя угостит. — Он машет рукой в сторону полки со стаканами. — Мы столкнулись с ней в том другом отличном заведении, но затем, раз уж вечер стал походить на привет из прошлого, я решил, что нужно перебраться сюда. Тряхнуть стариной.

Внутри у меня все обрывается.

— Знакомая?

— Давняя подруга семьи.

Он кивком указывает на женщину, выходящую из туалета. Ей около сорока, может, сорок с небольшим. Крашеные светлые волосы. Это не какая-нибудь молоденькая девица, и меня накрывает волна облегчения, ведь Хардин, видимо, пьет с ней весь вечер.

— Я правда думаю, что нам лучше уйти, — не отстаю я и тянусь к его ладони.

Он отдергивает руку.

— Джудит, это Тереза.

— Джуди, — поправляет она.

— Тесса, — одновременно говорю я. — Приятно познакомиться.

Я выдавливаю улыбку и снова поворачиваюсь к Хардину.

— Пожалуйста, идем, — упрашиваю я.

— Джуди знала, что моя мать — шлюха, — говорит Хардин, и меня снова обдает запахом виски.

— Я этого не говорила, — смеется она.

Эта женщина одета не по возрасту: топ с глубоким вырезом и чересчур обтягивающие расклешенные джинсы.

— Еще как сказала. Моя мама ненавидит Джуди! — улыбается Хардин.

— Хочешь узнать, почему? — улыбается в ответ странная женщина.

Такое ощущение, что мне рассказывают шутку, понятную только им двоим.

— Почему? — спрашиваю я, не подумав.

Хардин бросает на нее предостерегающий взгляд и отмахивается от моего вопроса. Я изо всех сил сдерживаюсь, чтобы не столкнуть его со стула. Не знай я, что он всего лишь пытается заглушить боль, так бы и поступила.

— Долгая история, куколка. — Джуди подзывает бармена. — В любом случае, судя по твоему виду, тебе не помешает немного текилы.

— Нет, не стоит. — Пить мне точно не хочется.

— Расслабься, детка. — Хардин наклоняется ближе. — Это не ты только что узнала, что вся твоя жизнь — чертова ложь. Так что расслабься и выпей со мной.

Мне больно за него, но алкоголь — не выход. Нужно вытащить его отсюда. Прямо сейчас.

— Замороженная «Маргарита» или со льдом? Тут тебе не какой-нибудь шикарный ресторан, выбор небольшой, — говорит Джуди.

— Я же сказала, черт возьми, что не буду пить, — рявкаю я.

У нее округляются глаза, но она быстро берет себя в руки. Я удивлена своей вспышкой не меньше, чем она. Слышу, как Хардин посмеивается, но не отвожу взгляда от этой женщины, которая явно наслаждается своими секретами.

— Ну ладно. Кому-то явно надо успокоиться.

Покопавшись в своей огромной сумке, она достает пачку сигарет и зажигалку и закуривает.

— Будешь? — Она предлагает сигарету Хардину.

Я смотрю на него, и он, к моему изумлению, кивает. Джуди тянется к нему за моей спиной и подает зажженную сигарету. Кто, черт возьми, эта женщина?

Отвратительная дымящаяся палочка оказывается между губ Хардина, он затягивается. Вокруг нас кружатся облачка дыма, и я, зажав рукой рот и нос, бросаю на него сердитый взгляд.

— С каких пор ты куришь?

— Я всегда курил. Пока не поступил в университет.

Он делает еще одну затяжку. Красный огонек на кончике сигареты меня бесит. Я выхватываю сигарету у Хардина изо рта и бросаю ее в его полупустой стакан.

— Какого черта? — кричит он, глядя на испорченную выпивку.

— Мы уходим. Сейчас же.

Я слезаю с барного стула, хватаю Хардина за рукав и тащу за собой.

— Нет, не уходим.

Он вырывается и пытается подозвать бармена.

— Он не хочет уходить, — поддакивает Джуди.

Во мне закипает гнев: эта женщина меня просто бесит. Я сердито смотрю в ее насмехающиеся глаза, едва видные за густым слоем туши.

— По-моему, тебя я не спрашивала. Не лезь не в свое дело, найди себе другого собутыльника. Мы уходим! — кричу я.

Она смотрит на Хардина в поисках поддержки, и тогда я понимаю, какая мерзкая история их связывает. «Подруга семьи» не станет так вести себя с сыном знакомой, который вдвое младше ее.

— Я же сказал, что не хочу уходить, — твердит свое Хардин.

Я испробовала все способы, но он меня не слушает. Последняя возможность — сыграть на ревности. Да, это удар ниже пояса, особенно учитывая его состояние, но он не оставил мне выбора.

— Что ж, — говорю я, с напускной внимательностью оглядывая бар, — если ты не отвезешь меня обратно в отель, придется попросить кого-то другого.

Мой взгляд останавливается на самом молодом среди посетителей бара парне, сидящем за столом в компании друзей. Я даю Хардину пару секунд, чтобы ответить, но он молчит, и я делаю шаг в сторону тех парней.

Уже через секунду Хардин хватает меня за руку.

— Нет, черт возьми, никуда ты не пойдешь.

Я разворачиваюсь и замечаю, что, торопясь меня удержать, Хардин опрокинул барный стул, который теперь неуклюже пытается поднять Джуди.

— Тогда отвези меня назад, — отвечаю я, склонив голову набок.

— Я напился, — говорит он, словно это оправдывает все происходящее.

— Вижу. Можно вызвать такси и доехать до «Гэбриэлз», а оттуда доберемся до отеля на одной из тех машин, что взяты напрокат. Я поведу. — Я молюсь про себя, чтобы эта уловка сработала.

Хардин бросает на меня недоверчивый взгляд.

— Уже все продумала, да? — ехидно бормочет он.

— Нет, но оставаться здесь — не вариант, так что либо ты расплачиваешься и увозишь меня отсюда, либо я уеду с кем-то другим.

Он выпускает мою руку из некрепкой хватки и подходит почти вплотную.

— Даже не думай мне угрожать. Я тоже запросто могу уйти с кем-нибудь другим.

Я чувствую болезненный укол ревности, но держу себя в руках.

— Давай, вперед. Иди домой с Джуди. Я знаю, что раньше ты спал с ней. Нетрудно догадаться, — бросаю я ему вызов, выпрямившись во весь рост.

Он переводит взгляд с меня на нее и слегка улыбается. Я вздрагиваю, и он хмурится.

— Было бы о чем вспоминать. Я уже почти ничего и не помню.

Он пытается успокоить меня, но его слова производят противоположный эффект.

— Ну так что? Кого выбираешь? — спрашиваю я, подняв бровь.

— Вот черт, — бурчит он, затем, пошатываясь, разворачивается к бару, чтобы заплатить за выпивку.

Такое ощущение, что он просто вытаскивает и кладет на стойку все содержимое своих карманов. После того как бармен забирает несколько банкнот, Хардин сует остальные деньги Джуди. Она смотрит на него, потом на меня и слегка обмякает, словно из нее выпустили весь воздух.

— Джуди говорит «пока», — бормочет Хардин, когда мы выходим из бара.

— Не упоминай ее при мне! — едва не взрываюсь я.

— Ты ревнуешь, Тереза? Черт, как же я ненавижу это место, этот бар, этот дом. Кстати! Хочешь посмеяться? Вон там жил Вэнс.

Хардин машет рукой в сторону кирпичного дома рядом с баром. Наверху горит тусклый свет, на подъездной дорожке припаркована машина.

— Интересно, что он делал в ту ночь, когда в наш дом заявились те гребаные солдаты.

Хардин шарит взглядом по земле и вдруг наклоняется. Прежде чем я успеваю понять, что происходит, он замахивается, держа в руке камень.

— Хардин, не надо! — кричу я и хватаю его за руку.

Камень падает и катится по тротуару.

— Пошло все к черту! — Он собирается потянуться за камнем, но я преграждаю ему дорогу. — К черту эту улицу! К черту этот бар и этот гребаный дом! К черту всех!

Пошатываясь, он выходит на проезжую часть.

— Если ты не дашь мне разрушить этот дом...

Хардин умолкает, и я, скинув туфли, бегу за ним через улицу, во двор дома его детства.

Глава 6

ТЕССА

Хардин идет к дому, где прошло его мучительное детство. Я спешу за ним босиком и, споткнувшись, падаю на колено в траву, но быстро вскакиваю. Распахивается сетчатая дверь, и я слышу, как Хардин возится с ручкой второй, деревянной двери, а затем начинает раздраженно стучать по ней кулаком.

— Хардин, прошу тебя, поехали обратно в отель, — убеждаю я его, подходя ближе.

Не обращая на меня внимания, он наклоняется, чтобы подобрать что-то у крыльца. Мне кажется, что это запасной ключ, но я быстро понимаю, что ошиблась. Камнем размером с кулак Хардин разбивает стекло в середине двери, просовывает руку внутрь и, к счастью, не задев острых осколков, открывает замок.

Я оглядываю тихую улицу, но, похоже, все в порядке. Никто не заметил нашего вторжения, никто не зажег свет, услышав звук бьющегося стекла. Я молюсь, чтобы Триш и Майк не оказались в доме Майка по соседству, чтобы они провели эту ночь в каком-нибудь шикарном отеле, ведь на роскошный медовый месяц ни у одного из них нет денег.

— Хардин. — Я словно иду по краю пропасти, изо всех сил стараясь не сорваться. Оступлюсь хоть раз, и мы оба разобьемся.

— В этом чертовом доме не было ничего, кроме мучений, — ворчит он, спотыкаясь о собственные ботинки. Хватается за подлокотник маленького дивана, но все равно падает.

Скользнув взглядом по гостиной, я с радостью отмечаю, что почти вся мебель упакована или уже вынесена. После переезда Триш дом планируют снести.

Прищурившись, Хардин всматривается в диван.

— Вот этот диван... — Прежде чем продолжить, он потирает лоб. — Знаешь, на нем все и случилось. Именно на этом гребаном диване.

Я понимала, что он не в себе, но эти слова только подтвердили его состояние. Несколько месяцев назад Хардин говорил, и я хорошо это помню, что тот диван он сломал. Уверял, мол, ничего не стоило разодрать его на куски.

Я смотрю на диван перед нами: жесткие подушки и отсутствие пятен явно свидетельствуют о том, что он новый. У меня сжимается сердце и из-за этого воспоминания, и из-за опасений, во что выльется сегодняшний настрой Хардина.

Он тут же закрывает глаза.

— Один из моих гребаных отцов мог бы догадаться купить новый.

— Мне так жаль. Я понимаю, что сейчас это для тебя слишком.

Я пытаюсь успокоить его, но он, все так же не обращая на меня внимания, открывает глаза и идет на кухню. Я держусь в паре шагов позади.

— Где же... — бормочет он и опускается на колени, чтобы заглянуть в ящик под раковиной. — Нашел.

Он вытаскивает бутылку с какой-то прозрачной выпивкой. Мне даже не хочется спрашивать, как она туда попала и кому принадлежала — или принадлежит до сих пор. Хардин вытирает бутылку о свою черную футболку, на ткани остается слой пыли. Судя по всему, бутылка пролежала под раковиной пару месяцев, не меньше.

Он возвращается в гостиную, не зная, что делать дальше, и я иду следом.

— Я знаю, что ты расстроен. Ты имеешь полное право злиться.

Я встаю прямо перед ним, отчаянно пытаясь привлечь его внимание. Он даже не смотрит на меня.

— Но давай вернемся в отель, пожалуйста. — Я тянусь к его руке, но он ее отдергивает. — Прошу, там мы сможем поговорить, и ты немного остынешь. Или ляжешь спать. Что угодно, только, пожалуйста, идем отсюда.

Хардин обходит меня и останавливается у дивана.

— Она лежала здесь... — Он указывает бутылкой на диван. Мои глаза жжет от наворачивающихся слез, но я сдерживаюсь. — И никто, черт возьми, их не остановил. Ни один из этих неудачников.

Он сплевывает и, открутив крышку непочатой бутылки, прижимает ее к губам, а затем, откинув голову назад, делает глоток.

— Хватит! — кричу я, делая шаг в его сторону.

Я уже готова вырвать у него из рук эту бутылку и разбить ее о кафельную плитку. Лишь бы он больше не пил. Не знаю, сколько еще алкоголя сможет принять его организм, прежде чем он вырубится.

Хардин делает еще один большой глоток и останавливается. Вытерев тыльной стороной ладони пролившиеся капли со рта и подбородка, он ухмыляется и переводит взгляд на меня — впервые с тех пор, как мы зашли в дом.

— Почему? Тоже хочешь?

— Нет... Хотя да, хочу, — лгу я.

— Жаль, Тесси, на двоих не хватит, — бормочет он, поднимая огромную бутылку.

От его слов меня бросает в дрожь — так меня называл отец. В бутылке, должно быть, не меньше литра какого-то пойла — этикетка стерлась и наполовину оторвалась. Интересно, как давно он ее там спрятал? В один из тех одиннадцати дней, худших в моей жизни?

— Уверен, тебе все это нравится.

Я отхожу от него и пытаюсь придумать какой-нибудь план действий. Вариантов не много, и меня начинает охватывать страх. Конечно, он никогда не причинит мне вреда. Но я и понятия не имею, что он может сделать с самим собой. А я совершенно не готова к очередному скандалу. В последнее время я слишком привыкла к Хардину, который худо-бедно контролирует себя: ехидному и иногда угрюмому, но не исполненному ненависти. Этот блеск налитых кровью глаз слишком знаком мне, и я вижу, как в их глубине зарождается злоба.

— Почему это должно мне нравиться? Я терпеть не могу, когда ты такой, и хочу, чтобы ты никогда не испытывал боли, Хардин.

Слегка усмехнувшись, он отводит бутылку в сторону и проливает немного жидкости на диванные подушки.

— Ты знала, что ром — самое легковоспламеняющееся спиртное? — мрачно спрашивает он.

У меня в жилах застывает кровь.

— Хардин, я...

— Это чистый ром. Очень крепкий. — Он продолжает обливать диван, его голос становится неразборчивым, медленным и пугающим.

— Хардин! — повышаю я тон. — Что ты собираешься сделать? Сжечь дом? Это ничего не изменит!

— Тебе лучше уйти. Спички детям не игрушка, — ухмыляется он, отмахнувшись.

— Не разговаривай со мной так!

Я смело, но все же с некоторой опаской протягиваю руку и хватаюсь за бутылку. У Хардина раздуваются ноздри, и он пытается ослабить мою хватку.

— Отпусти. Сейчас же, — цедит он сквозь зубы.

— Нет.

— Тесса, не вынуждай меня.

— Что, Хардин? Подерешься со мной из-за бутылки рома?

Опустив взгляд на бутылку, которую мы тянем в разные стороны, будто канат, он открывает рот от удивления, его глаза округляются.

— Отдай ее мне, — требую я, ухватившись покрепче.

Бутылка тяжелая, и Хардин мне ничуть не уступает, но адреналин зашкаливает, придавая мне сил. Выругавшись под нос, он разжимает пальцы. Я и не ожидала, что он сдастся так легко. Как только он перестает держать бутылку, та выскальзывает из моей руки и падает на пол, ром проливается на старый паркет.

— Оставь все как есть, — говорю я, хотя сама тянусь за бутылкой.

— В чем проблема-то?

Он успевает схватить ее раньше меня и снова льет ром на диван, затем обходит комнату по кругу, оставляя за собой горючий след.

— Эту дерьмовую лачугу все равно снесут. Считай, я делаю новым хозяевам одолжение. — Посмотрев на меня, он легкомысленно пожимает плечами. — Дешевле выйдет.

Я медленно отворачиваюсь от Хардина и лезу в сумку за телефоном. Мигает значок почти разряженного аккумулятора, но я все равно набираю номер единственного человека, который может сейчас помочь.

— Если ты это сделаешь, в дом твоей матери приедет полиция. Тебя арестуют, Хардин, — говорю я, держа телефон в руке. Надеюсь, человек на другом конце линии меня слышит.

— Пошли они на хрен, — бормочет он сквозь зубы. Его пристальный взгляд, прикованный к дивану, пронзает настоящее и проникает в прошлое. — Я до сих пор слышу, как она кричит. Словно раненый зверь. Представляешь, каково было это слышать маленькому мальчику?

Мне больно за Хардина: и за невинного мальчугана, которому пришлось смотреть, как избивают и насилуют его мать, и за терзаемого злобой и болью парня, считающего, что единственный способ избавиться от воспоминаний — это сжечь дом.

— Ты ведь не хочешь сесть в тюрьму? Что тогда будет со мной? Я останусь одна. — Мне плевать на себя, но я надеюсь, что эта угроза заставит его передумать.

Мой прекрасный темный принц внимательно смотрит на меня — похоже, мои слова его смутили.

— Вызови такси. Дойдешь до конца улицы. Я не стану ничего делать, пока ты не уедешь.

Его голос звучит гораздо более внятно, чем должен бы, учитывая количество выпитого. Но я слышу лишь то, что Хардин собирается поставить на себе крест.

— Мне нечем заплатить за такси. — Я демонстративно достаю кошелек и показываю, что в нем только американские деньги.

Зажмурившись, он швыряет бутылку о стену. Она разбивается, но я даже не моргаю. За последние семь месяцев я столько всего насмотрелась и наслушалась, что этим меня не испугаешь.

— Возьми мой гребаный бумажник и уходи отсюда. Уходи. Отсюда. Черт! — Одним движением он вытаскивает бумажник из заднего кармана и бросает его на пол передо мной.

Я подбираю его и кладу в свою сумку.

— Нет. Ты должен пойти со мной, — тихо говорю я.

— Ты совершенство... Ты ведь знаешь об этом?

Он подходит ближе и дотрагивается до моей щеки. Я вздрагиваю от прикосновения, и его прекрасное измученное лицо омрачается.

— Разве ты не знаешь? Что ты совершенство?

Его ладонь пылает жаром, а большой палец начинает поглаживать мою кожу. Я чувствую, что у меня дрожат губы, но сохраняю невозмутимый вид.

— Нет, я не совершенство, Хардин. Никто не идеален, — тихо отвечаю я, глядя ему в глаза.

— Ты идеальна. А я тебя недостоин.

Мне хочется закричать: «Мы что, опять вернулись к этой теме?»

— Я не позволю тебе оттолкнуть меня. Знаю, к чему ты клонишь: напился и пытаешься оправдаться, сравнивая нас. В моей жизни все так же чертовски запутано, как и в твоей.

— Не говори так, — снова хмурится он, запуская вторую руку мне в волосы. — Подобные слова не должны срываться с таких прекрасных губ.

Он проводит большим пальцем по моей нижней губе, и я не могу не заметить разницы между болью и яростью, горящими в его глазах, и этим легким, нежным прикосновением.

— Я люблю тебя и никуда не уйду, — говорю я в надежде достучаться до его затуманенного разума. Не отрываясь от его лица, стараюсь рассмотреть в глубине его глаз моего прежнего Хардина.

— «Если двое любят друг друга, это не может кончиться счастливо»[1], — спокойно отвечает он.

Сразу узнав фразу, я отвожу взгляд.

— Нечего цитировать мне Хемингуэя, — огрызаюсь я.

«Он что, думал, я не узнаю цитату и не пойму, что у него на уме?»

---

[1] Цитата из книги Эрнеста Хемингуэя «Смерть после полудня». (*Здесь и далее прим. пер.*)

— Но это правда. Счастливых концов не бывает — по крайней мере, не для меня. Черт, я совсем запутался. — Он убирает руки и отворачивается.

— Нет, это не так! Ты...

— Почему ты со мной возишься? — бормочет он, пошатываясь из стороны в сторону. — Почему всегда пытаешься найти во мне что-то хорошее? Очнись, Тесса! Во мне нет ни хрена хорошего! — кричит он и бьет себя кулаком в грудь. — Я ничтожество! Я облажавшийся кусок дерьма с облажавшимися родителями, у меня крыша давно съехала! Я пытался предупредить тебя, пытался оттолкнуть прежде, чем погубил...

Его голос затихает, и он лезет в карман. Я узнаю сиреневую зажигалку Джуди, которую он прихватил в баре.

Не глядя на меня, Хардин чиркает зажигалкой.

— Мои родители тоже облажались! Боже, да мой отец лечится в клинике! — кричу я.

Я знала, что это случится, знала, что признание Кристиана станет для Хардина последней каплей. Не каждый выдержит такое, а Хардин уже был сломлен.

— Это твой последний шанс уйти отсюда, пока дом не сгорит дотла, — говорит он, не поворачиваясь ко мне.

— Ты сожжешь его вместе со мной? — давлюсь я слезами, совершенно не помня, когда начала плакать.

— Нет.

Он идет через комнату, громко топая ботинками. У меня кружится голова, колет в сердце, и я боюсь, что начинаю терять чувство реальности.

— Иди сюда, — протягивает он мне руку.

— Отдай мне зажигалку.

— Иди ко мне. — Он тянется ко мне обеими руками. Я уже плачу навзрыд. — Пожалуйста.

Я заставляю себя не отзываться на этот привычный жест, как бы ни было больно. Мне хочется броситься в его объятия и увести отсюда. Но это не роман Остин со счастливым концом — в лучшем случае Хемингуэй. И мне ясно, что кроется за его действиями.

— Отдай мне зажигалку, и тогда мы сможем уйти отсюда вместе.

— У тебя почти получилось убедить меня, что я могу быть нормальным. — Зажигалка по-прежнему опасно зажата в его ладони.

— Никто не может! Никто не нормален, и я не хочу, чтобы ты был таким. Я люблю тебя такого, какой ты есть, люблю тебя и все это. — Я обвожу взглядом гостиную и снова смотрю на Хардина.

— Неправда. Никто не полюбил бы — и никогда не любил. Даже моя собственная мать.

Как только он это произносит, дверь с шумом хлопает о стену, и я, резко вздрогнув, оборачиваюсь на звук. В гостиную врывается Кристиан, и я испытываю невероятное облегчение. Он запыхался и явно в панике. Заметив, в каком состоянии маленькая, залитая ромом комната, он резко останавливается.

— Что за... — Кристиан замолкает, увидев в руке Хардина зажигалку. — Я слышал сирены по дороге. Надо уходить, сейчас же!

— Как ты сюда... — Хардин переводит взгляд с Кристиана на меня. — Ты ему позвонила?

— Конечно! Что еще ей оставалось? Позволить тебе сжечь дом и угодить в тюрьму? — кричит Кристиан.

Хардин начинает размахивать руками, по-прежнему не выпуская зажигалки.

— Убирайтесь отсюда на хрен! Оба!

Кристиан поворачивается ко мне:

— Тесса, подожди на улице.

Но я непреклонна.

— Нет, я его здесь не оставлю. — Неужели Кристиан еще не понял, что нас с Хардином нельзя разлучать?

— Уходи, — говорит Хардин, делая шаг в мою сторону.

И снова чиркает зажигалкой.

— Уведи ее отсюда, — буркает он Кристиану.

— Моя машина в переулке через дорогу. Иди туда и жди нас, — говорит мне Кристиан.

Повернувшись к Хардину, я вижу, что уставился на белый огонек. Я знаю его достаточно хорошо, чтобы понять: уйду я или нет, он все равно это сделает. Он сейчас слишком пьян и расстроен, чтобы остановиться.

В моей руке оказывается связка холодных ключей.

— Я не допущу, чтобы с ним что-то случилось, — наклоняется ко мне Кристиан.

Пара секунд внутренней борьбы, и я все же сжимаю в руке ключи и, не обернувшись, выхожу из дома. Перебегаю улицу и начинаю молиться, чтобы слышащийся вдалеке звук сирен не приближался.

Глава 7

ХАРДИН

— Ну же! Давай! Давай же! — начинает бурно жестикулировать Вэнс, как только Тесса выбегает на улицу.

О чем это он? И какого черта вообще сюда приперся? Ненавижу Тессу за то, что она ему позвонила. Черт, нет, беру свои слова обратно. Конечно, я ни в коем случае не могу ее ненавидеть, но она просто взбесила меня своим поступком.

— Тебя сюда никто не звал, — отвечаю я, еле ворочая языком. Глаза жжет.

«Где Тесса? Она что, ушла?»

Мне казалось, что да, но теперь что-то засомневался.

«Давно она здесь? И приходила ли вообще? Понятия не имею».

— Давай же, поджигай, — не унимается Вэнс.

— Зачем? Хочешь, чтобы я сгорел вместе с домом?

Перед глазами всплывает картина из прошлого: Кристиан, помоложе, чем сейчас, читает мне, прислонившись к каминной полке в доме моей матери. Он читал мне.

— Почему он читал мне?

«Я что, произнес это вслух? Хрен его знает».

Я возвращаюсь в настоящее, и Вэнс сверлит меня взглядом, словно ожидая чего-то.

— Ну да, тогда сгорят все ошибки твоего прошлого. В том числе и я.

Металл зажигалки уже прожигает кожу на большом пальце, но я упорно продолжаю чиркать колесиком.

— Нет, я хочу, чтобы ты спалил дом. Может, тогда обретешь мир и покой.

Не исключено, что он кричит на меня, но я и вижу-то сейчас с трудом, не говоря уж о том, чтобы оценить громкость его голоса. Неужели он разрешает мне всё тут сжечь?

«А кто сказал, что мне нужно чье-то разрешение?»

— Да кто ты вообще такой, чтобы разрешать мне или запрещать? Тебя вообще никто не спрашивал!

Я подношу зажигалку к подлокотнику дивана и жду, пока он загорится. Жду, пока займется пожар, который уничтожит это место.

Ничего не происходит.

— Я самый настоящий придурок, да? — говорю я человеку, заявившему, что он мой отец.

— Ничего не получится, — отвечает он. Хотя, может, это я сам с собой разговариваю, хрен его знает.

Я дотягиваюсь до старого журнала, лежащего на одной из коробок, и подношу зажигалку к его уголку. Сразу же вспыхивает огонь. Я наблюдаю, как он пожирает страницу за страницей, а затем бросаю журнал на диван. Через секунду диван объят пламенем. Горькие воспоминания сгорают вместе с этим куском дерьма.

Дорожка разлитого рома следующая на очереди. Мои глаза еле успевают следить за танцующими на полу всполохами, приятно пощелкивающими и потрескивающими, словно пытаясь утешить. Краски становятся ярче, огонь бушует все сильнее и яростно набрасывается на то, что еще осталось от комнаты.

— Теперь ты доволен? — спрашивает Вэнс, пытаясь перекричать рев бушующего пламени.

Я не знаю, что ему ответить.

Тессе бы это явно не понравилось. Она бы расстроилась, узнав, что я сжег дом.

— Где она? — спрашиваю я, оглядывая полную дыма, расплывающуюся перед глазами комнату.

Если она здесь и с ней что-то случится...

— Она снаружи, в безопасности, — успокаивает меня Вэнс.

Доверяю ли я ему? Черт, да я его ненавижу. Это он во всем виноват. Неужели Тесса здесь, а он меня обманул?

Затем до меня доходит, что Тесса слишком умна, чтобы остаться в доме. Она уже ушла. Прочь отсюда. Прочь от моего разрушения. Если бы этот человек вырастил и воспитал меня, я бы не стал таким ублюдком. Не причинил бы боли стольким людям, особенно Тессе. Я никогда не хотел причинить ей боль, но все всегда кончается одним и тем же.

— Где ты был? — спрашиваю я.

Мне хочется, чтобы огонь разгорелся сильнее. Так он никогда не сожжет дом полностью. По-моему, где-то у меня припрятана еще одна бутылка. Мысли путаются, и я никак не могу вспомнить, где именно. Черт, эти жалкие язычки пламени не идут ни в какое сравнение с терзающей меня яростью. Нужно разжечь огонь посильнее.

— Я был с Кимберли в отеле. Давай сваливать, пока не приехали пожарные или пока ты не покалечился.

— Я не об этом. Где ты был в ту ночь? — Комната кружится перед глазами, и я начинаю задыхаться от жара.

Похоже, Вэнс искренне потрясен. Он застывает на месте и поворачивается ко мне с деревянной спиной:

— О чем ты говоришь?! Хардин, меня здесь даже не было! Я был в Америке. Я бы никогда не допустил, чтобы с твоей мамой случилось нечто подобное! Но сейчас, Хардин, пора уходить! — кричит он.

Зачем уходить? Я хочу посмотреть, как сгорит это дерьмо.

— Так или иначе, но это все равно произошло, — говорю я.

Такое чувство, что тело все сильнее наливается тяжестью. Наверное, стоит присесть, но уж если кошмары прошлого снова начали меня терзать, пусть и он страдает.

— Черт, ее избивали, пока она не превратилась в сплошное кровавое месиво. Они насиловали ее снова и снова, все по очереди...

Мою грудь прожигает насквозь, хочется сунуть руки внутрь и выдрать все, что там есть. До того, как я встретил Тессу, жить было намного легче: ничто не могло меня сломить. Даже вся та хрень не причиняла столько боли, сколько сейчас. Мне удавалось сдерживаться, пока она не заставила меня... не заставила меня понять, какой я подонок. А я никогда не хотел этого понимать, но теперь процесс запущен, и я не в силах его остановить.

— Прости. Прости! Мне очень жаль, что это произошло. Я должен был прийти на помощь.

Я поднимаю глаза и вижу, что Вэнс плачет.

«Черт, да как он смеет рыдать, когда ему даже не пришлось за этим наблюдать? Эта сцена не прокручивалась у него в голове год за годом каждый раз, как он закрывал глаза, чтобы уснуть».

В окна врывается синий свет мигалок, отражаясь в каждом осколке стекла в комнате, и тревожит мой костер. От шума сирен закладывает уши. Боже, они воют как бешеные.

— Уходи! — кричит Вэнс. — Уходи сейчас же! Через заднюю дверь и потом ко мне в машину. Давай же!

Чертов скандалист.

— Да пошел ты.

Я спотыкаюсь, комната вращается все быстрее, вой сирен разрывает барабанные перепонки.

Прежде чем я успеваю его остановить, он хватает меня и волочет мое пьяное тело из гостиной на кухню, а затем выталкивает через заднюю дверь на улицу. Я пытаюсь бороться, но мышцы не слушаются. Холодный воздух пробирает насквозь, кружится голова, и вот моя задница приземляется на асфальт.

— Пройдешь по переулку и сядешь в мою машину, — вроде бы говорит он перед тем как исчезнуть.

Не с первой попытки я поднимаюсь на ноги. Пробую открыть дверь, но она, черт бы ее побрал, заперта. Из дома раздается гул голосов, все кричат, что-то жужжит.

«Какого черта вообще происходит?»

Я достаю из кармана телефон: на экране мерцает имя Тессы. Передо мной выбор: либо найти машину

Вэнса и встретиться с ней, либо вернуться в дом, чтобы меня арестовали. Я смотрю на размытое изображение ее лица, и решение приходит само собой.

Понятия не имею, каким образом перейти улицу так, чтобы меня не заметили копы. Экран телефона двоится и дрожит перед глазами, но каким-то чудом мне удается набрать ее номер.

— Хардин, ты в порядке? — плачет она в трубку.

— Забери меня в конце улицы, перед кладбищем.

Я открываю задвижку соседских ворот и нажимаю отбой. По крайней мере не придется идти через двор Майка.

Женился ли он сегодня на маме? Ради его же блага надеюсь, что нет.

«Ты ведь не хочешь, чтобы она провела остаток жизни в одиночестве? Я знаю, ты ее любишь. Она по-прежнему твоя мать», — звенит в голове голос Тессы.

Просто класс, теперь я еще и голоса слышу.

«Я не совершенство, никто не идеален», — напоминает мне ее сладкий голос.

Она ошибается, очень сильно ошибается. Такая наивная, такая идеальная.

Я прихожу в себя на углу улицы. Кладбище за спиной погружено во тьму, единственный свет — от синих мигалок вдалеке. Пару секунд спустя подъезжает черный БМВ. Тесса останавливается прямо передо мной. Я забираюсь в машину, не проронив ни слова, и едва успеваю закрыть дверь, как она дает газ.

— Куда ехать? — спрашивает она хриплым голосом, пытаясь сдержать слезы, но у нее ничего не получается.

— Не знаю... Здесь не так много... — мои веки тяжелеют, — ...мест, куда можно пойти. Сейчас ночь, и уже поздно... Все закрыто...

Я прикрываю глаза и проваливаюсь в никуда.

Меня будят звуки сирен. От их громких завываний я подскакиваю и ударяюсь головой о потолок машины.

«Машина? Какая еще, к черту, машина, что я здесь делаю?»

Оглядевшись по сторонам, вижу Тессу на водительском сиденье, ее глаза закрыты. Она подогнула ноги и свернулась клубочком, как котенок. Голова раскалывается от боли. Вчера я явно перепил.

За окном уже день. Солнце прячется за облаками, небо серое и хмурое. Если верить часам на приборной панели, сейчас без десяти семь. Я не узнаю место, где мы припарковались, и пытаюсь вспомнить, как вообще оказался в машине.

Больше не слышно ни сирен, ни полицейских машин. Должно быть, они мне приснились. В голове стучит, и, когда я задираю футболку, чтобы вытереть лицо, в ноздри ударяет резкий запах дыма и гари.

В сознании вспыхивают образы горящего дивана и плачущей Тессы.

Я пытаюсь собрать разрозненные обрывки воспоминаний воедино, но все еще пьян.

Рядом шевелится Тесса. Ее ресницы трепещут, и она открывает глаза. Не знаю, что она видела прошлой ночью. Не знаю, что я сделал или сказал, но, судя по ее взгляду, лучше бы я сгорел... вместе с домом. Перед глазами всплывает мамин дом.

— Тесса... — Слов нет. Ни мой разум, ни мой гребаный язык меня не слушаются.

Пробелы в памяти постепенно заполняются: обесцвеченные волосы Джуди, Кристиан, выталкивающий меня через заднюю дверь маминого дома.

— Ты как, в порядке? — спрашивает мягко и хрипло одновременно. Похоже, она практически сорвала голос.

Ее интересует, в порядке ли я?

— Э-э-э, да. А ты? — Поставленный в тупик вопросом, я вглядываюсь в ее лицо.

Из моей памяти исчезла большая часть ночи... Черт, даже ночи и дня, но я точно знаю, что огорчил ее. Она медленно кивает и тоже всматривается в мое лицо.

— Я пытаюсь вспомнить... Приехали копы... — Я просеиваю возвращающиеся воспоминания через решето памяти. — Горящий дом... А где мы сейчас?

Выглянув в окно, я пытаюсь понять, куда нас занесло.

— Мы... Я не совсем уверена, где мы.

Откашлявшись, она переводит взгляд на лобовое стекло. Видимо, она много кричала. Или плакала. Или и то и другое — она едва может говорить.

— Я не знала, куда ехать. Ты уснул, так что я просто продолжала вести машину. Но очень устала, и в конце концов пришлось припарковаться у обочины.

Ее глаза покраснели и припухли, тушь размазалась, губы высохли и потрескались. Ее с трудом можно узнать, но красота никуда не делась. Это я довел ее до такого состояния.

Я смотрю на нее и вижу, что со щек исчез былой румянец, в потухших глазах нет ни следа надежды, счастье покинуло полные губы. Красивую девушку, которая жила ради других и видела во всем только хорошее, даже во мне, я превратил в пустую оболочку, смотрящую теперь на меня безжизненным взглядом.

— Меня сейчас вырвет.

Горло сжимается, и я резко распахиваю дверцу. Весь выпитый ром, виски, все мои ошибки вырываются на асфальт. А меня все рвет и рвет, пока внутри не остается ничего, кроме чувства вины.

Глава 8

ХАРДИН

— Куда мне ехать? — доносится до меня мягкий и хриплый голос Тессы, пока я пытаюсь отдышаться.

— Не знаю.

Я разрываюсь на части. Одна моя половина считает, что лучше ей сесть на ближайший самолет и покинуть Лондон. Одной. Другая же, эгоистичная, которая гораздо сильнее первой, знает: если она улетит, я не продержусь и ночи — снова напьюсь в хлам. В который раз. Во рту привкус рвоты, горло саднит от того, каким жестким способом желудок решил избавиться от своего содержимого.

Достав из бардачка салфетку, Тесса начинает вытирать уголки моего рта. Она едва касается кожи, но меня передергивает от леденящего холода ее пальцев.

— Ты замерзла. Заведи машину.

Я не жду ее согласия. Наклонившись, сам поворачиваю ключ в замке зажигания и ощущаю, как из клапанов начинает течь воздух. Сначала холодный, но в этой дорогущей машине все устроено как надо, и по небольшому салону быстро распространяется тепло.

— Нам нужно заправиться. Не знаю, как долго я вела машину. Индикатор топлива мигает, да и на экране то же самое, — указывает она на навороченный навигационный экран на приборной панели.

Ее голос меня убивает.

— Ты охрипла, — говорю я, хотя это совершенно очевидно. Она кивает и отворачивается. Я беру ее за подбородок и заставляю снова взглянуть на меня. — Если хочешь уехать, я пойму. Прямо сейчас отвезу тебя в аэропорт.

Она озадаченно смотрит меня, прежде чем ответить:

— Ты остаешься? Здесь, в Лондоне? Наш вылет сегодня вечером, и я подумала, что... — Последнее слово больше похоже на писк, и она начинает кашлять.

Я ищу, нет ли в подстаканниках воды или хоть какой-нибудь жидкости, но они пусты.

Кашель не прекращается, и я растираю ей спину, а затем меняю тему.

— Садись на мое место, я поведу, — киваю я в сторону заправочной станции через дорогу. — Тебе нужна вода и что-нибудь для горла.

Я жду, что Тесса пересядет с водительского сиденья, но она, бросив на меня рассерженный взгляд, вместо этого жмет на педаль газа, и машина срывается с места.

— У тебя еще слишком много алкоголя в крови, — шепчет она, стараясь окончательно не сорвать и без того севший голос.

Тут мне возразить нечего. Проспав несколько часов в машине, до конца не протрезвеешь. Я выпил столько, что целая ночь стерлась из памяти. Голова трещит. Черт, наверное, я еще целый день буду отходить с бодунища. Полдня уж точно. Не угадать. Я даже не помню, сколько выпил...

Мои путаные размышления резко обрываются, как только Тесса, припарковавшись у заправки, протягивает руку к дверце.

— Пойду я, — говорю я и выхожу из машины прежде, чем она успевает возразить.

В такой ранний час народу в магазине немного, одни мужчины, спешащие на работу. Когда Тесса заходит внутрь, я уже стою у кассы с аспирином, бутылками с водой и разными снеками.

Все головы поворачиваются к растрепанной красотке в испачканном белом платье. От взглядов мужчин меня начинает мутить.

— Почему ты не осталась в машине? — спрашиваю я, когда она подходит ближе.

Она машет у меня перед носом каким-то предметом из черной кожи.

— Твой бумажник.

— А-а.

Отдав бумажник, она исчезает, но через секунду возвращается с двумя бумажными стаканами дымящегося кофе.

Я сгружаю товары на стойку у кассы.

— Пока я буду оплачивать, определи наше местоположение по телефону, — прошу я, забирая огромные стаканы из ее маленьких рук.

— Что?

— Поищи на мобильнике, где мы находимся.

— Аллхаллоус. Вот вы где, — кивает Тессе полный кассир, хватая и встряхивая перед сканированием пузырек с аспирином.

— Спасибо, — вежливо улыбается она в ответ.

Ее улыбка становится шире, и этот засранец заливается румянцем.

«Да, я знаю, она горячая штучка. А сейчас отвернулся быстро, пока я тебе глаза не вырвал, — хочется мне сказать. — А если еще издашь какой-нибудь жуткий звук, когда у меня похмелье, например, снова затрясешь этим гребаным аспирином, тебе конец».

После вчерашней ночи мне не помешает выпустить пар, и я совершенно не в настроении наблюдать, как этот гаденыш пялится на грудь моей девушки в семь утра. Черт возьми, семь утра!

Если бы не ее полный равнодушия взгляд, я бы, наверное, вытащил его из-за стойки. Но ее фальшивая улыбка, темные разводы вокруг глаз и грязное платье прогоняют все мысли о насилии. У нее такой печальный и потерянный вид. Черт, такой потерянный!

«Что я сотворил с тобой?» — мысленно спрашиваю я себя.

Она поворачивает голову к двери: в магазин входят, держась за руки, женщина с ребенком. Она наблюдает за ними, не упуская ни одного движения, почти на грани приличий. Когда девочка смотрит на мать, нижняя губа Тессы начинает дрожать.

«Что тут, черт возьми, происходит? Неужели это из-за того, что я взбесился по поводу нового члена семьи?»

Кассир упаковал наши покупки и, чтобы привлечь внимание, буквально пихает пакет мне в лицо. Видимо, как только Тесса перестала ему улыбаться, он решил, что может позволить себе хамство.

Я выхватываю пакет и наклоняюсь к ней.

— Готова? — спрашиваю я, слегка подталкивая ее локтем.

— Да, извини, — бормочет она и забирает кофе со стойки.

Я заправляюсь бензином и, подумывая о том, не утопить ли в море арендованную Вэнсом машину, размышляю над последствиями. Если мы в Аллхаллоусе, до побережья рукой подать. Это будет совсем не трудно.

— Далеко отсюда бар «Гэбриэлз»? — спрашивает Тесса, как только я сажусь за руль. — Там припаркована машина.

— Около полутора часов с учетом пробок.

«Машина медленно тонет в океане. Вэнс должен десятки тысяч. Мы можем добраться до бара на такси за пару сотен. Вполне справедливо».

Тесса откручивает крышку пузырька с аспирином и вытряхивает мне на ладонь три таблетки, затем, нахмурившись, смотрит на замигавший экран телефона.

— Хочешь поговорить о том, что произошло? Я только что получила сообщение от Кимберли.

Сквозь размытые образы и нечеткие голоса прошлой ночи начинают пробиваться к поверхности сознания многочисленные вопросы. Вэнс, заперший дверь и оставивший меня снаружи, бежит обратно в горящий дом...

Тесса не сводит взгляда с экрана телефона, а меня постепенно охватывает чувство тревоги.

— Он же не... — Даже не знаю, как задать вопрос, в горле стоит горький ком.

Тесса смотрит на меня глазами, полными слез.

— Он жив, конечно, но...

— Что? Что с ним?

— Кимберли говорит, что обгорел.

Нежеланная боль пытается просочиться сквозь трещины в моей броне. Трещины, которым я обязан Тессе. Она вытирает слезы тыльной стороной руки.

— Только одна нога. Ким сказала, обгорела только одна нога, и после выписки из больницы его сразу же арестуют. В общем-то, это может случиться в любую минуту.

— Арестуют за что?

Я знаю ответ, прежде чем она успевает открыть рот.

— Он сказал полиции, что это он поджег дом.

Тесса подносит чертов телефон к моему лицу, чтобы я сам прочитал длинное сообщение от Кимберли. Я читаю его целиком: ничего нового, но теперь чувствуется, что Кимберли в ужасе. Я молчу. Мне нечего сказать.

— Так что? — вздыхает Тесса.

— Что?

— Ты ни капельки не беспокоишься об отце?

Поймав мой убийственный взгляд, она добавляет:

— Я о Кристиане.

«Он пострадал из-за меня».

— Ему вообще не нужно было туда соваться.

Тессу потрясает мой ответ.

— Хардин! Этот человек пришел туда, чтобы помочь мне. Чтобы помочь тебе!

— Тесса, я знаю... — прерываю я, чувствуя приближение бури. Но она удивляет меня, вскидывая руку в знак протеста:

— Я не закончила. Не говоря уже о том, что он взял на себя твою вину за поджог, да еще и пострадал! Я люблю тебя и знаю, что сейчас ты его ненавидишь. Но я знаю тебя, настоящего тебя, поэтому не вздумай сидеть и делать вид, что тебе все равно. Я знаю, это не так!

Жестокий приступ кашля прерывает гневную речь, и я подношу к ее губам бутылку с водой.

Пока она справляется с кашлем, я, воспользовавшись моментом, обдумываю ее слова. Она, как всегда, права, но я не готов примириться ни с чем из того, что она сказала. Черт, я не готов признать, что он что-то для меня сделал — не после всех этих лет. Я не готов к тому, чтобы он внезапно занял место моего гребаного отца. Нет, черт возьми. Я не хочу, чтобы кто бы то ни было, и в особенности он, думал, что случившееся может каким-то образом сравнять счет. Мне не забыть о всем том дерьме, которое он пропустил: о вечерах, когда родители орали друг на друга, о том, как каждый раз я сломя голову мчался наверх, заслышав пьяный голос отца. Он все знал, но так ничего и не рассказал.

Нет, черт, нет. Счет неравный и не сравняется никогда.

— Думаешь, если он немного обжег ногу и решил взять вину на себя, я его прощу? — Я провожу рукой по волосам. — Что, я должен вот так взять и простить его за то, что он лгал мне двадцать один чертов год? — Я бессознательно повышаю голос.

— Нет, разумеется, нет! — отвечает Тесса тоже на повышенных тонах. Я волнуюсь за ее связки, но она продолжает в том же духе: — Но я не позволю тебе отмахнуться от его поступка, словно это пустяк. Он готов сесть в тюрьму из-за тебя, а ты ведешь себя так, будто у тебя даже нельзя поинтересоваться его здоровьем. Был ли он с тобой рядом все эти годы, лгал ли, отец или нет, но он любит тебя и прошлой ночью спас твою задницу.

«Черт, вот дерьмо».

— Ты вообще на чьей стороне?

— В данной ситуации нет сторон! — кричит она. Ее голос эхом разносится по маленькому салону и отдается в моей голове, которая раскалывается от боли. — Все на твоей стороне, Хардин. Да, ты чувствуешь себя так, словно против тебя ополчился весь мир, но оглянись вокруг. У тебя есть я, отец — оба отца, Карен, относящаяся к тебе как к родному, и Лэндон, который любит тебя гораздо сильнее, чем готов признать любой из вас.

Тесса почти улыбается, когда говорит о своем лучшем друге, но продолжает читать мне нотацию:

— С Кимберли тебе, может, и нелегко, но она тоже беспокоится о тебе. А ведь есть еще Смит. Кроме тебя, этому мальчишке совсем никто не нравится.

Она обхватывает мои ладони своими дрожащими руками и начинает нежно поглаживать их большими пальцами.

— Какая ирония судьбы: парень ненавидит весь мир, но им же обожаем и любим, — шепчет она, сверкая глазами, полными слез. Из-за меня. Столько слез, и все — из-за меня.

— Детка. — Я притягиваю ее к себе на сиденье, и она прижимается ко мне, обвивая руками за шею. — Моя самоотверженная девочка.

Я прячу лицо у нее на шее, почти зарывшись в копну растрепанных волос.

— Впусти их в свое сердце, Хардин. Жить станет легче. — Она гладит меня по голове, словно домашнего питомца... но мне это чертовски нравится.

Я прижимаюсь к ней еще сильнее.

— Все не так просто.

У меня саднит горло, и кажется, что я могу дышать, только если вдыхаю ее запах. Он перемешан со слабыми запахами дыма и гари, которые, видимо, впитались в обшивку салона, но все равно умиротворяет.

— Я понимаю, — отвечает она, продолжая гладить меня по волосам, и мне хочется ей верить.

Почему она всегда так хорошо меня понимает, если я этого совсем не заслуживаю?

Автомобильный гудок вырывает меня из тайного убежища ее волос, и я вспоминаю, что мы до сих пор у заправки. Очевидно, водитель грузовика позади нас не горит желанием подождать хотя бы минуту. Тесса сползает с моих коленей на пассажирское сиденье и пристегивается.

Я собираюсь не двигаться с места просто из вредности, но слышу, как у Тессы урчит в животе, и меняю решение. Когда она ела в последний раз? Судя по тому, что вспомнить не получается, давно.

Отъехав от заправки, я сворачиваю на противоположную сторону улицы, туда, где мы останавливались прошлой ночью.

— Съешь что-нибудь, — говорю я и сую ей в руки злаковый батончик.

Припарковавшись в дальнем конце площадки, ближе к деревьям, включаю обогрев. На дворе весна, но утренний воздух довольно прохладный, и Тесса дрожит от холода. Я обнимаю ее одной рукой, а другой делаю жест, будто предлагаю ей весь мир.

— Можно прокатиться в Хауорт, посмотреть, где жили сестры Бронте. Я мог бы показать тебе торфяники.

К моему удивлению, она смеется.

— Что? — поднимаю я бровь, откусывая кусочек бананового маффина.

— После такой ночки... кхе, — откашливается она, — ты хочешь свозить меня на торфяники? — Она качает головой и тянется к горячему кофе.

Пожав плечами, я продолжаю задумчиво жевать.

— Не знаю...

— Долго туда ехать? — Она спрашивает с куда меньшим энтузиазмом, чем я рассчитывал.

Если бы эти выходные не обернулись полным дерьмом, скорее всего она обрадовалась бы больше. Я обещал свозить ее и в Чотон, но торфяники больше соответствуют моему сегодняшнему настроению.

— Часа четыре.

— Далековато, — задумчиво роняет она и отпивает кофе.

— Я думал, ты не прочь прокатиться. — Мой тон становится жестче.

— Ну да, не прочь...

Теперь я точно знаю: что-то в моем предложении ее тревожит. Черт возьми, когда я перестану создавать проблемы для этих серых глаз?

— Тогда чего ты ноешь по поводу поездки? — Я доедаю маффин и принимаюсь за следующий.

Она выглядит немного обиженной, но ее голос по-прежнему мягкий и хриплый:

— Мне просто интересно, почему ты так стремишься в Хауорт. — Она заправляет прядку за ухо и глубоко вздыхает. — Хардин, я достаточно хорошо тебя знаю, чтобы понимать, когда ты на чем-то зацикливаешься или что-то от меня скрываешь.

Потом отстегивает ремень безопасности и поворачивается ко мне всем телом.

— Твое желание съездить со мной на торфяники, вдохновившие Бронте на создание «Грозового перевала», а не в какое-нибудь место из романа Остин только еще больше выводит меня из себя.

Она видит меня насквозь.

«Как ей это удается?»

— Нет, — лгу я, — просто я подумал, что тебе пришлись бы по душе торфяники и поместье Бронте. Вот и все.

Я закатываю глаза, избегая ее взгляда и не желая признавать ее правоту.

Она вертит в руках нераспечатанный батончик.

— Пожалуй, нет, мне не хочется туда ехать. Я хочу просто вернуться домой.

Глубоко вздохнув, я забираю у нее батончик и разрываю обертку.

— Тебе нужно что-нибудь съесть. У тебя такой вид, словно ты вот-вот упадешь в обморок.

— Я так себя и чувствую, — тихо отвечает она, скорее себе, чем мне.

Я уже решаю накормить ее насильно, но она все-таки берет батончик и откусывает от него маленький кусочек.

— Значит, хочешь домой? — в конце концов спрашиваю я, не уточняя, что она имеет в виду под словом «дом».

— Твой отец был прав. Лондон не такой, каким я его представляла, — кривится она.

— Я все испортил, в этом дело.

Она не возражает, но и не подтверждает. Ее молчание и отсутствующий взгляд, устремленный на деревья, заставляют меня сказать то, что я должен. Сейчас или никогда.

— Думаю, мне нужно остаться здесь ненадолго... — говорю я в пространство.

Тесса перестает жевать и поворачивается ко мне, прищурив глаза:

— Почему?

— Потому что возвращаться сейчас бессмысленно.

— Наоборот, бессмысленно оставаться здесь. Как тебе такое вообще пришло в голову?

Ее чувства задеты, как я и предполагал, но разве у меня есть выбор?

— Дело в том, что мой отец — на самом деле не мой отец, моя мать — лгунья, — я сдерживаюсь, чтобы не назвать ее словцом покрепче, — а мой биологический отец вот-вот угодит в тюрьму, потому что я поджег ее дом. Довольно забавный сериальчик.

Пытаясь вызвать хоть какую-то ответную реакцию, я с сарказмом добавляю:

— Для полного успеха осталось только провести кастинг среди разряженных молоденьких девиц с вызывающим макияжем.

Ее глаза изучают мои:

— Я так и не поняла, что из вышеперечисленного заставляет тебя задержаться. Здесь, а значит, вдали от меня, ты ведь этого хочешь? Хочешь быть подальше от меня. — Последнюю фразу она проговаривает так, будто слова, произнесенные вслух, автоматически становятся правдой.

— Нет, вовсе не так... — начинаю я, но замолкаю. Не знаю, как выразить мысли словами — моя вечная гребаная проблема. — Мне тут подумалось, что, если мы некоторое время побудем на расстоянии друг от друга, ты поймешь, как я на тебя влияю. Просто взгляни на себя.

Она вздрагивает, но я заставляю себя говорить дальше:

— На тебя валятся проблемы, которых, не будь ты со мной, никогда бы не было.

— Не смей делать вид, будто это все ради меня, — огрызается она ледяным тоном. — Ты сам разрушаешь себя, как только возникают трудности, и это твоя единственная отговорка.

«Я знаю. Знаю, кто я».

Я причиняю боль другим, а затем причиняю боль себе, прежде чем кто-нибудь из них успеет сделать то же самое в обратку. Тупой идиот. Но ничего не могу с этим поделать.

— Знаешь, что? — говорит она, устав ждать ответа. — Хорошо, я позволю тебе причинить боль нам обоим в этой твоей саморазрушительной...

Не успевает она закончить, как мои руки оказываются на ее бедрах, а она сама — у меня на коленях. Царапаясь, Тесса пытается слезть с меня, но я крепко ее держу, не позволяя сдвинуться ни на сантиметр.

— Если не хочешь быть со мной, оставь меня в покое, — шипит она.

Слез нет, только злость в глазах. С ее злостью я могу справиться, это не слезы, которые меня просто убивают. Злость их осушает.

— Перестань бороться со мной.

Я хватаю и завожу за спину ее запястья, удерживая их одной рукой. Ее глаза предостерегающе сверкают.

— Тебе не придется делать это каждый раз, когда тебя что-нибудь расстраивает! Не придется решать, что я слишком хороша для тебя! — кричит она мне в лицо.

Не обращая внимания на крики, я целую ее в изгиб шеи. Ее тело снова содрогается, но на этот раз от удовольствия, а не от гнева.

— Прекрати, — неубедительно просит она.

Думая, что должна это сделать, она пытается меня оттолкнуть. Но мы оба знаем: именно это нам и нужно. Физическая близость, ведущая к такой эмоциональной глубине в отношениях, что ни один из нас не может ни объяснить ее, ни отказаться от нее.

— Я люблю тебя, ты ведь знаешь, что люблю.

Я посасываю и покусываю нежную кожу у основания ее шеи, наблюдая, как та розовеет от прикосновения моих губ. И продолжаю до тех пор, пока на коже не появляются следы, но не особенно усердствую, чтобы через несколько секунд они пропали.

— По твоему поведению не скажешь.

Ее голос становится напряженным, а глаза неотрывно следят за моей свободной рукой, скользящей по ее обнаженному бедру. Платье собралось складками на талии, и это сводит меня с ума еще больше.

— Все, что я делаю, — из любви к тебе. Даже всякую глупую ерунду.

Я сдвигаю в сторону ее кружевные трусики, и у нее вырывается изумленный вздох, когда я провожу пальцем по увлажненной ложбинке между ее бедер.

— Всегда хочешь меня, даже сейчас.

Я стягиваю с нее трусики и двумя пальцами ласкаю влажную плоть. Вскрикнув, она выгибает спину и упирается в руль, и я чувствую, как ее тело расслабляется. Отодвигаю кресло назад, чтобы было больше места в маленькой машине.

— Тебе не удастся отвлечь меня...

На мгновение я убираю пальцы, а затем снова резко погружаю их внутрь, заставляя ее замолчать прежде, чем с губ сорвутся очередные слова.

— Нет, детка, удастся, — шепчу я ей на ухо. — Перестанешь драться, если отпущу руки?

Она кивает. Секунду спустя ее пальцы зарываются в мои волосы, и я одной рукой стягиваю верхнюю часть ее платья до талии.

Несмотря на цвет невинности, белый кружевной лифчик вызывает греховное вожделение. Тесса, ее светлые волосы и белый комплект нижнего белья составляют контраст с моими темными волосами и одеждой. Есть что-то чертовски эротичное в этом контрасте: татуировка на моем запястье, мраморная кожа ее бедер. Мои пальцы проникают все глубже, ее тихие стоны и всхлипы наполняют воздух, а мои глаза бесстыдно блуждают от ее плоского живота к груди и обратно.

Я отвожу взгляд от ее безупречной груди, чтобы проверить парковку. Окна в машине тонированы, но мне хочется убедиться, что на этой стороне улицы больше никого нет. Одной рукой я расстегиваю ее лифчик, а другой немного замедляю ласки. Она протестующе вскрикивает, но я даже не прячу улыбку.

— Пожалуйста, — умоляет она, желая, чтобы я продолжал.

— Пожалуйста, что? Скажи мне, чего ты хочешь, — упрашиваю я, как всегда делал это с самого начала наших отношений.

Мне всегда казалось, что, пока она не выскажется вслух, ее желание притворно. Она никак не могла хотеть меня так же сильно, как хотел ее я. Тесса берет мою руку и кладет ее обратно между своих ног.

— Прикасайся ко мне.

Она хочет, жаждет меня, нуждается во мне, и я люблю ее больше, чем она может себе представить. Мне это нужно — нужно, чтобы она отвлекала меня, чтобы помогала избавиться от всего этого дерьма — хотя бы ненадолго.

Я даю ей желаемое. Она стонет и зовет меня по имени, закусывая губы. Ее рука, проскользнув под моей, сжимается на моих джинсах. Я так возбужден, что это причиняет боль. Прикосновения и поглаживания Тессы уже не помогают.

— Я хочу войти в тебя сейчас, не могу больше.

Я провожу языком по ее груди. Она кивает и закатывает глаза, а я начинаю посасывать чувствительный сосок, свободной рукой потирая его брата-близнеца.

— Хар... дин, — выдыхает она.

Ей уже не терпится сорвать с меня джинсы и трусы. Я приподнимаюсь, чтобы она могла стянуть джинсы с моих бедер. Мои пальцы по-прежнему двигаются у нее внутри, достаточно медленно, чтобы сводить ее с ума. Я вынимаю и подношу их к ее припухшим губам. Она облизывает их, ее язык скользит вверх-вниз, и я, застонав, поспешно отстраняюсь, чуть не кончив. Приподняв за бедра, я опускаю ее на себя.

Мы одновременно стонем, отчаянно нуждаясь друг в друге.

— Мы должны быть вместе, — говорит она, притягивая меня за волосы, пока наши губы не оказываются на одном уровне. Чувствует ли она трусливое «прощай» в моем дыхании?

— Нам придется расстаться, — отвечаю я, а она начинает двигать бедрами.

«Черт».

Тесса медленно приподнимается:

— Я не буду заставлять тебя хотеть меня. Не буду.

Я начинаю паниковать, но все мысли исчезают, как только она медленно опускается обратно, а затем снова скользит вверх, продолжая пытку. Она наклоняется вперед, чтобы поцеловать меня, и ее язык касается моего. Она перехватывает контроль.

— Я хочу тебя, — выдыхаю я ей в рот. — Всегда хочу тебя, и ты это знаешь.

Она ускоряет темп, и из моей груди вырывается глухой стон. Черт, она смерти моей хочет.

— Ты бросаешь меня.

Ее язык скользит по моей нижней губе, а я тянусь вниз, туда, где сливаются наши тела, и смыкаю пальцы на ее набухшем клиторе.

— Люблю тебя, — говорю я, не в состоянии подобрать других слов, и заставляю ее замолчать, потирая и нежно сжимая чувствительный бугорок.

— Боже.

Ее голова падает мне на плечо. Она обнимает меня за шею.

— Я люблю тебя, — практически рыдает она, сжимаясь вокруг меня в сладких конвульсиях.

Я кончаю практически сразу вслед за ней, наполняя ее каждой своей каплей, в прямом и переносном смысле этого слова.

Несколько минут тишины, мои глаза закрыты, я обнимаю ее. Мы оба вспотели, обогреватель все еще работает, но я не хочу отпускать ее даже на то короткое мгновение, которое требуется, чтобы его выключить.

— О чем ты думаешь? — в конце концов спрашиваю я.

Ее голова лежит на моей груди, дыхание медленное и спокойное.

— Хочу, чтобы ты всегда был рядом, — отвечает она, не открывая глаз.

Всегда. Хотел ли я от нее чего-то меньшего?

— Я тоже, — говорю я, желая пообещать ей то будущее, которого она заслуживает.

Проходит еще несколько минут, и тишину разрывает звонок телефона Тессы. Я инстинктивно тянусь к нему и, передвинув оба наших тела, поднимаю с пола.

— Это Кимберли, — говорю я, передавая телефон.

Два часа спустя мы стучим в дверь номера отеля. Я почти уверен, что мы ошиблись номером, но на пороге появляется Кимберли: покрасневшие глаза, ни намека на макияж. Без макияжа она мне нравится даже больше, но сейчас у нее такой изможденный вид, словно она выплакала не только все свои слезы, но и чьи-то еще.

— Входите. Утро просто бесконечное, — говорит она без обычных дерзких ноток в голосе.

Тесса тут же обнимает ее за талию, и Кимберли начинает рыдать. Стоя в дверях, я чувствую себя ужасно неловко. Ким меня раздражает, к тому же она не из тех, кто в минуты слабости стремится окружить себя другими людьми. Оставив их в гостиной просторного люкса, я перебираюсь на кухню, наливаю себе кофе и сижу, уставившись в стену, пока рыдания в соседней комнате плавно не перетекают в приглушенный разговор. Пока что побуду в сторонке.

— А папа вернется? — раздается откуда-то сбоку спокойный голос, заставляя меня вздрогнуть от неожиданности.

Опустив голову, я замечаю зеленоглазого Смита, усевшегося на пластиковый стульчик рядом со мной. Даже не слышал, как он вошел.

Пожав плечами, я сажусь обратно и продолжаю сверлить взглядом стену.

— Думаю, да.

Наверное, нужно ему рассказать, какой отличный парень его отец... наш отец...

«Боже».

Странное маленькое существо передо мной — мой чертов братец. Это никак не может уложиться у меня в голове. Я смотрю на Смита, и он воспринимает мой взгляд как повод для продолжения разговора:

— Кимберли сказала, что он в беде, но может выкрутиться, если откупится. Что это значит?

Эти его расспросы и то, что он, сунув нос не в свои дела, подслушал чужой разговор, так забавны, что я не могу не рассмеяться.

— Думаю, дело вот в чем, — бормочу я. — Она просто имеет в виду, что скоро с ним все будет в порядке.

Почему бы тебе не пойти к Кимберли и Тессе? — Мою грудь опаляет огнем, когда я произношу ее имя.

Он смотрит в сторону, откуда доносятся голоса, потом глубокомысленно оглядывает меня:

— Они сердятся на тебя, особенно Кимберли. Но еще больше она сердится на папу, поэтому тебе бояться нечего.

— Со временем ты поймешь, что женщины всегда сердятся.

— Да, пока не умрут. Как моя мама, — кивает он в ответ.

У меня от удивления отвисает челюсть, и я поворачиваюсь к нему.

— Не нужно болтать о таких вещах. Все будут думать, что с тобой... что-то не то.

Он пожимает плечами, будто говоря, что его и так считают странным. Наверное, это правда.

— Мой папа хороший. Он не плохой.

— Не плохой? — Я стараюсь не смотреть в его зеленые глаза.

— Он водит меня по разным местам, говорит мне хорошие слова.

Смит кладет на стол деталь игрушечного поезда. И что он нашел в этих поездах?

— И?.. — говорю я, сдерживая нахлынувшие чувства.

«Почему он вспомнил об этом сейчас?»

— Он и тебя будет водить по разным местам и говорить хорошие вещи.

— И зачем мне это? — спрашиваю я, но его зеленые глаза однозначно дают понять, что он знает больше, чем кажется.

Смит склоняет голову набок и, тихонько сглотнув, продолжает смотреть на меня. Никогда еще я не видел этого маленького чудака таким серьезным и по-детски уязвимым.

— Ты не хочешь быть моим братом?

«Черт возьми».

Я судорожно ищу взглядом Тессу в надежде, что она придет и спасет меня. Она-то уж точно знает, что ответить.

Смотрю на него, пытаясь сохранять хладнокровие, но ничего не выходит.

— Я никогда этого не говорил.

— Тебе не нравится мой папа.

В этот момент входят Кимберли и Тесса, избавляя меня, слава богу, от необходимости отвечать.

— Милый, с тобой все в порядке? — спрашивает Кимберли, слегка взъерошив волосы мальчика.

Не говоря ни слова, Смит едва заметно качает головой и, поправив волосы, уходит со своим поездом в другую комнату.

Глава 9

ТЕССА

— Дорогая, прими душ, ты ужасно выглядишь. — Кимберли произносит это доброжелательным тоном, контрастирующим с содержанием ее слов.

Хардин все еще сидит за столом, сжимая в своих больших руках чашку кофе. Он почти не смотрит на меня с тех пор, как я вошла в кухню, прервав его разговор со Смитом. Мысль, что они могли бы общаться как братья, согревает мне сердце.

— Вся моя одежда в той арендованной машине у бара, — говорю я Кимберли. Больше всего на свете мне хочется принять душ, но переодеться не во что.

— Можешь примерить что-нибудь мое, — предлагает она, хотя мы обе знаем, что ничего не подойдет по размеру. — Или что-нибудь из вещей Кристиана. У него есть шорты и рубашка, которые...

— Нет, черт возьми, нет, — перебивает Хардин и, поднявшись, неодобрительно смотрит на Кимберли. Затем говорит мне: — Я съезжу за твоей рубашкой. Не вздумай брать ничего из его вещей.

Кимберли собирается возразить, но так и не произносит ни слова. Я смотрю на нее с благодарностью: на кухне этого номера все-таки не разразится война.

— Далеко отсюда до «Гэбриэлз»? — спрашиваю я в надежде, что кто-то из них знает ответ.

— Десять минут. — Хардин протягивает руку за ключами от машины.

— Ты уже можешь вести?

По дороге из Аллхаллоуса за рулем была я, так как он тогда еще не до конца протрезвел. Глаза у него до сих пор точно стеклянные.

— Да, — сдержанно отвечает он.

Прекрасно. Предложение Кимберли воспользоваться одеждой Кристиана поменяло настроение Хардина от угрюмого до раздраженного меньше чем за минуту.

— Хочешь, я поеду с тобой? Я могла бы вести арендованную машину на обратном пути, если ты поедешь на машине Кристиана... — начинаю я, но тут же замолкаю.

— Нет, спасибо.

Мне не нравится его нетерпеливый тон, но я прикусываю язык — в буквальном смысле, чтобы не высказать все, что о я нем думаю. Не знаю, что на меня нашло, но в последнее время мне все труднее сдерживаться. Наверное, для меня это неплохо — но не для Хардина. Но для меня уж точно неплохо.

Не говоря ни слова и только мельком взглянув на меня, он выходит из номера. Несколько долгих молчаливых минут я пялюсь в стену, пока голос Кимберли не выводит меня из транса:

— Как он все это воспринял? — Она ведет меня
к столу.

— Не очень хорошо. — Мы обе присаживаемся.

— Это я и сама вижу. Все-таки сжечь дом — не
лучший способ справиться со злостью, — говорит она
без малейшего намека на осуждение.

Я разглядываю столешницу из темного дерева, избегая встречаться взглядом с подругой.

— Мне страшно не из-за его злости. Я чувствую,
что он отдаляется от меня с каждой минутой. Знаю,
что веду себя по-детски и эгоистично, начиная с тобой этот разговор. Тебе и так нелегко, а теперь и Кристиан попал в беду...

Возможно, лучше, если я буду держать свои мысли
при себе.

Кимберли накрывает мою руку своей.

— Тесса, нет такого закона, что боль может чувствовать только один человек за раз. Ты так же, как
и я, переживаешь все это.

— Да, но я не хочу нагружать тебя своими проб...

— Ты и не нагружаешь. Выговорись.

Я поднимаю глаза, собираясь промолчать и оставить жалобы при себе, но она качает головой, будто
читая мои мысли.

— Он хочет остаться здесь, в Лондоне, но я знаю,
что, если допущу это, мы расстанемся.

Она улыбается:

— Видимо, для вас двоих термин «расставание»
означает вовсе не то же самое, что для всех остальных. — Я хочу броситься ей на шею за эту теплую
улыбку посреди разверзшегося ада.

— Знаю, в это трудно поверить, особенно учитывая наше прошлое... Но вся эта история с Кристианом
и Триш либо забьет последний гвоздь в крышку гроба
наших отношений, либо станет спасительной благода-

тью. Я не вижу другого выхода и боюсь даже предположить, чем все закончится.

— Тесса, ты пытаешься тянуть неподъемный груз. Выпусти пар. Расскажи мне все. Ничего из того, что ты скажешь, не изменит моего отношения. Да, я эгоистичная стерва, но сейчас мне не помешает окунуться в чужие проблемы, чтобы отвлечься от собственных.

Я не жду, пока Кимберли передумает. Меня прорывает, как плотину. Слова неудержимым потоком вырываются наружу:

— Хардин хочет остаться в Лондоне, а меня отправить обратно в Сиэтл, будто я какое-то ненужное бремя. Он закрывается от меня как всегда, когда ему больно, и сейчас совсем слетел с катушек — сжег тот дом, и его совершенно не мучают угрызения совести. Знаю, он злится, и я никогда ему этого не скажу, но он делает хуже только самому себе. Если бы он просто смирился со своей злостью и принял тот факт, что может чувствовать боль, если бы он признал, что кто-то еще, кроме него и меня, важен в этом мире, он бы справился. Его поведение меня просто приводит в бешенство. Сначала он говорит, что не сможет жить и умрет, если потеряет меня, но что происходит потом, как только наступает трудный момент? Он меня отталкивает. Я не собираюсь опускать руки, уже слишком глубоко завязла в этом болоте, просто иногда чувствую, что устала бороться, и начинаю думать о том, какой была бы моя жизнь без него. — Я встречаюсь с Кимберли взглядом. — Но когда я начинаю себе это представлять, мне больно дышать.

Я хватаю полупустую чашку кофе и осушаю ее одним глотком. Голос немного восстановился по сравнению с тем, что было несколько часов назад, но длинная тирада явно не пошла на пользу больному горлу.

— Мне до сих пор непонятно, почему после всего этого времени, всех месяцев этого хаоса, я готова снова пройти через это, — широким жестом я обвожу пространство комнаты, — лишь бы не расставаться с ним. Наши худшие времена — ничто по сравнению с тем, когда нам хорошо. Даже не знаю, может, я брежу или схожу с ума. Может, и то и другое. Но я люблю его больше, чем себя, больше, чем это вообще возможно представить, и просто хочу, чтобы он был счастлив. Не ради себя, а ради него самого. Я хочу, чтобы он посмотрел в зеркало и улыбнулся, а не оскалился. Чтобы он не относился к себе как к монстру. Чтобы он увидел себя, настоящего себя. Иначе, если он не перестанет примерять маску злодея, она его сожжет, а я останусь с грудой пепла. Пожалуйста, не говори ничего из этого ни ему, ни Кристиану. Мне просто нужно было выговориться. Мне кажется, что я иду ко дну. Мне трудно держаться на плаву, особенно сейчас, когда я борюсь не за себя, а за него.

На последней фразе голос меня подводит, и я захожусь кашлем. Улыбнувшись, Кимберли открывает рот, чтобы что-то сказать, но я жестом останавливаю ее и прочищаю горло:

— Это еще не все. Помимо всего прочего, я сходила к врачу, чтобы проверить, могу ли я... могу ли я иметь детей. — Последние слова я практически шепчу.

Кимберли изо всех сил пытается сдержать смех, но тщетно:

— Подруга, чего шепчешь, давай договаривай!

— Хорошо. — Я краснею. — Врач сделал снимок шейки матки. Сказал, что она короткая — короче, чем у большинства, и теперь хочет провести дополнительное обследование. Предупредил о возможном бесплодии.

Я смотрю на нее, ожидая найти поддержку в ее голубых глазах.

— У моей сестры то же самое, — отвечает Кимберли. — По-моему, это называется несостоятельность шейки матки. Что за ужасное определение — «несостоятельность»? Как будто ее вагина получила двойку по математике, или из нее вышел дерьмовый юрист, или еще что-то в этом роде.

Попытка Кимберли пошутить и то, что она знает еще кого-то, у кого такая же проблема, немного успокаивает меня. Совсем чуть-чуть.

— А у нее есть дети? — интересуюсь я, но сразу жалею о своем вопросе, видя, как вытягивается ее лицо.

— Наверное, не стоит о ней говорить. Расскажу как-нибудь в другой раз.

— Нет, сейчас. — Скорее всего, я пожалею о своей настойчивости, но ничего не могу с собой поделать. — Пожалуйста.

Кимберли глубоко вздыхает.

— Она пыталась забеременеть в течение нескольких лет, для нее это был сплошной кошмар. Прошла лечение от бесплодия. Они с мужем перепробовали абсолютно все, о чем написано в Интернете.

— И? — нетерпеливо произношу я, прямо как вечно перебивающий всех Хардин. Надеюсь, он уже едет обратно. В его состоянии лучше не оставаться одному.

— В конце концов она забеременела, и это был самый счастливый день в ее жизни. — Кимберли отводит глаза, и я знаю, что она или обманывает меня, или что-то скрывает ради моего же блага.

— Что случилось? Сколько сейчас лет малышу?

Кимберли сцепляет руки в замок и смотрит мне прямо в глаза.

— На четвертом месяце у нее случился выкидыш, но это ее история, не расстраивайся. Может, у тебя вообще другой случай. А если и нет, все сложится иначе.

В ушах у меня гулко звенит.

— У меня предчувствие, что я не смогу забеременеть, — признаюсь я. — Когда врач заговорил о бесплодии, все как будто встало на свои места.

Кимберли пожимает мою руку:

— Ты не можешь быть уверена на сто процентов. Не хочу нагнетать обстановку, но ведь Хардин в любом случае не хочет детей?

Ее слова кинжалом проворачиваются у меня в груди, но мне стало легче, потому что я хоть с кем-то поделилась своими тревогами.

— Да. Не хочет. Не хочет ни детей, ни брака со мной.

— Ты надеялась, он передумает? — Она мягко сжимает мою руку.

— К сожалению, да. Я была почти в этом уверена. Конечно, не сейчас, но, возможно, через несколько лет. Я думала, что, когда он повзрослеет и мы оба окончим университет, его решение изменится. Но сейчас это кажется еще более нереальным, чем раньше. — Мои щеки горят от смущения. Поверить не могу, что рассказываю все это вслух. — Конечно, в моем возрасте смешно волноваться о детях, но я всегда, сколько себя помню, хотела быть матерью. Возможно, из-за того, что мои родители были далеко не идеальны, и я всегда чувствовала это стремление, эту потребность — быть матерью. Не просто матерью, а хорошей матерью, любящей своих детей, несмотря ни на что. Я бы никогда не осуждала и не обвиняла их. Не давила на них и не унижала. Не стала бы пытаться превратить их в улучшенную версию себя.

Начав говорить, я чувствовала себя безумной. Но Кимберли кивает в такт моим словам, и мне начинает казаться, что, может, я не одна такая.

— Думаю, из меня получилась бы хорошая мать, была бы только возможность. От мысли о маленькой девочке с каштановыми волосами и серыми глазами, бегущей в распахнутые объятия Хардина, у меня сжимается сердце. Да, глупо, но иногда я воображаю, как они сидят рядом, оба с непослушными вьющимися волосами.

Я смеюсь над нелепым образом, который представляла себе столько раз, что нормальным это уже не назовешь.

— Он бы читал ей, катал на плечах, а она вила бы из него веревки.

Я заставляю себя улыбнуться, пытаясь стереть милую картину из головы.

— Но он не хочет детей. А теперь, узнав, что Кристиан — его отец, уже точно никогда не передумает.

Заправляя выбившийся локон за ухо, я удивляюсь и горжусь собой: получилось рассказать обо всем, не проронив ни слезинки.

Глава 10

ХАРДИН

«Хочу, чтобы ты всегда был рядом».

Эту фразу проронила Тесса, лежа на моей груди. Это то, что я хотел услышать. Это то, что я всегда хочу слышать.

«Но почему она хочет быть со мной всегда? На что это вообще будет похоже? Я и Тесса, нам за сорок, детей нет, не женаты — просто вдвоем?»

Для меня это был бы идеальный вариант. Мое идеальное будущее. Но я знаю, что для нее этого недостаточно. Мы спорили уже сотни раз, и она, как всегда, сдалась бы первой, потому что я не сдаюсь. Быть засранцем означает быть упрямым. Она расстанется с мыслью о браке и детях.

«Ну какой из меня отец?»

Дерьмовый, это уж точно. Я не могу удержаться от смеха, даже просто думая об этом — какая нелепость! Что касается отношений с Тессой, эта поездка обернулась для меня настоящим сигналом к пробуждению. Я всегда пытался ее предупредить, старался не тянуть за собой вниз, но никогда не прилагал достаточно усилий. Если начистоту, я знаю, что был способен оттолкнуть ее сильнее — для ее же блага, но не смог. Теперь, понимая, какой станет ее жизнь со мной, я знаю, что у меня нет выбора. Эта поездка рассеяла романтическую завесу, и каким-то чудом у меня появилась возможность легко со всем разобраться. Отправлю ее назад в Америку, и она заживет своей собственной жизнью.

Будущее Тессы рядом со мной — черная дыра, заполненная одиночеством. Я мог бы получить от нее все: вечную любовь и привязанность на долгие годы, но она осталась бы ни с чем. Со временем стала бы все больше презирать меня за то, что я лишил ее той жизни, какой она действительно хотела. С таким же успехом можно пропустить весь этот этап и избавить ее от бездарной потери времени.

Добравшись до «Гэбриэлз», я швыряю сумку Тессы на заднее сиденье и еду обратно в отель к Кимберли. Мне нужен план, чертовски хороший план, которого я буду четко придерживаться. Она слишком упряма и слишком любит меня, чтобы просто все бросить.

В этом вся проблема: она из тех людей, которые отдают и отдают, ничего не прося взамен. Но самое ужасное, что такие, как она, — легкая добыча для таких, как я — кто берет и берет, пока не останется ничего. Вот чем я и занимался с самого начала, и так будет всегда.

Она попытается убедить меня в обратном. Я знаю. Скажет, что брак не имеет значения, но на самом деле будет обманывать себя, чтобы удержать меня рядом. Я манипулировал ею, чтобы безоговорочно влюбить в себя, и это меня отлично характеризует. Я веду машину, и мазохист внутри меня начинает сомневаться в ее любви.

«Действительно ли она любит тебя, как говорит, или это просто болезненная привязанность?»

Между этими понятиями огромная разница, и чем больше на нее вываливается моего дерьма, тем больше мне кажется, что это просто привязанность. Она ждет, пока я в очередной раз не наломаю дров, и снова меня спасет.

Видимо, так и есть: я для нее постоянно ломающийся механизм, который она может «починить». Мы неоднократно обсуждали это и раньше, но она отказывалась признать очевидное.

Я копаюсь в глубинах своего затуманенного, страдающего от похмелья разума, ища какую-нибудь зацепку, и в конце концов нахожу.

Это случилось, когда мама улетела в Лондон после Рождества.

Тесса подняла на меня обеспокоенные глаза:

— Хардин?

— Да? — ответил я, зажав ручку в зубах.

— Поможешь мне вынести елку, когда закончишь работать?

На самом деле я не работал, а писал, но она об этом не знала. У нас выдался длинный, насыщенный день. Я подловил ее, когда она возвращалась с обеда с этим гребаным Тревором, и, прижав к столу, оттрахал до потери пульса.

— Да, подожди минутку.

Я перелистнул пару страниц, опасаясь, что она наткнется на них во время уборки, и поднялся, чтобы помочь с крошечной елочкой, которую она наряжала вместе с моей мамой.

— Над чем ты работаешь? Что-нибудь интересное?

Тесса потянулась к моей видавшей виды папке — она всегда жаловалась, что я бросаю ее где ни попадя. Следы от кофейных кружек и ручек на потрепанной коже приводили ее в бешенство.

— Ничего особенного.

Я выхватил папку у нее из рук прежде, чем она успела ее открыть. Тесса отпрянула, явно удивленная и немного обиженная моей реакцией.

— Прости, — тихо проговорила она. Ее красивое лицо омрачилось, и я, бросив папку на диван, взял ее за руки. — Я просто спросила, не хотела подсматривать или расстраивать тебя.

Черт, какой же я был придурок.

Я и сейчас такой же.

— Все в порядке, просто не лезь в мою работу. Мне не...

Я не мог придумать подходящую отговорку, потому что до этого не запрещал ей трогать свои вещи. Раньше, если мне казалось, что черновик ей понравится, я непременно его показывал. Она это любила, а сейчас я по непонятной для нее причине разозлился.

— Хорошо. — Она отвернулась и начала снимать украшения с того жуткого дерева.

Несколько минут я пялился в ее спину, ломая голову, что же меня так рассердило. Если бы Тесса прочла мою писанину, что бы она почувствовала? Понравилось бы ей? Или она пришла бы в ужас и закатила истерику? Я не знал и сейчас не знаю, поэтому она до сих пор ни о чем не подозревает.

— Хорошо? Это все, что ты можешь сказать? — спросил я, нарываясь на ссору. Ссориться лучше, чем игнорировать друг друга. Кричать лучше, чем молчать.

— Я больше не буду трогать твои вещи, — ответила она, даже не обернувшись. — Не знала, что ты так расстроишься.

— Мне...

Я отчаянно пытался найти повод, чтобы поругаться. И начал попросту придираться.

— Почему ты вообще со мной? — грубо спросил я. — После всего, что случилось? Тебе нравится скандалить?

— Что? — Она повернулась ко мне, держа в руках елочную игрушку в виде маленькой снежинки. — Зачем ты меня провоцируешь? Я же сказала, что больше не буду прикасаться к твоим вещам.

— Я не провоцирую, — солгал я. — Просто хочу знать, потому что ты, судя по всему, помешана на выяснении отношений.

Конечно, говорить подобное было несправедливо, но я все равно сказал. У меня было плохое настроение, и я хотел разделить его с ней.

Бросив игрушку в ящик рядом с елкой, она подошла ближе.

— Ты знаешь, что это неправда. Я люблю тебя, даже когда ты пытаешься поругаться. Терпеть не могу скандалить, и ты это знаешь. Я люблю тебя такого, какой ты есть. Давай на этом закончим. — Поднявшись на носочки, она потянулась поцеловать меня в щеку, и я ее обнял.

— Почему ты меня любишь? Я ничего для тебя не делаю, — слабо возразил я. Сцена, которую я устроил в тот день в «Вэнс», была еще свежа в моей памяти.

Она терпеливо вздохнула и положила голову мне на грудь.

— Вот поэтому, — постучала она указательным пальцем в том месте, где под одеждой билось мое сердце. — А теперь, пожалуйста, перестань ругаться. Мне нужно поработать с бумагами, и елка сама по себе не исчезнет.

Она была со мной такой нежной, такой понимающей, даже когда я этого не заслуживал.

— Я люблю тебя, — пробормотал я, зарывшись в ее волосы, и передвинул руки с ее спины на бедра. Она вжалась в меня, позволяя приподнять себя, и, пока я нес ее через гостиную на диван, обхватила ногами мою талию.

— Я люблю тебя и всегда буду любить, не сомневайся во мне, — заверила она, приблизив свои губы к моим.

Я медленно раздел ее, наслаждаясь каждым изгибом ее сексуального тела. Мне понравилось, как она закатила глаза, пока я надевал презерватив. В тот день она нервничала по поводу секса во время месячных, но когда я начал поглаживать себя прямо перед ней, ее грудь возбужденно заходила ходуном. Нетерпеливое дыхание и слабый стон — этого было достаточно, чтобы я прекратил ее дразнить. Устроившись между ее бедер, я медленно вошел в нее. Она была такой влажной и тесной, что я тут же растворился в ней и до сих пор не помню, как мы убрали ту чертову елку.

В последнее время я очень часто вспоминал наши счастливые совместные моменты. Дрожащими руками я сжимаю руль, вырываясь из воспоминаний. Ее стоны и крики постепенно затихают, и я возвращаюсь в настоящее.

Медленно ползу в пробке в нескольких милях от Тессы. Мне нужно еще раз обдумать план и убедиться, что сегодня вечером она окажется в самолете. Рейс поздний, вылет не раньше девяти, поэтому у нее будет достаточно времени, чтобы добраться до Хитроу. Конечно, Кимберли ее отвезет. Голова все еще болит: алкоголь медленно выходит из организма, и я до сих пор немного под градусом. Не настолько пьян, что не могу вести машину, но до нормального состояния далеко.

— Хардин! — слышится знакомый глуховатый голос. Я быстро опускаю боковое стекло. Стоит только отвернуться, тебя тут же зовет по имени кто-то из прошлого.

— Ни фига себе! — кричу я. На соседней полосе мой старый друг Марк. Если это не знак свыше, тогда что?

— Паркуйся! — кричит он в ответ, улыбаясь во весь рот.

Я останавливаю арендованную машину Вэнса на стоянке кафе-мороженого. Марк паркуется рядом, выпрыгивает из своей похожей на груду хлама машины и бежит ко мне. Не успеваю я выбраться наружу, как он распахивает мою дверцу.

— Ты вернулся, а я до сих пор ничего не знаю? — орет он, хлопая меня по плечу. — Черт возьми, это арендованная тачка или ты разбогател?

Я закатываю глаза:

— Долгая история, но машина арендованная.

— Ты вернулся насовсем или как? — Сейчас его темно-русые волосы коротко подстрижены, но глаза такие же остекленевшие, как и раньше.

— Да, насовсем, — отвечаю я, приняв окончательное решение. Все просто: я остаюсь, она уезжает.

Он разглядывает мое лицо.

— Где твои гребаные кольца? Снял?

— Да, надоели, — пожимаю я плечами, разглядывая его лицо. Когда он немного поворачивает голову, под нижней губой сверкают на свету два маленьких гвоздика. Черт, да у парнишки «укус змеи».

— Блин, Скотт, ты так изменился. С ума сойти. Сколько прошло? Два года? — Он взмахивает руками. — Три? Черт, да я лет десять хожу обкуренный, уже и не вспомнить ничего.

Он смеется и, пошарив в кармане, достает пачку сигарет. Я отказываюсь, когда он предлагает мне закурить, и зарабатываю его изумленный взгляд.

— Ты чего, правильным стал?

— Черт, нет, просто не хочу, — огрызаюсь я.

Он смеется в ответ так, как смеялся всегда, стоило мне огрызнуться. Марк был лидером нашей маленькой банды. Он старше меня всего на год, но этого было достаточно, чтобы вести за собой и казаться идеалом. Поэтому, когда появился другой парень, Джеймс, еще чуток постарше, и начал обделывать с Марком свои делишки, я сразу же примкнул к ним. Меня не парило, как они обращались с девчонками, даже когда снимали их на камеру без согласия.

— Что, заважничал? — смеется он, зажав в зубах тлеющую сигарету.

— Да пошел ты. Ты что, дунул? — Я знал, что он таким и останется: вечный укурок, заблудившийся в воспоминаниях о старых деньках с кучей девочек и прочих ништяков.

— Не-а. Хотя ночка выдалась длинная, — ухмыляется он, явно гордясь тем, что делал или даже кого поимел прошлой ночью. — Ты сейчас куда? Где остановился, у матери?

В груди становится тяжело при упоминании мамы и дома, который я спалил дотла. Я чувствую горячий дым на щеках и вижу яркое пламя, пожирающее дом, — такую картину я, обернувшись, застал перед тем, как сесть в машину к Тессе.

— Нет, я нигде особо не зацепился.

— А, понял. — На самом деле он ничего не понял. — Если нужно вписаться, можешь зависнуть у меня. Мы с Джеймсом теперь снимаем жилье на пару.

Вот он поугорает, узнав, в кого ты превратился. Весь такой из себя американец типа.

В голове раздается голос Тессы, умоляющий не возвращаться на эту знакомую легкую дорожку, но я отмахиваюсь от него и киваю Марку.

— Вообще-то кой-какая помощь не помешает.

— Могу достать все, что хочешь. Джеймс теперь барыжит! — с гордостью отвечает Марк.

Я закатываю глаза:

— Да нет, я не об этом. Ты не мог бы смотаться со мной до отеля, я кое-что заброшу, а потом подбросишь меня до «Гэбриэлз», чтобы я мог забрать свою машину.

Придется продлить срок аренды, если удастся. Я предпочитаю не вспоминать, что в Вашингтоне у меня остались квартира и машина. Разберусь с этим позже.

— А потом ко мне? — Он останавливается. — Подожди-ка, а барахло кому везешь? — Даже под кайфом он обратил на это внимание.

Черт, ни за что на свете я не буду рассказывать ему о Тессе.

— Да так, цыпочка одна. — Горло просто рвется от этих лживых слов, но я должен защитить ее от всего этого.

Он идет обратно к машине, но, перед тем как сесть, оборачивается:

— А она сладенькая? Могу подождать снаружи, если хочешь трахнуть ее еще разок. А то, может, она и мне…

Мои глаза наливаются кровью, и я несколько раз глубоко вдыхаю и выдыхаю, чтобы успокоиться.

— Нет, без вариантов. Ты останешься в машине. Я даже не буду заходить внутрь. — Судя по всему, я его не убедил, поэтому добавляю: — Я не шучу. Высунешься из гребаной тачки и хоть попробуешь…

— Чувак, остынь! Я подожду в машине! — кричит он и поднимает руки так, будто я коп.

Пока мы выезжаем со стоянки на проезжую часть, он продолжает смеяться и качать головой.

Глава 11

ТЕССА

Я проверяю свой телефон, который стоит на зарядке.

— Его нет уже больше часа. — Я пытаюсь еще раз дозвониться до Хардина.

— Наверное, он просто не торопится, — говорит Кимберли, но я замечаю сомнение в ее глазах — она просто пытается меня успокоить.

— Не отвечает. Если он вернулся в тот бар... — Я встаю и начинаю мерить шагами комнату.

— Он приедет с минуты на минуту. — Она открывает дверь, выглядывает и смотрит сначала по сторонам, затем вниз. Тихо зовет меня по имени, и я слышу по голосу: что-то не так.

— Что? Что там такое?

«Хардин в коридоре?»

Я подскакиваю к Кимберли как раз, когда она наклоняется и... поднимает мой чемодан.

На меня накатывает страх, ноги подкашиваются. Я почти не чувствую, как меня подхватывают руки Кимберли, и открываю передний карман чемодана.

Там билет на самолет, один-единственный билет. Рядом цепочка с ключами Хардина от его машины и квартиры.

Я знала, что так будет. Знала, что он сбежит от меня при первой возможности. Хардин не умеет справляться с эмоциональными травмами, просто не знает, как. Я могла и должна была подготовиться к подобному повороту событий, почему же тогда билет оттягивает руку свинцом и так больно в груди? Я ненавижу его за то, как он поступает со мной — с таким безразличием и так торопливо. Ненавижу себя за то, что не готова к этому. Нужно взять себя в руки, собрать остатки достоинства и с честью принять вызов. Взять билет, треклятый чемодан и бежать из этого чертова Лондона. Так поступила бы любая уважающая себя женщина. Все очень просто. Я прокручиваю эту мысль в голове снова и снова. Колени подгибаются, дрожащими руками я прикрываю смущенное лицо, а мое сердце в очередной раз из-за этого человека разбивается вдребезги.

— Вот козел. — Кимберли выносит Хардину обвинительный приговор.

Будто я и так не знаю, какой он придурок.

— Он вернется. Он всегда возвращается, ты же знаешь, — говорит она.

Я поднимаю голову и натыкаюсь на ее угрожающий взгляд. Она злится на Хардина. Я мягко высвобождаюсь из ее рук и качаю головой.

— Я в порядке. Все хорошо. Я в порядке, — повторяю я, как заклинание, больше для себя, чем для Ким.

— Нет, не в порядке, — возражает она, заправляя непослушную прядь волос мне за ухо.

Этот до боли знакомый жест так напоминает о Хардине, что я отшатываюсь.

— Мне нужно в душ, — говорю я подруге, пока окончательно не раскисла.

Нет, я не сломлена. Не сломлена, а побеждена. Вот что я чувствую — полное поражение. Долгие месяцы я воевала с неизбежным, плыла против течения, которое оказалось слишком сильным, чтобы бороться с ним в одиночку, а теперь иду ко дну, и вокруг нет ни одной спасательной шлюпки.

— Тесса? Тесса, как ты там? — кричит Кимберли за дверью ванной.

— Все нормально, — выговариваю я, и в голосе звучит та же слабость, что ощущается во всем теле. Если нет ни капли силы, можно хотя бы попытаться скрыть слабость.

Вода холодная. Она холодная уже несколько минут... может, даже час. Понятия не имею, сколько времени провела здесь, сидя на корточках под душем, прижав колени к груди. Холодная вода бежит сверху, почти причиняя боль, но тело онемело еще несколько проверок Кимберли назад.

— Ты должна выйти из душа. Не надейся, что я не смогу выломать дверь.

Ни секунды не сомневаюсь, что она так и сделает. Я уже проигнорировала несколько ее угроз подряд, но на этот раз выключаю душ. Но не поднимаюсь с пола.

Некоторое время Кимберли не слышно: видимо, она немного успокоилась, когда шум воды прекратился.

— Выхожу, — отвечаю я на ее очередной стук в дверь.

К тому времени как я встала, ноги затекли, а волосы практически высохли. Порывшись в сумке, я машинально натягиваю джинсы: одна нога, другая. Затем поднимаю руки над головой и надеваю футболку. Чувствую себя как робот и, протерев рукой зеркало, вижу, что и выгляжу не лучше.

«Сколько еще раз он будет так поступать?» — мысленно спрашиваю я свое отражение.

«Нет, сколько еще раз я позволю ему так поступать?» — вот настоящий вопрос.

— Больше никогда, — громко отвечаю я незнакомке в зеркале.

Отыщу его в последний раз — только ради его семьи. Спасу его задницу, увезу из Лондона и сделаю то, что должна была сделать уже давно.

Глава 12

ХАРДИН

— Черт возьми, Скотт! Да ты настоящий мамонт!

Джеймс вскакивает с дивана и подходит ко мне. Это правда. По сравнению с ним и Марком я просто великан.

— Какой у тебя рост? Больше двух метров? — Глаза Джеймса остекленели и налиты кровью. И часа дня еще нет.

— Метр девяносто, — уточняю я и получаю от Джеймса такой же дружеский тычок в плечо, как и от Марка.

— Круто! Надо всем рассказать, что ты приехал. Все остальные до сих пор здесь, чувак. — Джеймс потирает руки, словно замышляя что-то грандиозное, и я даже не хочу знать, что именно.

«Тесса нашла сумку за дверью или еще нет? Что она подумала? Расплакалась? Или для нее всё уже в прошлом?»

Я абсолютно уверен, что не хочу знать ответ на этот вопрос. Не хочу представлять выражение ее лица, когда она открыла дверь. И не хочу даже думать о том, что она почувствовала, когда обнаружила в кармане чемодана только один билет. Я забрал и закинул на заднее сиденье арендованной машины всю свою одежду.

Я знаю ее достаточно хорошо: она ждала, что я попрощаюсь. И попытается разыскать меня прежде, чем окончательно опустит руки. Но, использовав последнюю попытку, она сдастся. У нее не останется выбора, потому что до вылета найти меня она не сможет, а завтра будет уже очень-очень далеко отсюда.

— Чувак! — слышится громкий голос Марка, он машет рукой перед моим лицом. — Ты чего, в отключке?

— Задумался, — пожимаю я плечами.

Тут мне приходит в голову: если Тесса потеряется в Лондоне, пока будет меня искать, что я сделаю? Предприму ли хоть что-нибудь?

Марк кладет руку мне на плечо, вовлекая в прерванное обсуждение, кого приглашать на вечеринку. Они называют кучу знакомых имен, нескольких я вообще не слышал, и начинают звонить, сообщая время и что взять из выпивки.

Скинув его руку, я иду на кухню попить воды и наконец осматриваюсь в квартире. Черт, это одна большая свалка. Выглядит как дом братства по утрам в субботу и воскресенье. Наша квартира ни разу не была в таком состоянии, по крайней мере, когда там жила Тесса. На кухне никогда не валялись коробки из-под пиццы, столы не загромождали батареи пустых бутылок. Мазохизм заставляет меня вытащить из кармана телефон и снова его включить. На заставке моя любимая фотография Тессы. Любимая на данный момент. Ситуация меняется каждую неделю, но это изображение идеально. Светлые волосы распущены по плечам, она озарена светом и словно сияет. Искренняя улыбка во все лицо, глаза прищурены, носик очаровательно сморщен. Черт, она смеялась тогда надо мной, даже ругалась за то, что я шлепнул ее по заднице перед Кимберли. Я шепотом описал, какие гораздо более пошлые вещи могу сделать с ней прямо на глазах у ее нахальной подруги и успел сфотографировать ее как раз перед тем, как она расхохоталась.

Я бреду назад в гостиную, и Джеймс выхватывает телефон из моей руки.

— Покажи-ка, чем ты там занят!

Я поскорее забираю мобильник обратно, пока он не увидел фотографию.

— Ой, какие мы обидчивые, — дразнит Джеймс, пока я меняю заставку. Этим идиотам только повод дай.

— Я пригласил Джанин, — смеётся Марк, ему вторит Джеймс.

— Не понимаю, чего вы ржёте. Она же твоя сестра, — киваю я на Марка. Затем поворачиваюсь к Джеймсу: — И ты тоже её трахал.

Это не новость. Ни для кого не секрет, что сестра Марка спит со всеми друзьями младшего братишки.

Так проходят часы: мы курим, болтаем, пьём, болтаем, курим, и я не успеваю заметить, как вокруг нас уже куча народа, в том числе и вышеупомянутая девица.

Глава 13

Тесса

У меня ещё осталась гордость, хотя и немного, и я предпочла бы встретиться и поговорить с Хардином наедине. Я точно знаю, как он поступит. Скажет, что я слишком хороша для него, а он меня недостоин. Скажет что-нибудь обидное, а я буду убеждать его в обратном.

Должно быть, Кимберли думает, что я дура, раз бегаю за ним после того, как он меня с таким равнодушием бросил. Но я его люблю, а когда кого-то любишь, то борешься: следуешь за ним, если знаешь, что он в тебе нуждается, поддерживаешь в борьбе против самого себя и не сдаёшься, даже когда он сам махнул на себя рукой.

— Всё в порядке. Если я его найду, а ты будешь со мной, он почувствует себя загнанным в угол, и это только усложнит ситуацию, — говорю я Кимберли уже во второй раз.

— Пожалуйста, будь осторожна. Мне не хотелось бы убивать этого мальчишку, но теперь уже ничего не могу обещать, — почти улыбается она. — Погоди-ка, есть ещё кое-что.

Воздев палец кверху, она бежит к кофейному столику в центре комнаты, роется в сумочке и подзывает меня к себе.

Кимберли в своем репертуаре: она наносит на мои губы бесцветный блеск и с ухмылкой вручает тюбик с тушью.

— Ты же хочешь выглядеть на все сто?

Несмотря на боль в груди, я улыбаюсь над ее попыткой помочь мне выглядеть прилично. Несомненно, для нее в этом состоит часть решения проблемы.

* * *

Десять минут спустя красное от рыданий лицо приобретает нормальный цвет. Благодаря тональному крему и теням отеки вокруг глаз уже не так заметны. Волосы расчесаны и, можно сказать, уложены крупными волнами. Через какое-то время Кимберли сдается и, вздохнув, говорит, что «пляжный» эффект сейчас все равно в моде. Не помню, как она переодела меня, сменив футболку на топ и кардиган, но ей удалось за рекордно короткий срок превратить меня из зомби в более-менее нормально выглядящего человека.

— Обещай, что позвонишь, если я тебе понадоблюсь, — говорит Кимберли. — Не надейся, что я не поеду тебя искать.

Киваю, соглашаясь, и знаю, что она не станет колебаться ни секунды. Она обнимает меня еще дважды перед тем, как отдать ключи от арендованной машины Кристиана, которую Хардин оставил на парковке.

Сев в машину, я ставлю телефон на зарядку и опускаю боковое стекло. В салоне пахнет Хардином. Пустые стаканчики из-под утреннего кофе все еще в держателях и напоминают мне, что всего несколько часов назад мы занимались здесь любовью. Так он попрощался со мной. Я только сейчас понимаю, что в глубине души знала это еще тогда, но не была готова принять. Не хотела признать явное, настигающее меня поражение. Невероятно, но уже пять вечера. У меня в запасе меньше двух часов, чтобы найти Хардина и убедить его вернуться домой вместе со мной. Посадка на рейс начинается в половине девятого, но нам нужно приехать около семи, чтобы успеть пройти досмотр.

«Или я полечу домой одна?»

Посмотрев на свое отражение в зеркале заднего вида, я встречаюсь взглядом с той же девушкой, которой пришлось подняться с пола ванной. Меня снова охватывает дурное предчувствие, что домой я полечу в одиночестве.

Мне известно только одно место, где он может быть, и если его там нет, то вообще непонятно, что делать. Завожу машину, но рука замирает на рычаге коробки передач. Я не могу просто так кататься по Лондону без денег, не зная, куда ехать.

В отчаянии и тревоге я снова пытаюсь до него дозвониться и, когда он берет трубку, готова разрыдаться от счастья.

— Алло-о-о, кто это? — произносит незнакомый мужской голос.

Отдернув телефон от уха, я проверяю, Хардину ли звоню, но на весь экран светится его имя.

— Алло-о-о, — повторяет парень громче, все так же растягивая слова.

— Хм-м, привет. А Хардин там? — У меня сводит желудок: этот незнакомец явно не предвещает ничего хорошего, и я понятия не имею, кто это такой.

В трубке слышны смех и голоса, среди них определенно несколько женских.

— Скотт сейчас... в состоянии, — отвечает парень.

«В состоянии?»

— Не в состоянии, идиот, — поправляет, смеясь, женщина на заднем плане.

«Боже».

— Где он? — спрашиваю я. Судя по тому, как изменился шум в трубке, меня переключили на громкую связь.

— Занят, — отвечает другой парень. — Ты кто? Придешь на вечеринку? Ты поэтому звонишь? Мне нравится твой американский акцент, птичка, и если ты подружка Скотта...

Вечеринка? В пять вечера? Я пытаюсь сосредоточиться на этом бесполезном факте, а не на женских голосах, доносящихся из телефона, и не на том, что Хардин «занят».

— Ага, — выдает мой язык, прежде чем соглашается мозг. — Повтори-ка адрес.

Я разговариваю неуверенным и дрожащим голосом, но никто, похоже, этого не замечает.

Парень, взявший трубку, диктует адрес, и я быстро вбиваю его в навигатор мобильника. Дважды ошибаюсь, и мне приходится просить его повторить, что он и делает. Он советует поторопиться, с гордостью похвастав, что столько выпивки я никогда в жизни не видела.

* * *

Двадцать минут спустя я оказываюсь на маленькой стоянке, примыкающей к обшарпанному кирпичному зданию с большими окнами, три из которых занавешены белой пленкой или, возможно, мешками для мусора. На парковке куча машин. БМВ, на котором я приехала, выделяется среди них как бельмо на глазу. Единственная похожая — та, что арендована Хардином. Она стоит у въезда, зажатая со всех сторон, а значит, он здесь дольше, чем все остальные.

Перед тем как войти, я набираю полную грудь воздуха, чтобы собраться с силами. Незнакомец сказал по телефону, что мне нужна вторая дверь на четвертом этаже. Не похоже, что в этом сомнительном здании есть четвертый этаж, но, поднявшись по лестнице, я понимаю, что ошиблась. Громкие голоса настигают меня еще на площадке третьего этажа.

Смотрю наверх и не понимаю, что Хардин здесь забыл. Зачем убегать от своих проблем в такое место? Как только я поднимаюсь на четвертый этаж, сердце начинает бешено колотиться, а желудок просто завязывается в узел. Разум прокручивает возможные варианты того, что может происходить за этой поцарапанной, изрисованной граффити дверью номер два.

Тряхнув головой, отгоняю сомнения. Почему я так боюсь и нервничаю? Ведь это Хардин, мой Хардин. Даже разъяренный и замкнувшийся в себе, он никогда намеренно не причинит мне вреда, не считая жестоких слов. Ему сейчас непросто из-за ситуации в семье, он нуждается в том, чтобы я помогла и забрала его домой. Я просто накручиваю себя и без причины усложняю ситуацию.

Дверь открывается как раз в тот момент, когда я собираюсь постучать. Парень, одетый во все черное, проходит мимо, не останавливаясь и не закрывая за собой дверь. Из глубины квартиры валят клубы дыма, и я еле сдерживаюсь, чтобы не зажать рот и нос. Кашляя, переступаю порог.

И застываю в немом изумлении: на полу передо мной сидит полуобнаженная девица. Я оглядываюсь по сторонам и понимаю, что почти все вокруг полуодеты.

— Снимай верх, — говорит молодой бородатый парень какой-то крашеной блондинке. Та закатывает глаза, но, быстро избавившись от рубашки, остается в одном лифчике и трусиках.

Понаблюдав немного за этой сценой, я понимаю, что они играют в карты на раздевание. Сначала я подумала совсем про другое, и на душе становится немного светлее. Не намного, но светлее.

Я чувствую слабое облегчение от того, что Хардина нет в компании полуголых картежников, и продолжаю рыскать глазами по переполненной комнате, но его нигде не видно.

— Ты заходишь или как? — спрашивает кто-то.

Я оборачиваюсь в поисках источника голоса.

— Закрывай за собой дверь и заходи, — говорит парень, показываясь из-за чьей-то спины слева от меня. — Мы встречались раньше, Бэмби?

Он усмехается, и я неуютно передергиваю плечами, когда его налитые кровью глаза начинают блуждать по моей фигуре, неприлично долго задерживаясь на груди. Мне не нравится выбранное им прозвище, но я упускаю подходящий момент, чтобы назвать свое настоящее имя. Судя по голосу, это он разговаривал со мной по телефону Хардина.

Я качаю головой, ни одно слово не приходит на ум.

— Марк, — представляется он и тянется к моей руке, но я ее отдергиваю.

Марк... Я сразу же узнаю это имя из письма и разных историй, которые рассказывал Хардин. Марк достаточно приветлив, но мне известно, что он собой представляет. И известно, что он вытворял с девушками.

— Это моя квартира, кто тебя пригласил?

Из-за вопроса мне сначала кажется, что он сердится, но на его лице одно хвастовство.

Он говорит с сильным акцентом, и я нахожу его действительно привлекательным. Немного пугающим, но привлекательным. Темно-русые волосы топорщатся спереди, борода растрепанная, но ухоженная — «образ хипстера-придурка», как называет это Хардин, но мне даже нравится. На руках нет татуировок, но на лице пирсинг: под нижней губой проколото в двух местах.

— Я... М-м-м... — пытаюсь я собраться со словами.

Он снова смеется и хватает меня за руку.

— Так, Бэмби, пойдем организуем тебе что-нибудь выпить, чтобы ты расслабилась, — улыбается он. — От тебя с ума сойти можно.

Он ведет меня на кухню, и я начинаю сомневаться, здесь ли вообще Хардин. Может, он бросил машину и телефон, а сам в другом месте? Может, он в машине? Почему я не проверила? Наверное, нужно спуститься и проверить. Он был таким усталым, что мог просто задремать...

Но потом у меня перехватывает дыхание.

Если бы кто-нибудь в тот момент спросил меня, что я ощущаю, не уверена, каким был бы мой ответ. Думаю, что вообще не нашла бы что сказать. Мне физически больно, колет в груди, я в ужасе, не верю своим глазам, но в то же время словно онемела. Я одновременно чувствую все и ничего, и это самое ужасное из того, что я когда-либо испытывала.

Хардин замер, прислонившись к столу, с бутылкой в руке. Я чувствую, как останавливается мое сердце. Позади него сидит женщина, ее голые ноги обхватывают его талию, а тело прижимается так, будто естественнее и быть ничего не может.

— Скотт! Давай сюда водку. Моя новая подружка Бэмби хочет выпить! — орет Марк.

Хардин переводит налитый кровью взгляд на Марка и мерзко улыбается. Таким отвратительным я его ни разу не видела. Когда он поворачивается ко мне, чтобы посмотреть, что там за Бэмби, я стою достаточно близко и вижу, как его глаза с расширенными зрачками словно вылезают из орбит, а с лица исчезает незнакомое выражение.

— Что... Что ты... — бормочет он. Его взгляд скользит по мне, и глаза выпучиваются еще сильнее, когда он видит руку Марка поверх моей. Лицо Хардина багровеет от гнева, и я отдергиваю руку.

— Вы что, знакомы? — спрашивает хозяин вечеринки.

Я не отвечаю. Мое внимание переключается на женщину, чьи ноги по-прежнему обвивают Хардина. Он до сих пор не предпринял никаких попыток скинуть ее с себя. На ней только трусики и футболка. Простая черная футболка.

На Хардине его черная толстовка, но я не вижу под ней воротника такой знакомой выцветшей футболки. Эта случайная девица, не замечая возникшего напряжения, даже улыбается мне, бестолковая и явно уже хорошая.

Я молчу. Ошарашенная происходящим, поверить не могу, что знаю стоящего передо мной человека. Наверное, не смогу сейчас при всем желании произнести ни слова. Я понимаю, Хардину нелегко, но видеть его в объятиях другой женщины — это уже слишком. Слишком, черт бы его побрал, и все, о чем я могу сейчас думать, — это как оказаться отсюда подальше.

— Значит, знакомы, — смеется Марк и забирает у Хардина бутылку.

Хардин до сих пор не проронил ни звука. Он просто таращится на меня, словно я какое-то привидение. Словно я — забытое воспоминание из прошлого, с которым он не ожидал столкнуться вновь.

Развернувшись на пятках, я расталкиваю всех, кто оказывается на моем пути из этого ада, и выбегаю за дверь. Спустившись на один пролет, прислоняюсь к стене и, запыхавшись, соскальзываю вниз. В ушах звенит, груз случившегося за последние пять минут придавливает меня к полу так, что я не представляю, как выйду отсюда.

Я тщетно прислушиваюсь, не застучат ли ботинки по металлическим ступеням, и каждая минута тишины вонзается в сердце глубже, чем предыдущая. Он даже не попытался меня остановить. Позволил увидеть себя в таком виде и даже не подумал догнать и все объяснить.

Сегодня я уже выплакала из-за него все слезы, но оказывается, что плакать без слез гораздо больнее, чем с ними, а прекратить невозможно. После всего, что у нас было: ссор, смеха, времени, проведенного вместе, он хочет вот так все закончить? Вот так оттолкнуть меня прочь? Неужели он не уважает меня настолько, что, ужравшись в хлам, позволяет другой женщине прикасаться к себе и носить свою одежду после... Одному богу известно, чем они там занимались.

Я не разрешаю себе даже думать об этом, иначе умру. Знаю, что я видела, но знать и принять — это разные вещи.

У меня хорошо получается находить оправдания его поступкам. Я отлично научилась это делать за долгие месяцы наших отношений и до конца придерживаться придуманных отговорок. Но сейчас никакое оправдание не поможет. Даже та боль, которую он чувствует из-за предательства матери и Кристиана, не дает ему права так поступать со мной. Я не сделала ему ничего плохого, чтобы он отплатил мне такой монетой. Моей единственной ошибкой была попытка слишком долго оставаться рядом с ним и помогать справляться с вымещаемой на других злобой.

Чем дольше я сижу на пустой лестничной клетке, тем больше унижение и боль перерастают в злость. Тяжелую, утробную, невыносимую злость. Хватит с меня его оправданий. Хватит, я больше не буду терпеть все это дерьмо, а потом прощать его после простого извинения и обещания, что он изменится.

Нет, черт возьми, нет.

Но я не уйду без боя. Я отказываюсь оставлять его и позволять ему думать, что так обращаться с людьми — это нормально. У него явно не осталось ни капли уважения к себе, как, впрочем, и ко мне. Злость переполняет меня, и вот я уже мчусь вверх по чертовым ступеням обратно в этот клоповник.

Толкнув дверь так, что она в кого-то ударяется, я прокладываю себе путь на кухню. Разум затуманивает еще больше, когда я вижу, что Хардин стоит на том же самом месте, в той же самой позе, с той же самой шлюхой за спиной.

— Слушай, я не в курсе, просто какая-то... — говорит он Марку.

Я в такой ярости, что перед глазами все расплывается. Прежде чем Хардин успевает меня заметить, я выхватываю бутылку из его рук и швыряю о стену. Она разбивается, и в комнате воцаряется гробовая тишина. Я словно смотрю на себя со стороны — на злобную, разъяренную, сходящую с ума версию Тессы — и не могу остановиться.

— Бэмби, какого черта? — кричит Марк.

— Меня зовут Тесса! — поворачиваюсь я к нему и кричу в ответ.

Глаза Хардина закрыты, и я наблюдаю за ним, ожидая, что он заговорит, скажет хоть что-нибудь.

— Ну хорошо, Тесса, водку-то зачем разбивать?! — с сарказмом спрашивает Марк. Он не в том состоянии, чтобы осознать, какой бардак я устроила, и думает только о разлившейся выпивке.

— У меня был отличный учитель по разбиванию бутылок о стены, — отвечаю я и сердито смотрю на Хардина.

— Ты не говорил, что у тебя есть подружка, — подает голос потаскуха, вцепившаяся в него сзади.

Я перевожу взгляд с Марка на эту женщину и обратно. Между ними есть явное сходство... а я, черт возьми, перечитывала то письмо слишком много раз, чтобы не знать, кто это такая.

— Ну и Скотт, притащил чокнутую американскую цыпочку в мою квартиру, а она теперь швыряется бутылками, — изумленно произносит Марк.

— Не смей, — отвечает Хардин, подходя ближе.

Я корчу ему мою самую лучшую рожу. Грудь бурно вздымается и опускается, в голове все перепуталось, но мое лицо застыло маской: ни намека на эмоции. Как и у него.

— Кто эта телка? — спрашивает Марк Хардина, как будто меня здесь нет.

Хардин снова не признает меня.

— Я тебе уже говорил. — Ему не хватает смелости даже поднять глаза, пока он позорит меня перед комнатой, полной народу.

Но с меня довольно.

— Какого черта с тобой творится? — кричу я. — Думаешь, можешь зависать здесь, чтобы забыть о проблемах? — Да, я веду себя как сумасшедшая, но на этот раз мне все равно, что подумают окружающие. Не дав ему возможности ответить, я продолжаю: — Какой же ты эгоист! Думаешь, оттолкнув меня и замкнувшись в себе, сделал для меня что-то хорошее? Черт, да ты ведь знаешь, как все будет! Ты не можешь без меня — тебе просто будет паршиво, как и мне. Причиняя мне боль, ты ничего не добьешься. И что же, я прихожу и застаю тебя в таком виде?

— Ты вообще не понимаешь, о чем говоришь, — тихо и угрожающе произносит Хардин.

— Не знаю? — всплескиваю я руками. — На ней твоя чертова футболка!

Я уже ору и указываю на потаскуху, которая спрыгивает со стола и пытается натянуть футболку Хардина пониже, чтобы прикрыть ляжки. Она намного ниже меня, и футболка смотрится на ней просто гигантской. Я знаю, что этот образ будет преследовать меня до конца жизни. Он вплавляется в память, все тело пламенеет от злости, и в этот чертов момент, наполненный первобытной, звериной яростью... все встает на свои места.

Все становится предельно ясным. Мои прошлые мысли о любви и о том, что нужно бороться за того, кого любишь, не имеют ничего общего с правдой. Все это время я ошибалась. Когда любишь кого-то, не позволяешь ему разрушать тебя вместе с ним, не позволяешь ему смешивать тебя с грязью. Ты пытаешься помочь, спасти его, но как только любовь становится безответной или эгоистичной, а ты по-прежнему не сдаешься, — ты в дураках.

Если бы я его любила, то не позволила бы разрушить и себя тоже.

С Хардином я пыталась снова и снова. Давала ему шанс за шансом и каждый раз думала, что теперь-то все наладится. На самом деле думала, что у нас все получится. Считала, что, если буду сильно его любить и приложу еще немного усилий, все кончится хорошо и мы будем счастливы.

— Что ты вообще здесь делаешь? — спрашивает он, нарушая мое прозрение.

— Как что? Или ты думал, я позволю тебе сбежать как последнему трусу?

Боль возвращается, и злость начинает утихать. Меня это пугает, но я почти рада подвести итог. За последние семь месяцев слова, сказанные Хардином, и замкнутый круг, в котором мы вертимся, ослабили меня, зато сейчас я ясно вижу, что представляют собой наши переменчивые отношения.

Неизбежность.

В конце нас всегда поджидала неизбежность, и я поверить не могу, что мне потребовалось столько времени, чтобы это понять и принять.

— Даю тебе последний шанс уйти со мной сейчас и вернуться домой. Но знай: если я выйду за эту дверь без тебя, все кончено.

Его молчание и самодовольный, затуманенный взгляд толкают меня к краю пропасти.

— Так я и думала.

Я даже больше не кричу. Это бессмысленно. Он не слушает. Да и никогда не слушал.

— Знаешь, что? Можешь все так и оставить: пропить и прокурить свою жизнь, — я подхожу к нему ближе и останавливаюсь всего в паре шагов, — но больше у тебя никогда ничего не будет. Надеюсь, ты будешь получать удовольствие, пока оно не иссякнет.

— Буду, — отвечает он, и его слова снова разрывают мне сердце.

— Слушай, если она не твоя подружка... — говорит Марк Хардину, напоминая мне, что мы не одни в комнате.

— Я никому не подружка, — огрызаюсь я.

Похоже, мое отношение только раззадоривает Марка. Он улыбается во весь рот и тянется ко мне рукой, чтобы увести в гостиную.

— Отлично, вот и решили.

— Руки прочь от нее!

Хардин толкает Марка в спину — недостаточно сильно, чтобы тот упал, но силы удара хватает, чтобы он меня отпустил.

— На выход, сейчас же! — рычит Хардин, проходя мимо меня в гостиную. Я следую за ним в коридор и громко хлопаю дверью.

Он дергает себя за волосы, распаляясь все сильнее.

— Что это, черт возьми, было?

— Что именно? Я пыталась вытянуть тебя из дерьма. Думаешь, можно просто сунуть билет на самолет и связку ключей в чемодан и уйти?

Я толкаю его в грудь, прижимая к стене, и почти готова попросить за это прощения, чувствуя себя виноватой, но, когда поднимаю голову и вижу его расширенные зрачки, малейшие угрызения совести утихают. От него воняет алкоголем и чем-то еще, непривычным и отвратительным, этот человек — не тот Хардин, которого я люблю.

— Черт, я так запутался в своих собственных мыслях, что и думать ни о чем не могу, не говоря уж о том, чтобы в тысячный гребаный раз объясняться с тобой! — орет он, ударяя кулаком по гипсокартонной стене и проламывая ее.

Я наблюдала подобную сцену уже много раз. И этот будет последним.

— Ты даже не попытался!

— Тесса, что еще тебе нужно? Хочешь, чтобы я по буквам произнес? Убирайся отсюда — возвращайся туда, где тебе место! Здесь тебе делать нечего. — К концу последней фразы его голос становится нейтральным, даже спокойным. Почти безразличным.

У меня больше не осталось сил бороться.

— Доволен, Хардин? Ты победил. Ты снова победил. Хотя ты всегда побеждаешь.

Он поворачивается и смотрит мне прямо в глаза.

— Тебе ли не знать.

Глава 14

Тесса

Не знаю, как мне удается добраться до Хитроу вовремя, но я успеваю.

Кажется, Кимберли обнимает меня на прощание, когда высаживает у аэропорта. Отчетливо помню, как

Смит внимательно смотрит на меня, о чем-то размышляя.

И вот я сижу в самолете, рядом незанятое сиденье, а в голове так же пусто, как и на сердце. Я не могла ошибаться в Хардине сильнее, и это еще раз доказывает, что человек может измениться, только если сам захочет, независимо от того, какие усилия прикладываешь ты. Он должен хотеть этого так же сильно, как и ты, иначе все без толку.

Невозможно изменить человека, в чьем сознании прочно укоренился именно такой собственный образ, каким он и является. Недостаточно ни твоей поддержки, чтобы оправдать его заниженные ожидания в отношении самого себя, ни любви, чтобы уничтожить ненависть, которую он к себе испытывает.

Эта битва обречена на провал, и в конце концов спустя столько времени я готова сдаться.

Глава 15

ХАРДИН

В ушах звенит голос Джеймса, его босая ступня касается моей щеки.

— Чувак, вставай! Скоро придет Карла, а ты занял единственную ванную.

— Отвали, — ворчу я и снова закрываю глаза. Если бы я мог сдвинуться с места, то переломал бы ему пальцы на ногах.

— Скотт, кончай дурить. Ты можешь лечь на диван, великан чертов, а мне нужно поссать и хотя бы почистить зубы.

Он прижимает ступню к моему лбу, и я пытаюсь встать. Чувствую себя как куча дерьма, глаза и горло саднит.

— Он жив! — кричит Джеймс.

— Черт, заткнись.

Я затыкаю уши и прохожу мимо него в гостиную. Полуодетая Джанин и полный энтузиазма Марк уже собрали в мусорный мешок пустые пивные бутылки и красные стаканчики.

— Как спалось на полу в ванной? — весело осведомляется Марк, зажав сигарету в зубах.

— Обалденно. — Я закатываю глаза и сажусь на диван.

— Ты был просто в хлам, — заявляет он гордо. — Ты когда так напивался в последний раз?

— Не помню. — Я растираю виски, а Джанин подает мне кружку. Я качаю головой, но она сует ее мне в руки.

— Это просто вода.

— Я в порядке. — Не хочу ей грубить, но, черт, она такая надоедливая.

— Вот ты попал, — говорит Марк. — Я думал, эта американка... Как там ее, Триша? — Сердце начинает глухо колотиться в груди при упоминании ее имени, даже несмотря на то, что он запомнил его неправильно. — Думал, она разнесет всю квартиру к чертям собачьим. Боевая малышка.

В памяти всплывает картина: Тесса кричит на меня, швыряет бутылку о стену и уходит прочь. Боль в ее глазах заставляет меня еще больше вжаться в диван, и я чувствую, что меня снова начинает тошнить.

Все к лучшему.

Иначе и быть не может.

— Малышка? — изумляется Джанин. — Я бы не назвала ее малышкой.

— Ты ведь не о том, как она выглядит? — говорю я с прохладцей, еле сдерживаясь, чтобы не выплеснуть воду из кружки ей в лицо. Если Джанин кажется, что она такая же красивая, как Тесса, она явно перебрала.

— Она не такая худенькая, как я.

«Еще один гребаный комментарий, Джанин, и от твоей самоуверенности ничего не останется».

— Сестренка, без обид, но та цыпочка гораздо сексуальнее тебя. Наверное, поэтому Хардин та-а-ак влюбился, — тянет Марк.

— Влюбился? Я вас умоляю! Вчера он вышвырнул ее отсюда, — смеется Джанин, и в мой живот словно всаживают нож.

— Я не... — Я даже не могу спокойно закончить фразу.

— Забудьте о ней. Я не шучу, черт возьми, — предупреждаю я эту парочку.

Джанин бормочет что-то себе под нос, а Марк, усмехнувшись, вытряхивает пепельницу в мусорный мешок. Я откидываюсь головой на диванную подушку и закрываю глаза. Никогда мне не перестать пить, никогда. Иначе не избавиться от боли, иначе так и придется сидеть с огромной дырой в чертовой груди.

Я весь издергался и раздражен, меня тошнит, сил нет — хуже не бывает.

— Она приедет через двадцать минут! — говорит Джеймс. Открыв глаза, я вижу, что он полностью одет и меряет шагами маленькую гостиную.

— Мы знаем, заткнись уже, — лениво тянет Джанин, прихлебывая из бутылки. — Приходится терпеть это раз в месяц.

Нужно заняться самолечением. Для такого труса, как я, нет другого выхода, кроме как забиться в угол и спрятаться от пульсирующей боли, ведь вся жизнь разваливается на части.

— Дай-ка мне и это тоже, — тянусь я за выпивкой в руке Джанин.

— Еще даже не полдень, — говорит она, закручивая крышку.

— Я тебя не спрашиваю, сколько времени или сколько градусов на улице. Я попросил водки. — Я вырываю бутылку из ее рук, и Джанин раздраженно фыркает.

— Значит, ты бросил универ? — спрашивает Марк, пуская колечки дыма.

— Нет... — Черт. — Пока не знаю. Я об этом еще не думал.

Я делаю глоток, и обжигающая жидкость проваливается внутрь. Черт, понятия не имею, что делать с университетом. До выпуска всего полсеместра. Документы в работе, и я уже отказался от гребаной церемонии. Еще нужно что-то решить с квартирой, где осталось все мое барахло, и машиной, припаркованной в аэропорту Сиэтла.

— Джанин, сходи проверь, вдруг в раковине грязная посуда, — говорит Марк.

— Нет, мне всегда приходится ее мыть...

— Я накормлю тебя обедом. Знаю, ты без копейки, — обещает он.

Это срабатывает, и Джанин оставляет нас в гостиной одних. Мне слышно, как Джеймс шумит в своей спальне: звук такой, будто он двигает мебель.

— Что за Карла? — спрашиваю я Марка.

— Подружка Джеймса. В целом она клевая, но немножко зануда. Не какая-нибудь стерва или что-то в этом духе, просто не в восторге от всего этого дерьма. — Марк обводит рукой запущенную квартиру. — Она учится на врача, богатые предки и все такое.

— Тогда на кой ляд ей Джеймс? — смеюсь я.

— Эй, придурки, я вас слышу! — вопит Джеймс из комнаты.

Теперь и Марк смеется, гораздо громче, чем я.

— Не знаю, но он теперь долбаный подкаблучник и все время паникует перед ее приездом. Она живет в Шотландии и наведывается только раз в месяц, но постоянно одно и то же. Он все время пытается произвести на нее впечатление. Поэтому и поступил в универ, хотя уже два предмета завалил.

— Именно поэтому он не переставая трахает твою сестру? — поднимаю я бровь. Джеймс всегда был бабником, это уж точно.

— Я вижу Карлу только раз в месяц, а с Джанин уже сто лет не сплю! — защищается Джеймс, выглянув из-за угла, и снова исчезает. — Теперь заткнитесь оба, пока я не выставил отсюда ваши задницы!

— Супер! Давай еще яйца побрей, — подкалывает его Марк и передает мне бухло.

Он теребит этикетку на бутылке с водкой, зажатой между ног.

— Слушай, Скотт, я не очень разбираюсь во всей этой любовной хрени, но ты никого не проведешь здесь своим спектаклем.

— Это не спектакль, — огрызаюсь я.

— Ну да, конечно. Ты просто заявляешься в Лондон после трех лет отсутствия, не говоря уж о той цыпочке, которую с собой привез. — Его взгляд перемещается от моего лица к бутылке. — Потом перебираешь с выпивкой. И еще, мне кажется, у тебя рука сломана.

— Не твое дело. С каких пор ты стал так заморачиваться? Сам каждый день пьешь и куришь.

Марк с этим неожиданным интересом к моей жизни раздражает меня все больше. Я пропускаю мимо ушей его замечание насчет руки, хотя, надо признать, она понемногу меняет цвет на фиолетово-зеленый. Но я не мог сломать руку о чертову гипсокартонную стену.

— Не будь идиотом, ты можешь притворяться сколько угодно. Правда, я не помню, чтобы ты был таким неженкой. Ты всегда вел себя как бесчеловечная скотина.

— Я не неженка, ты просто раздуваешь из мухи слона. Эта телка — случайная девица из моего универа в Америке. Мы познакомились, и я ее трахнул. Она хотела посмотреть Англию и оплатила дорогу сюда, и я снова ее трахнул, уже на королевской земле. Конец истории. — Я делаю еще один глоток водки, чтобы смыть ту чушь, которую только что выдумал.

Судя по всему, Марка мои слова не убедили.

— Ну конечно. — Он закатывает глаза. Дурацкая привычка, которую он перенял у сестры.

Я с раздражением поворачиваюсь к нему, но прежде, чем успеваю что-то сказать, к горлу подкатывает желчь.

— Слушай, когда мы познакомились, она была девственница, и я трахнул ее на спор ради бабла. Так что никакой я не неженка. Мне на нее плевать...

В этот раз я не могу сдержаться и, зажав рот, бегу мимо Джеймса. В итоге он кроет меня матом за заблеванный пол в ванной.

Глава 16

ТЕССА

— Это как миниатюрный ноутбук.

Я продолжаю изучать свой новый телефон. В айфоне больше функций, чем в компьютере. Пробегаюсь пальцем по огромному экрану, касаясь маленьких значков. Ткнув на квадратик камеры, подпрыгиваю от неожиданности: выскакивает мое лицо не в лучшем ракурсе. Я быстро избавляюсь от него, нажав на иконку браузера, и машинально набираю адрес Гугла. Этот телефон ужасно непривычный. Все так запутано, но спешить мне некуда, и я постепенно разбираюсь, как им управлять. Я купила его всего десять минут назад и до сих пор еще в магазине. Все с такой легкостью тыкают в гигантский экран и листают пальцами, но здесь очень много функций. На самом деле слишком много.

Но, как по мне, это здорово — есть чем занять-ся. От этой штуки можно не отрываться часами, а то и днями. Я прокручиваю список жанров музыки, и меня просто потрясает, что бесконечное количество композиций становится доступно по щелчку пальцев.

— Хотите, помогу скопировать ваши контакты, фотографии и все остальное на новый телефон? — спрашивает девушка за стойкой. Я уже и забыла, что она и Лэндон здесь, — слишком увлеклась, пытаясь разобраться, как работает телефон.

— М-м, нет, спасибо, — вежливо отказываюсь я.

— Вы уверены?

В ее густо подведенных глазах застывает удивление.

— Это не займет много времени, — добавляет она, продолжая жевать жвачку.

— Я и так помню все нужные номера.

Она пожимает плечами и переводит взгляд на Лэндона.

— Мне нужен твой номер, — говорю я ему.

Раньше мне требовались номера только мамы и Ноя. Мне просто необходимо начать все сначала. Новень-кий сияющий телефон с несколькими сохраненными номерами в этом поможет. Я всегда упорно отказы-валась от нового мобильника, но теперь рада не мень-ше, что его приобрела.

К моему удивлению, это очень ободряет: ни кон-тактов, ни фотографий, ничего.

Лэндон показывает, как сохранять номера, и мы уходим из магазина.

— Я еще покажу, как закачать твою музыку. В лю-бом случае с этим телефоном все намного проще, — улыбается Лэндон, сворачивая на автостраду. Мы воз-вращаемся из торгового центра, где я потратила кучу денег — обычно столько уходит на одежду в неделю.

Нужно начать с чистого листа. Никаких воспоминаний, никаких фотографий, перелистываемых одна за другой. Я не понимаю, в каком направлении двигаться и что делать дальше, но знаю наверняка: зацикливаться на том, что никогда не было моим, еще больнее.

— Ты не в курсе, как дела у моего отца? — спрашиваю я Лэндона за обедом.

— Кен звонил им в субботу, сказали, что Ричард привыкает. Первые несколько дней — самые тяжелые. — Лэндон тянется через стол, чтобы стащить жареную картошку из моей тарелки.

— Не знаешь, когда можно его навестить? — Если уж не осталось никого, кроме Лэндона и отца, появившегося в моей жизни месяц назад, хочу держаться к ним обоим как можно ближе.

— Не знаю точно, но могу спросить, когда вернемся.

Лэндон окидывает меня взглядом. Я бессознательно прижимаю новый телефон к груди. В его глазах светится сочувствие.

— Понимаю, прошел всего один день, но ты не думала насчет Нью-Йорка? — осторожно спрашивает он.

— Думала.

Я выжидаю и не хочу принимать решение, пока не обсужу это с Кимберли и Кристианом с глазу на глаз. Я разговаривала с Кимберли утром, и она сказала, что они вылетают из Англии в четверг. Мне до сих пор не верится, что сегодня только вторник. Кажется, что с моего отъезда из Лондона прошло не два дня, а гораздо больше.

Мысли снова возвращаются к нему и тому, чем он сейчас занимается... или с кем. Ласкает ли он ту девицу? На ней снова его футболка? Зачем я мучаю себя мыслями о нем? Я избегала его, а теперь вижу перед собой налитые кровью зеленые глаза и чувствую кончики его пальцев на своей щеке.

Я испытала боль и облегчение, которому можно только посочувствовать, когда, роясь в чемодане в аэропорту Чикаго, наткнулась на его грязную черную футболку. Я начала искать зарядное устройство для телефона, а в итоге нашла его последний плевок в душу. Сколько бы раз я ни пыталась заставить себя выбросить ее в ближайший мусорный бак, ничего не получалось. Не смогла. Затолкала обратно в чемодан, поглубже спрятала под одеждой.

Вот тебе и начать с чистого листа... Но пусть это будет маленькая передышка, мне и так очень тяжело. Весь мой мир разлетелся на кусочки, и я в одиночестве собираю осколки...

Нет. В самолете я решила, что не позволю себе больше об этом думать. Подобные мысли никуда не приведут. От жалости к себе только хуже.

— Я склоняюсь к Нью-Йорку, но мне нужно еще немного подумать, — говорю я Лэндону.

— Отлично. — Его улыбка заразительна. — Мы могли бы уехать недели через три в конце семестра.

— Надеюсь на это, — вздыхаю я, желая из всех сил, чтобы время текло быстрее. Минута, час, день, неделя, месяц — сейчас чем больше пройдет времени, тем для меня лучше.

И время идет, а я понимаю, что каким-то образом тоже двигаюсь вместе с ним. Проблема в том, что я еще не решила, хорошо это или плохо.

Глава 17

Хардин

Открыв дверь квартиры, я удивлен: повсюду включен свет. Тесса обычно так не поступает, пытаясь экономить на счетах за электричество.

— Тесс, я дома. Ты в спальне? — окликаю ее я.

От духовки вкусно пахнет ужином. Из нашей маленькой стереосистемы по дому разносится приятная музыка.

Я кидаю папку и ключи на стол и иду искать Тессу. Быстро замечаю, что дверь в спальню слегка приоткрыта, и слышу доносящийся оттуда шепот, утекающий на волнах музыки в коридор. Когда я разбираю, чей это голос, со злостью распахиваю дверь.

— Какого черта! — кричу я. Голос гулко разносится по маленькой спальне.

— Хардин? Что ты здесь делаешь? — спрашивает Тесса, словно я не имею права сюда врываться. Она натягивает одеяло на голое тело, на ее губах играет легкая улыбка.

— Что я здесь делаю? Это что он здесь делает? — Я обвиняюще наставляю палец на Зеда, который, соскочив с кровати, принимается натягивать трусы.

Тесса продолжает смотреть на меня, как будто это я трахаюсь с каким-то засранцем в нашей кровати.

— Хардин, ты не можешь продолжать приходить сюда.

Ее тон такой пренебрежительный, такой насмешливый.

— Это уже третий раз за месяц! — вздыхает она, понижая голос. — Ты опять пил? — В вопросе слышатся сочувствие и раздражение.

Зед обходит кровать и, встав перед Тессой и словно защищая ее, протягивает руку к ее... ее округлившемуся животу.

«Нет...»

— Это правда? — давлюсь я словами. — Ты... с ним? Она снова вздыхает, кутаясь в одеяло.

— Хардин, мы говорили об этом уже много раз. Ты не живешь здесь. Не жил уже около трех лет, я подзабыла, сколько точно. — Она говорит об этом так уверенно, и от меня не ускользает, какими глазами она смотрит на Зеда в поисках поддержки из-за моего вторжения.

Запутавшись, хватая ртом воздух, я падаю на колени перед этими двумя. И сразу же чувствую чью-то руку на плече.

— Мне очень жаль, но ты должен уйти. Ты ее расстраиваешь, — слышу я насмешливый голос Зеда.

— Ты не можешь так поступить со мной, — умоляю я Тессу, протягивая руки к ее животу. Этого не может быть. Этого просто не может быть.

— Ты сам виноват, — говорит она. — Прости, Хардин, но ты сам во всем виноват.

Зед гладит ее руки, пытаясь успокоить, и во мне закипает ярость. Я лезу в карман и достаю зажигалку. Они продолжают жаться друг к другу, и ни один из них не замечает моего жеста, когда я чиркаю пальцем по колесику. Маленькое пламя, теперь такое знакомое, кажется мне лучшим другом. Я подношу зажигалку к занавеске. Мои глаза закрываются, как только лицо Тессы озаряется злобными всполохами, пожирающими комнату.

— Хардин!

Первое, что я вижу, открывая глаза, — лицо Марка. Я отталкиваю его, вскакиваю с дивана и в ужасе падаю на пол.

Тесса была... И я был...

— Парень, тебе просто приснился кошмар, — качает головой Марк. — Ты как, нормально? Ты весь в поту.

Я несколько раз моргаю и провожу ладонью по мокрым волосам. Рука выглядит просто ужасно. Синяк уже должен был сойти, но не сошел.

— Ты как, нормально?

— Я... — Мне нужно выбраться отсюда. Нужно пойти куда-нибудь или что-нибудь сделать. Из головы не выходит образ объятой пламенем комнаты.

— Прими вот это и ложись спать, сейчас четыре утра. — Он откручивает крышку пластиковой бутылочки и кладет на мою влажную ладонь маленькую таблетку.

Я киваю, не в силах произнести ни слова. Не запивая, проглатываю таблетку и ложусь обратно на диван. Оглядев меня в последний раз, Марк исчезает в спальне, а я вытаскиваю телефон из кармана и начинаю разглядывать фотографию Тессы.

Не успеваю остановить себя, как палец нажимает на кнопку вызова. Знаю, я не должен этого делать, но, может быть, если я хотя бы раз услышу ее голос, то смогу спокойно заснуть.

— Ваш звонок не может быть совершен, так как набранный... — сообщает лишенный эмоций автоматический голос. Что? Я проверяю экран и звоню снова. То же самое сообщение. Снова и снова.

Она не могла сменить номер. Она бы так не сделала...

— Ваш звонок не может быть... — слышу я уже в десятый раз.

Тесса сменила номер. Сменила номер, чтобы я не мог до нее дозвониться.

Когда несколько часов спустя я засыпаю, мне снится другой сон. Он начинается так же, я прихожу домой, в ту же самую квартиру, но в этот раз там никого нет.

Глава 18

Хардин

— Ты до сих пор не дал мне закончить то, что я начала в воскресенье.

Наклонившись, Джанин кладет голову мне на плечо. Я немного отстраняюсь от нее, но она восприни-

от реальности. В каком замечательном мире мы живем.

— Два часа, — отвечает тот.

— Твою мать, — бормочу я себе под нос и начинаю сверлить взглядом стену. Мог бы догадаться не переться сюда в восемь вечера.

Спустя полчаса называют имя моего бездомного соседа, и я с облегчением понимаю, что можно снова дышать через нос.

— Моя невеста вот-вот родит! — восклицает какой-то мужчина, не успев войти в приемную. На нем выглаженная рубашка и брюки цвета хаки. Он выглядит до боли знакомо.

Когда из-за его спины появляется миниатюрная брюнетка на последнем месяце беременности, я сильнее вжимаюсь в пластиковый стул. Да, это не могло не случиться. Я в запое и явился в больницу, чтобы осмотрели мою сломанную руку, именно в тот момент, когда ей приспичило рожать.

— Не могли бы вы нам помочь? — спрашивает он, взволнованно расхаживая взад-вперед. — Ей нужно кресло-каталка! Двадцать минут назад у нее отошли воды, а следующие схватки начнутся через пять минут!

Его метания нервируют других пациентов, но беременная женщина только смеется и берет своего мужчину за руку. Вот она, Натали, во всей красе.

— Я могу дойти. Все в порядке.

Натали объясняет медсестре, что ее жених, Элайджа, паникует больше, чем следует. Пока он продолжает мерить шагами приемную, она сохраняет спокойствие, полностью держа себя в руках. У меня вырывается смешок, и Натали поворачивается в мою сторону.

Широкая улыбка озаряет ее лицо:

— Хардин! Какое совпадение!

Про такое говорят, что беременные будто светятся изнутри?

— Привет, — отвечаю я, глядя куда угодно, только не на ее жениха.

— Надеюсь, у тебя все хорошо?

Пока ее парень разговаривает с медсестрой, она подходит ближе.

— Я недавно встретила твою Тессу. Она здесь, с тобой? — спрашивает Натали, оглядывая комнату.

«Разве ты не должна сейчас корчиться от боли или что-то типа того?»

— Нет, она... э-э-э... — Я пытаюсь на ходу придумать объяснение, но тут из-за стойки появляется еще одна медсестра.

— Мисс, мы вас ждем.

— Слышал? Шоу продолжается. — Натали уходит, но затем, обернувшись через плечо, машет мне рукой. — Была рада встретить тебя, Хардин!

У меня отвисает челюсть.

Видимо, кто-то на небесах решил глупо пошутить. Нельзя хотя бы немного не порадоваться за девушку: мне не удалось до конца разрушить ей жизнь... Вот она, передо мной, улыбающаяся и по уши влюбленная, готовая родить своего первенца, а я сижу в переполненной комнате в абсолютном одиночестве, вонючий и со сломанной рукой.

Карма наконец-то меня настигла.

Глава 19

Тесса

— Спасибо, что поехал со мной. Я просто хотела оставить машину и взять кое-что из вещей, — говорю я Лэндону, наклонившись у пассажирского окна.

Я долго раздумывала, где лучше оставить его машину. Не хотелось парковать ее у дома Кена: я боялась, что Хар... он скажет или сделает, когда в конце концов объявится, чтобы ее забрать. Оставить ее у его дома более логично. Здесь спокойный, патрулируемый район, так что, думаю, если кто и полезет в машину, его поймают.

— Ты уверена, что не хочешь, чтобы я поднялся с тобой? Я помог бы тебе спустить вещи, — предлагает Лэндон.

— Нет, я пойду одна. Да и вообще у меня там не много вещей, спущу их за раз. Но все равно, спасибо.

Это правда, но настоящая правда в том, что я просто хочу попрощаться с нашим старым жилищем в одиночестве. В одиночестве: теперь это состояние кажется более естественным.

Войдя в холл, стараюсь отогнать нахлынувшие воспоминания. Пытаюсь ни о чем не думать: пустые белые пролеты, белые цветы, белый ковер, белые стены. Никаких мыслей о нем. Только белые пролеты, цветы и стены.

Однако у моего сознания другие планы: белые стены медленно превращаются в черные, ковер заливает черная краска, а цветы засыхают, превращаясь в пыль.

Мне нужно только забрать пару вещей — коробку с одеждой и папку из университета, вот и все. Это не займет и пяти минут. Пяти минут недостаточно, чтобы темнота затянула меня обратно.

Прошло уже четыре дня, и я становлюсь все сильнее. С каждой секундой, проведенной без него, становится легче дышать. Возвращение в это место может свести на нет все мои усилия, но я должна справиться, если хочу идти вперед без оглядки на прошлое. Я собираюсь в Нью-Йорк.

Возьму перерыв на лето, как и хотела, и отправлюсь знакомиться с городом, который станет моим домом самое меньшее на несколько лет. Оказавшись в Нью-Йорке, я не смогу уехать, пока не окончу университет. Еще один перевод в личном деле не пойдет мне на пользу, поэтому нужно будет остаться на новом месте до конца учебы. И этим местом будет Нью-Йорк. Мысли о переезде немного пугают, да и мама расстроится. Но решать не ей, а мне, и я в кои-то веки думаю только о том, что нужно для меня самой и моего будущего. К тому времени, как отец выйдет из реабилитационной клиники, я уже освоюсь и буду рада, если он сможет приехать и навестить нас с Лэндоном.

Я начинаю паниковать, думая о том, что почти не подготовилась к переезду, но Лэндон обещал помочь утрясти все детали. Последние два дня мы подавали заявление за заявлением на грант. Кен набросал и прислал черновой вариант рекомендательного письма, а Карен помогала искать мне по Интернету временную работу. София тоже забегала каждый день: рассказывала о самых интересных местах и предупреждала об опасностях, подстерегающих в таком большом городе. Она была так любезна, что даже пообещала поговорить со своим начальником, чтобы устроить меня в ресторан, где собиралась работать сама.

Кен, Карен и Лэндон советовали просто перевестись в новый филиал «Вэнс», который должен открыться через несколько месяцев. Жить в Нью-Йорке, не работая, невозможно, впрочем, как и устроиться на оплачиваемую стажировку без диплома университета. Я еще не разговаривала с Кимберли по поводу переезда, но у нее сейчас и так дел по горло, и они только что вернулись из Лондона. Мы практически не общаемся, лишь пару раз обменялись сообщениями, но она заверяет, что позвонит, как только все утрясется.

Я вставляю ключ в замочную скважину нашей квартиры, и меня словно осеняет: мне ненавистно это место с тех пор, как я побывала здесь в последний раз. Трудно поверить, что когда-то я его так любила. Войдя, я вижу, что в гостиной горит свет. Как же это в его стиле: не выключить свет перед поездкой в другую страну.

Однако прошла всего неделя. Время — сложная штука, когда живешь как в аду.

Я сразу прохожу в спальню, к шкафу, чтобы забрать папку, за которой пришла. Нет смысла задерживаться здесь дольше, чем необходимо. Папки не оказывается на полке, где я ее оставила, поэтому приходится начать поиски среди вещей Хардина. Наверное, он закинул папку в шкаф, когда делал уборку.

На верхней полке до сих пор стоит та старая обувная коробка, и мое любопытство берет верх. Я дотягиваюсь до нее, спускаю на пол и сажусь рядом, скрестив ноги. Снимаю крышку и заглядываю внутрь. В коробке стопка листков, исписанных его почерком с обеих сторон. Я замечаю, что некоторые распечатаны на принтере, и выбираю одну, чтобы прочесть.

«Вы разрываете мне сердце. Отчаяние и надежда сменяют друг друга. Мне больно знать, что я потерял Ваше расположение. Вы в сердце моем, и я думаю о Вас даже больше, чем восемь с половиной лет. Не говорите, что мы, мужчины, забываем скорее, что наша любовь скорее гибнет. Я никого не любил, кроме Вас»[1].

Я сразу узнаю слова из романа Остин. Читаю цитату за цитатой, ложь за ложью, пока не добираюсь до страниц, написанных от руки.

«Тогда, на пятый день, на мои плечи опустился неподъемный груз — постоянное напоминание о том, что я натворил и, скорее всего, потерял. Нужно было позвонить ей в тот день вместо того, чтобы пялиться на ее фотографии. Смотрела ли она на мои? Тог-

---

[1] Джейн Остин. Доводы рассудка.

да у нее было только одно мое фото, и я поймал себя на мысли, что нужно было позволять ей фотографировать меня чаще. Какая ирония. На пятый день я швырнул телефон об стену в надежде разбить его, но треснул только экран. На пятый день я жаждал, чтобы она позвонила. Если бы она тогда позвонила, все было бы в порядке. Мы оба попросили бы прощения, и я бы вернулся домой».

Когда я перечитываю абзац во второй раз, на глаза наворачиваются слезы.

Зачем себя мучить? Должно быть, он написал это очень давно, сразу после того, как вернулся из Лондона в прошлый раз. С тех пор он изменил свое мнение на противоположное и ничего не хочет от меня, а я наконец смирилась. Я вынуждена смириться. Прочитаю еще один абзац и закрою коробку. Только один, обещаю.

«На шестой день я проснулся с опухшими красными глазами. Поверить не могу, что так сорвался прошлой ночью. Груз на моих плечах стал еще тяжелее, и я вообще с трудом различаю, что передо мной. Почему я такой идиот? Почему продолжал так плохо обращаться с ней? Она первая, кто увидел меня таким, какой я есть, разглядел настоящего меня, а я с ней так поступил. Обвиняю ее во всех грехах, хотя виноват только сам. Только я сам, даже когда не делал ничего плохого. Я был груб с ней, когда она пыталась поговорить со мной о проблемах, кричал на нее, когда она пыталась выбить из меня все мое дерьмо, и часто лгал. Она простила меня за все, как и всегда. Я всегда могу на это рассчитывать, может, поэтому так и поступал — потому что знал, что могу. На шестой день я ботинком раздавил телефон».

Все. Не могу читать дальше: силы, которые я кое-как скопила после того, как вернулась из Лондона, тают с каждым словом. Я сую листы обратно в коробку и захлопываю крышку. Незваные слезы предательски застилают глаза, и мне не терпится сбежать отсюда. Лучше позвоню в офис университета и попрошу сделать копии документов, чем проведу в этой квартире еще хотя бы минуту.

Я оставляю коробку на полу шкафа и иду по коридору в ванную, чтобы поправить макияж перед тем, как спуститься к Лэндону. Толкнув дверь, включаю свет и вскрикиваю от неожиданности, когда наступаю на что-то.

Вернее, на кого-то...

В жилах стынет кровь, и я пытаюсь разглядеть тело на полу. Не может быть, чтобы это происходило на самом деле.

«Пожалуйста, Господи, не допусти, чтобы это был...»

Я приглядываюсь и понимаю, что моя молитва наполовину услышана. У моих ног на полу ванной лежит не тот парень, который меня бросил.

Это мой отец. Из его руки торчит игла, на лице ни кровинки. А значит, мои кошмары наполовину сбылись.

Глава 20

Хардин

Очки коротышки-доктора сползли на самый кончик носа, и я почти физически ощущаю исходящее от него осуждение. Наверное, он до сих пор злится, что я психанул после его десятого по счету вопроса, действительно ли я ударился о стену. Знаю, о чем он думает, но пусть идет к черту.

— У вас повреждена пястная кость, — сообщает он мне.

— Можно по-английски? — бормочу я.

Я почти успокоился, но то, как он пялится, и его вопросы все равно бесят. Он работает в самой оживленной клинике Лондона, и ему наверняка попадались травмы хуже моей, но он по-прежнему продолжает бросать на меня пристальные взгляды при каждом удобном случае.

— Пе-ре-лом, — медленно произносит он. — Ваша рука сломана, пару недель придется походить в гипсе. Я выпишу таблетки, чтобы облегчить боль, но нужно просто ждать — ждать, пока не срастутся кости.

Не знаю, что забавнее: идея ходить в гипсе или то, что, по его мнению, мне требуется помощь, чтобы справиться с болью. Ни у одного фармацевта не найдется лекарства, способного унять мои муки. Если где-нибудь на складе у них не завалялась самоотверженная блондинка с серо-голубыми глазами, помочь они мне не смогут.

Час спустя моя кисть и запястье покрыты толстым слоем гипса. Я еле сдержался, чтобы не рассмеяться в лицо пожилому мужчине, когда тот спросил, какого цвета гипс я предпочитаю. Помню, в детстве мне хотелось, чтобы у меня был гипс и чтобы каждый из моих друзей расписался на нем несмываемым маркером или нарисовал какую-нибудь дурацкую картинку. Жаль, что до того, как я познакомился с Марком и Джеймсом, у меня и друзей-то не было.

Эти двое сильно изменились с тех пор, как мы были подростками. Конечно, Марк все тот же недоумок, его мозг давно расплавился из-за злоупотребления наркотиками, и этого уже не изменить. Но перемены в обоих довольно заметны. Джеймс превратился в подкаблучника какой-то девицы с медицинского, чего я никак от него не ожидал. Марк все тот же дикарь, по-прежнему не задумывающийся о последствиях, но теперь он стал более мягким, расслабленным, начал спокойнее относиться к жизни. Как ни крути, за последние три года они растеряли всю ту жесткость, которая окутывала их, как одеяло. Даже, скорее, как щит. Не знаю, что на них так повлияло, но, учитывая мою текущую ситуацию, мне это не нравится. Я ожидал увидеть тех же придурков, какими они были три года назад, но тех парней не вернуть.

Да, они все так же ведут далеко не образцово-показательный образ жизни, но перестали быть теми безжалостными ублюдками, какими были в те времена, когда я уехал из Лондона.

— Заедете в аптеку, и все будет в порядке, — кивает доктор и оставляет меня в смотровой.

— Черт! — Я ударяю по твердой поверхности проклятого гипса. Что за хрень. Хотя бы водить машину я смогу? А писать?

Ладно, писать мне все равно нечего. Нужно остановиться, это дерьмо и так продолжается слишком долго. Трезвый разум издевается надо мной, подсовывая мысли и воспоминания, а я слишком рассредоточен, чтобы держать их под контролем.

Карма, оправдывая репутацию стервы, продолжает насмехаться даже тогда, когда я вытаскиваю из кармана телефон и вижу на экране имя Лэндона. Я не беру трубку и засовываю мобильный обратно в джинсы.

Что за бардак я устроил.

Глава 21

Тесса

— Как долго она пробудет в таком состоянии? — спрашивает Лэндон кого-то словно издалека.

Все ведут себя так, будто я их не слышу, будто меня даже не существует, но мне все равно. Я не хочу здесь находиться, поэтому находиться здесь, но быть при этом невидимой не так уж и плохо.

— Не знаю. Она в шоке, милый, — слышится приятный голос Карен, отвечающей сыну.

В шоке? Я не в шоке.

— Нужно было пойти с ней! — сдавленно всхлипывает Лэндон.

Я знаю, что если бы я смогла оторвать взгляд от стены кремового цвета в гостиной Скоттов, то увидела бы его в материнских объятиях.

— Она пробыла наедине с его телом почти час. Я думал, она просто собирает вещи и, может быть, подводит какие-то итоги, а получилось, что из-за меня она просидела рядом с его трупом целый час!

Лэндон так горько плачет, что нужно его пожалеть. Конечно, нужно, и я, разумеется, так бы и поступила, если бы только могла.

— О Лэндон, — тоже начинает рыдать Карен.

Похоже, плачут все, кроме меня. Что со мной происходит?

— Ты не виноват. Ты не мог знать, что он там, не мог знать, что он сбежал из клиники.

В какой-то момент между тихими перешептываниями и полными сочувствия попытками сдвинуть меня с места садится солнце, меня постепенно оставляют в покое, и вот я сижу в одиночестве в огромной гостиной, крепко прижав колени к груди и ни на сантиметр не отводя взгляд от стены.

Из отрывистых реплик и приказов медэкспертов и полицейских я поняла, что отец мертв. Я поняла это сразу же, как только его увидела, когда дотронулась до него, но они это подтвердили. Вынесли официальный вердикт. Он покончил с собой, воткнув иглу в вену. Его лицо было таким неестественно бледным, что, закрывая глаза, я вижу скорее маску, чем человеческое лицо. Когда это случилось, он был в квартире один и умер задолго до того, как я споткнулась о его тело.

Адское место, вот что это на самом деле, и так было с того момента, как я впервые туда вошла. Книжные полки и кирпичная стена скрывали царящее там зло, прятали за милыми деталями кошмары, но, судя по всему, что бы ужасного ни случилось в моей жизни, все ниточки всегда вели туда, в ту чертову квартиру. Не переступи я ее порога, не было бы всех этих потерь.

Я не рассталась бы со своей добродетелью. Не пожертвовала бы ею ради человека, который никогда не любил меня достаточно сильно, чтобы остаться рядом.

Я не испортила бы отношения с матерью. Это не так уж много, но другой семьи у меня теперь нет.

У меня было бы место, где жить, и я бы никогда не начала снова общаться с отцом — только для того, чтобы найти его безжизненное тело на полу ванной два месяца спустя.

Я боюсь того темного места, куда затягивают меня мысли, но бороться дальше нет сил. Я слишком долго боролась, боролась за то, что считала самым важным, но больше на это не способна.

— Она вообще спала? — тихо и осторожно спрашивает Кен.

Солнце уже встало, и я не знаю, что ответить на его вопрос. Спала ли я? Не помню, чтобы засыпала или просыпалась, но кажется невозможным, что всю ночь напролет я просто пялилась на пустую стену.

— Не знаю, со вчерашнего вечера она почти не двигалась. — В голосе моего лучшего друга звучит грусть, тягостная и мучительная.

— Ее мать снова звонила приблизительно час назад. От Хардина что-нибудь слышно?

Это имя из уст Кена убило бы меня... если бы я уже не умерла.

— Нет, он не берет трубку. Я пытался дозвониться до Триш по номеру, который ты мне дал, но она тоже не отвечает. Скорее всего, они еще не вернулись из медового месяца. Я не знаю, что делать, она так...

— Вижу, — вздыхает Кен. — Ей просто нужно время, для нее это очень болезненно. Я до сих пор пытаюсь разобраться, что вообще произошло и почему мне не сообщили о том, что он покинул клинику. Я дал строгие указания и оставил крупную сумму, чтобы мне позвонили, если что-то случится.

Я хочу сказать Кену и Лэндону, чтобы они прекратили винить себя за ошибки моего отца. Если кого и винить, то меня.

Я не должна была уезжать в Лондон. Мне следовало остаться и присматривать за ним. Вместо этого я переживала очередную утрату на другом конце земного шара, а Ричард Янг сражался со своими демонами и проиграл последнюю схватку в полном одиночестве.

Голос Карен будит меня, вернее, выводит из транса. Ну или как еще назвать то, что со мной творится.

— Тесса, дорогая, попей воды. Прошло уже два дня. Твоя мама сейчас приедет за тобой, дорогая. Надеюсь, ты не против, — мягко говорит, пытаясь достучаться до меня, женщина, которую я считаю наиболее подходящим человеком на роль своей матери.

Я пытаюсь кивнуть, но тело не слушается. Не понимаю, что со мной: внутри я кричу, но меня никто не слышит.

Может быть, я действительно в шоке. Хотя шок — это не так уж и плохо. Мне хотелось бы оставаться в таком состоянии как можно дольше. Так не очень больно.

Глава 22

ХАРДИН

В квартире опять полно народу, я допиваю второй стакан и закуриваю. Постоянное жжение алкоголя во рту и дыма в легких начинает вызывать отвращение. Если бы в трезвом состоянии мне не было так, черт возьми, больно, я бы никогда больше не притронулся к этому дерьму.

— Прошло только два дня, а эта хрень уже чешется, — жалуюсь я всем, кто слушает.

— Не повезло тебе, чувак, но в следующий раз ты подумаешь перед тем, как пробивать дырку в стене? — усмехаясь, подтрунивает надо мной Марк.

— Не подумает, — в один голос отвечают Джанин и Джеймс.

Джанин протягивает ко мне руку.

— Дай-ка мне еще одну таблетку.

Эта долбаная наркоманка за два дня съела практически половину пузырька. Мне в принципе все равно — я их не принимаю, и меня уж точно не волнует, чем она себя пичкает. Сначала я думал, что таблетки помогут мне забыться сильнее, чем та дрянь, которую давал Джеймс, но ожидания не оправдались. От них накатывает усталость, усталость означает сон, а вместе со сном возвращаются кошмары, в которых всегда присутствует она.

Закатив глаза, я встаю.

— Просто отдам тебе весь пузырек.

Я иду в комнату Марка, чтобы забрать таблетки из-под маленькой стопки своей одежды. Прошла уже почти неделя, а я переоделся всего один раз. Перед тем как уйти, Карла, надоедливая девица с манией всем помогать, поставила несколько нелепых черных заплаток на мои джинсы. Я бы как следует ее обматерил, если бы Джеймс моментально не выставил меня за это из квартиры.

— Эй, Хардин Скотт. Мобильник! — слышится пронзительный голос Джанин.

Черт! Я оставил телефон на столе в гостиной.

Я отвечаю не сразу и слышу, как Джанин нахально произносит в трубку:

— Мистер Скотт в настоящий момент занят. Могу я узнать, с кем говорю?

— Сейчас же отдай телефон! — кричу я, вбегая в комнату и швыряя ей таблетки.

Пузырек с таблетками падает на пол. Я пытаюсь сохранять спокойствие, когда она показывает мне средний палец и продолжает разговаривать. Как же я устал от нее.

— О-о-о, Лэндон — очень сексуальное имя, и ты американец. Я люблю американцев...

Взбесившись, я выхватываю телефон из ее рук и прижимаю его к уху.

— Какого черта тебе надо, Лэндон? Ты не подумал, что если бы я хотел поговорить, то ответил бы на прошлые... не знаю, сколько ты там звонил... тридцать раз? — рявкаю я.

— Знаешь что, Хардин? — Его голос такой же резкий, как и мой. — Пошел ты. Ты эгоистичный засранец, не нужно было вообще тебе звонить. Она справится и без тебя, как ей всегда приходится это делать.

Он бросает трубку.

Справится с чем? О чем он, черт возьми, говорит? Хочу ли я вообще это знать?

Кого я обманываю, естественно, да. Я немедленно набираю его номер и, оттолкнув с дороги пару человек, выбегаю в пустой коридор в поисках уединения. Меня охватывает паника, в голове начинают крутиться самые страшные картины того, что могло произойти. Когда Джанин прокрадывается следом явно за тем, чтобы подслушать, я спускаюсь по лестнице и иду к арендованной машине, которую до сих пор не вернул.

— Чего тебе? — огрызается Лэндон.

— О чем ты говоришь? Что произошло?

«С ней все в порядке? Должно быть в порядке».

— Лэндон, скажи, что с ней все хорошо. — У меня лопается терпение, пока он подбирает слова для ответа.

— Ричард мертв.

Я ожидал услышать что угодно, только не это. В голове словно туман, но я все равно чувствую боль утраты. Ненавижу это ощущение. С какой стати я чувствую что-то подобное, ведь я едва знал этого нар... человека.

— Где Тесса? — Вот почему Лэндон звонил столько раз. Не для того чтобы читать мне мораль, а чтобы сообщить о смерти ее отца.

— Она здесь, у нас дома, но ее мать скоро приедет, чтобы ее забрать. По-моему, она в шоке. С тех пор как она его нашла, она не произнесла ни слова.

Последняя фраза заставляет меня пошатнуться и схватиться за грудь.

— Черт, что? Она его нашла?

— Да. — Голос подводит Лэндона, и я знаю, что он плачет. Но меня это волнует гораздо меньше, чем обычно.

— Черт!

«Как же это произошло? Как это могло случиться с ней сразу после того, как я отправил ее обратно?»

— Где она была? Где было его тело?

— В твоей квартире. Она заехала забрать вещи и оставить машину.

Ну конечно, даже несмотря на то, как я с ней поступил, она позаботилась о моей машине.

Я заставляю себя произнести слова, которые одновременно и хочу, и не хочу произносить:

— Дай мне поговорить с ней.

Мне так хотелось услышать ее голос, и я уже отчаялся, засыпая последние два дня под сообщение автоответчика о том, что она сменила номер телефона.

— Ты что, не слышал, Хардин? — раздраженно отвечает Лэндон. — Она уже два дня не разговаривает и не двигается, за исключением посещения туалета, хотя я и насчет этого не уверен. Я не видел, чтобы она вообще двигалась. Она ничего не ест и не пьет.

Все мысли, которые я отгонял и пытался игнорировать, обрушиваются на меня потоком и погребают под собой.

Наплевать на последствия, наплевать, если у меня окончательно съедет крыша: мне нужно поговорить с ней. Я подхожу к машине и сажусь в нее, ясно понимая, как должен поступить.

— Попробуй приложить телефон к ее уху. Просто послушай меня и сделай то, что я говорю, — приказываю я Лэндону и завожу машину, молясь про себя всем, кто слышит нас на небесах, чтобы меня не остановили по дороге в аэропорт.

— Боюсь, если она услышит твой голос, ей станет только хуже, — отвечает Лэндон. Я переключаюсь на громкую связь и, прибавив звук до максимума, кладу телефон на центральную консоль.

— Твою мать, Лэндон!

Я ударяю гипсом по рулю. С этой штуковиной на руке и так непросто вести машину.

— Сейчас же приложи телефон к ее уху. Пожалуйста. — Я пытаюсь говорить спокойно, несмотря на бурю эмоций, раздирающую меня на части.

— Ладно, только не говори ей ничего, что может ее расстроить. С нее уже хватит.

— Не разговаривай со мной так, будто знаешь ее лучше меня! — Злость к моему сводному братцу-всезнайке достигает новых высот, и я, срываясь на крик, едва не врезаюсь в разделительную полосу.

— Может, я и не знаю ее так, как ты, но я точно знаю, что ты тупой идиот, что бы ты ни натворил в этот раз, и знаешь, что еще? Если бы ты не был таким проклятым эгоистом, то сидел бы сейчас рядом с ней, а она не была бы в таком состоянии, — срывается он. — Да, и вот еще что...

— Хватит! — Я снова ударяю гипсом по рулю. — Просто приложи телефон к ее уху. Если будешь вести себя как придурок, ничем не поможешь. А сейчас передай ей гребаный телефон.

После непродолжительного молчания я слышу тихий голос Лэндона:

— Тесса? Ты меня слышишь? Конечно, слышишь, — пытается пошутить он. Я различаю в его голосе боль, когда он пытается заставить ее произнести хоть слово. — Хардин хочет поговорить с тобой, и он...

Через громкоговоритель доносится какое-то бормотание, и я наклоняюсь к телефону, пытаясь разобрать, что это за звук.

«Что там у них происходит?»

Бормотание продолжается еще несколько секунд, глухое и неразборчивое, и я наконец понимаю, что это голос Тессы.

— Нет-нет-нет, — монотонно и без пауз повторяет она, — нет-нет-нет-нет-нет...

Все, что еще осталось от моего сердца, разлетается вдребезги на бессчетное число осколков.

— Нет, пожалуйста, нет! — плачет она на другом конце линии.

«О боже».

— Ладно, все хорошо. Тебе необязательно говорить с ним...

Лэндон кладет трубку. Я перезваниваю, но знаю, что никто не ответит.

Глава 23

Тесса

— Сейчас я тебя подниму, — успокаивающе произносит знакомый голос, которого я не слышала уже очень давно. Сильные руки отрывают меня от пола и баюкают, словно ребенка.

Я прячу голову на крепкой груди Ноя и закрываю глаза.

Моя мать тоже здесь, я не вижу ее, но слышу ее голос.

— Что с ней? Почему она не разговаривает?

— Она в шоке, — поясняет Кен. — Но скоро придет в себя...

— Хорошо, и что мне с ней делать, если она даже не разговаривает? — язвительно спрашивает она.

Ной, способный общаться с моей бесчувственной матерью так, как может только он, тихо отвечает:

— Кэрол, пару дней назад она обнаружила тело отца. Полегче.

Никогда в жизни я не чувствовала такого облегчения от того, что Ной рядом. Я очень люблю Лэндона и благодарна его семье, но сейчас мне нужно покинуть этот дом. Мне нужен кто-то из старых друзей. Тот, кто знал меня прежней.

Я схожу с ума и знаю это. Мой разум отказывается работать с того дня, как я споткнулась о такое твердое и такое неподвижное тело отца. Ни одной здравой мысли не возникло у меня в голове с тех пор, как я выкрикивала его имя и трясла так сильно, что приоткрылась его челюсть, а игла выскочила из руки и, звякнув, упала на пол. Этот звук до сих пор стоит у меня в ушах. Такой простой звук. И в то же время такой страшный.

Помню, как внутри у меня что-то словно лопнуло, когда рука отца дернулась в моей. Наверное, это было непроизвольное сокращение мышц, но мне по-прежнему не удается понять, случилось ли это на самом деле или просто разыгралось мое воображение, подарив ложную надежду. Когда я проверила его пульс, надежда угасла, и мне не осталось ничего иного, кроме как сидеть, не испытывая ни одной эмоции, и смотреть в его безжизненные глаза.

Ной несет меня к выходу, и я мягко покачиваюсь в такт его шагам.

— Позже я позвоню ей узнать, как дела. Пожалуйста, возьми трубку, чтобы я знал, как она себя чувствует, — тихо просит Лэндон. Я хочу узнать, как дела у него самого. Надеюсь, он не видел то, что видела я, но точно вспомнить не получается.

Знаю, что держала голову отца в своих руках, и, наверное, плакала или кричала, а может, и то и другое, когда Лэндон вошел в квартиру. Помню, как он заставлял меня отпустить человека, которого я только начала узнавать. Следующее воспоминание: приехала «Скорая». Затем еще один пробел в памяти, и вот я сижу на полу в доме Скоттов.

— Я отвечу, — заверяет его Ной, и мне слышно, как открывается дверь. Холодные капли дождя падают на мое лицо, смывая многодневную грязь и слезы.

— Все хорошо. Мы едем домой, все будет хорошо, — шепчет Ной, убирая с моего лба мокрые от дождя волосы. Не открывая глаз, я прижимаюсь щекой к его груди. Стук сердца напоминает мне момент, когда я, приложив ухо к груди отца, обнаружила, что его сердце не бьется, что он не дышит.

— Все хорошо, — повторяет Ной. Как в старые добрые времена, он приходит мне на помощь после выходок отца.

Но больше нет теплицы, чтобы спрятаться. Не в этот раз. Осталась только темнота, и света впереди не видно.

— Мы едем домой, — повторяет Ной, усаживая меня в машину.

Ной — хороший и милый, но разве он не знает, что у меня нет дома?

* * *

Стрелки на часах двигаются очень медленно. Чем дольше я смотрю на них, тем больше они смеются надо мной, замедляя ход с каждым ударом. Моя старая спальня слишком большая. Могу поклясться, это была маленькая комната, но сейчас она кажется просто огромной. Или я сама чувствую себя меньше? Я словно перышко — гораздо легче, чем когда спала в этой кровати в последний раз. Наверное, я могла бы уплыть куда-нибудь и никто бы не заметил. Мои мысли ненормальны, я это знаю. Ной говорит об этом каждый раз, как пытается вернуть меня к реальности. Он и сейчас здесь. Он не оставлял меня с тех пор, как я легла в кровать бог знает сколько времени назад.

— Все будет в порядке, Тесса. Время лечит. Помнишь, наш пастор всегда это говорил. — В голубых глазах Ноя застыло беспокойство.

Я молча киваю и продолжаю смотреть на поддразнивающие меня настенные часы.

Ной ковыряет вилкой в тарелке с едой, которая стоит здесь уже несколько часов.

— Твоя мать собирается прийти и заставить тебя съесть ужин. Уже поздно, а ты так и не притронулась к обеду.

Я перевожу взгляд на окно и замечаю, как темно на улице.

«Когда исчезло солнце? И почему не забрало меня с собой?»

Мягкие пальцы Ноя сжимают мои ладони, и он просит посмотреть ему в глаза.

— Просто поешь немного, и она оставит тебя в покое.

Я тянусь к тарелке, не желая создавать ему лишних проблем, зная, что он выполняет указания матери. Начинаю жевать кусок безвкусного хлеба и пытаюсь не подавиться колбасой. Про себя считаю, сколько времени занимает заставить себя откусить пять раз и запить все водой комнатной температуры, оставленной на тумбочке утром.

— Мне нужно закрыть глаза, — говорю я Ною, когда он пытается подсунуть мне виноград. — Больше не могу.

И мягко отодвигаю тарелку. Меня тошнит от вида еды.

Я ложусь и поджимаю колени к груди. Старый добрый Ной напоминает мне о том времени, когда нам попало за то, что на воскресной службе мы кидались друг в друга виноградом. Тогда нам было по двенадцать лет.

— Думаю, это была самая бунтарская из всех наших проделок, — говорит он с легким смешком.

Под его слова я засыпаю.

— Я тебя не пущу. Меньше всего нам сейчас нужно, чтобы ты ее расстроил. Она уснула в первый раз за последние дни, — слышу я голос матери в коридоре.

С кем она разговаривает? Я ведь не сплю? Приподнимаюсь на локтях, и к голове приливает кровь. Как же я устала. Ной спит рядом, в моей детской кровати. Все такое знакомое: кровать, лохматые светлые волосы Ноя. Однако я чувствую себя по-другому: не на своем месте, потерянной.

— Я здесь не для того, чтобы причинить ей вред, Кэрол. Вы уже должны были это понять.

— Ты... — пытается остановить его мать, но он ее перебивает:

— И еще. Вы уже должны были понять, что мне нет никакого дела до вашего мнения.

Дверь спальни открывается, и на пороге, оставив мою раздраженную мать за спиной, появляется человек, которого я меньше всего ожидала увидеть.

Рука Ноя лежит поперек моего тела, прижимая к кровати. Во сне он крепче обнимает меня за талию, и при виде Хардина у меня начинает саднить в горле. Его зеленые глаза горят бешенством. Он пересекает комнату и скидывает руку Ноя.

— Какого... — вздрогнув, просыпается Ной.

Когда Хардин делает еще один шаг в мою сторону, я отползаю назад по огромной кровати и ударяюсь спиной о стену. Удар такой сильный, что перехватывает дыхание, но я по-прежнему пытаюсь убежать от него. Меня настигает кашель, и глаза Хардина смягчаются.

Почему он здесь? Он не должен здесь находиться, я этого не хочу. Он столько всего натворил и не может взять и заявиться сюда, чтобы потоптаться на осколках наших отношений.

— Черт, ты в порядке? — Его рука в татуировках тянется ко мне, и я делаю первое, что приходит в мою безумную голову, — кричу.

Глава 24

Хардин

Ее крики наполняют мои уши, мою пустую грудь и легкие, пока наконец не проникают глубоко внутрь, туда, куда никто, кроме нее, не может и никогда не сможет попасть.

— Что ты здесь делаешь? — Ной вскакивает на ноги и встает между мной и маленькой кроватью, как чертов белый рыцарь, защищающий Тессу... от меня?

Она все кричит. Почему она кричит?

— Тесса, пожалуйста... — Не знаю точно, о чем прошу, но ее крики переходят в кашель, кашель — в рыдания, а рыдания — в судорожные всхлипы, которые я просто не в состоянии вынести. Я делаю осторожный шаг в ее сторону, и она наконец замолкает.

Ее обеспокоенные глаза все еще смотрят на меня, выжигая дыру, которую только она сможет заполнить.

— Тесс, ты не против, чтобы он находился здесь? — спрашивает Ной.

Мне с огромным трудом удается сдерживаться и не обращать внимания на его присутствие, а он все не унимается.

— Дайте ей воды! — говорю я ее матери. Та меня словно не слышит.

Глазам не верю, но Тесса поспешно качает головой, показывая, что не хочет меня видеть.

Ее новоиспеченный защитник тут же становится смелее и вскидывает руку.

— Она хочет, чтобы ты ушел.

— Она сама не понимает, чего хочет! Посмотри на нее! — взмахиваю я руками и в тот же миг чувствую, как Кэрол впивается в меня накрашенными ногтями.

У нее не все дома, если она думает, что я уйду. Неужели она еще не поняла, что не в ее власти удержать меня вдали от Тессы? Только мне может прийти в голову что-то подобное — дурацкая идея, которой, видимо, я не в силах следовать.

Ной слегка подается ко мне:

— Она не хочет тебя видеть, тебе лучше уйти.

Мне наплевать, что паренек заметно раздался в плечах и набрал мышечную массу с тех пор, как я видел его в последний раз. Он для меня пустое место. Скоро он поймет, почему никто даже не пытается встать между мной и Тессой. Остальные ведут себя осмотрительно, скоро и он узнает, почему.

— Я никуда не уйду, — поворачиваюсь я к Тессе. Она продолжает кашлять, и, кажется, никому до этого нет дела. — Да дайте же ей кто-нибудь воды, черт возьми! — кричу я, мой голос эхом отражается от стен маленькой комнаты.

Заскулив, Тесса подтягивает колени к груди.

Я знаю, что ей больно и что мне не следует здесь находиться, но еще мне известно, что ни ее мать, ни Ной никогда не смогут оказать ей настоящую поддержку. Я знаю Тессу лучше, чем они оба, вместе взятые, но никогда не видел ее такой. Эти двое не имеют ни малейшего представления, что с ней делать, когда она в таком состоянии.

— Хардин, если ты не уйдешь, я позвоню в полицию, — произносит Кэрол низким угрожающим тоном. — Не знаю, что ты сделал с ней на этот раз, но мне это уже надоело. Тебе здесь не место. Так было и так будет.

Я игнорирую этих двоих, которые суют нос не в свое дело, и сажусь на краешек детской кровати Тессы.

К моему ужасу, она отодвигается от меня, на этот раз перебирая руками, и, достигнув края, падает на пол. В мгновение ока я вскакиваю, чтобы ее поднять, но звуки, которые она издает, когда я до нее дотрагиваюсь, еще более жуткие, чем предыдущие. Я не знаю, как поступить, но после нескольких бесконечных секунд с ее потрескавшихся губ срывается:

— Отпусти меня!

Эти слова без ножа режут меня на кусочки. Она колотит руками по моей груди и царапается, пытаясь избавиться от моих объятий. С гипсом на руке ее довольно трудно успокоить. Я боюсь ее поранить, а это последнее, чего мне хочется.

Но, как бы сильно ни ранило ее желание держаться от меня подальше, я чертовски рад хоть какой-то реакции. Нет ничего хуже безмолвной Тессы, и, вместо того чтобы орать, чем занимается сейчас ее мать, лучше бы поблагодарила меня за то, что я вывел ее скорбящую дочь из шока.

— Пошел прочь! — кричит Тесса, и Ной за моей спиной снова начинает проявлять признаки активности. Рука Тессы ударяет по твердому гипсу, и она всхлипывает: — Ненавижу тебя!

Ее слова прожигают насквозь, но я по-прежнему не отпускаю ее сопротивляющееся тело.

— Ты делаешь только хуже! — прорывается сквозь крики Тессы низкий голос Ноя.

Тесса замолкает... и тут происходит самое ужасное. Она перестает вырываться — ее ужасно тяжело держать одной рукой — и тянется к Ною.

Тесса тянется к Ною за помощью, потому что не хочет меня видеть.

Я немедленно ее отпускаю, и она бросается в его объятия. Одной рукой он обнимает ее за талию, а второй привлекает ее голову к своей груди. Во мне борются ярость и здравый смысл, и я из последних сил пытаюсь сохранять спокойствие, наблюдая, как он касается ее тела. Если я его трону, она будет ненавидеть меня еще сильнее. Если не трону, сойду с ума от этого зрелища.

«Черт, зачем я вообще сюда пришел?»

Нужно было оставаться в стороне, согласно плану. Сейчас, когда я здесь, не могу заставить себя сдвинуться с места и уйти из этой чертовой комнаты. Рыдания Тессы только разжигают потребность быть рядом с ней. Я не могу смириться с поражением, и это бесит.

— Пусть он уйдет, — рыдает она на плече Ноя.

Невыносимая боль от того, что меня отвергли, на несколько секунд лишает способности двигаться. Ной поворачивается ко мне и молча, по-хорошему умоляет выйти. Для меня непереносима сама мысль, что он стал для нее утешением. На меня обрушился один из самых моих больших страхов, но нельзя рассуждать об этом в таком ключе. Нужно подумать о Тессе. О том, что лучше для нее. Неуклюже пятясь, я пытаюсь нащупать дверную ручку. Оказавшись за пределами маленькой спальни, прислоняюсь к двери, чтобы перевести дух. Как же случилось, что за такой короткий промежуток времени мы скатились так низко?

На кухне я наливаю себе стакан воды. Это довольно неудобно, так как у меня теперь только одна рабочая рука: требуется больше времени, чтобы взять кружку, наполнить ее и выключить кран. Все это время раздраженная женщина за моей спиной действует мне на нервы.

Я поворачиваюсь к ней, чтобы услышать, что она позвонила в полицию. Но она просто молча сверлит меня взглядом.

— Мне нет дела до вашего дерьма. Хотите, звоните в полицию. Делайте что угодно, но я не уеду из этой чертовой дыры, пока не поговорю с ней. — Глотнув воды, я пересекаю маленькую, но безукоризненно чистую кухню и встаю рядом с ней.

— Как ты здесь оказался? Ты был в Лондоне, — резко отвечает Кэрол.

— Есть такие штуки, называются «самолеты».

Она закатывает глаза.

— Думаешь, если пролетел полмира и объявился здесь до рассвета, тебе рады? — закипает она. — Она вполне ясно выразилась, почему ты не оставишь ее в покое? Ты только причиняешь ей боль, и я не собираюсь просто стоять и смотреть на это.

— Я не нуждаюсь в вашем одобрении.

— Ты ей не нужен, — огрызается Кэрол, вырывая стакан из моих рук, словно это заряженный пистолет. Со стуком ставит его на стол и встречается со мной взглядом.

— Знаю, я вам не нравлюсь, но я ее люблю. Я совершаю ошибки — слишком, черт возьми, много ошибок, но, Кэрол, если вы думаете, что я оставлю ее здесь с вами после всего того, что она видела, после всего того, что она испытала, значит, вы еще более ненормальная, чем я думал. — Я забираю стакан, просто чтобы позлить ее, и делаю еще один глоток.

— С ней все будет в порядке, — холодно произносит Кэрол. На секунду она замолкает, и в ней будто что-то меняется. — Люди умирают, и она это переживет!

Последнюю фразу она произносит громко, очень громко. Надеюсь, Тесса не услышала ее бездушное замечание.

— Вы серьезно? Черт, да она же ваша дочь, а он был вашим мужем... — Я умолкаю, вспомнив, что эти двое даже не были официально женаты. — Ей больно, а вы ведете себя как бессердечная стерва, и именно поэтому я не оставлю ее здесь с вами. Лэндону не стоило позволять вам ее забрать.

Кэрол возмущенно откидывает голову:

— Позволять? Она моя дочь.

Стакан в моей руке дрожит, и вода проливается на пол.

— Может, тогда следует вести себя соответственно и помочь ей?!

— Помочь ей? А кто поможет мне?

Ее бесчувственный голос надламывается, и я потрясенно наблюдаю, как женщина, по моему глубокому убеждению, сделанная из камня, опирается на стол, чтобы не упасть. Слезы катятся по ее лицу, скрытому за внушительным слоем макияжа, несмотря на то что сейчас только пять утра.

— Я не видела этого человека много лет… Он бросил нас! Он бросил меня после стольких обещаний, что все будет хорошо! — Ее руки мечутся по столу, сбивая кухонные принадлежности на пол. — Он лгал — лгал мне, бросил Тессу и разрушил всю мою жизнь!

Когда она хватается за мое плечо и прячет голову у меня на груди, захлебываясь от рыданий, то на какое-то мгновение становится так похожа на девушку, которую я люблю, что я не могу заставить себя ее оттолкнуть. Не зная, что еще сделать, я молча обнимаю ее одной рукой.

— Я желала этого — хотела, чтобы он умер, — признается она сквозь слезы. Судя по голосу, ей стыдно. — Я столько его ждала, убеждала себя, что он вернется. Делала это годами, и теперь он мертв, и я не могу больше притворяться.

Мы стоим так еще довольно долго. Она плачет у меня на груди, разными способами и разными словами признаваясь, как сильно она ненавидит себя за то, что рада его смерти. Я не могу подобрать слов, чтобы ее успокоить, но впервые за все время нашего знакомства под маской видна сломленная женщина.

Глава 25

Тесса

Посидев со мной несколько минут, Ной встает и потягивается.

— Пойду принесу тебе что-нибудь попить. Тебе и поесть нужно.

Мои кулачки сжимаются на его рубашке, и я качаю головой, умоляя его не оставлять меня одну.

— Если ты не поешь, тебе станет плохо, — вздыхает он, но я знаю, что на этот раз победила. Ной всегда поддавался на уговоры.

Меньше всего мне сейчас хочется есть или пить. Я хочу только одного: чтобы он уехал и никогда не возвращался.

— Наверняка твоя мама устроила Хардину разнос. — Ной пытается улыбнуться, но у него ничего не получается.

Я слышу ее крики и как что-то гремит, но отказываюсь отпустить Ноя и остаться в комнате одной. Если я останусь одна, придет он. Так он всегда и поступает: подбирается к людям, когда они слабее всего. А я была слаба с того момента, как встретила его. Я кладу голову на подушку и отключаюсь от всего: от криков матери, от низкого голоса с британским акцентом, отвечающего на ее вопли, и даже от успокаивающего шепота Ноя.

Закрываю глаза и плыву между кошмарами и реальностью, пытаясь решить, что хуже.

Когда я снова просыпаюсь, яркие солнечные лучи пробиваются сквозь тонкие занавески на окнах. В голове пульсирует, во рту пересохло, я в комнате одна. На полу лежат теннисные кроссовки Ноя, и после секунды безмятежного замешательства вес последних двадцати часов обрушивается на меня, выбивая весь воздух из груди. Я прячу лицо в ладонях.

Он был здесь. Он был здесь, но Ной и мама помогли...

— Тесса, — прерывает мои мысли его голос.

Мне хочется притвориться, что он мне только привиделся, но, разумеется, это не так. Я чувствую его присутствие, но не поднимаю взгляда, когда слышу, как он входит в комнату.

«Почему он здесь? Почему он думает, что может выкинуть меня, как ненужную вещь, а потом поманить обратно, когда ему вздумается?»

Этого больше не будет. Я уже потеряла и его, и отца и не хочу снова переживать потери.

— Убирайся, — говорю я.

Солнце исчезает, прячась за облаками. Даже солнце не хочет быть рядом с ним.

Чувствуя, как прогибается под его весом кровать, я пытаюсь сохранять самообладание и скрыть охватившую меня дрожь.

— Попей воды.

Моей руки касается холодный стакан, но я его отталкиваю и даже не вздрагиваю, когда слышу, как он падает на пол.

— Тесса, посмотри на меня. — Я чувствую на себе его ледяные, чужие руки и отстраняюсь.

Я одинаково сильно хочу как остаться на месте, так и забраться к нему на колени и позволить ему успокоить меня. Но я этого не сделаю. Никогда. Даже учитывая, что с головой у меня сейчас не все в порядке, я знаю, что никогда не позволю ему быть со мной снова. Не могу и не хочу.

— Возьми. — Хардин подает мне другой стакан воды с тумбочки, не такой холодный.

Машинально я его принимаю. Не знаю почему, но имя Хардина эхом отдается у меня в голове. Я не хотела слышать это имя, только не в моей собственной голове — единственном месте, где я могу от него спрятаться.

— Ты должна попить воды, — мягко требует он.

Я молча подношу стакан к губам. У меня нет сил отказаться из принципа: очень хочется пить. Не отрывая глаз от стены, я за несколько секунд опустошаю целый стакан.

— Знаю, ты сердишься на меня, но я просто хочу быть рядом, — лжет он.

Все его слова — ложь, так всегда было и так всегда будет. Я сижу тихо, только короткий смешок вырывается в ответ на его заявление.

— То, как ты вела себя прошлой ночью, когда увидела меня... — начинает он. Я чувствую на себе его взгляд, но продолжаю смотреть на стену. — То, как ты кричала... Тесса, я никогда не чувствовал такой боли...

— Хватит, — не выдерживаю я. Мой голос не похож на мой собственный, и я невольно спрашиваю себя, наяву ли все это или я сплю и вижу очередной кошмар.

— Я просто хочу убедиться, что ты меня не боишься. Ведь не боишься?

— Дело не в тебе, — выговариваю я.

И это правда, абсолютная правда. Он пытался перевести внимание на себя, на свою боль, но это все из-за смерти отца и из-за того, что больше боли мое сердце принять не в состоянии.

— Черт, — вздыхает он, и я уверена, что в этот момент он проводит рукой по волосам. — Знаю, что не во мне. Я не это имел в виду. Я волнуюсь за тебя.

Я закрываю глаза и слышу вдалеке гром.

«Он волнуется за меня?»

Если он так волновался, может, не стоило отправлять меня одну обратно в Америку? Почему со мной ничего не случилось по дороге? Тогда ему, а не мне пришлось бы переживать эту потерю.

Хотя, наверное, ему было бы все равно. Он был бы слишком занят очередным косяком. Он бы даже не заметил.

— Ты сама не своя, детка.

Я начинаю дрожать от того, как он меня назвал.

— Тебе нужно поговорить об этом — обо всем, что связано с твоим отцом. Тебе станет легче. — Он говорит слишком громко. По старой крыше барабанит дождь. Я хочу, чтобы буря ворвалась внутрь и унесла меня подальше отсюда.

Кто этот человек рядом? Я совершенно уверена, что не знаю его, а он не знает, о чем говорит. Мне нужно поговорить об отце? Кто он вообще такой, чтобы сидеть здесь и делать вид, будто ему есть до меня дело, будто он хочет помочь? Мне не нужна помощь. Мне нужна тишина.

— Я хочу, чтобы ты ушел.

— Нет, не хочешь. Ты просто злишься на меня, потому что я облажался и вел себя как урод.

Боли, которую я должна бы испытывать, нет. Я совсем ничего не чувствую, даже когда в памяти всплывают картины его руки на моем бедре, пока мы едем в машине, его губ, мягко скользящих по моим, моих пальцев в его густых волосах. Ничего.

Я ничего не чувствую, даже когда приятные воспоминания сменяются другими: его кулак врезается в гипсокартонную стену, та девица в его футболке. Он переспал с ней всего несколько дней назад.

Ничего. Я ничего не чувствую, и это так приятно наконец ничего не чувствовать, наконец обрести контроль над эмоциями. Уставившись в стену, я понимаю, что мне необязательно чувствовать то, чего я не хочу. Необязательно помнить то, чего я не хочу. Можно все забыть и больше не позволять воспоминаниям преследовать меня.

— Нет.

Я не произношу больше ни слова, и он снова пытается дотронуться до меня. Я не двигаюсь. Кусаю щеку, хочется закричать, но я не собираюсь потакать его желаниям. Спокойствие, охватывающее меня при прикосновении его пальцев, сразу после того, как я решила ничего не чувствовать, только подтверждает, насколько я слаба.

— Мне очень жаль, что так случилось с Ричардом. Я знаю, как...

— Нет. — Я выдергиваю руку. — Нет, не нужно этого делать. Не нужно приходить сюда и притворяться, будто ты хочешь помочь, когда на самом деле именно ты причинил мне больше всего боли. Я не буду повторять. — Мой голос такой же безжизненный, неубедительный и пустой, как и я сама изнутри. — Убирайся.

От такой длинной речи начинает саднить горло, и мне больше не хочется произносить ни слова. Я просто хочу, чтобы он ушел и оставил меня в покое. Я сверлю взглядом стену, не позволяя рассудку снова пытать меня воспоминаниями о теле отца. В голове все перемешалось. Я оплакиваю две смерти, и это мало-помалу разрывает меня на части.

У боли нет ни капли милосердия: ей требуется обещанный кусок плоти, и она отрывает от него кусочек за кусочком. Она не успокоится, пока от тебя не останется лишь пустая оболочка, жалкое подобие того, кем ты был когда-то. Когда тебя предают или бросают, это невыносимо, но ничто не сравнится с той болью, когда чувствуешь себя пустым изнутри. Ничто не ранит сильнее, чем отсутствие боли. Для меня в этом заключается смысл, но одновременно это и полная бессмыслица, и я убеждаюсь, что действительно схожу с ума.

Но я даже не возражаю.

— Хочешь, принесу тебе что-нибудь поесть?

«Он меня не слышал? Он что, не понимает, что я не хочу его видеть?»

Не может быть, чтобы он не понял, какой хаос творится у меня в голове.

— Тесса, — зовет он, не услышав моего ответа.

Мне необходимо, чтобы он ушел. Я больше не хочу смотреть ему в глаза, не хочу слышать обещания, которые он нарушит, как только в очередной раз позволит ненависти одержать над собой верх.

В горле саднит, ужасно больно, но я зову человека, которому не все равно:

— Ной!

Он тут же появляется на пороге спальни, явно настроенный стать именно той силой, которая наконец выдворит упрямого Хардина из моей комнаты и из моей жизни. Встав передо мной, Ной смотрит на Хардина, и я наконец поднимаю глаза.

— Я тебя предупреждал, что, если она меня позовет, то все.

Сразу же разъярившись, Хардин начинает сверлить взглядом Ноя, и я знаю, как сложно ему справиться с гневом. У него что-то на руке... гипс? Я смотрю снова: да, точно, черный гипс на кисти и запястье.

— Давай-ка кое-что проясним. — Хардин встает, не сводя глаз с Ноя. — Я стараюсь не расстраивать ее, и это единственная причина, почему я до сих пор не свернул тебе шею. Так что не испытывай судьбу.

В моем воспаленном, запутавшемся сознании всплывает картина: голова отца откидывается, открывается его челюсть. Я просто хочу тишины. Тишины снаружи и внутри.

Из-за голосов, которые становятся все громче и злее, образ мертвого тела отца начинает множиться. Я давлюсь, тело умоляет сделать передышку, освободить желудок. Проблема в том, что в нем нет ничего, кроме воды: желчь обжигает горло, когда меня начинает рвать прямо на старенькое одеяло.

— Черт! — восклицает Хардин. — Пошел вон! — Он ударяет Ноя в грудь одной рукой, и тот отлетает назад, ударяясь о дверной косяк.

— Сам пошел, никто не хочет, чтобы ты здесь находился! — кричит в ответ Ной и, бросившись вперед, толкает Хардина.

Ни один из них не видит, как я встаю с кровати и вытираю рот рукавом. Им застилает глаза или красная пелена, или бесконечная «преданность», так что я выхожу из комнаты в коридор и выхожу из дома никем не замеченная.

Глава 26

Хардин

— Отстань! — Я ударяю гипсом по челюсти Ноя, и он отскакивает, сплевывая кровь.

Однако это его не останавливает. Он ударяет снова и сбивает меня с ног.

— Ты сукин сын! — вопит он.

Мы перекатываемся, и я оказываюсь сверху. Если я сейчас не остановлюсь, Тесса будет ненавидеть меня еще больше. Я терпеть не могу этого засранца, но она хорошо к нему относится и, если я его покалечу, никогда меня не простит. Мне удается встать на ноги и отойти подальше от этого гребаного новоиспеченного полузащитника[1].

— Тесса... — начинаю я и поворачиваюсь к кровати, но обнаруживаю, что там никого нет.

Все во мне переворачивается. Мокрое пятно, оставшееся после того, как ей стало плохо, — единственное доказательство, что она вообще была здесь.

Даже не взглянув на Ноя, я выбегаю в коридор и зову ее по имени.

«Как я мог быть таким идиотом? Когда я перестану вести себя как полный придурок?»

---

[1] Имеются в виду крупные габариты игроков в американский футбол.

— Где она? — спрашивает Ной у меня за спиной, следуя за мной, точно потерявшийся щенок.

Кэрол по-прежнему спит на диване. Она не сдвинулась с места с тех пор, как я уложил ее сюда вчера вечером, когда она уснула у меня на руках. Может, эта женщина и ненавидит меня до глубины души, но я не смог ее оттолкнуть, когда она нуждалась в поддержке.

К своему ужасу, вижу, что входная дверь открыта и от сильного ветра раскачивается на петлях. У въезда припаркованы две машины: Ноя и Кэрол. Такси за сотню баксов от аэропорта до дома Кэрол стоило того, иначе я потерял бы кучу времени, поехав к дому Кена за своей машиной. По крайней мере, Тесса не попыталась никуда уехать.

— Ее туфли здесь, — говорит Ной, поднимая одну из хлипких туфель Тессы, и бросает ее обратно на пол.

Его подбородок перепачкан кровью, а в перепуганных голубых глазах плещется тревога. Тесса бродит где-то в одиночестве в грозу, а все потому, что я позволил своему гребаному эго одержать верх.

Ной на минуту исчезает, а я изучаю окрестности, пытаясь найти свою девочку. Когда он возвращается после повторного осмотра ее комнаты, в руках у него ее кошелек. Она сбежала босиком, без денег и телефона. Она не могла уйти далеко: мы дрались минуту, не больше. Как же так получилось, что ярость отвлекла меня от Тессы?

— Я поезжу на машине по району, — говорит Ной, вытаскивая ключи из кармана джинсов, и выходит наружу.

Здесь у него преимущество. Он вырос на этих улицах, знает каждый уголок, а я нет. Я осматриваюсь в гостиной и иду на кухню. Выглянув в окно, понимаю, что преимущество все-таки у меня, а не у него. Удивительно, как он сам не догадался. Может, он и знает город, но я знаю мою Тессу, и мне точно известно, где она.

Я выхожу через черный ход, дождь до сих пор льет как из ведра. Я одним прыжком преодолеваю ступеньки и иду по траве к маленькой теплице в углу двора, прячущейся под покачивающими ветками деревьями. Металлическая дверь полуоткрыта. Значит, интуиция меня не подвела.

Я нахожу Тессу свернувшейся калачиком на полу: джинсы испачканы, босые ноги в грязи. Прижав колени к груди, она зажимает дрожащими руками уши. От этой сцены разрывается сердце. Так больно видеть, что от моей сильной девочки почти ничего не осталось. Ряды горшков с землей заполняют эту так называемую теплицу: ею явно никто не занимался с тех пор, как Тесса уехала из дома. Сквозь трещины в потолке хлещет дождь, заливая маленькое пространство.

Я ничего не говорю, но не хочу ее испугать и надеюсь, что она слышит, как мои ботинки хлюпают по грязи, покрывающей пол. Опустив глаза, вижу, что пола здесь нет вообще. Вот откуда столько грязи. Убрав ее руки от ушей, я наклоняюсь, чтобы заглянуть ей в глаза. Она бьется, как загнанное в угол животное, и я вздрагиваю от ее реакции, но продолжаю крепко держать.

Она зарывается руками в грязь и пинает меня ногами. Как только я отпускаю ее запястья, она снова закрывает уши, и с ее губ слетает судорожный всхлип.

— Я хочу тишины, — умоляет она, медленно раскачиваясь взад-вперед.

Мне так много нужно ей сказать, выплеснуть так много слов в надежде, что она выслушает меня и перестанет замыкаться в себе, но один взгляд в ее наполненные отчаянием глаза — и я забываю все, что вертелось на языке.

Если она хочет тишины, я дам ей тишину. Черт, сейчас я дам ей что угодно, лишь бы она не гнала меня прочь.

Я придвигаюсь ближе, и мы сидим на грязном полу старой теплицы. Теплицы, в которой она пряталась от отца, теплицы, в которой она прячется сейчас от целого мира и от меня.

Мы сидим, а по стеклянной крыше барабанит дождь. Мы продолжаем сидеть, пока ее рыдания не переходят в тихие всхлипы. Она неподвижно смотрит перед собой в одну точку. Мы сидим в полном молчании, мои ладони лежат поверх ее маленьких пальчиков, закрывая ей уши, отсекая любой шум, создавая тишину, которая ей так нужна.

Глава 27

Хардин

Сидя и слушая, как за окном бушует ураган, я не могу не сравнить его с тем хаосом, в который превратилась моя жизнь. Я придурок, самый настоящий придурок, худший вариант из всех существующих.

Несколько минут назад Тесса наконец затихла. Ее тело наклонилось вперед, и она позволила себе опереться на меня в поисках поддержки. Ее заплаканные глаза прикрыты, она заснула, несмотря на дождь, громко барабанящий по ветхой теплице.

Я немного сдвигаюсь, надеясь, что она не проснется, и кладу ее голову себе на колени. Нужно увести ее отсюда, подальше от дождя и грязи, но я знаю, что она сделает, как только откроет глаза: прогонит меня прочь, скажет, что не хочет видеть, а я, черт возьми, не готов снова услышать эти слова.

Несомненно, я их заслуживаю — все, от первого до последнего, и даже больше, но это не изменит того, что я гребаный трус. Мне хочется наслаждаться тишиной, пока она длится. Только здесь, в сладкой тишине, я могу притвориться кем-то другим. Могу притвориться, пусть и на минуту, что я Ной. Конечно, не такой раздражающий вариант, каким является оригинал, но, если бы я был им, все сложилось бы по-другому. Все было бы теперь иначе. Я завоевал бы Тессу с помощью слов и чувств, а не из-за глупого спора. Смешил бы ее гораздо чаще, чем заставлял плакать. Она доверяла бы мне полностью и безоговорочно, и я бы не разрушил это доверие, стерев его в порошок, и не наблюдал, как оно улетает вместе с ветром. Я хранил бы его и, возможно, даже стал бы его достоин.

Но я не Ной. Я Хардин. А быть Хардином ни черта не значит.

Если бы в моей голове не было столько гребаных вопросов, требующих внимания, я мог бы сделать ее счастливой. Я зажег бы для нее свет в жизни так, как она сделала это для меня. Но она сидит здесь, сломленная и совершенно измученная. Кожа перепачкана, грязь на руках начала подсыхать, и лицо, даже во сне, перекошено в гримасе боли. Ее волосы в некоторых местах мокрые, в других — сухие и взъерошенные, и я задаюсь вопросом, переодевалась ли она с тех пор, как уехала из Лондона. Я бы никогда не отправил ее обратно, если бы знал, что она обнаружит в квартире мертвое тело отца.

Когда мысли возвращаются к отцу Тессы и его смерти, я совершенно теряюсь. Первое, что приходит в голову, — отмахнуться от этого, словно с неудачником, прожигающим жизнь, не произошло ничего важного, но в тот же миг в груди тяжелеет от потери. Я не слишком хорошо его знал, да и вообще едва терпел его присутствие, но он был неплохим собеседником. Трудно это признать, но он мне даже нравился. Он был несносен, и меня дико раздражало, что он опустошал коробку моих любимых хлопьев одну за другой, но мне нравился его оптимистичный взгляд на жизнь и то, как он обожал Тессу, несмотря на то что его собственная жизнь была полным дерьмом.

Ирония судьбы в том, что он покинул этот мир именно тогда, когда у него появилось то, ради чего стоит жить. Словно не мог вынести столько счастья. Глаза щиплет от нахлынувших эмоций, возможно, от скорби. Скорби от потери человека, которого я едва знал, скорби от потери Кена, начавшего вырисовываться в образе отца, скорби от потери Тессы. Но есть и крошечная надежда, что она вернется и не будет потеряна навсегда.

По моему лицу катятся эгоистичные слезы вперемешку с каплями, падающими с промокших насквозь волос. Я наклоняю голову, борясь с желанием прижаться лицом к ее шее, чтобы забыться. Я не заслуживаю покоя, который она может подарить. Я не заслуживаю ничьего покоя.

Все, чего я достоин, — это сидеть здесь и хлюпать носом, как презренный бродяга, в молчании и одиночестве. Молчание и одиночество — мои старые верные спутники.

Мои жалкие всхлипы теряются в звуках дождя, и я благодарен, что девочка, которую я обожаю, спит и не видит, что я совсем расклеился. Все, что сейчас происходит, включая смерть Ричарда, — последствия моих собственных поступков. Если бы я не согласился взять Тессу в Англию, ничего бы из этого не произошло. Мы были бы счастливы и сильны как никогда — так, как было неделю назад.

«Черт, неужели это было всего неделю назад?»

Кажется невозможным, что прошло всего несколько дней. Словно вечность прошла с тех пор, как я прикасался к ней, держал ее в своих объятиях, чувствовал, как под моей ладонью бьется ее сердце. Моя рука тянется к Тессе, я изнемогаю от желания дотронуться до нее, но боюсь разбудить.

Если бы всего раз почувствовать ровное биение ее сердца, это бы успокоило и утешило меня. Помогло бы справиться со срывом, остановило эти омерзительные слезы, скатывающиеся по щекам, и усмирило дикое волнение в груди.

— Тесса!

Низкий голос Ноя прорывается сквозь шум дождя, а за ним, словно восклицательный знак, следует раскат грома. Я торопливо вытираю лицо, желая исчезнуть в холодном весеннем воздухе прежде, чем он ворвется сюда.

— Тесса! — зовет он снова, на этот раз громче, и я знаю, что он у теплицы.

Я стискиваю зубы в надежде, что он не станет больше выкрикивать ее имя, потому что, если он ее разбудит, я...

— Слава богу! Мне следовало догадаться, что она здесь! — громко восклицает он, заходя внутрь. На его лице неописуемое облегчение.

— Может, заткнешься? Она только что уснула, — грубо шепчу я и опускаю взгляд на спящую Тессу.

Он — последний их тех, кого я хотел бы сейчас видеть. Конечно, он заметил мои воспаленные глаза и раскрасневшиеся щеки — чертово доказательство нервного срыва.

Черт, кажется, я даже не могу ненавидеть этого гаденыша, потому что он пытается не смотреть на меня, чтобы не смутить. За эту его неизменную доброту какая-то часть меня ненавидит его еще больше.

— Она... — Ной оглядывается в грязной теплице и возвращается взглядом к Тессе. — Следовало догадаться, что она пойдет сюда. Она всегда пряталась здесь раньше...

Откинув со лба светлые волосы, он, к моему удивлению, делает шаг к выходу.

— Я буду в доме, — устало говорит он и, сгорбившись, уходит, даже не хлопнув дверью.

Глава 28

ТЕССА

Он надоедает мне весь последний час, следя в зеркале, как я накладываю макияж и завиваю волосы, и тискает при каждом удобном случае.

— Тесс, детка, — стонет Хардин в который раз. — Я люблю тебя, но, если ты не поторопишься, мы опоздаем на собственную вечеринку.

— Я знаю, просто хочу выглядеть прилично. Все там будут.

Я посылаю ему примирительную улыбку, не сомневаясь, что он не будет долго сердиться, и втайне наслаждаясь выражением неудовольствия на его лице. Обожаю эту ямочку на его правой щеке, которая появляется, когда он сердито, но так мило хмурится.

— Прилично? Ты сразишь всех наповал, — ноет он, определенно ревнуя.

— Еще раз, что там за вечеринка? — Я наношу на губы тонкий слой блеска. Не могу вспомнить, что происходит, только знаю, что все в нетерпении и мы опоздаем, если я не закончу прихорашиваться.

Меня обнимают сильные руки Хардина, и я неожиданно вспоминаю, что за повод для праздника. Это настолько ужасно, что я роняю блеск в раковину и судорожно выдыхаю.

— Похороны твоего отца, — шепчет Хардин.

Я выпрямляюсь и, обнаружив, что сижу в объятиях Хардина, торопливо отталкиваю его от себя.

— Что случилось? В чем дело? — восклицает он.

Хардин здесь, рядом со мной, мои ноги переплелись с его. Не нужно было засыпать — как вообще это могло случиться? Я даже не помню, как уснула. Последнее воспоминание — теплые ладони Хардина поверх моих, закрывающие уши.

— Ничего, — хриплю я.

Горло горит огнем, и я осматриваюсь по сторонам, пока мозг пытается осознать, что происходит.

— Мне нужна вода. — Потерев шею, я пытаюсь встать. Спотыкаюсь и перевожу взгляд на Хардина.

Его лицо непроницаемо, глаза красные.

— Тебе что-то снилось?

Пустота быстро наполняет меня снова, забираясь в грудную клетку и явно намереваясь остаться там надолго — в самом глубоком и уединенном месте.

— Сядь. — Он дотрагивается до меня, но его пальцы словно прожигают мою кожу, и я отскакиваю в сторону.

— Пожалуйста, не надо, — тихо прошу я.

Хмурый, обожаемый мною Хардин из сна был просто сном, бессмысленным сном, и теперь передо мной другой Хардин — тот, который вернулся, чтобы нанести очередной удар после того, как отказался от меня. Я знаю, почему он это делает, но это не означает, что я готова сейчас с ним разбираться.

Смирившись, он наклоняет голову и опирается рукой о землю, чтобы подняться. Его колено скользит по грязи, и я отворачиваюсь, пока он встает, хватаясь за оградку.

— Я не знаю, что делать, — тихо произносит он.

— Тебе не нужно ничего делать, — бормочу я и изо всех сил пытаюсь заставить свои ноги двигаться, чтобы выйти отсюда под проливной дождь.

Я уже на середине двора, когда слышу его шаги за спиной. Он держится на безопасном расстоянии, и я благодарна ему за это. Мне нужно личное пространство, нужно время, чтобы подумать и перевести дух, и нужно, чтобы его не было рядом.

Распахнув дверь, я захожу в дом. Грязь ручьями стекает на коврик, и я сжимаюсь при мысли о том, как отреагирует на такой беспорядок мать. Чтобы не выслушивать ее жалобы, я, раздевшись до лифчика и трусиков, оставляю кучу грязной одежды на заднем крыльце и, прежде чем пройти по чистому кафелю на кухне, стараюсь как можно лучше смыть под дождем грязь с ног. С каждым шагом раздается скрип, и я подпрыгиваю от неожиданности, когда открывается задняя дверь и входит Хардин в грязных ботинках.

Зачем беспокоиться о чем-то настолько незначительном — о грязи? По сравнению со всеми остальными проблемами в моей голове грязь кажется такой мелочью, такой ерундой. Мне не хватает тех дней, когда беспорядок в доме был поводом для волнения.

— Тесса? Ты меня слышала? — прерывает голос Ноя мои размышления.

Поморгав, я поднимаю на него глаза: он стоит босиком в коридоре, с мокрой одеждой в руках.

— Прости, нет.

Он сочувствующе кивает.

— Ничего страшного. Ты в порядке? Тебе нужно в душ?

Я киваю, а он заходит в ванную и включает воду. Шум воды заставляет меня подойти ближе, но я замираю на месте, как только слышу голос Хардина:

— Он не будет помогать тебе принимать душ.

Я не отвечаю. У меня просто нет сил, чтобы ответить.

«Конечно нет, с какой стати ему это делать?»

Хардин проходит мимо меня, оставляя за собой грязные следы.

— Извини, но это невозможно.

В голове у меня нет ни одной мысли, а может, это только так кажется, но я начинаю печально смеяться над тем, какой беспорядок он тут устроил. Не только в доме моей матери, а вообще везде, где он появляется, после него остается беспорядок. Включая меня — со мной полный бардак.

Он исчезает в ванной.

— Она полуодета, и ты включаешь для нее воду, — говорит он. — Черт, нет, ты не останешься здесь, пока она принимает душ. Ни за что.

— Я просто пытаюсь помочь, а ты создаешь проблему на...

Я захожу в ванную и проталкиваюсь мимо двух угрюмых мужчин.

— Оба вышли, — приказываю я монотонным безжизненным голосом. — Идите и разбирайтесь где-нибудь еще.

Выгоняю их и закрываюсь. Как только щелкает замок, я начинаю молиться, чтобы Хардин не прибавил эту тонкую дверь к своему списку разрушений.

Раздевшись до конца, встаю под воду и спиной чувствую, какая она горячая. Я вся в грязи и ненавижу это. Ненавижу, что приходится вычищать ее, засохшую, из-под ногтей и выдирать из волос. Ненавижу, что, как бы яростно я ее ни смывала, никак не могу почувствовать себя чистой.

Глава 29

ХАРДИН

— Что я мог поделать, если она была раздета? Тут такое происходит, а ты волнуешься, что кто-то увидит ее голой? — В голосе Ноя слышится осуждение, и мне хочется придушить его здоровой рукой.

— Дело не только... — Я глубоко вздыхаю. — Дело не в этом.

Я не собираюсь обсуждать с ним все это дерьмо. Кладу руки на колени, затем убираю их в карманы, но тут же понимаю, что ничего не выйдет, — из-за гипса. Неуклюже перекладываю руки обратно на колени.

— Не знаю, что произошло между вами, но ты не можешь наезжать на меня за то, что я хочу ей помочь. Я знаком с ней всю свою жизнь и никогда не видел в таком состоянии, — неодобрительно качает головой Ной.

— Я не буду разговаривать с тобой на эту тему. Мы в разных командах.

Он вздыхает:

— Нам необязательно враждовать. Я желаю ей самого лучшего. Так же как и ты. Я для тебя не угроза. Я не так глуп, чтобы думать, что когда-нибудь она выберет меня. Для меня все это в прошлом. Я все еще ее люблю, потому что, наверное, всегда буду любить, но совсем не так, как ты.

Его слова возымели бы гораздо больший эффект, если бы я не презирал его последние восемь месяцев. Я молча стою, прислонившись спиной к стене напротив ванной, и жду, пока она не закончит принимать душ.

— Вы снова расстались? — любопытствует он. Никак не поймет, когда пора заткнуться.

— Разве это не ясно? — Я закрываю глаза и слегка откидываю голову.

— Я не собираюсь вмешиваться в ваши дела, но надеюсь, что ты расскажешь мне о Ричарде и как получилось, что он умер в твоей квартире. Не понимаю, как это могло произойти.

— Он жил у меня после того, как Тесса уехала в Сиэтл. Ему некуда было пойти, поэтому я позволил ему остаться у себя. Когда мы улетели в Лондон, он должен был лечь в клинику на реабилитацию. Поэтому представь себе мое удивление, когда он обнаружился на полу моей ванной мертвее мертвого.

Дверь ванной открывается, и Тесса в одном полотенце проходит мимо нас. Ной никогда не видел ее голой — ни один мужчина, кроме меня, не видел, — и я эгоистично желаю, чтобы так все и оставалось. Понимаю, что сейчас не время думать о таких вещах, но ничего не могу с собой поделать.

Наслаждаясь тишиной, я иду на кухню за водой и вдруг слышу тихий, неуверенный голос Кэрол:

— Хардин, можно тебя на минутку?

Женщина еще не начала говорить, а я уже в замешательстве из-за ее тона.

— Э-э... да. — Я немного отступаю назад, чтобы сохранить безопасную дистанцию, и упираюсь в стену маленькой кухни.

На ее лице невозможно ничего прочесть, но для нее эта ситуация явно такая же неловкая, как и для меня.

— Я просто хотела поговорить о том, что случилось прошлой ночью.

Я отвожу взгляд и смотрю себе под ноги. Непонятно, чем это закончится, но она уже заколола волосы и стерла остатки вчерашнего макияжа, размазавшегося вокруг глаз.

— Не знаю, что на меня нашло, — говорит она. — Мне не следовало так вести себя с тобой. Это было невероятно глупо, и я...

— Все в порядке, — перебиваю я в надежде, что она замолчит.

— Нет, не в порядке. Я хочу убедиться, что между нами ничего не поменялось: я по-прежнему очень хочу, чтобы ты держался подальше от моей дочери.

Я поднимаю голову, чтобы встретиться с ней взглядом. В принципе ничего другого я от нее и не ожидал.

— Мне бы хотелось сказать, что я вас послушаю, но это не в моих силах. Я знаю, что не нравлюсь вам. — Я замолкаю и не могу не рассмеяться над своим преуменьшением. — Вы меня ненавидите, я это понимаю, но вы же знаете, что ваше мнение ничего для меня не значит. Я не пытаюсь вам досадить, просто дела обстоят именно так.

Она начинает смеяться вместе со мной и застает меня этим врасплох. Ее смех такой же, как и мой — звучный и полный боли.

— Ты так похож на него. Разговариваешь со мной в точности, как он разговаривал с моими родителями. Ричарду тоже было все равно, что о нем подумают другие. Но посмотри, что с ним стало.

— Я не он, — огрызаюсь я.

Я действительно стараюсь вести себя с ней как можно более вежливо, но она все усложняет. Тесса так долго сидит в ванной, и я изо всех сил сдерживаюсь, чтобы не пойти и не проверить, как она. Да еще этот Ной поблизости.

— Хардин, попробуй понять мою точку зрения. У меня были такие же нездоровые отношения, и мне известно, как они заканчиваются. Я не хочу того же для Тессы, и если ты ее и правда любишь, как говоришь, то тоже не захочешь для нее похожего будущего. — Она смотрит на меня, ожидая реакции, но затем продолжает: — Я хочу для нее только хорошего. Можешь мне не верить, но я воспитывала Тессу так, чтобы она в отличие от меня не зависела от мужчины. И посмотри, что с ней стало. Ей девятнадцать, и каждый раз, когда ты ее бросаешь, мир рушится...

— Я...

Она вскидывает руку:

— Позволь мне закончить. На самом деле я ей завидовала. Это плачевно, но часть меня завидовала тому, что ты всегда возвращался к ней в отличие от

Ричарда, который никогда не возвращался ко мне. Но с каждым вашим расставанием я все больше убеждалась, что вас ждет тот же конец, что и нас, потому что хотя ты и возвращаешься, но никогда не остаешься. Если хочешь, чтобы она повторила мою участь и превратилась в одинокую, полную ненависти женщину, продолжай в том же духе. Уверяю тебя, именно так все для нее и закончится.

Мне досадно от того, каким видит меня Кэрол, но еще больше досадно то, что она права. Я и правда всегда ухожу от Тессы, но, даже когда возвращаюсь, жду, пока она снова не станет счастливой, и опять ухожу.

— Решать тебе. Похоже, кроме тебя, она никого не слушает. Моя дочь любит тебя слишком сильно.

Я это знаю — знаю, что она меня любит, и именно поэтому наша история закончится не так, как у ее родителей.

— Ты не можешь дать ей то, что нужно. И удерживаешь ее от того, чтобы она встретила того, кто сможет, — говорит она, но я слышу лишь звук, с которым закрывается дверь в старую спальню Тессы, а значит, она вышла из душа.

— Вы увидите, Кэрол, увидите... — отвечаю я и беру из шкафа пустой стакан. Наполняя его водой для Тессы, я говорю себе, что смогу изменить наши отношения и доказать, что все остальные, в том числе и я сам, ошибаются. Конечно, смогу.

Глава 30

Тесса

После душа я чувствую себя чуть менее безумной, а может, дело в непродолжительном сне в теплице или тишине, которой мне наконец удалось добиться. Не знаю почему, но сейчас я вижу окружающий мир яснее. Совсем ненамного, но это помогает быть не такой потерянной и дает слабую надежду, что с каждым днем ясности и покоя будет все больше.

— Я вхожу, — говорит Хардин и открывает дверь до того, как я успеваю ответить.

Натягиваю чистую футболку пониже и, приподнявшись, сажусь.

— Я принес тебе воды. — Поставив полный стакан на тумбочку, он садится на противоположную сторону кровати.

Я придумала целую речь, пока была в душе, но сейчас, когда он передо мной, на ум не приходит ни слова.

— Спасибо, — вот и все, что я способна сказать.

— Тебе лучше?

Он очень осторожен. Наверное, я кажусь ему очень хрупкой и слабой. Я так себя и чувствую. Я должна ощущать себя побежденной, злой, печальной, запутавшейся и потерянной, но я ничего не чувствую. Внутри меня пульсирует пустота, и с каждой минутой я привыкаю к ней все больше.

В душе каждую бесконечно длинную минуту, когда вода стала холодной, я думала о случившемся, пытаясь взглянуть на все с другой стороны. Думала о том, как моя жизнь превратилась в черную дыру, наполненную пустотой. Думала о том, как же я ненавижу это чувство. Думала об идеальном решении проблемы, но сейчас не получается соединить перепутавшиеся слова в нормальное предложение. Так, должно быть, чувствуют себя, когда теряют рассудок.

— Надеюсь, что да.

Он надеется, что я... что?

— Что тебе лучше, — добавляет он, отвечая на мои мысли.

Мы с ним настолько близки, что он всегда знает, о чем я думаю и что чувствую, даже когда я сама этого не знаю. И я это ненавижу.

Пожав плечами, я упираюсь взглядом в стену.

— Вроде бы.

Легче смотреть на стену, чем в его сверкающие зеленые глаза — глаза, которые я всегда так боялась потерять. Помню, когда мы лежали в постели, я надеялась, что проведу с этими глазами еще час, неделю, может, даже месяц. Молилась, чтобы он всегда был рядом и хотел этого так же сильно, как я. Я не хочу больше это чувствовать. Не желаю снова погружаться в отчаяние, когда речь заходит о нем. Мне хочется просто сидеть здесь с пустотой внутри, в мире и покое, и, может быть, в один прекрасный день я смогу стать кем-то другим — тем, кем думала, что стану, до поступления в университет. Если повезет, у меня получится стать той девочкой, какой я была, когда уезжала из дома.

Но той девочки давно нет. Она взяла билет до ада в один конец и теперь молча сгорает дотла.

— Я хочу, чтобы ты знала, как я сожалею обо всем, Тесса. Мне нужно было вернуться с тобой. Мне не следовало разрывать наши отношения из-за собственных проблем. Я должен был позволить тебе остаться рядом со мной так же, как сейчас я хочу быть рядом с тобой. Теперь я понимаю, что ты чувствовала, все время пытаясь мне помочь, когда я отталкивал тебя снова и снова.

— Хардин, — шепчу я, хотя не знаю, что сказать дальше.

— Нет, Тесса, позволь мне закончить. Обещаю, на этот раз все будет по-другому. Этого никогда больше не повторится. Мне жаль, что только после смерти твоего отца я осознал, как сильно нуждаюсь в тебе.

Я не сбегу снова, не буду пренебрегать тобой, не буду замыкаться в себе. Клянусь. — Отчаяние в его голосе такое знакомое: я слышала тот же самый тон и те же самые слова уже много раз.

— Не могу, — говорю я спокойно. — Мне очень жаль, Хардин, но я правда не могу.

Он в панике придвигается ближе и падает передо мной на колени, пачкая ковер.

— Не можешь что? Да, потребуется время, но я готов ждать, когда ты выйдешь из этого состояния, оправишься от горя. Я готов на все. Абсолютно на все.

— Не получится, никогда не получалось. — Мой голос снова становится безжизненным. Наверное, от Тессы, разговаривающей как робот, никуда не деться. У меня просто нет сил вкладывать эмоции в слова.

— Мы можем пожениться... — бормочет он, и, похоже, в следующую секунду сам удивляется своим словам, но не берет их назад. Его длинные пальцы обвиваются вокруг моих запястий. — Тесса, мы можем пожениться. Если ты согласишься, я женюсь на тебе хоть завтра. Надену смокинг и все такое.

Слова, которые я так долго ждала и желала услышать, наконец слетели с его губ, но я ничего не чувствую. Прекрасно их расслышала, но ничего не чувствую.

— Не получится, — качаю я головой.

Его отчаяние растет.

— У меня есть деньги, более чем достаточно, чтобы оплатить свадьбу. Тесса, мы устроим ее, где захочешь. У тебя будет самое дорогое платье и цветы, и я не произнесу ни одного слова жалобы! — Он почти кричит, и его голос эхом отдается по комнате.

— Не в этом дело, это просто неправильно.

Мне хочется выжечь в сердце его слова и то, с каким неистовством он их произносит, и вернуться в прошлое. Прошлое, в котором я не понимала, насколько на самом деле разрушительны наши отношения. Прошлое, в котором я отдала бы все на свете, чтобы это услышать.

— Что тогда? Я знаю, ты этого хочешь, Тесса. Ты столько раз говорила об этом. — Я вижу смятение в его глазах и отдала бы что угодно, чтобы хоть как-то облегчить его боль, но не могу.

— У меня ничего не осталось, Хардин. Мне нечего тебе дать. Ты уже все забрал. Мне очень жаль, но ничего не осталось.

Пустота внутри растет, заполняя меня всю, и я никогда еще не была так благодарна за то, что ничего не чувствую. Если бы я могла почувствовать хоть что-то, это убило бы меня.

Это точно убило бы меня, а я только недавно решила, что хочу жить. Я не в восторге от тех темных мыслей, что посетили меня в теплице, но горжусь тем, как быстро и самостоятельно прогнала их прочь, когда лежала на полу под холодным душем после того, как закончилась горячая вода.

— Я не хочу ничего забирать у тебя. Я хочу дать тебе то, что ты хочешь!

Он ловит ртом воздух с таким ужасающим всхлипом, что я почти готова согласиться на все, лишь бы больше никогда не слышать этот звук.

— Выходи за меня, Тесс. Пожалуйста, просто выйди за меня замуж, и я клянусь, что никогда больше так не поступлю. Мы могли бы всегда быть вместе — как муж и жена. Знаю, ты слишком хороша для меня и заслуживаешь большего, но теперь мне понятно, что ты и я — мы — не такие, как остальные. Мы не такие, как твои или мои родители, мы другие, и мы можем, черт возьми, все преодолеть. Просто послушай меня...

— Посмотри на нас, — слабо провожу я рукой между нами. — Посмотри, какой я стала. Я больше не хочу так жить. Нет-нет-нет.

Он встает и начинает мерить шагами комнату.

— Хочешь! Позволь мне все исправить, — умоляет он, проводя рукой по волосам.

— Хардин, пожалуйста, успокойся. Прости за все, что я тебе сделала. Больше всего я сожалею, что усложнила твою жизнь. Прости за все наши ссоры и постоянные расставания-примирения, но ты должен знать: у нас ничего не получится. Мне казалось, — мои губы растягиваются в жалкой улыбке, — что мы справимся. Мне казалось, что наша любовь была как в романах — любовь, когда неважно, насколько тяжело, быстро или трудно все складывается. Мне казалось, мы переживем, что угодно, и будем рассказывать нашу историю детям.

— Мы можем! Мы можем все пережить! — давится он словами.

Я не могу смотреть на него: знаю, что увижу.

— Пойми, Хардин, все кончено. Я не хочу переживать. Я хочу жить.

Мои слова что-то надламывают в нем, он останавливается и перестает дергать себя за волосы.

— Я не могу просто взять и отпустить тебя. Ты это знаешь. Я всегда возвращаюсь к тебе — ты должна это знать. Я в конце концов вернулся бы из Лондона, и мы...

— Я не могу ждать тебя всю мою жизнь, и с моей стороны было бы эгоистично желать, чтобы ты проводил свою, бегая от меня — от нас.

Я снова в замешательстве. В замешательстве, потому что не помню, чтобы думала о таких вещах. Все мои мысли всегда крутились вокруг Хардина и того, что я могла бы сделать, чтобы ему стало лучше и чтобы заставить его остаться рядом. Не знаю, откуда взялись эти слова и мысли, но, произнося их, я чувствую облегчение.

— Я не могу без тебя, — говорит он. Очередная сентиментальность, которую он произносил уже миллион раз, хотя при этом делает все возможное, чтобы оттолкнуть меня.

— Можешь. Ты станешь счастливее, избавишься от многих противоречий. Будет легче, ты сам так сказал.

Я действительно так думаю. Без меня и без наших нескончаемых выяснений отношений он станет счастливее. Сосредоточится на себе, на злости на обоих своих отцов и когда-нибудь обретет счастье. Я люблю его слишком сильно, чтобы желать ему только счастья, даже если и не со мной.

Сжав кулаки, он прижимает их ко лбу и стискивает зубы:

— Нет!

Я люблю его. Я всегда буду любить этого человека, но мои силы закончились. Невозможно вечно разжигать костер, когда он льет воду ведро за ведром, пытаясь его потушить.

— Мы отчаянно боролись, но, по-моему, сейчас пришло время остановиться.

— Нет! Нет!

Его глаза обшаривают комнату, и я понимаю, что он сделает, еще раньше его самого. Поэтому меня не удивляет, когда настольная лампа летит и разбивается о стену. Я не двигаюсь. Даже не моргаю. Все до боли знакомо, и именно поэтому я поступаю так, как поступаю.

Я не в состоянии его утешить. Я даже себя не могу утешить и не настолько доверяю себе, чтобы обнять его за плечи и пообещать на ухо, что все будет хорошо.

— Это то, чего ты хотел, помнишь? Вспомни, Хардин. Просто вспомни, почему ты не желал быть со мной. Вспомни, почему ты отправил меня в Америку одну.

— Я не могу жить без тебя, ты нужна мне. Ты нужна мне. Ты. Нужна. Мне, — повторяет он как заведенный.

— Мы можем общаться. Но не так, как прежде.

— Ты что, серьезно предлагаешь остаться друзьями? — ядовито выплевывает он. По мере того как нарастает злость, зеленый цвет его глаз меняется на черный. Прежде чем я успеваю ответить, он продолжает: — После всего, что случилось, мы не можем быть друзьями. Я никогда не смог бы находиться с тобой в одной комнате и не быть с тобой. Ты все для меня. И ты хочешь оскорбить меня предложением остаться друзьями? Ты ведь не это имеешь в виду. Ты меня любишь, Тесса. — Он смотрит мне прямо в глаза. — Не можешь не любить. Разве ты меня не любишь?

Пустота внутри начинает сдавать позиции, и я отчаянно борюсь, чтобы ее удержать. Если я начну что-либо чувствовать, мне конец.

— Да, — выдыхаю я.

Он снова падает на колени.

— Я люблю тебя, Хардин, но мы не можем продолжать поступать так друг с другом.

Не хочется ссориться с ним, не хочется причинять ему боль, но вся вина за случившееся лежит на нем. Я отдала бы ему все. Черт, да я и отдала ему все, но он не захотел принять. Когда наступали тяжелые времена, его любовь оказывалась недостаточно сильной, чтобы сразиться за меня с его демонами. Он сдавался раз за разом, каждый раз.

— Как мне выжить без тебя? — Он плачет прямо передо мной, и я, пытаясь совладать с собственными слезами, сглатываю горький комок вины, застрявший в горле. — Я не смогу. И не буду. Ты не можешь просто отказаться от всего, потому что тебе сейчас плохо. Позволь мне быть рядом, не отталкивай меня.

Я начинаю смеяться. Это не веселый смех. Это горький и печальный смех, вызванный иронией от его слов. Он просит меня о том, о чем просила я, но даже не понимает этого.

— Я умоляла тебя о том же самом с момента нашей встречи, — тихо напоминаю я.

Я люблю его и не хочу причинять боль, но мне нужно разорвать этот порочный круг раз и навсегда. Если я этого не сделаю, мне не выжить.

— Знаю. — Его голова падает мне на колени, а тело начинает сотрясаться от рыданий. — Прости! Прости!

Он в истерике, пустота покидает меня слишком быстро, ускользая сквозь пальцы. Я не хочу ничего чувствовать. Не хочу видеть, как он плачет, давая обещание за обещанием, суля то, что я ждала услышать целую вечность.

— У нас все будет хорошо. Ты справишься с горем, и у нас все будет хорошо.

Мне кажется, что он сказал именно это, но я не уверена и не могу попросить его повторить, потому что не в силах услышать эти слова снова. Ненавижу это. Ненавижу, что всегда нахожу причину винить себя за его боль, неважно, как сильно он меня ранит.

Краем глаза улавливаю движение у двери и киваю Ною, давая понять, что со мной все в порядке.

Это не так, но я пребываю в этом состоянии уже какое-то время, и, как ни странно, у меня нет потребности прийти в норму, как это было раньше. Глаза Ноя останавливаются на разбитой лампе, он выглядит обеспокоенным, но я еще раз киваю, молча умоляя его уйти и не вмешиваться. Мне хочется в последний раз почувствовать, как тело Хардина касается моего, как его голова покоится на моих коленях, хочется запомнить черные завитки татуировок на его руках.

— Мне жаль, что я не смогла тебе помочь, — говорю я, слегка поглаживая его влажные волосы.

— И мне, — плачет он у моих ног.

Глава 31

ТЕССА

— Мама, кто оплачивает похороны? — спрашиваю я.

Мне не хочется показаться бесчувственной или грубой, но бабушек и дедушек уже нет в живых, а оба моих родителя были единственными детьми в семье. Я знаю, что матери похороны не по карману, особенно отцовские, и меня беспокоит, что она взвалила на себя эту ношу, только чтобы что-то доказать своим друзьям в церкви.

Я не хочу надевать черное платье, которое она мне купила, не хочу надевать черные туфли на высоких каблуках, которые она не может себе позволить, но больше всего не хочу видеть, как хоронят отца.

Мать медлит с ответом, тюбик губной помады в ее руке замирает у губ, когда она ловит в зеркале мой взгляд.

— Я не знаю.

Я с недоверием поворачиваюсь к ней, — вернее, это чувство можно было бы назвать недоверием, если бы мне удалось вложить в него достаточно эмоций.

— Не знаешь? — Я приглядываюсь к ней. Опухшие глаза — верное доказательство того, что она переживает его смерть гораздо тяжелее, чем старается показать.

— Тереза, нет необходимости обсуждать финансовую сторону вопроса, — хмурится она и выходит из гостиной, завершая тем самым разговор.

Я согласно киваю, не желая ссориться. Не сегодня. Сегодня и так трудный день. Наверное, это эгоистично и немного ненормально с моей стороны, но я никак не могу понять, о чем он думал, когда воткнул иглу себе в вену. Понятно, что последние несколько лет он был наркоманом, но у меня до сих пор в голове не укладывается, как можно заниматься подобными вещами, понимая, что это смертельно опасно.

За те три дня, что я не видела Хардина, мое психическое состояние заметно улучшилось. Я не оправилась до конца, и какая-то часть меня очень боится, что мне никогда не стать прежней.

Он остановился в доме Ноя, чем невероятно удивил и меня, и, несомненно, чету Портер. Вряд ли они часто общаются с теми, кто не является членом городского клуба. Я бы не отказалась посмотреть на выражение лица миссис Портер, когда Ной привел Хардина в дом. Трудно представить, чтобы Ной и Хардин подружились или хотя бы начали мирно общаться, поэтому я понимаю, какую боль испытал Хардин после моего отказа, раз уж воспользовался гостеприимством Ноя.

Тяжелое бремя горя не покидает меня, боль по-прежнему прячется за пустотой внутри. Я чувствую, как она отчаянно пытается достучаться до меня, чтобы разрушить и столкнуть в пропасть. После срыва Хардина я опасалась, что она одержит верх, и очень рада, что этого не случилось.

Странно осознавать, что он так близко, но ни разу не попытался прийти. Мне необходимо личное пространство, а у Хардина не очень хорошо получается держаться от меня подальше. Однако раньше мне ничего подобного и не требовалось. Не так, как сейчас. Стук в дверь заставляет меня побыстрее натянуть черные колготки, и перед уходом я бросаю последний взгляд в зеркало.

Наклоняюсь ближе, чтобы рассмотреть глаза. Что-то в них изменилось, но невозможно описать, что именно. Взгляд стал... жестче? Печальнее? Точно не скажешь, но эти новые глаза отлично сочетаются с жалким подобием улыбки, которую я пытаюсь нацепить. Если бы я и так не была наполовину сумасшедшей, изменения внешности волновали бы меня сильнее.

— Тереза! — раздраженно кричит мать, как раз когда я выхожу в коридор.

Судя по ее голосу, пришел Хардин. Он держится на расстоянии, как я и просила, но мне казалось, что он все же заглянет к нам сегодня, в день похорон отца. Однако, завернув за угол, я застываю на месте. К моему удивлению — приятному удивлению, — на пороге стоит не кто иной, как Зед.

Когда мы встречаемся взглядами, на его лице появляется неуверенность, но как только мои губы растягиваются в ухмылке, он широко улыбается в ответ. Это та самая улыбка, которую я люблю: язык виднеется между зубов, глаза сияют.

Я приглашаю его войти.

— Что ты здесь делаешь? — спрашиваю я, обнимая его за шею. Ответные объятия чересчур крепкие, и приходится демонстративно покашлять, чтобы он меня отпустил.

— Извини, давно не виделись, — смеется он, и при этом звуке мое настроение сразу же улучшается.

За последние недели его лицо ни разу не всплыло в моей памяти, и я даже чувствую себя немного виноватой за это, но все-таки хорошо, что он здесь. Его присутствие напоминает о том, что мир не перестал жить своей жизнью после моей невосполнимой утраты.

Утрата... Даже себе не хочу признаваться, с какой утратой было сложнее справиться.

— Это точно, — говорю я.

Внезапно вспомнив, почему мы с Зедом не общаемся, прервав обмен приветствиями, я осторожно заглядываю ему за спину. Сейчас мне меньше всего нужна драка на идеально подстриженном газоне матери.

— Хардин здесь. Не в этом доме, но поблизости.

— Я в курсе. — Зед, похоже, ни капельки не испуган, несмотря на все, что было между ними в прошлом.

— В курсе?

Мать бросает на меня насмешливый взгляд и уходит на кухню, оставляя наедине с Зедом. До меня начинает медленно доходить, что Зед действительно здесь. Я не звонила ему, как он узнал об отце? Чисто теоретически о его смерти могли упомянуть в новостях или Интернете, но даже если и так, неужели Зед заметил бы?

— Он позвонил мне. — Я вскидываю голову, чтобы посмотреть Зеду в глаза. — Это он попросил меня приехать и повидаться с тобой. Твой телефон отключен, так что пришлось поверить ему на слово.

Я не знаю, что ответить, и просто молча разглядываю Зеда, пытаясь понять, что скрывается за всем этим на самом деле.

— Ты как? — Он тянется к моей руке, но замирает, так и не прикоснувшись. — Ты не против, что я здесь? Если для тебя это слишком, я могу уехать. Он сказал, что тебе требуется дружеская поддержка. Должно было случиться что-то действительно плохое, чтобы он позвонил мне, а не кому-либо еще. — Зед посмеивается, но я вижу, что он вполне серьезен.

«Почему Хардин обратился к нему, а не к Лэндону? Вообще-то Лэндон все равно едет сюда, но зачем тогда Хардин позвонил Зеду?»

Я никак не могу избавиться от ощущения, что это какая-то ловушка, что Хардин меня проверяет. Мне неприятна сама мысль, что он отважился на такое именно сейчас. Но нельзя забывать, что он совершал и худшие поступки и что за его действиями всегда скрывается какой-то мотив. У него всегда что-нибудь на уме — какая-то хитрость, чтобы подобраться ближе.

Больше всего боли причиняет его предложение руки и сердца. С самого начала наших отношений он отвергал возможность брака и вспоминал о нем только дважды, когда ему было что-то нужно. Первый раз он был слишком пьян, чтобы понимать, о чем говорит, а во второй пытался меня удержать. Если бы на следующее утро я проснулась рядом с ним, он бы забрал свои слова обратно, как делал это раньше. Как делает это всегда. С тех пор как я его встретила, он только нарушает свои обещания, и единственное, что хуже, чем быть с тем, кто не верит в брак, — это быть с тем, кто готов жениться только для того, чтобы одержать сиюминутную победу, а не потому, что искренне хочет стать моим мужем.

Нужно помнить об этом, иначе не удастся избавиться от всяких нелепых мыслей. Мыслей, которые просачиваются в разум, рисуя образ Хардина в смокинге. Мне становится смешно, и смокинг быстро превращается в джинсы и ботинки, даже в день его свадьбы, но я не имею ничего против.

Не имела бы ничего против... Нужно прекращать эти фантазии, от них не легче. Но одна успевает пробиться в мою голову: Хардин смеется с бокалом вина в руке... и я замечаю серебряное обручальное кольцо на его безымянном пальце. Он смеется громко, и его голова очаровательно запрокидывается.

Я отгоняю этот образ.

Его улыбка отказывается исчезать, и я вижу, как вино проливается на белую футболку. Он вполне мог настоять на том, чтобы одеться в белое вместо традиционного черного, — просто чтобы позабавиться и привести мою мать в ужас. Он мягко отталкивает мои руки, когда я пытаюсь вытереть пятно салфеткой, и говорит что-то вроде: «Нужно было думать, прежде чем надевать белое». Рассмеявшись, подносит мои руки к своим губам и нежно целует каждый пальчик. Его глаза задерживаются на моем обручальном кольце, и лицо озаряется гордой улыбкой.

— С тобой все в порядке? — Голос Зеда врывается в мои жалкие мысли.

— Да, — киваю я, пытаясь избавиться от идеального образа улыбающегося Хардина, и подхожу к Зеду. — Извини, в последнее время я веду себя немного странно.

— Ничего страшного. Я бы начал волноваться, будь по-другому. — Успокаивающим жестом он обнимает меня за плечи.

Если подумать, не стоит удивляться, что Зед проделал такой длинный путь, чтобы меня поддержать. Чем больше я о нем думаю, тем больше вспоминаю. Он всегда был рядом, даже когда не был нужен. Всегда на заднем плане, всегда в тени Хардина.

Глава 32

ХАРДИН

Черт, как же меня раздражает Ной. Не понимаю, как Тесса могла терпеть его столько лет. Мне начинает казаться, что она пряталась в теплице от него, а не от Ричарда.

Не удивлюсь, если это действительно так, — мне самому хочется сделать то же самое.

— По-моему, тебе не следовало звонить тому парню, — говорит Ной с дивана на другом конце огромной гостиной. Мы в доме его родителей. — Он мне не нравится. Ты мне тоже не нравишься, но он еще хуже тебя.

— Заткнись, — ворчу я, продолжая пялиться на странную подушку на огромном роскошном кресле, в котором просиживаю последние дни.

— Это я так, к слову. Зачем ты вообще ему позвонил, если так его ненавидишь?

Он никак не поймет, когда пора заткнуться. Ненавижу этот городишко: в радиусе тридцати километров от дома матери Тессы нет ни одного отеля.

— Потому что, — раздраженно вздыхаю я, — она его не ненавидит. Она ему доверяет, хоть и зря, и сейчас ей нужен друг, раз уж меня она видеть не хочет.

— А как же я? А Лэндон? — Ной с громким хлопком открывает банку содовой. Он даже содовую открыть нормально не может.

Я не хочу говорить Ною, что беспокоит меня на самом деле: вдруг она решит вернуться к Зеду, выбрав надежные отношения, вместо того чтобы дать мне еще один шанс. Что касается Лэндона... Я никогда этого не признаю, но мне, судя по всему, хочется, чтобы он оставался моим другом. У меня нет друзей, и он мне вроде как нужен. Совсем немного.

Нет, сильно. Черт возьми, он мне очень нужен. Кроме Тессы, у меня никого нет, а если уж сейчас я ее почти лишился, то не могу потерять еще и Лэндона.

— До сих пор не могу понять: если она ему нравится, почему ты хочешь, чтобы он был рядом с ней? Ты явно жутко ревнуешь и лучше других знаешь, как это бывает, когда твою девушку уводят прямо из-под носа.

— Ха-ха.

Я закатываю глаза, а затем выглядываю на улицу через огромное окно в полстены. Дом Портеров самый большой на улице, возможно, самый большой в этой дыре. Не хочу, чтобы у Ноя сложилось неверное впечатление. Я ненавижу его ничуть не меньше, чем раньше, но не гоню от себя только потому, что Тессе нужно ее гребаное личное пространство, а мне — оставаться поблизости.

— Какое тебе вообще дело до этого? С чего ты стал таким добреньким? Понятно ведь, что ты меня презираешь, как и я тебя.

Я оглядываю Ноя: на нем очередной дурацкий кардиган и модные коричневые туфли, только пенни не хватает[1].

— Мне плевать на тебя, я волнуюсь за Тессу. Просто хочу, чтобы она была счастлива. Мне потребовалось много времени, чтобы смириться с тем, что произошло между нами. Я к ней очень привык. Мне было удобно, меня все устраивало, и я никак не мог понять, зачем ей понадобился кто-то вроде тебя. Я так этого и не понял и сейчас не понимаю, но вижу, как она изменилась с тех пор, как встретила тебя. Не в плохую сторону, перемены пошли ей на пользу, — улыбается он. — Естественно, не считая этой недели.

Неужели он так думает? С тех пор как мы познакомились, я только и делаю, что причиняю ей боль и разбиваю сердце.

— Ну, — неловко ерзаю я в кресле, — на сегодня хватит, пообщались. Спасибо, что не ведешь себя как придурок.

Я встаю и иду на кухню, где мать Ноя что-то взбивает блендером. За время пребывания в их доме я нашел потрясающее развлечение: каждый раз при встрече она начинает что-то бормотать и хвататься за крест на груди.

---

[1] Отсылка к распространенной в 1950-е гг. среди студентов традиции вставлять в ромбовидную прорезь туфель-лоферов монеты. В наше время атрибут классического, изысканного стиля.

— Оставь мою маму в покое, или я вышвырну тебя вон, — насмешливо угрожает Ной, и я почти готов рассмеяться. Если бы я так сильно не тосковал по Тессе, то посмеялся бы вместе с этим болваном. — Ты собираешься на похороны? Можешь поехать с нами, если хочешь. Выезжаем через час, — предлагает он, и я замираю на месте.

Пожав плечами, опираюсь краем гипса о холодильник.

— Вряд ли это хорошая идея.

— А почему нет? Ты ведь оплатил похороны. И был его другом. Ну, типа того. Думаю, тебе нужно пойти.

— Перестань болтать об этом и не забывай, я тебя предупредил: никому ни слова о том, кто оплатил все это дерьмо, — угрожаю я. — Попробуй только хоть слово вякнуть.

Ной закатывает свои глупые голубые глаза, а я выхожу из комнаты, чтобы повеселиться над его матерью и отвлечься от мысли, что Зед в одном доме с Тессой.

О чем я вообще думал?

Глава 33

ХАРДИН

Не помню, когда я в последний раз был на похоронах. Если поразмыслить, то ни разу.

Когда умерла бабушка по матери, мне просто не хотелось идти. Я тогда собирался на вечеринку, которую просто не мог пропустить, и не особенно рвался попрощаться с едва знакомой женщиной. Единственное, что я о ней знал, — бабуля не слишком беспокоилась обо мне. Она с трудом выносила маму, так почему я должен был тратить свое время, сидя в церкви и притворяясь расстроенным, если на самом деле ее смерть меня вообще не трогала?

И вот годы спустя я оплакиваю смерть отца Тессы на заднем ряду крошечной церкви. Тесса, Кэрол, Зед и не меньше половины прихожан занимают передние ряды. Только я и старушка, которая, судя по всему, даже не понимает, где находится, сидим на одинокой скамье у дальней стены.

Зед пристроился с одной стороны от Тессы, мать — с другой.

Я не жалею, что позвонил ему... Ну хорошо, жалею, но не могу не признать, что после его приезда в ней зажглась хоть какая-то искорка жизни. Она до сих пор не похожа на мою Тессу, но постепенно приходит в себя, и если этот засранец сможет вернуть свет в ее глаза, что ж, пусть так, черт возьми, и будет.

Я натворил в своей жизни много дерьма. Очень много. Об этом знаю я, Тесса... Черт, да об этом, наверное, знает каждый в этой церкви благодаря ее матери, но ради моей девочки я все исправлю. Мне наплевать на все остальное в прошлом и настоящем. Меня волнует только одно: как исправить то, что связано с ней.

Я разрушил ее мир... Она сказала, что не смогла помочь мне... что никогда не сможет. Но мои проблемы — не ее вина. Она меня излечила, но за это время я разбил ее прекрасную душу на бессчетное множество осколков. Пока она собирала меня по кусочкам, я своими руками уничтожал ее, сломил ее неукротимый дух. Самое ужасное в том, что я не хотел понять, сколько боли ей причинил, сколько вреда нанес. Я знал. Я знал всегда, но не придавал этому значения. Это стало важно только сейчас, когда все пошло прахом. Я прозрел, только когда она отвергла меня раз и навсегда. Меня словно переехал грузовик, а я стоял и не мог двинуться с места, сколько ни пытался.

Только со смертью ее отца до меня дошло, насколько глуп был план спасти ее от меня самого. Если бы я только все обдумал, поразмыслил как следует, то понял бы всю абсурдность ситуации. Она хотела, чтобы я был рядом. Тесса всегда любила меня больше, чем я заслуживал, и чем я ей отплатил? Отталкивал ее раз за разом, пока ей не надоело все это дерьмо. Теперь я ей не нужен. И она не хочет, чтобы был нужен, поэтому придется каким-то образом напомнить ей, как сильно она меня любит.

И вот я сижу и наблюдаю, как Зед обнимает ее и притягивает к себе. У меня даже не получается отвести взгляд. Я просто пялюсь на них, не в силах сдвинуться с места. То ли я наказываю себя, то ли нет, но, как бы там ни было, у меня не хватает сил отвернуться. Я вижу, как она наклоняется к нему, а он что-то шепчет ей на ухо. Заботливое выражение его лица каким-то образом действует на нее успокаивающе. Она, кивнув, вздыхает, и он улыбается ей в ответ.

Кто-то подсаживается ко мне, на время прерывая мое самобичевание.

— Чуть не опоздали... Хардин, почему ты сидишь здесь? — спрашивает Лэндон.

Мой отец... Кен садится рядом с ним, а Карен идет в переднюю часть маленькой церкви к Тессе.

— Вы тоже можете сесть там. Первый ряд для тех, кого может вытерпеть Тесса, — жалуюсь я, оглядывая людей, рядом с которыми, начиная с Кэрол и заканчивая Ноем, не в состоянии находиться.

Это касается и Тессы. Я люблю ее, но не могу приблизиться, пока ее утешает Зед. Он не знает ее так хорошо, как я, и не заслуживает того, чтобы сидеть сейчас рядом.

— Перестань. Она прекрасно тебя «вытерпит», — говорит Лэндон. — Не забывай, это похороны ее отца.

Я ловлю взгляд отца — черт! — Кена. Он пристально смотрит на меня.

Он даже не мой отец. Я это знаю. Знаю уже целую неделю, но, когда он сидит рядом, я будто осознаю все заново. Нужно рассказать ему прямо сейчас, подтвердить его давние подозрения, открыть правду о маме и Вэнсе. Нужно рассказать ему все прямо здесь и прямо сейчас, пусть он почувствует такое же разочарование. Был ли я разочарован? Не знаю, но я точно был зол. Я до сих пор зол, но дальше этого дело не пойдет.

— Как ты, сынок? — Его рука тянется через Лэндона к моему плечу.

«Скажи ему. Нужно рассказать».

— Нормально, — пожимаю я плечами, удивляясь, почему язык не подчиняется разуму и не может просто произнести вслух нужные слова. Как я всегда говорю, страдания любят компанию, а мне сейчас слишком тяжело.

— Мне жаль, что так произошло. Нужно было звонить в клинику чаще. Клянусь, Хардин, я его проверял и понятия не имел, что он покинул клинику, пока не стало слишком поздно. Мне ужасно жаль. — Огорчение в глазах Кена заставляет отказаться от мысли пригласить его на мой праздник жалости. — Прости, что всегда тебя подвожу.

Мы встречаемся взглядом, и я, кивнув, решаю, что ему не нужно ничего знать. Не сейчас.

— Ты ни в чем не виноват, — тихо говорю я.

Я чувствую, как на меня, издалека привлекая внимание, смотрит Тесса. Ее голова повернута в мою сторону, рука Зеда больше не обнимает за плечи. Она смотрит на меня так же пристально, как смотрел я, и мне приходится изо всей силы схватиться за деревянную скамью, чтобы не броситься к ней через всю церковь.

— В любом случае мне очень жаль, — говорит Кен и убирает ладонь с моего плеча. Его карие глаза блестят от слез, как и глаза Лэндона.

— Все в порядке, — бормочу я, не отрываясь от устремленных на меня серых глаз.

— Просто подойди к ней, ты ей нужен, — мягко предлагает Лэндон.

Я не слушаю его и жду от нее какого-нибудь знака, любой незначительной подсказки, что я ей действительно нужен. И я окажусь рядом через считаные секунды.

На возвышение поднимается пастор, и она отворачивается, ни словом, ни жестом не подозвав к себе и так и не показав, что вообще меня видела.

Но прежде чем я снова начинаю жалеть себя, Карен улыбается Зеду, и он отодвигается, чтобы уступить место рядом с Тессой.

Глава 34

ТЕССА

Я натянуто улыбаюсь очередному безликому незнакомцу и перехожу к следующему, благодаря каждого за то, что пришли. Похороны закончились быстро, в этой церкви явно не слишком благоволят к наркоманам. Несколько скупых слов и неискренних молитв — вот и все.

Осталась всего пара человек, а значит, всего пара фальшивых благодарностей и притворных проявлений эмоций в ответ на соболезнования. Если я еще раз услышу, каким прекрасным человеком был мой отец, наверное, закричу. Закричу посреди церкви, прямо перед друзьями матери, которые так любят покритиковать других. Многие из них никогда не встречались с Ричардом Янгом. Почему они здесь и что мать наговорила им об отце, если они все его восхваляют?

Не то чтобы я считаю отца плохим человеком. Я знала его недостаточно хорошо, чтобы составить верное представление о его характере. Но факты таковы, что он оставил меня и мать, когда я была ребенком, и случайно вернулся в мою жизнь всего лишь несколько месяцев назад. Если бы я не пошла с Хардином в тот салон татуировок, шансы на встречу с отцом равнялись бы нулю.

Он не хотел, чтобы я была частью его жизни. Не хотел быть ни мужем, ни отцом. Он хотел жить собственной жизнью и принимать решения только за себя. Я не против, пусть так, но понять этого не могу. Зачем убегать от ответственности? Ради жизни обычного наркомана? Помню, когда Хардин упомянул, что отец употребляет наркотики, я ему не поверила. Почему мне казалось нормальным то, что он алкоголик, но не наркоман? У меня это просто в голове не укладывалось. Скорее всего, я пыталась его как-то облагородить. Я постепенно осознаю, что Хардин был прав, когда говорил, что я наивная. Наивная и глупая, если каждый раз пытаюсь найти в людях что-то хорошее, получая в ответ только доказательства обратного. Я ошибаюсь всякий раз, и мне это надоело.

— Дамы хотят зайти к нам, когда здесь все закончится, так что мне понадобится твоя помощь, как только мы вернемся домой, — говорит мать после того, как с последними объятиями покончено.

— Что за дамы? Они хотя бы его знали? — огрызаюсь я.

Не могу удержаться от грубого тона. Мать хмурится, и я начинаю испытывать легкое чувство вины. Но оно тут же проходит, когда она оглядывает церковь, чтобы убедиться, что никто из ее «друзей» не услышал моих неуважительных слов.

— Да, Тереза. Некоторые знали.

— Я бы тоже хотела помочь, — улыбнувшись, вступает в разговор Карен, когда мы выходим наружу. — Надеюсь, вы не против?

Я так благодарна Карен за то, что она приехала. Она всегда такая добрая и чуткая и, похоже, пришлась по душе даже моей матери.

— Очень мило с вашей стороны, — соглашается мать и уходит, помахав незнакомой мне женщине, стоящей среди небольшой толпы на лужайке у церкви.

— Не возражаешь, если я тоже приду? Если нет, не проблема. Я знаю, Хардин здесь и все такое, но раз уж он сам мне позвонил... — говорит Зед.

— Конечно, приходи. Ты столько проехал, чтобы добраться сюда.

Ничего не могу с собой поделать, но при упоминании о Хардине начинаю обшаривать глазами парковку. Замечаю, что на другой стороне площадки Лэндон и Кен садятся в машину Кена. Насколько мне видно, Хардина с ними нет. Я была бы совсем не прочь перекинуться парой слов с Лэндоном и Кеном, но они сидели рядом с Хардином, а я не хотела, чтобы он остался в одиночестве.

Во время похорон я ужасно волновалась, не придет ли ему в голову рассказать Кену правду о Кристиане Вэнсе прямо перед всеми присутствующими. Хардин чувствует себя несчастным, поэтому, скорее всего, захочет, чтобы кто-то другой ощутил то же самое. Я молюсь, чтобы у него хватило порядочности дождаться подходящего момента, чтобы раскрыть обидную правду. Знаю, что он порядочный. В глубине души Хардин неплохой человек. Просто ко мне относится плохо.

Я поворачиваюсь к Зеду, который общипывает катышки со своей красной рубашки.

— Хочешь обратно прогуляться пешком? Это недалеко, не больше двадцати минут.

Он соглашается, и мы сбегаем прежде, чем моя мать успевает затолкать меня в свою маленькую машину. Сейчас мне невыносима мысль, что придется находиться с ней в тесном замкнутом пространстве. Мое терпение на исходе. Не хочется ей грубить, но каждый раз, как она поправляет свои идеально завитые волосы, я раздражаюсь все больше.

Зед прерывает молчание спустя десять минут после начала прогулки по маленькому городку.

— Хочешь поговорить?

— Не знаю. Наверное, что бы я ни сказала, все будет бессмысленно. — Я качаю головой, не желая, чтобы Зед понял, какой безумной я стала за последнюю неделю. Он не спросил меня об отношениях с Хардином, и я ему за это благодарна. Не собираюсь обсуждать ничего, что касается меня и Хардина.

— А ты попробуй, — подначивает Зед, тепло улыбаясь.

— Я схожу с ума.

— От злости или просто спятила? — дразнит он, игриво толкая меня плечом. Мы ждем, пока проедет машина, чтобы перейти улицу.

— И то и другое. — Я пытаюсь улыбнуться в ответ. — В основном от злости. Это неправильно, если я злюсь на отца за то, что он умер?

Мне не нравится, как звучат эти слова. Нельзя так думать, но чувства подсказывают иное. Злость лучше, чем пустота. Злость отвлекает. А я как раз отчаянно нуждаюсь в том, чтобы отвлечься.

— В этом нет ничего неправильного, хотя как посмотреть. По-моему, тебе не следует на него злиться.

Уверен: он не нарочно. — Зед смотрит на меня, но я отворачиваюсь.

— Он точно знал, чем собирался заняться. Все, что его интересовало, — это кайф. Он не думал ни о ком, кроме себя и будущего удовольствия, понимаешь? — Я сглатываю чувство вины, нахлынувшей вслед за словами. Я любила отца, но нужно быть честной. Нужно дать волю чувствам.

Зед хмурится...

— Ну не знаю, Тесса. Вряд ли все было именно так. Я бы, наверное, не мог злиться на умершего, особенно если это был бы кто-то из моих родителей.

— Я росла без него. Он ушел от нас, когда я была ребенком.

Знал ли об этом Зед? Сомневаюсь. Я привыкла общаться с Хардином, который знает обо мне все, и иногда забываю, что другим людям известно обо мне только то, что я позволяю им узнать.

— Может быть, он ушел, потому что считал, что так будет лучше для тебя и твоей мамы? — говорит Зед, пытаясь меня успокоить, но у него ничего не получается. От его слов хочется закричать. Я устала слушать одну и ту же отговорку. Все люди, которые якобы хотят для меня лучшего, оправдывают бросившего нас отца и убеждают, что он сделал это для моего же блага. Какой самоотверженный человек, бросивший жену и дочь на произвол судьбы!

— Не знаю, — вздыхаю я. — Давай просто не будем больше об этом.

И мы не разговариваем. Молчим до самого дома матери, и я пытаюсь не обращать внимания на раздражение в ее голосе, когда она начинает выговаривать мне за то, что я так долго добиралась до дома.

— К счастью, Карен помогла, — замечает она, когда я прохожу мимо нее на кухню.

Зед стоит, переминаясь с ноги на ногу, не зная, чем помочь. Мать тут же сует ему в руки коробку крекеров и, открыв крышку, молча указывает на пустое блюдо. Кен и Лэндон уже получили задание нарезать овощи и разложить фрукты на лучшие мамины подносы — те, которыми она пользуется, чтобы произвести впечатление.

— Да, к счастью, — бормочу я себе под нос.

Мне казалось, что весенний воздух поможет остудить злость, но нет. В крошечной кухне слишком мало места, слишком душно, а разряженные, пытающиеся кому-то что-то доказать женщины все прибывают.

— Мне нужно подышать. Скоро вернусь, оставайся здесь, — говорю я Зеду, когда мать убегает за чем-то в коридор.

Я благодарна ему за то, что он проделал такой долгий путь, чтобы побыть со мной, но не могу избавиться от неприятного осадка после нашего разговора. Нужно проветрить голову, и тогда я взгляну на все по-другому. Но сейчас я хочу побыть в одиночестве.

Задняя дверь скрипит, когда открывается, и я проклинаю себя, надеясь, что мать не помчится во двор, чтобы затащить меня обратно в дом. Солнце отлично поработало над толстым слоем грязи в теплице. Пол еще наполовину влажный, но мне удается найти сухой пятачок. Меньше всего хочется угробить дорогущие туфли на высоких каблуках, которые матери не по карману.

Краем глаза я замечаю какое-то движение и чуть было не ударяюсь в панику, но из-за стеллажа выходит Хардин. Вокруг его ясных глаз темные круги, кожа бледная. Привычный румянец и легкий загар исчезли, уступив место нежному, призрачному цвету слоновой кости.

— Прости, не знала, что ты здесь, — торопливо извиняюсь я, делая шаг назад. — Я уже ухожу.

— Нет, все в порядке. Это же твое убежище, верно? — Он чуть заметно улыбается, но даже его крошечная улыбка кажется более искренней, чем бесчисленные фальшивые оскалы, виденные мной сегодня.

— Да, но мне все равно нужно в дом.

Я хватаюсь за ручку сетчатой двери, но он бросается вперед, чтобы помешать мне ее открыть. Как только его пальцы касаются моих, я отдергиваю руку. Из-за моей реакции он резко втягивает воздух, но, быстро придя в себя, сжимает дверную ручку, чтобы я точно не сбежала.

— Скажи, почему ты пришла сюда, — тихо требует он.

— Просто... — Я пытаюсь подобрать слова. После разговора с Зедом не хочется обсуждать мои ужасные мысли о смерти отца. — Ни из-за чего.

— Тесса, расскажи мне. — Он знает меня достаточно хорошо, чтобы понять, что я лгу, и я знаю его достаточно хорошо, чтобы понять, что он не даст мне уйти из теплицы, пока я не скажу правду.

«Но могу ли я ему доверять?»

Я окидываю его взглядом и невольно замечаю новую рубашку. Должно быть, он купил ее специально, чтобы надеть на похороны, потому что я знаю все его рубашки и футболки, а одежда Ноя никак не могла подойти ему по размеру. Да он и никогда бы к ней не притронулся...

Черный рукав новой рубашки надорван у манжеты, чтобы пролез гипс.

— Тесса, — продолжает настаивать он, отвлекая меня от раздумий. Верхняя пуговица его рубашки расстегнута, воротник загнулся.

Я отступаю на шаг назад.

— Мне кажется, нам не следует этого делать.

— Этого чего? Разговаривать? Я просто хочу знать, от чего ты здесь прячешься.

Какой простой и в то же время сложный вопрос. Я прячусь от всего. Я прячусь от стольких вещей, что и не перечислить, но в первую очередь от него. Мне очень хочется выплеснуть все свои чувства Хардину, но тогда меня может затянуть обратно в наш порочный круг, а я не горю желанием снова играть в те же игры. Я не выдержу очередного витка наших отношений. Он победил, и я стараюсь с этим смириться.

— Мы оба знаем, что ты не выйдешь из теплицы, пока все не расскажешь, так что не теряй ни свои, ни мои время и силы. — Он пытается шутить, но я вижу, как отчаянно сверкают его глаза.

— Я схожу с ума от злости, — наконец признаюсь я.

— Еще бы, — отрывисто кивает он.

— Серьезно, я просто в ярости.

— Так и должно быть.

— Правда? — Я окидываю его взглядом.

— Черт возьми, разумеется. Я бы тоже слетел с катушек.

«Наверное, он не понимает, что я имею в виду».

— Я злюсь на отца, Хардин. Я очень зла на него, — уточняю я и жду его реакции.

— Я тоже.

— Тоже?

— Черт, да. Так и должно быть, ты имеешь полное право злиться на этого придурка. Не важно, жив он или мертв.

Я не могу удержаться от смеха при виде того, с каким серьезным выражением лица Хардин говорит эту чушь.

— Я даже уже не могу больше расстраиваться, потому что слишком зла на него. Считаешь, это нормально? — Закусив нижнюю губу, я молчу, а потом продолжаю: — Он покончил с собой, даже не удосужившись подумать, что это может причинить кому-то боль. Да, с моей стороны эгоистично такое говорить, но это то, что я чувствую.

Я перевожу взгляд на грязный пол. Мне стыдно говорить такие вещи, даже думать о них, но теперь, высказавшись, я ощущаю небывалую легкость. Надеюсь, эти слова так и останутся здесь, в теплице, а мой отец, если он где-то там, наверху, их не услышит.

Хардин берет меня пальцами за подбородок и приподнимает мою голову.

— Эй, — говорит он. Я не отстраняюсь, но рада, когда он убирает руку. — Не стыдись своих чувств. Он действительно покончил с собой, и это только его вина, ничья больше. Я видел, как ты радовалась, когда он вернулся в твою жизнь, и он самый настоящий идиот, если пожертвовал этим ради дозы. — Хардин говорит резко, но именно эти слова мне сейчас и нужно услышать.

Он тихо усмехается.

— Не мне об этом говорить, да? — Закрыв глаза, он медленно качает головой.

Я торопливо увожу разговор от наших отношений.

— Меня терзает чувство вины за такие мысли. Не хочется проявлять черствость.

— К черту, — взмахивает Хардин рукой в гипсе. — Ты можешь чувствовать себя так, как хочешь, и никто не посмеет ни словом возразить.

— Хорошо бы все так думали, — вздыхаю я.

Конечно, было не слишком разумно довериться Хардину, нужно действовать осторожно, но он единственный, кто меня по-настоящему понимает.

— Тесса, я не шучу. Какая разница, что думают эти чванливые придурки. Не чувствуй себя виноватой за свои мысли из-за их мнения.

Если бы все было так просто. Я была бы не прочь больше походить на Хардина и не переживать из-за чувств, которые испытывают другие, и из-за того, что они обо мне думают, но не получается. Я из другого теста. Я искренне сочувствую окружающим, даже когда не следует, и мне хотелось бы думать, что в будущем эта черта моего характера перестанет быть моим слабым местом. В проявлении заботы нет ничего плохого, но это слишком часто причиняет мне боль.

За несколько коротких минут, пока я стою в теплице с Хардином, от моей злости не остается и следа. Не могу точно определить, что пришло ей на смену, но я больше не ощущаю пламенеющей ярости, только тлеющую боль, которая явно пройдет не скоро.

— Тереза! — раздается во дворе голос матери, и мы с Хардином вздрагиваем от неожиданности.

— Мне несложно послать их всех куда подальше, в том числе и ее. Ты ведь это знаешь? — Его глаза находят мои, и я киваю. Он не колеблясь сделает это по первому моему слову, и у меня мелькает желание спустить его с поводка на толпу болтливых женщин, которым здесь вовсе не место.

— Знаю, — киваю я снова. — Прости, что вывалила на тебя все это. Я просто...

Сетчатая дверь открывается, и в теплицу заходит мать.

— Тереза, пожалуйста, иди в дом, — говорит она приказным тоном. Она изо всех сил пытается скрыть, что сердится на меня, но ее попытки тщетны.

Переведя взгляд с разъяренной матери на меня, Хардин делает шаг к выходу:

— Я все равно уже ухожу.

В памяти всплывает момент, как несколько месяцев назад мать обнаружила его в моей комнате в общежитии. Она ужасно разозлилась, а Хардин выглядел абсолютно раздавленным, когда я ушла с ней и Ноем. Те дни кажутся такими далекими, все было так просто. Я и понятия не имела, что нас ждет впереди, никто из нас не знал.

— Что ты вообще там делала? — спрашивает она, пока я, пройдя через двор, поднимаюсь следом за ней на крыльцо.

Ее это не касается. Она не поймет мои эгоистичные чувства, а я никогда не буду доверять ей настолько, чтобы открыться. Она не поймет, почему я разговаривала с Хардином после того, как избегала его целых три дня. Она не поймет ничего из того, что я могла бы ей рассказать, потому что не понимает меня в принципе.

Поэтому вместо того, чтобы ответить на вопрос, я храню молчание и жалею, что не спросила Хардина, почему он сам прятался в теплице.

Глава 35

Хардин

— Хардин, пожалуйста, мне нужно собраться, — ныла Тесса, уткнувшись мне в грудь. Ее обнаженное тело распласталось поверх моего, привлекая внимание каждой клеточки моего мозга.

— Неубедительно, девушка. Если бы ты действительно хотела уйти, тебя бы уже не было в кровати. — Я прижался губами к ее уху, и она начала ерзать. — И уж точно ты не терлась бы сейчас о мой член.

Хихикнув, она пошевелилась, намеренно прикоснувшись к возбужденной плоти.

— Раз ты так себя ведешь, — застонал я, обхватив ее аппетитные ягодицы, — теперь ты точно не успеешь на занятия.

Мои пальцы переместились вперед и скользнули внутрь ее тела. Тесса ахнула.

Черт, вокруг пальцев она всегда казалась даже более упругой и теплой, чем вокруг члена.

Не говоря ни слова, она перекатилась на бок и, обвив меня рукой, стала медленно двигать бедрами. Ее палец прошелся по уже выступившей влаге, и она начала умолять о большем, вызвав у меня самодовольную ухмылку.

— Чего ты хочешь? — дразнил я, надеясь, что она подыграет. Я по-любому знал, что будет дальше, но мне просто нравилось слушать ее мольбы.

Желания становились более реальными, более вещественными, когда она произносила их вслух. Ее призывы и стоны были для меня не просто средством удовлетворения или выражением страсти. Слова выражали доверие, движения тела воплощали преданность, обещания любви наполняли меня — мои тело и душу.

Я полностью растворялся в ней, принадлежал ей весь без остатка, каждый раз, когда мы занимались любовью, даже если не был честен. Тот раз не был исключением.

Я заставлял ее произносить слова, которые хотел услышать. Слова, которые были мне так необходимы.

— Скажи мне, Тесса.

— Всего... всего тебя, — простонала она, целуя мою грудь.

Я приподнял ее бедро и перекинул через себя. Так будет немного сложнее, но гораздо глубже, и я смогу с легкостью наблюдать за ней. Наблюдать за тем, что позволено только мне: как ее рот приоткрывается, когда она кончает, как она выкрикивает мое имя.

«Я и так весь твой», — следовало сказать мне тогда.

Вместо этого я потянулся к тумбочке за презервативом и, надев его, прижался между ее ног. От ее удовлетворенного стона я чуть не взорвался в тот же миг, но сдержался, и мы достигли пика наслаждения вместе. Она шептала, как сильно любит меня и какое наслаждение я ей доставляю. Мне нужно было сказать, что я чувствую то же самое, даже больше, чем она может себе представить, но я только стонал ее имя, пока опустошал себя в презерватив.

Столько всего, что я должен был ей сказать, мог сказать и, черт возьми, сказал бы, если бы знал, что мои дни в раю сочтены.

Знай я, что окажусь изгнан так скоро, я боготворил бы ее, как она того и заслуживает.

— Ты уверен, что не хочешь остаться еще на одну ночь? Я слышал, как Тесса говорила Кэрол, что задержится еще на день, — говорит Ной, в своей обычной раздражающей манере прерывая мои размышления и возвращая в реальность. С минуту он пялится на меня, как мистер Роджерс[1], затем спрашивает: — Ты в норме?

— Ага.

Нужно рассказать ему об этом горько-сладком воспоминании: содрогающаяся в экстазе Тесса царапает мне спину. Но тут я понимаю, что не хочу, чтобы этот образ был у него в голове.

Он поднимает светлую бровь:

— И?..

— Я уезжаю. Нужно дать ей немного личного пространства.

Я поражаюсь, как вообще умудрился оказаться в такой ситуации. Потому что я тупой идиот, вот как. Моя глупость ни с чем не сравнима, разве что с поступками моих отцов, да, впрочем, и матери тоже. Наверное, это наследственное. Видимо, именно этой троице я обязан своей тягой к саморазрушению

---

[1] Герой популярного в США детского телесериала «Наш сосед мистер Роджерс», славящийся добродушием и улыбкой.

и уничтожению того единственно хорошего, что было у меня в жизни.

Я мог бы винить их.

Мог бы, но, перекладывая вину на других, добился немногого. Вероятно, пришло время вести себя по-другому.

— Личное пространство? А ты знаешь, что это такое? — пытается шутить Ной. Должно быть, он заметил, как сердито заблестели мои глаза, потому что тут же добавляет: — Если тебе что-нибудь понадобится — не знаю, что именно, но, в общем, что угодно, — просто позвони мне. — Судя по тому, как он мечется взглядом по огромной гостиной родительского дома, ему неловко, и я, избегая смотреть на парня, разглядываю стену за его спиной.

Завершив нескладный обмен любезностями с Ноем и заработав несколько нервных взглядов от миссис Портер, я забираю свою маленькую сумку и выхожу наружу. У меня с собой почти ничего нет, только эта маленькая сумка со стопкой грязной одежды и зарядное устройство от мобильного. Уже выйдя из дома под моросящий дождь, я, к своему великому раздражению, вспоминаю, где моя машина. Черт.

Можно было бы пойти к дому Тессы и доехать с Кеном, если он еще там, но не думаю, что это хорошая идея. Если я окажусь рядом с ней, если хотя бы вдохну тот воздух, которым дышит моя девочка, никто не сумеет оторвать меня от нее. Я позволил Кэрол легко прогнать себя из теплицы, но такое больше не повторится. Я был так близок к тому, чтобы достучаться до Тессы. Я почувствовал это и знаю, что она ощутила то же самое. Я видел ее улыбку. Видел, как грустная, опустошенная девушка улыбается грустному парню, который любит ее всем своим разбитым сердцем.

В ней все еще достаточно любви ко мне, чтобы одарить своей улыбкой, и это дорогого стоит. Она все для меня. Возможно, только возможно, если я буду держаться подальше, как ей хочется, она начнет постепенно возвращаться ко мне. Я с радостью приму любой знак: легкую улыбку, ответное сообщение в одно слово. Черт, да если она не потребует через суд, чтобы я не смел к ней приближаться, я буду счастлив принять от нее что угодно, пока не появится возможность напомнить ей, кто мы такие друг для друга.

Напомнить? Наверное, это не совсем подходящее слово, ведь я никогда не вел себя так, как мог бы. Я был охвачен эгоизмом и был напуган, мои страхи и ненависть к самому себе правили бал, всегда отвлекая внимание от Тессы. Я только и думал что о себе и следовал отвратительной привычке забирать до последней капли ее любовь и доверие, чтобы потом швырнуть их ей в лицо.

Дождь усиливается, но я даже рад. Обычно дождь помогал мне упиваться самоуничижением, но не сегодня. Сегодня дождь не так уж плох. Он почти очищает.

Черт, все-таки я ненавижу метафоры.

Глава 36

Тесса

Снова начался дождь: тяжелые тугие струи хлещут по газону. Прислонясь к окну, я пристально смотрю на него как завороженная. Мне нравился дождь, когда я была маленькая: он приносил утешение. Он успокаивал меня и когда я стала подростком, и когда повзрослела, но сейчас в нем отражается только мое внутреннее одиночество.

Дом опустел. Уехали даже Лэндон с семьей. Никак не могу решить, рада ли я их отъезду или расстроена из-за того, что осталась одна.

— Эй, — слышится чей-то голос, и осторожный стук в дверь напоминает мне, что я все-таки не одна.

Зед спросил, можно ли заночевать в доме матери, и я не смогла ему отказать. Присев у спинки кровати, я жду, когда откроется дверь.

Проходит еще несколько секунд, но он не заходит.

— Можешь войти, — зову я.

Видимо, я слишком привыкла, что кое-кто вечно врывается внутрь, не дожидаясь приглашения. Не то чтобы я хоть раз была против...

Зед входит в маленькую комнату, одетый так же, как и на похоронах, только несколько пуговиц на рубашке расстегнуты, а уложенные гелем волосы немного растрепаны. Сейчас он выглядит мягче, более расслабленным.

Он устраивается на краю кровати и придвигается ко мне.

— Как ты?

— Нормально. Но я не знаю, как должна себя чувствовать, — честно отвечаю я. Не могу же я признаться ему, что сегодня скорблю об утрате двух мужчин, а не одного.

— Хочешь, куда-нибудь сходим? Или, может, посмотрим фильм или еще что-нибудь? Чтобы тебе отвлечься.

Секунду я раздумываю над его предложением. Мне не хочется ни куда-то идти, ни что-то делать, хотя, наверное, следовало бы. Меня вполне устраивало просто стоять у окна и не отрываясь смотреть на безрадостный дождь.

— Можем просто поговорить. Я никогда не видел тебя такой, ты сама не своя.

Зед кладет руку мне на плечо, и я, не в силах сопротивляться, прислоняюсь к нему. С моей стороны было некрасиво так вести себя с ним сегодня. Он всего лишь пытался успокоить меня и просто сказал противоположное тому, что я хотела услышать. Не вина Зеда, что я не в ладах с головой. После внутренней борьбы остались лишь двое: я и моя пустота. Пустоту нельзя не посчитать, так как, кроме нее, рядом со мной больше никого нет.

— Тесса? — Зед прикасается пальцами к моей щеке, привлекая внимание.

Я смущенно качаю головой.

— Прости. Я уже говорила, что немного не в себе, — пытаюсь я улыбнуться, и он делает то же самое. Он беспокоится за меня, я вижу это по его карамельно-карим глазам, по слабой вымученной улыбке.

— Ничего страшного. На тебя много всего навалилось. Иди ко мне.

Он хлопает по пустому месту рядом с собой, и я придвигаюсь ближе.

— Хочу спросить тебя кое о чем. — Его загорелые щеки заливает румянец.

Я киваю, чтобы он продолжал. Понятия не имею, что он хочет спросить, но он был верным другом и приехал издалека, чтобы меня поддержать.

— В общем...

Он замолкает, и из его груди вырывается тяжелый вздох.

— Что произошло между тобой и Хардином? — закусывает он нижнюю губу.

Я быстро отворачиваюсь.

— Вряд ли нам стоит обсуждать Хардина, а мне...

— Мне не нужны детали. Я просто хочу знать, действительно ли вы расстались на этот раз? Окончательно?

Я сглатываю. Это нелегко произнести, но я отвечаю:

— Да.

— Ты уверена?

«Что?»

Я поворачиваюсь, чтобы взглянуть на него.

— Да, но я не понимаю, что...

Зед прерывает меня, накрывая мои губы своими. Его руки перемещаются к моим волосам, а язык стремится проникнуть в закрытый рот. Я вскрикиваю от неожиданности, но он принимает мою реакцию за поощрение к продолжению и, прижавшись всем телом, увлекает меня на матрас.

Озадаченное и застигнутое врасплох тело реагирует мгновенно: я отталкиваю его, упершись руками в грудь. Он медлит, все еще пытаясь поцеловать меня.

— Что ты делаешь? — выдыхаю я, когда он наконец меня отпускает.

— Что? — Его глаза широко распахнуты, а губы припухли от того, как сильно он прижимался к моему рту.

— Зачем ты это сделал? — Я вскакиваю на ноги, совершенно потрясенная его поступком, и изо всех сил стараюсь не сорваться.

— Что? Поцеловал тебя?

— Да! — кричу я и тут же прикрываю рот рукой. Не хватало еще, чтобы зашла мать.

— Ты сказала, что вы с Хардином расстались! Ты только что это сказала! — Он повышает голос еще больше, чем я, он даже не пытается говорить тише.

«Почему он решил, что это нормально? Почему он меня поцеловал?»

Я бессознательно скрещиваю руки на груди и внезапно понимаю, что стараюсь прикрыться.

— Это не означает, что я готова броситься в твои объятия! Я думала, ты приехал, чтобы поддержать меня как друг!

— Друг? — насмешливо улыбается он. — Ты знаешь, какие чувства я испытываю к тебе. Ты всегда знала!

Я сбита с толку его грубым тоном. Он всегда был таким понимающим. Что изменилось?

— Зед, ты согласился с тем, что мы будем просто друзьями, — ты знаешь, как я отношусь к нему. — Я стараюсь говорить ровно и спокойно, несмотря на подкатывающую панику. Не хочется ранить чувства Зеда, но он перешел все границы дозволенного.

Он закатывает глаза:

— Нет, я не знаю, как ты к нему относишься, потому что вы двое то сходитесь, то расходитесь, то сходитесь, то расходитесь. Твое настроение меняется каждую неделю, а я все жду, жду, жду.

Я шарахаюсь от него. Я едва узнаю этого Зеда и хочу, чтобы вернулся прежний. Зеда, которому я доверяла и которого любила, больше нет.

— Да. Да, так у нас все и происходит, но я думала, что ясно выразилась, когда...

— Когда ты на меня вешаешься, складывается определенное впечатление, — говорит он ровным холодным тоном, и у меня по позвоночнику пробегает дрожь от перемены, произошедшей с ним за последние пару минут.

Я оскорблена и растеряна:

— Я на тебя не вешаюсь.

«Не может же он действительно так думать!»

— Ты обнял меня на похоронах отца, чтобы утешить. Я решила, что это дружеский жест, и не хотела ввести тебя в заблуждение. Правда, не хотела. Там был Хардин. Неужели ты считал, что я буду заигрывать с тобой у него на глазах?

По маленькому дому эхом разносится звук закрывающегося шкафа, и я облегченно выдыхаю, когда Зед понижает голос.

— Почему бы и нет? Ты же использовала меня раньше, чтобы заставить его ревновать, — грубо шепчет он.

Мне хочется сказать что-нибудь в свое оправдание, но я знаю, что он прав. Не полностью, но с ним не поспоришь.

— Так было в прошлом, и мне очень жаль. Мне действительно жаль. Я уже говорила раньше и скажу еще раз: ты всегда поддерживал меня, я очень ценю тебя, но мне казалось, что мы уже все обсудили. Я думала, ты понял, что если мы и сможем общаться, то только как друзья.

Он всплескивает руками:

— Он так тебя выдрессировал, что ты даже не видишь, как глубоко завязла. — Теплое сияние карамельно-карих глаз сменяется янтарным холодом.

— Зед, — сдаюсь я. У меня нет желания ругаться с ним, особенно после такой недели. — Извини, ладно? Я действительно сожалею, но сейчас ты ведешь себя совершенно невозможно. Я думала, мы друзья.

— Нет, не друзья, — фыркает он. — Я считал, что тебе просто нужно больше времени. Думал, это мой шанс наконец завоевать тебя, а ты меня оттолкнула. Снова.

— Я не могу дать тебе то, чего ты хочешь. Ты знаешь, что не могу. Для меня это невозможно. Хорошо это или плохо, но Хардин оставил на мне свой отпечаток, и я боюсь, что не смогу полюбить ни тебя, ни кого-нибудь еще.

Мне хочется взять свои слова обратно, как только я их произношу.

Когда моя жалкая речь подходит к концу, взгляд Зеда заставляет меня пошатнуться, и я никак не могу взять в толк, куда подевался тот безобидный, но преисполненный надежд мистер Коллинз, которого, как мне казалось, я знала. Вместо него передо мной бесцеремонный и фальшивый Уикхем, притворявшийся очаровательным и верным, чтобы завоевать расположение, и обиженный Дарси в прошлом, когда он действительно лгал.

Я делаю шаг к двери. Как я могла быть так слепа? Элизабет схватила бы меня за плечи и потрясла, чтобы вернуть разум. Я так долго защищала Зеда от Хардина, считала все его подозрения насчет Зеда проявлением беспочвенной ревности, а на самом деле все это время был прав он.

— Тесса, подожди! Прости меня! — кричит Зед у меня за спиной, но к тому времени, как его голос разносится по коридору, привлекая внимание матери, я уже открываю входную дверь и выбегаю под дождь.

Меня нет, нет, уже нет: меня поглотила ночь.

Глава 37

Тесса

Мои босые ноги разбрызгивают лужи по асфальту, и к тому времени, как я добегаю до дома Портеров, я уже промокла до нитки. Не знаю, который час, — даже предположить не могу, — но, слава богу, в прихожей горит свет. Волна облегчения омывает меня точно прохладный дождь, когда мать Ноя отвечает на стук в дверь.

— Тесса? Дорогая, ты в порядке? — Она загоняет меня в дом. Вода с одежды капает прямо на чистый паркет, и мне становится неловко.

— Извините, я просто... — Оглядевшись в огромной безупречной гостиной, я тут же начинаю жалеть, что заявилась сюда.

В любом случае Хардин не захочет меня видеть, о чем я только думала? Я больше не могу бежать к нему со всех ног — он не тот человек, за которого я его принимала.

Мой Хардин исчез в Англии — там, где жили мои сказки, а на его место пришел незнакомец и разрушил наши отношения. Мой Хардин ни за что не стал бы прикасаться к другой женщине, не говоря уж о том, чтобы позволять ей носить свою одежду. Моему Хардину никогда бы не пришло в голову высмеивать меня перед друзьями и, оттолкнув, отправлять обратно в Америку, словно я пустое место. Я и есть пустое место — по крайней мере для него. Чем больше обид я вспоминаю, тем глупее себя чувствую. Но беда в том, что единственный Хардин, которого я знала, совершил все эти вещи, но даже сейчас, в разговоре с самой собой, я продолжаю его защищать.

Меня можно только пожалеть.

— Извините, миссис Портер, мне не следовало приходить. Извините, — лихорадочно бормочу я. — Пожалуйста, не говорите никому, что я была здесь. — И как ненормальная, какой я и стала, я выбегаю под дождь прежде, чем она успевает меня остановить.

Невдалеке уже виднеется почта, и я перехожу на шаг. В детстве я всегда ненавидела это место. Маленькое кирпичное здание почты одиноко возвышается на самой окраине города. Рядом нет ни домов, ни магазинов, и в такую темень и дождь мои глаза играют со мной злую шутку: маленькая почта сливается с деревьями. В детстве я всегда пробегала мимо.

Действие адреналина в крови сходит на нет, ноги зудят от нескончаемого бега по асфальту. Не знаю, чем я думала, когда убежала так далеко. Видимо, вообще не думала.

Моя ненадежная психика снова под угрозой, когда из-под козырька почты выдвигается тень. Я начинаю медленно пятиться на тот случай, если это не игра воображения.

— Тесса? Какого черта ты здесь делаешь? — спрашивает тень голосом Хардина.

Я поворачиваюсь на пятках, чтобы убежать, но его реакция быстрее моей. Его руки обвивают мою талию, и он притягивает меня к груди прежде, чем мне удается вырваться. Большая ладонь заставляет меня поднять голову, и я, несмотря на тяжелые капли, из-за которых почти ничего не видно, пытаюсь сфокусировать взгляд.

— Черт, почему ты здесь под дождем, одна? — ругается Хардин, перекрикивая бурю.

Даже не знаю, что делать. Мне хочется воспользоваться его советом и дать волю чувствам, но это не так просто. Не могу передать тот крошечный запас сил, который еще остался внутри. Поддавшись огромному облегчению от прикосновения Хардина к моей коже, я обману собственные ожидания.

— Отвечай. Что-то случилось?

— Нет, — лгу я, качая головой. Затем отступаю на шаг и пытаюсь восстановить дыхание. — Почему ты здесь так поздно, в такой глухомани? Я думала, ты у Портеров. — На мгновение меня охватывает ужас при мысли, что миссис Портер каким-то образом сообщила ему о моем постыдном и отчаянном визите.

— Нет, я ушел от них около часа назад. Жду такси. Болван-водитель должен был приехать еще двадцать минут назад. — Одежда Хардина промокла, с волос течет вода, а рука дрожит на моей щеке. — Скажи мне, что ты здесь делаешь, полуодетая и босая.

Я вижу, что он прилагает все усилия, чтобы сохранять спокойствие, но маска не такая безупречная, как ему кажется. В глубине зеленых глаз отчетливо нарастает паника. Даже в темноте я различаю бушующий у него внутри шторм. Он знает. Похоже, он всегда все знает.

— Ничего страшного. Все в порядке. — Я отступаю назад, но он, не позволяя увеличить дистанцию, шагает навстречу и теперь стоит даже ближе, чем раньше. Он всегда был требовательным.

Сквозь пелену дождя пробивается свет фар, и мое сердце начинает бешено колотиться, пока я пытаюсь рассмотреть машину. Мозг наконец включается в работу вслед за сердцем, и я понимаю, что узнаю этот грузовичок.

Машина останавливается, из нее, не заглушив двигателя, выскакивает Зед и бежит ко мне. Хардин встает между нами, молча давая ему понять: не подходи ближе. Очередная сцена, к которой я уже привыкла и которую предпочла бы никогда не видеть еще раз. Каждый эпизод моей жизни — словно часть бесконечного цикла, заколдованного круга. С каждым витком история повторяется, вырывая часть моей души.

— Что ты натворил? — Несмотря на дождь, голос Хардина громкий и четкий.

— Что она тебе рассказала? — отвечает вопросом на вопрос Зед.

Хардин делает шаг в его сторону.

— Все, — лжет он.

Я пытаюсь разобрать выражение лица Зеда, но это нелегко даже при свете направленных на нас фар.

— Значит, она рассказала, что поцеловала меня? — усмехается Зед с жуткой смесью злорадства и удовлетворения.

Прежде чем я успеваю вымолвить хоть слово в свою защиту, свет еще одной пары фар вспарывает ночь и присоединяется к общей неразберихе.

— Она что? — кричит Хардин.

Он по-прежнему стоит лицом к Зеду, но благодаря огням такси, разрезающим темноту, мне удается разглядеть самодовольную ухмылку Зеда. Как он мог сказать такое Хардину обо мне? Поверит ли Хардин? И что более важно, волнует ли меня, поверит он или нет?

«Да вообще, что из этого имеет значение?»

— Это из-за Сэм, да? — спрашивает Хардин, не дав Зеду ответить.

— Нет! — Зед вытирает лицо, стряхивая воду.

Хардин осуждающе тычет в него пальцем.

— Да, из-за нее! Я знал! Черт возьми, я знал! Ты взялся за Тессу из-за этой шлюхи!

— Она не шлюха! И это не только из-за нее — я беспокоюсь о Тессе! Так же как беспокоился о Саманте, но тебе нужно было все испортить! Ты всегда все портишь! — орет Зед.

Хардин подходит к нему ближе, но обращается ко мне:

— Садись в такси, Тесса.

Я остаюсь на месте, не слушая его.

«Кто такая Саманта?»

Имя кажется смутно знакомым, но я не могу вспомнить, откуда его знаю.

— Тесса, садись в такси и подожди меня там. Пожалуйста, — цедит сквозь зубы Хардин. Его терпение на исходе, и, судя по лицу Зеда, тот уже тоже не может сдерживаться.

— Пожалуйста, не дерись с ним, Хардин. Только не это, — прошу я. Меня уже тошнит от драк. После того как я обнаружила тело отца, холодное и безжизненное, мне вряд ли удастся вынести очередную сцену насилия.

— Тесса... — начинает он, но я перебиваю его. Последние остатки здравого смысла покидают меня, когда я умоляю Хардина уехать со мной.

— Пожалуйста, эта неделя была просто ужасной, и у меня нет сил наблюдать за дракой. Пожалуйста, Хардин. Просто сядь со мной в такси. Увези меня отсюда, пожалуйста.

Глава 38

Хардин

С тех пор как я сел в такси, Тесса не произнесла ни слова, но сейчас все мои силы уходят на то, чтобы успокоиться, и мне не до разговоров. Когда я вспоминаю, как она бежит от кого-то по темноте — бежит от Зеда, — мое бешенство разгорается все сильнее. Так легко пойти у него на поводу, дать волю эмоциям.

Но нельзя. Не в этот раз. В этот раз я докажу ей, что могу контролировать и язык, и кулаки. Вместо того чтобы проломить Зеду череп об асфальт, как он того заслуживает, я сел к ней в такси. Надеюсь, она это отметит. Надеюсь, это поможет, пусть даже совсем чуть-чуть.

Тесса до сих пор не попыталась сбежать и, когда я сказал водителю отвезти нас к дому ее матери, чтобы забрать вещи, не проронила ни слова. Это хороший знак. По крайней мере так кажется. Ее одежда промокла, облепив все тело, волосы прилипли ко лбу. Она откидывает их назад, вздыхая, когда упрямые пряди не слушаются. Я из последних сил сдерживаюсь, чтобы не протянуть руку и не заправить их за уши.

— Подожди нас здесь, — говорю я водителю. — Мы вернемся через пять минут, не вздумай уехать.

Он с самого начала опоздал, когда должен был меня забрать, поэтому вряд ли будет возражать. Не то чтобы я жалуюсь: если бы этого не случилось, я бы не столкнулся с Тессой, в одиночку разгуливающей под проливным дождем.

Открыв створку ворот, Тесса заходит во двор. Она не вздрагивает, когда дождь обрушивается сплошной стеной, укрывая ее, словно щитом, и практически забирая у меня. Я еще раз напоминаю водителю, чтобы он нас дожидался, и бегу за ней, пока дождь не разлучил нас окончательно.

Затаив дыхание, я пытаюсь не реагировать на красный грузовичок, припаркованный перед домом. Каким-то образом Зед опередил нас, будто знал, куда я ее повезу. Но мне нельзя терять контроль над собой. Я должен показать Тессе, что могу держать себя в руках и ставлю ее чувства выше собственных.

Она исчезает в доме, и я спешу следом, отставая всего на доли секунды. Однако, когда я вхожу, ее уже отчитывает Кэрол.

— Тереза, сколько еще раз ты собираешься так поступать? Ты снова возвращаешься к тому, у чего, как тебе прекрасно известно, нет будущего!

Зед стоит в центре гостиной, с его одежды капает прямо на пол. Тесса щиплет себя за переносицу — явный признак того, что ей плохо, и я в очередной раз заставляю себя держать рот на замке.

Одно неверное слово — и она останется здесь, вдалеке от меня.

Тесса вскидывает руку в жесте, выражающем нечто среднее между приказом и просьбой.

— Мама, ты можешь просто замолчать, пожалуйста? Я ничего такого не делаю. Я просто хочу уехать отсюда. То, что я здесь, мне никак не поможет, а в Сиэтле ждут работа и занятия.

«В Сиэтле?»

— Ты собираешься вернуться в Сиэтл сегодня вечером? — восклицает Кэрол.

— Не сегодня, а завтра. Я люблю тебя, мама, и понимаю твои опасения, но мне просто хочется побыть с моим... — Тесса бросает на меня пристальный

взгляд, в серых глазах явственно проглядывает нере-
шительность, — ну, с Лэндоном. Сейчас мне хочется
побыть с Лэндоном.

«Вот как…»

— Я тебя отвезу, — открывает свой проклятый
рот Зед.

Я не могу не вмешаться и заявляю:

— Ни за что.

Я пытаюсь сохранять спокойствие, но это уже
слишком. Нужно было зайти сюда, забрать сумку
с вещами и увести Тессу в такси, пока Зед и глянуть
на нее не успел.

Его самодовольная ухмылка, та самая гребаная
ухмылка, которая была на его лице всего несколько
минут назад, выводит меня из себя. Он провоцирует
меня, пытается сделать так, чтобы я сорвался прямо
в присутствии Тессы и ее матери. Как обычно, хочет
поиграть со мной в игры.

Но сегодня у него ничего не выйдет. Я лишу его
удовольствия вертеть мною, как ему хочется.

— Тесса, бери свою сумку, — говорю я. Одина-
ковое хмурое выражение на лицах обеих женщин заставляет меня пересмотреть выбор слов. — Пожалуйста. Пожалуйста, забери свою сумку.

Тесса смягчается и, пройдя по коридору, сворачивает в свою детскую спальню.

Глаза Кэрол перебегают с Зеда на меня и обратно.

— Что случилось, если она убежала прямо под
дождь? Кто из вас двоих виноват? — Взгляд у нее
просто убийственный, даже, если подумать, немного
комичный.

— Он, — одновременно произносим мы и показы-
ваем друг на друга пальцами, точно дети.

Закатив глаза, Кэрол устремляется по узкому коридору вслед за дочерью.

Я поворачиваюсь к Зеду:

— Можешь проваливать.

Знаю, Кэрол меня слышит, но, честно говоря, сейчас мне плевать.

— Тесса не хотела, чтобы я уходил, она просто запуталась. Она умоляла меня остаться с ней, — отвечает он. Я качаю головой, но он продолжает: — Она больше не хочет быть с тобой. Ты профукал свой последний шанс и знаешь это. Ты же видишь, как она на меня смотрит, как она меня хочет.

Сжав кулаки, я глубоко дышу, пытаясь успокоиться. Если Тесса не поторопится со своей сумкой, то, вернувшись, обнаружит, гостиную, залитую кровью. Этот засранец с его ухмылкой...

«Она бы не стала его целовать. Она бы так не сделала».

Перед глазами, толкая меня к пропасти, проносятся видения из ночных кошмаров: его руки на ее округлившемся животе, ее ногти, впивающиеся ему в спину. Он вечно не дает покоя чужим девушкам...

«Она бы так не сделала. Не стала бы его целовать».

— Ничего не выйдет, — с усилием выговариваю я. — Тебе не удастся заставить меня наброситься на тебя у нее на глазах. Это не повторится.

«Черт, как же хочется проломить ему башку и посмотреть, как вытекают его гребаные мозги. Как же безумно этого хочется».

Он сидит на подлокотнике дивана и улыбается.

— Ты очень облегчил мне задачу. Она сказала, как сильно меня хочет. Сказала это меньше получаса назад. — Он переводит взгляд на запястье, будто проверяет время на часах. Долбаный придурок, играющий на публику, и всегда таким был.

— Тесса! — кричу я, чтобы проверить, сколько еще секунд придется терпеть присутствие этого ублюдка.

Дом объят тишиной, затем до нас доносятся приглушенные голоса Тессы и ее матери. Я тотчас же закрываю глаза в надежде, что Кэрол не уговорила Тессу остаться в этой дыре еще на одну ночь.

— Тебя это бесит? — усмехается Зед, продолжая меня подначивать. — Как думаешь, что я чувствовал, когда ты трахал Сэм? Это было в тысячу раз хуже, чем твоя жалкая ревность.

Если бы он только мог себе представить, какие чувства я испытываю по отношению к Тессе. Я смотрю на него со скучающим видом.

— Я сказал, заткнись и вали отсюда. Никому нет дела до тебя и Сэм. Она была доступной, даже, наверное, слишком доступной, чтобы мне понравиться. Вот и все.

Зед делает шаг в мою сторону, и я выпрямляюсь, чтобы напомнить ему: рост — одно из моих преимуществ перед ним. Моя очередь поиграть у него на нервах.

— Что? Не нравится слышать такое о твоей бесценной Саманте?

Глаза Зеда предупреждающе темнеют, но я не замолкаю. Этот засранец имел смелость поцеловать Тессу и использовал ее чувства как оружие против меня? Он и понятия не имеет, какой арсенал у меня в запасе.

— Заткнись, — огрызается он, провоцируя меня еще сильнее. Может, я и не дам воли рукам, но в этот раз слова в любом случае ударят больнее.

— А что такого? — Я поглядываю в коридор, чтобы убедиться, что Тесса все еще занята разговором с матерью, пока я тут мучаю Зеда словами. — Не хочется слушать о той ночи, когда я ее трахнул? Правда, я едва помню ту ночь, но, судя по всему, для нее это было что-то совершенно незабываемое. Она сразу бросилась записывать об этом в своем дневничке. Нельзя сказать, что она мне запомнилась, но в пылкости ей не откажешь.

Мне было известно, как сильно она ему нрави-
лась, и казалось, что из-за их отношений соблазнить
ее будет не так просто. Ирония в том, что в итоге из
игрушки она превратилась в настоящую головную
боль.

— Могу заверить лишь в одном: я затрахал ее чуть
не до смерти. Наверное, поэтому она выдумала ту
дерьмовую затею с беременностью, помнишь?

На мгновение — совсем короткое — я, сделав паузу, задумываюсь, как он себя почувствовал, когда узнал обо всем. Пытаюсь вспомнить, что двигало
мной, когда я решил за ней приударить. Я знал, что
они встречаются. Услышал, как она упомянула его
имя в копировальной комнате в «Вэнс», и был тут же
заинтригован. С Зедом мы были знакомы тогда всего несколько недель, и мне показалось забавным поиграть с ним.

— Я считал тебя другом, — падают в пространство
между нами его жалкие слова.

— Другом? Никто из тех дегенератов не был твоим другом. Я едва тебя знал, в этом не было ничего
личного. — Я выглядываю в коридор, чтобы убедиться, что Тессы нет поблизости, затем подхожу ближе
и сгребаю в охапку ворот его рубашки. — Так же как
не было ничего личного, когда Стефани познакоми-
ла тебя с Ребеккой, хотя знала, что с ней встречается
Ной. Но в том, что ты пудришь мозги Тессе, много
личного. Ты знаешь, что она значит для меня — больше, чем любая офисная шлюха для тебя.

Он застает меня врасплох, когда, толкнув, с раз-
маху придавливает к стене. Задребезжав, фотографии
в рамках падают на пол. На шум прибегают Тесса и ее
мать.

— Пошел к черту! Я тоже мог трахнуть Тессу —
она легко отдалась бы мне сегодня вечером, если бы

не объявился ты! — Его кулак обрушивается на мою челюсть, и Тесса визжит от ужаса. Во рту ощущается резкий металлический привкус, и я судорожно сглатываю кровь, прежде чем вытереть рукавом губы и подбородок.

— Зед! — кричит Тесса, подбегая ко мне. — Убирайся! Сейчас же! — Она упирается своими кулачками ему в грудь, и я, удерживая, мягко отвожу ее подальше.

Тесса наконец услышала, как он говорит о ней в таком ключе, и однозначность ситуации приводит меня в восторг. Все это время я предупреждал ее об этом. Он никогда не был тем милым, невинным парнем, каким ей казался.

Несомненно, он испытывает к ней определенные чувства — я еще не ослеп окончательно, — но его намерения никогда не были искренними. Он только что доказал это ей, и я совершенно счастлив. Может, я и эгоистичная сволочь, но я никогда этого и не отрицал.

Не сказав больше ни слова, Зед покидает гостиную и выходит под дождь. В окнах мелькает свет фар, когда он отъезжает и исчезает в конце улицы.

— Хардин? — раздается голос Тессы, тихий и усталый. Уже почти час мы провели на заднем сиденье такси в полном молчании.

— Да? — Голос меня подводит, и я прочищаю горло.

— Кто такая Саманта?

Я ждал, что она задаст этот вопрос, с тех пор, как мы отъехали от дома ее матери. Можно соврать, можно сочинить какую-нибудь чушь и выставить Зеда полным засранцем, каким он и является, а можно хотя бы раз остаться с ней честным.

— Это девушка, которая проходила стажировку в «Вэнс». Я ее трахнул, она в то время встречалась с Зедом.

Я решаю не обманывать ее, но сожалею о грубости, когда она вздрагивает.

— Извини, просто хочу быть честным, — добавляю я, пытаясь смягчить слова.

— Ты знал, что она его девушка, когда переспал с ней? — Она пристально смотрит на меня — так, как только она это может.

— Да, знал. Поэтому и сделал это, — пожимаю я плечами, не обращая внимания на непонятно откуда взявшиеся угрызения совести.

— Зачем? — Она пытается прочесть в моих глазах подходящий ответ, но его нет. Есть только правда. Грязная, мерзкая правда.

— Мне нет оправданий, для меня это была просто игра, — вздыхаю я, жалея о том, какой я кусок дерьма.

Не из-за Зеда, не из-за Саманты, а из-за этой красивой милой девочки, в глазах которой нет ни капли осуждения даже теперь, когда она смотрит на меня, ожидая дальнейших объяснений.

— Не забывай, до того, как мы познакомились, я был другим человеком. Совсем непохожим на того, кого ты знаешь. Знаю, ты думаешь, что сейчас я полный идиот, но, поверь, раньше ты возненавидела бы меня еще сильнее. — Я отворачиваюсь и смотрю в окно. — Может, так и не кажется, но ты мне очень помогла, Тесс. Ты дала мне цель.

Я слышу ее судорожный вздох и с досадой понимаю, как, должно быть, жалко и неискренне звучат мои слова.

— Какую цель? — робко спрашивает она, нарушая неожиданно опустившееся безмолвие ночи.

— Я пока пытаюсь это понять. Но я разберусь, поэтому, пожалуйста, постарайся побыть рядом, пока я не найду ответ.

Она смотрит на меня, но не произносит ни слова.

Я благодарен ей за молчание: вряд ли я смог бы справиться с отказом прямо сейчас. Повернув голову, я смотрю в кромешную темноту за окном и радуюсь, что с ее губ не сорвалось ничего окончательного и непоправимого.

Глава 39

Тесса

Я просыпаюсь от прикосновения рук, обнимающих меня за талию, когда меня выносят из машины. Белый огонек на крыше такси напоминает о прошлой ночи. Я оглядываюсь вокруг, на миг испугавшись, пока не понимаю, что мы у дома Кена, а не...

— Я бы никогда не привез тебя туда снова, — говорит Хардин мне на ухо, в точности зная, о чем я буду беспокоиться, еще до того, как эта мысль появится у меня в голове.

Я не делаю попыток вырваться, пока Хардин несет меня по подъездной дорожке к дому. Карен еще не легла и сидит в кресле у окна, листая кулинарную книгу. Хардин ставит меня на ноги, и меня немного покачивает.

Поднявшись, Карен подходит ко мне и обнимает.

— Милая, чем тебя порадовать? Я испекла карамельные пирожные, тебе понравится. — Улыбнувшись, она обнимает меня теплой рукой и увлекает на кухню. Хардин и бровью не ведет.

— Отнесу твою сумку наверх, — доносится до нас его голос.

— Лэндон спит? — спрашиваю я его мать.

— Думаю, да. Но мне кажется, он не будет против, если ты его разбудишь. Еще рано, — улыбается Карен и, прежде чем я успеваю ее остановить, перекладывает на тарелку маленькое, покрытое карамелью пирожное.

— Нет, все в порядке. Увидимся с ним завтра.

В добрых глазах матери Лэндона светится привычная нежность. Ее пальцы нервно теребят обручальное кольцо.

— Знаю, сейчас неподходящий момент, но я хотела поговорить с тобой кое о чем. — В ее теплых карих глаза мелькает беспокойство, и она жестом предлагает мне заняться десертом, а сама наливает два стакана молока.

Я с полным ртом киваю, чтобы она продолжала. До этого у меня не получилось перехватить ни кусочка — было не до того, и день выдался длинный. Я тянусь за добавкой.

— На тебя и так слишком много свалилось за последнее время, так что, если хочешь, я просто оставлю тебя в покое. Я не обижусь, хотя мне действительно важно знать твое мнение по одному вопросу.

Я снова киваю, наслаждаясь десертом.

— Это насчет Хардина и Кена.

Мои глаза округляются, я в тот же момент давлюсь пирожным и тянусь за глотком молока.

«Она знает? Хардин что-то рассказал?»

Карен стучит меня по спине, пока я пью холодное молоко, и растирает ее круговыми движениями.

— Кен очень рад, что Хардин наконец начал относиться к нему терпимо. Он так счастлив, что отношения с сыном стали налаживаться, — он всегда этого хотел. Хардин — его самый большой повод для раскаяния, и долгие годы мне было больно видеть его таким. Я знаю, что он совершал ошибки — много-много ошибок, — и не собираюсь его оправдывать.

Ее глаза наполняются слезами, и она вытирает уголки глаз.

— Извини, — улыбается она. — Я так переживаю. — Пару раз глубоко вздохнув, она добавляет: — Он уже не тот человек, что раньше. Он прошел через годы терапии и трезвости, годы осознания и угрызений совести.

«Она знает».

Карен знает про Триш и Кристиана. В груди что-то сжимается, и мои глаза тоже наполняются слезами.

— Я понимаю, что вы хотите сказать. — Я переживаю за них. Люблю как родных и волнуюсь за каждого в этой семье, полной секретов, зависимостей и сожалений.

— Понимаешь? — Она вздыхает с явным облегчением. — Лэндон рассказал тебе о ребенке? Мне следовало догадаться. Значит, Хардин тоже в курсе?

Я снова давлюсь пирожным. После неловкого приступа кашля, в течение которого Карен не спускает с меня глаз, я наконец спрашиваю:

— Что? Ребенок?

— Так ты не знала, — мягко смеется она. — Конечно, я намного старше, чем представляется, когда речь заходит о беременной женщине, но мне только слегка за сорок и доктор заверил, что я вполне здорова...

— Ребенок? — Слава богу, она не знает о том, что Кристиан — отец Хардина. Однако подобного сюрприза я тоже никак не ожидала.

— Да, — улыбается она. — Я была поражена так же, как и ты. Кен тоже. Он так волновался за меня. У Лэндона чуть не случился нервный срыв: он знал обо всех моих походах к врачу, но я не говорила ему о причине, и он, бедняжка, решил, что я больна. Я чувствовала себя ужасно, пришлось признаться. Это не было запланировано, — она заглядывает мне в глаза, — но теперь, оправившись от первого шока в связи с таким поздним прибавлением в семействе, мы счастливы.

Я обнимаю ее, и впервые за последние дни мне радостно на душе. На место пустоты пришла радость. Я люблю Карен и в восторге за нее. Это такое прекрасное чувство. Я уже начала бояться, что никогда не смогу испытать его снова.

— Это потрясающе! Я так рада за вас обоих! — вырывается у меня, и ее объятия становятся крепче.

— Спасибо, Тесса. Я знала, что ты обрадуешься. Чем дольше я живу с этим знанием, тем счастливее себя чувствую. — Отстранившись, она целует меня в щеку, потом смотрит прямо в глаза. — Я просто волнуюсь, как к этому отнесется Хардин.

В тот же миг моя радость за Карен трансформируется в тревогу за Хардина. Вся его жизнь оказалась ложью, и он не слишком хорошо воспринял новости. У мужчины, которого он считал отцом, скоро родится другой ребенок, и про Хардина забудут. Правда это или нет, но я знаю его достаточно хорошо и понимаю, о чем он подумает. Карен тоже об этом знает, вот почему она так волновалась.

— Вы не возражаете, если я сама ему сообщу? — спрашиваю я. — Если нет, я не обижусь.

Я не позволяю себе слишком задумываться о происходящем. Конечно, я веду себя непоследовательно, но, если мы с Хардином расстаемся, мне нужно удостовериться, что я не оставляю за собой хаос.

«Это отговорка», — шепчет мой внутренний голос.

— Нет, разумеется, нет. Сказать по правде, я на тебя и надеялась. Знаю, что ставлю тебя в неловкое положение, и не хочу, чтобы ты думала, что обязана вмешаться, но мне страшно представить, как отреагирует Хардин, если ему об этом расскажет Кен. Ты одна знаешь, как с ним справиться.

— Все в порядке, правда. Поговорю с ним завтра же.

Она снова меня обнимает.

— У тебя был трудный день. Прости, что рассказала обо всем сейчас, следовало бы подождать. Просто не хочется, чтобы эта новость стала для него полной неожиданностью — мой живот понемногу округляется. В его жизни было достаточно сложностей, и я постараюсь сделать все возможное, чтобы не создавать лишних проблем. Я хочу, чтобы он знал: он — член семьи, мы все его очень любим, и с появлением ребенка ничего не изменится.

— Он знает, — говорю я. Возможно, он пока не хочет это признавать, но он знает.

На лестнице слышатся шаги, и мы с Карен непроизвольно отстраняемся друг от друга. Когда Хардин заходит в кухню, мы обе вытираем мокрые щеки, и я в очередной раз откусываю от пирожного. Он принял душ и сменил одежду: теперь на нем спортивные брюки со слишком короткими штанинами. Нашивка Центрального Вашингтонского университета на бедре сразу же выдает одежду Лэндона. Он что, собирается ходить в таком виде?

При других обстоятельствах я бы поддразнила его по поводу брюк. Но не сейчас. Между нами все хуже некуда, хотя, что касается меня, все хорошо. Мы так запутались. Но опять же — в наших отношениях никогда не было ни здравого смысла, ни порядка, так почему расставаться мы должны как-то по-другому?

— Я иду спать, тебе что-нибудь нужно? — спрашивает он резким низким голосом.

Я поднимаю на него глаза, но он смотрит себе под ноги.

— Нет, но спасибо.

— Я отнес твои вещи в гостевую комнату, в твою комнату.

Я киваю. Безумная, не заслуживающая доверия часть моего мозга мечтает, чтобы Карен вдруг не оказалось с нами на кухне, но другая часть, гораздо больше первой, разумная и озлобленная, рада, что она здесь. Хардин исчезает, поднявшись по лестнице, и я желаю Карен спокойной ночи и отправляюсь спать.

Чуть позже я стою перед дверью комнаты, в которой провела несколько лучших ночей в своей жизни. Тянусь к дверной ручке, но тут же отдергиваю пальцы, словно холодный металл обжигает кожу.

Нужно разорвать порочный круг, а если я поддамся своим побуждениям, своей сути, всеми фибрами души стремящейся быть рядом с ним, мне никогда не вырваться из порочного круга ошибок и ссор.

Наконец, выдохнув, я закрываю за собой дверь гостевой комнаты и запираюсь на замок. Засыпаю с мыслью о том, что было бы, знай юная Тесса, какой опасной бывает любовь. Если бы я знала, что это так больно, если бы знала, что мое сердце разобьют вдребезги, а потом склеят, но только для того, чтобы снова разбить, я держалась бы от Хардина Скотта как можно дальше.

Глава 40

Тесса

— Тесси! Сюда, иди сюда! — громко и взволнованно зовет меня отец из коридора.

Выбравшись из своей маленькой кровати, я бегу к нему. В спешке чуть не падаю, споткнувшись о свободно болтающийся поясок халата, завязываю его на ощупь и врываюсь в гостиную... Мама и папа стоят возле красиво наряженной, зажженной елки.

Я всегда любила Рождество.

— Смотри, Тесси, мы приготовили для тебя подарок. Конечно, ты уже взрослая, но я увидел это и не смог пройти мимо. — Отец улыбается, и мать прислоняется к нему сбоку.

«Взрослая?»

Я перевожу взгляд под ноги, пытаясь понять, что он имеет в виду. Я не взрослая, по крайней мере, мне так кажется.

Мне вручают небольшую коробочку, и я, не раздумывая ни секунды, нетерпеливо срываю яркую ленту. Люблю подарки. Мне дарят их нечасто, поэтому каждый раз это целое событие.

Разворачивая его, я поглядываю на родителей, но выражение лица матери сбивает с толку. Я никогда не видела, чтобы она так улыбалась, да и отец... По-моему, его не должно быть здесь, но я не помню, почему.

— Открывай скорее! — торопит он, пока я вожусь с крышкой.

Я взволнованно киваю и тянусь внутрь... но сразу же отдергиваю руку, когда что-то острое вонзается в палец. Едва не выругавшись от боли, роняю коробочку на пол. На ковер падает игла. Когда я поднимаю глаза на родителей, кожа отца мертвенно-бледная, а в глазах одна пустота.

Улыбка матери ослепительна и, кажется, сверкает даже ярче, чем солнце. Отец наклоняется и поднимает иглу с пола. С иглой в руке он делает шаг ко мне, я начинаю пятиться, но ноги не слушаются. Несмотря на все усилия, мне не удается сдвинуться с места, и я беспомощно кричу, когда он втыкает иглу мне в руку.

— Тесса! — Я слышу полный отчаяния, громкий, испуганный голос Лэндона, он трясет меня за плечи.

Каким-то образом я умудряюсь сесть. Футболка мокрая от пота. Я смотрю на него, затем опять на руку и как помешанная выискиваю отметины от иглы.

— С тобой все в порядке? — восклицает он.

Я хватаю ртом воздух и, пытаясь обрести потерянный голос, чувствую, как больно в груди. Качаю головой, и Лэндон сильнее сжимает мои плечи.

— Я слышал, как ты кричала, и... — Лэндон замолкает, когда в комнату врывается Хардин.

На его щеках яркий румянец, глаза бешеные.

— Что случилось? — Он отталкивает от меня Лэндона и садится рядом на кровать. — Я слышал, как ты кричала. Что случилось? — Его руки оказываются на моих щеках, большими пальцами он проводит по дорожкам от слез.

— Не знаю. Мне приснился сон, — выдавливаю я из себя.

— Что за сон? — Хардин почти шепчет, теперь очень медленно поглаживая пальцами кожу под глазами.

— Вроде тех, что снятся тебе, — отвечаю я так же тихо.

С его губ слетает вздох, он хмурится:

— Давно? Давно тебе снятся такие сны?

Я пытаюсь собраться с мыслями:

— С тех пор как я нашла его, но пока всего два раза. Не знаю, откуда они берутся.

Он огорченно проводит рукой по волосам, и мое сердце замирает при виде этого знакомого жеста.

— Ну, думаю, любому, кто нашел бы мертвое тело отца, начали бы сниться... — Он замолкает на середине фразы. — Черт, прости, мне нужно следить за языком. — Он огорченно вздыхает.

Его глаза перескакивают с меня на тумбочку у кровати.

— Тебе что-нибудь нужно? Может, воды? — Он пытается улыбнуться, но улыбка получается вымученная, даже грустная. — За последние дни я предложил тебе воды уже, наверное, тысячу раз.

— Мне просто нужно снова заснуть.

— Я останусь? — наполовину спрашивает, наполовину требует он.

— Не думаю, что... — Я перевожу взгляд на Лэндона. Почти забыла, что он тоже в комнате.

— Ладно. — Хардин не смотрит на меня, уставившись в стену за моей спиной. — Я понял.

Когда он сокрушенно пожимает плечами, я еле сдерживаюсь, взывая к остаткам самоуважения, чтобы не обнять его за шею и не попросить остаться со мной на ночь. Мне нужна его поддержка. Мне нужно, чтобы, пока я засыпаю, он обнимал меня за талию, а я положила бы голову ему на грудь. Мне нужно, чтобы он помог мне обрести покой во сне так же, как я всегда делала это для него. Но он уже не тот спасательный круг в океане жизни, на который я могла рассчитывать. Да и был ли он им? Он то приходил, то уходил, постоянно за пределами досягаемости, все время убегал от меня и нашей любви. Я не могу опять его догонять. У меня просто нет сил гнаться за чем-то настолько недостижимым и нереальным.

К тому времени как мне удается выбраться из водоворота мыслей, в комнате остается только Лэндон.

— Подвинься, — тихо командует он.

Я так и делаю и сразу же засыпаю, жалея о решении держаться от Хардина подальше.

Даже в самый разгар неизбежной трагедии, которой обернулись наши отношения, я бы не стала ничего менять. Я не согласилась бы повторить те же ошибки, но не жалею ни об одной секунде, которую провела с ним.

Глава 41

Хардин

Погода здесь куда лучше, чем в Сиэтле. Ни намека на дождь, солнце хоть изредка, но выглядывает. Сейчас апрель — чертову солнцу пора бы проснуться.

Тесса весь день провела на кухне с Карен и той цыпочкой, Софией. Я пытаюсь показать, что уважаю ее личное пространство и могу подождать, пока она не будет готова поговорить, но это гораздо тяжелее, чем представлялось. Прошлая ночь далась мне нелегко: невероятно тяжело видеть ее такой расстроенной и напуганной. Как же плохо, что мои кошмары передались ей. Мои страхи заразны, и, будь это в моих силах, я бы забрал их обратно.

Когда Тесса была моей, она всегда спала спокойно. Она была моим якорем, моим утешением в ночи и отгоняла всех демонов, когда я, слишком слабый и погрязший в самобичевании, не мог их одолеть. Она была рядом, точно щит в руке, и сражалась со всеми ужасами, терзающими мой больной разум. Она несла этот крест в одиночку и в конце концов не выдержала.

Потом я напоминаю себе, что она по-прежнему моя, просто пока не готова признать это заново.

По-другому и быть не может.

Я паркую машину у дома отца. Агент по аренде недвижимости разорался, когда я позвонил ему и сказал, что съезжаю. Он начал плести про неустойку за два месяца из-за расторжения контракта, но в середине разговора я повесил трубку. Неважно, сколько придется заплатить, я там больше не живу. Конечно, это опрометчивое решение, и жить мне пока негде, но, надеюсь, Кен не будет возражать, если я задержусь на несколько дней в его доме вместе с Тессой, пока не уговорю ее переехать со мной в Сиэтл.

Я готов. Готов жить в Сиэтле, если она этого хочет, и мое предложение руки и сердца по-прежнему в силе. На этот раз я не возьму свои слова обратно. Я женюсь на этой девушке и буду жить в Сиэтле до самой смерти, если ей этого хочется, если это сделает ее счастливой.

— Надолго приехала эта цыпочка? — спрашиваю я Лэндона, показывая на «Тойоту Приус», припаркованную рядом с его машиной.

С его стороны было очень любезно предложить подвезти меня, чтобы я забрал свою машину, особенно после того, как я устроил ему взбучку за то, что он спал в комнате Тессы. Он заметил, что я не смог бы открыть замок на двери, но, будь у меня силы, я бы его просто выломал. Мысль о том, что эти двое спят в одной постели, сводила меня с ума с тех самых пор, как я услышал их тихие голоса за дверью. Я сделал вид, что не заметил его недоуменного взгляда, когда он обнаружил меня дремлющим на полу под дверью.

Я пытался уснуть в пустой кровати в отведенной мне комнате, но не получилось. Мне необходимо было находиться рядом к ней, если что-нибудь вдруг случится или она снова закричит. По крайней мере, я твердил себе это всю ночь, пытаясь не уснуть в коридоре.

— Не знаю. София возвращается в Нью-Йорк в конце недели, — отвечает он пронзительным и очень странным голосом.

«Что за чертовщина тут происходит?»

— Что с тобой? — уточняю я, пока мы входим в дом.

— Ничего.

Но щеки Лэндона пылают от смущения, и я иду за ним в гостиную. Тесса стоит у окна, уставившись в одну точку, а Карен и мини-Карен смеются.

«Почему Тесса не смеется? Почему она даже в разговоре не участвует?»

— А, вот ты где! — улыбается девушка Лэндону.

Она довольно симпатичная, хотя, разумеется, не идет ни в какое сравнение с Тессой. Но в целом хорошенькая. Когда она подходит, я снова замечаю, что Лэндон краснеет... в руке у него пирожное... она широко улыбается... и все встает на свои места.

«Как же я не замечал этого раньше? Черт, да она ему нравится!»

Миллион шуток и неприличных комментариев тут же приходят на ум, и я в буквальном смысле слова заставляю себя прикусить язык, чтобы не начать его подкалывать.

Я не вступаю в их разговор и подхожу к Тессе. Похоже, она не замечает моего присутствия, пока я не встаю прямо перед ней.

— Что происходит? — спрашиваю я.

Мое обычное поведение трудно назвать соблюдением дистанции, и я изо всех сил стараюсь найти золотую середину, хотя менять привычки нелегко.

Я понимаю, что, если дам ей слишком много личного пространства, она отдалится от меня, а если начну давить — просто сбежит. Это новая и совершенно неизведанная для меня территория. Стыдно признаться, но я уже привык к тому, что можно безнаказанно выплеснуть на нее свои эмоции. Я ненавижу себя за то, что так обращался с ней, и знаю, что она заслуживает лучшего человека, чем я, но мне необходим этот последний шанс, чтобы стать именно таким человеком.

Нет, мне нужно быть собой. Просто той версией себя, которая достойна ее любви.

— Ничего, занимаемся выпечкой. Как обычно. Хотя на самом деле у меня небольшой перерыв. — Слабая улыбка касается ее губ, и я радостно ухмыляюсь. Такие незначительные проявления эмоций, крошечные намеки на то, как она ко мне относится, питают мою надежду. Надежда. Новое и не слишком приятное чувство, но я с радостью посвящу ему свое время и попытаюсь во всем разобраться.

Карен и новая королева эротических фантазий Лэндона зовут Тессу, и не успеваю я и глазом моргнуть, как они возвращаются на кухню, а мы с Лэндоном остаемся в гостиной, всеми забытые и покинутые.

Убедившись, что женщины нас не слышат, я расплываюсь в дьявольской ухмылке:

— Ты на нее запал.

— Сколько раз еще повторять? Мы с Тессой просто друзья, — демонстративно вздыхает он и бросает на меня раздраженный взгляд. — Мне казалось, ты это понял после того, как целый час ругался сегодня утром.

Я вскидываю брови:

— Да я не о Тессе. Я имею в виду Сару.

— Ее зовут София.

Пожав плечами, я продолжаю улыбаться:

— Какая разница?

— Нет, — закатывает он глаза, — это не одно и то же. Ты ведешь себя так, будто не в состоянии запомнить ни одно женское имя, кроме Тесс.

— Тесса, — поправляю я его, нахмурившись. — И зачем мне запоминать другие женские имена?

— Это проявление неуважения. Ты уже назвал Софию всеми именами, которые начинаются на «с», но только не ее настоящим именем. Меня ужасно бесило, когда ты Дакоту называл Даниэль.

— Какой же ты зануда. — Я сажусь на диван, улыбаясь своему сводному... Ну, вообще-то он мне не сводный брат. И никогда им не был. Осознав это, я не знаю, что и думать.

Он выдавливает улыбку:

— Кто бы говорил.

«Если бы он знал, что бы почувствовал?»

Возможно, ничего. Возможно, испытал бы облегчение, что мы не родственники, пусть и через брак родителей.

— Я знаю, она тебе нравится, признай это, — издеваюсь я.

— Ничего подобного. Я ее даже не знаю. — Он отворачивается. Попался!

— Но она же будет с тобой в Нью-Йорке, и вы сможете вместе бродить по улочкам, а потом, попав под проливной дождь, окажетесь под козырьком какого-нибудь здания. Сплошная романтика! — Я закусываю губу, чтобы не рассмеяться при виде его испуганного лица.

— Может, хватит? Она намного старше меня, и я ей явно не пара.

— Она слишком хороша для тебя, но ведь никогда не знаешь, как все обернется. Некоторым девчонкам наплевать на внешность парня, — не успокаиваюсь я. — Да и кто знает? Вдруг она как раз ищет парня помоложе. Сколько лет твоей старушке?

— Двадцать четыре. Оставь ее в покое, — просит он, и я умолкаю. Можно продолжать дразнить его до бесконечности, но мне и так есть чем заняться.

— Я переезжаю в Сиэтл. — От таких новостей у меня самого чуть не кружится голова.

— Что? — Он подается вперед, немного удивленный.

— Вот такие дела. Я собираюсь поговорить с Кеном насчет того, сможет ли он помочь мне закончить семестр заочно. Потом найду квартиру в Сиэтле для нас с Тессой. Выпускные документы уже в работе, так что много проблем не возникнет.

— Что? — повторяет Лэндон и отводит взгляд.

«Он разве не слышал, что я только что сказал?»

— Я не буду повторять по сто раз. Ты меня слышал.

— Почему сейчас? Вы с Тессой не вместе, и она...

— Мы будем вместе. Ей просто нужно немного времени все обдумать, но она меня простит. Она всегда прощает. Вот увидишь.

Как только эти слова слетают с моих губ, я поднимаю голову и вижу красивое лицо Тессы — она стоит в дверном проеме и недовольно хмурится.

В тот же момент ее красивое лицо исчезает: Тесса разворачивается на пятках и, не говоря ни слова, возвращается на кухню.

— Черт возьми. — Закрыв глаза, я откидываю голову на подушку дивана и проклинаю себя за то, что вечно делаю все не вовремя.

Глава 42

ТЕССА

— Нью-Йорк — лучший город в мире, Тесса, он просто невероятен. Я прожила там пять лет и до сих пор не исследовала его целиком. Бьюсь об заклад, на это даже жизни не хватит, — говорит София, отскребая от противня остатки сожженного мной теста.

Я отвлеклась. Так глубоко задумалась, услышав высокомерные равнодушные слова Хардина, что не заметила дыма, идущего от духовки. Только после того, как София и Карен примчались на кухню из кладовой, мое внимание переключилось на сгоревшее тесто. Ни та, ни другая ни словом меня не упрекнули, и София, ополоснув противень холодной водой, чтобы остудить, начала его чистить.

— Сиэтл — самый большой город, в котором мне довелось побывать, но я готова к Нью-Йорку. Мне нужно уехать отсюда, — отвечаю я. Лицо Хардина так и стоит перед глазами, пока я произношу эти слова.

Улыбнувшись мне, Карен наливает нам по стакану молока.

— Отлично. Я живу рядом с Нью-Йоркским университетом и, если хочешь, могу показать тебе окрестности. Всегда хорошо иметь знакомых, особенно в таком большом городе.

— Спасибо, — благодарю я от всего сердца.

Лэндон тоже переедет в Нью-Йорк, но будет чувствовать себя на новом месте так же некомфортно, как и я, поэтому нам обоим не помешает местный друг. Мысли о жизни в Нью-Йорке очень пугают, даже ошеломляют, но, скорее всего, каждый чувствует то же самое, переезжая на другой конец страны. Если бы Хардин изменился...

Я встряхиваю головой, пытаясь избавиться от бесполезных мыслей. У меня не получилось убедить Хардина переехать ради меня даже в Сиэтл. Он бы рассмеялся мне в лицо по поводу Нью-Йорка. Он решает за меня, что я хочу, и думает, что получит мое прощение, только потому, что так бывало в прошлом.

— Что ж, — произносит Карен, поднимая стакан молока, — за Нью-Йорк и новые приключения! — Ее улыбка ослепительна. София тоже поднимает свой стакан, и мы чокаемся, но я никак не могу выкинуть из головы слова Хардина.

«Она простит меня. Она всегда прощает. Вот увидишь», — сказал он Лэндону.

Его слова продолжают крутиться у меня в голове по кругу, и с каждым новым витком страх перед переездом уменьшается. Каждый слог — словно пощечина по чувству собственного достоинства, по жалким, оставшимся от него осколкам.

Глава 43

ТЕССА

Сказать, что я избегала Хардина, — значит ниче-го не сказать. Дни шли — на самом деле всего два, но кажется, что все сорок, — а я избегала его всеми правдами и неправдами. Знаю, что он здесь, в этом доме, но не могу заставить себя встретиться с ним. Он несколько раз стучался в дверь, но получил лишь неу-бедительную отговорку, почему я не открываю.

Я просто была не готова.

Так или иначе, я слишком долго откладывала наш разговор, да и Карен уже места себе не находит. Ее распирает от счастья, и она не хочет так долго хранить в секрете новость о прибавлении в семействе. Она и не должна этого делать, ей полагается быть счаст-ливой, гордой и взволнованной. Я не могу подвести ее своей трусостью.

Поэтому, услышав тяжелые шаги за дверью, я мол-ча и жалко жду, надеясь, что раздастся стук, и в то же время желая, чтобы Хардин прошел мимо. Я все еще жду того дня, когда сознание прояснится, а мысли вернутся к норме. Но чем больше времени проходит, тем чаще я спрашиваю себя: а были ли мои мысли хоть когда-нибудь ясными и четкими? Или я всегда была такой запутавшейся и неуверенной в себе и сво-их решениях?

Закрыв глаза и прикусив дрожащие губы, я жду на кровати, пока он уйдет, не постучавшись. Когда я слышу, как хлопает его дверь напротив, меня охва-тывает смесь разочарования и облегчения.

Собрав все силы в кулак, я беру телефон и, напо-следок посмотревшись в зеркало, выхожу в коридор. Только я заношу руку, чтобы постучать, дверь открыва-ется: на пороге стоит Хардин без рубашки.

— Что случилось? — немедленно спрашивает он.

— Ничего, я...

Желудок скручивается в узел, но я стараюсь держать себя в руках. Он встревоженно хмурится. Он протягивает руки и нежно проводит большими пальцами по моим щекам, а я просто стою в дверях, хлопая глазами, и в голове ни одной связной мысли.

— Мне нужно с тобой кое о чем поговорить, — наконец через силу произношу я приглушенным голосом. Он наклоняется ко мне ближе, в сверкающих зеленых глазах мелькает замешательство.

— Мне не нравится, как это звучит, — угрюмо замечает он и убирает руки с моего лица.

Присев на край кровати, он кивком предлагает мне занять место рядом. Я не доверяю отсутствию расстояния между нами, и кажется, что даже тяжелый воздух в душной комнате насмехается надо мной.

— Ну? В чем дело? — Хардин растягивается на кровати, заложив руки за голову. На нем спортивные шорты в обтяжку с такой низкой талией, что мне сразу становится ясно: трусов под ними нет.

— Хардин, мне очень жаль, что я так отдалилась от тебя. Ты ведь знаешь, что мне просто нужно время, чтобы во всем разобраться, — произношу я в качестве вступления. Эти слова не входили в мои планы, но, похоже, мой язык никак не может договориться с головой.

— Все в порядке. Хорошо, что ты пришла, ведь мы оба знаем: у меня плохо получается держаться от тебя подальше, и это меня ужасно бесит. — Видимо, ему стало легче, так как мы начали разговаривать. Он смотрит на меня не отрываясь, и я не могу отвернуться от его проницательных глаз.

— Я знаю.

Не могу отрицать, что за последнюю неделю он явно научился сдерживаться. Мне нравится, что он стал более предсказуемым, но выстроенная мною стена разделяет нас по-прежнему, и я подсознательно жду, когда он накинется на меня в своей обычной манере.

— Ты разговаривал с Кристианом? — спрашиваю я. Необходимо вернуться к теме разговора, прежде чем меня слишком глубоко затянет в бесконечный водоворот наших отношений.

Сразу же напрягшись, он искоса бросает на меня взгляд.

— Нет.

Да, неважное начало.

— Извини, не хотела показаться бесчувственной. Просто пытаюсь понять, что сейчас у тебя на уме.

Еще несколько секунд он молчит, и тишина расстилается между нами, словно лента бесконечной дороги.

Глава 44

ХАРДИН

Тесса не сводит с меня взгляда. Тревога в ее глазах вызывает во мне ответное грызущее беспокойство. Она прошла через многое, и я часто был виновником ее бед, поэтому чего уж ей точно не стоит делать, так это волноваться обо мне. Я хочу, чтобы она сосредоточилась на себе и на том, чтобы снова обрести себя, а не тратила силы на мои проблемы. Мне нравится, как она проявляет сочувствие к другим, особенно ко мне, забывая о собственных горестях.

— Ты не бесчувственная. Мне повезло, что ты вообще со мной разговариваешь. — Это правда, но я понятия не имею, как наша беседа будет развиваться дальше.

Тесса медленно кивает. И выдерживает паузу, прежде чем деликатно задать вопрос, который, я уверен, и был главной причиной ее прихода.

— Так ты планируешь рассказать Кену обо всем, что случилось в Лондоне?

Закрыв глаза, я откидываюсь на кровати и раздумываю над ее словами, не торопясь отвечать. Я много размышлял об этом последние пару дней, сомневаясь, стоит ли сознаться ему во всем или лучше, наоборот, придержать информацию. Нужно ли Кену знать? А если расскажу, хочется ли мне смириться с неизбежными переменами? Изменится ли что-то или я просто морочу себе голову? Какая ирония: как раз когда я стал относиться к нему терпимее и был готов простить, выясняется, что он даже не мой отец, чтобы его прощать.

Я открываю глаза и сажусь.

— Еще не решил. Вообще я хотел узнать твое мнение по этому поводу.

Серо-голубые глаза моей девочки не сияют тем светом, к которому я привык, но сегодня в них больше жизни, чем в последний раз, когда я ее видел. Невыносимая пытка находиться с ней под одной крышей и не быть рядом — так, как мне хочется.

Насмешка судьбы перевернула все с ног на голову, и теперь я умоляю ее обратить на меня внимание, умоляю ее о любой малости, которую она готова предложить. Даже сейчас чуткого выражения ее глаз достаточно, чтобы смягчить нескончаемую боль, с которой мне невыносимо жить. И неважно, как далеко Тесса меня оттолкнет.

— Ты бы хотел поддерживать отношения с Кристианом? — мягко спрашивает она, проводя пальцами по потрепанному шву на стеганом одеяле.

— Нет, — вырывается у меня. — Черт, не знаю, — тут же поправляюсь я. — Я хочу, чтобы ты сказала мне, что делать.

Кивнув, она встречается со мной взглядом.

— Мне кажется, тебе следует рассказать обо всем Кену только в том случае, если ты считаешь, что это поможет тебе справиться с какими-то проблемами из детства. Я думаю, что лучше промолчать, если единственная причина — это злоба или гнев. Что касается Кристиана, наверное, у тебя еще есть немного времени, чтобы принять решение. Просто посмотри, как будут развиваться события, — предлагает она понимающим тоном — так, как умеет только она.

— Как тебе это удается?

Она в замешательстве наклоняет подбородок.

— Что именно?

— Всегда говорить правильные вещи.

— Это не так. — Ее мягкий смех разносится по комнате. — Я не говорю никаких правильных вещей.

— Говоришь. — Я тянусь к ней рукой, но она отстраняется. — Ты говоришь правильные вещи, всегда так было. Раньше я просто тебя не слышал.

Тесса отворачивается, но это нормально. Потребуется время, чтобы она привыкла слышать от меня такое. Но она привыкнет. Я поклялся рассказывать ей о своих чувствах, перестать быть эгоистом и не ожидать, чтобы она расшифровывала каждое мое слово или намерение.

Тишину нарушает вибрирующий звук мобильного, и она достает телефон из кармана толстовки, которая ей явно велика. Я заставляю себя притвориться, что она купила эту толстовку, а не одолжила ее у Лэндона. Мне приходилось носить чуть ли не все его вещи, украшенные подобной символикой, но мне не нравится, что его одежда касается ее кожи. Это нелогично и чертовски глупо, но я не могу избавиться от этих мыслей, которые сами лезут в голову.

Она проводит большим пальцем по экрану, и до меня не сразу доходит, что я вижу.

Прежде чем она успевает меня остановить, я выхватываю телефон из ее рук.

— Айфон? Ты что, издеваешься?! — Я таращусь на телефон. — Это твой?

— Да. — Ее щеки заливает румянец, она тянется за мобильником, но я поднимаю руки над головой, чтобы она не достала.

— Значит, теперь у тебя айфон, но когда я предлагал его купить, ты отказывалась наотрез! — дразню я. Она распахивает глаза и нервно вздыхает. — Что же заставило тебя передумать? — улыбаюсь я, смягчая неприятную для нее ситуацию.

— Не знаю. Наверное, просто пришло время, — пожимает она плечами, все еще нервничая.

Мне не нравится, что она чувствует себя не в своей тарелке, но я надеюсь, что шутливое отношение исправит ситуацию.

— Какой пароль? — спрашиваю я, нажимая на цифры, которые, как мне кажется, она бы использовала.

Ха, получилось с первого раза, и вот меня приветствует ее рабочий стол.

— Хардин! — визжит она, пытаясь забрать у меня мобильник. — Ты не можешь просто взять и залезть в мой телефон! — Она наклоняется и хватает меня одной рукой за голое предплечье, а другой тянется за телефоном.

— Нет, могу, — смеюсь я. Я начинаю дрожать от одного ее прикосновения, каждая клеточка моего тела оживает.

С милой легкой улыбкой, которой мне так не хватало, она требовательно протягивает свою ручку.

— Ладно, тогда давай свой.

— Ну уж нет, извини. — Продолжая ее дразнить, я как одержимый пролистываю ее текстовые сообщения.

— Отдай телефон! — ноет она и подходит ближе, но затем улыбка исчезает с ее лица. — Видимо, у тебя в телефоне много такого, чего мне не стоит видеть. — И я чувствую, что она снова закрывается от меня.

— Вовсе нет. Там больше тысячи твоих фотографий и целый альбом твоей дурацкой музыки. А если тебе действительно хочется убедиться, насколько я жалок, можешь проверить журнал исходящих вызовов и посмотреть, сколько раз я звонил на твой старый номер, но все время попадал на гребаное автоматическое сообщение, что он больше не обслуживается.

Она пристально смотрит на меня, явно не веря. И винить мне ее не за что. Ее глаза смягчаются, но лишь на мгновение.

— И там не будет номера Джанин? — Она говорит так тихо, что я с трудом улавливаю обвинительный тон.

— Что? Нет! Давай, посмотри сама. Он на комоде.

— Пожалуй, не стоит.

Я встаю на колени и прижимаюсь к ней плечом.

— Тесса, она ничего для меня не значит. Никогда этого не будет.

Тесса упорно делает вид, что ей все равно. Она борется сама с собой, пытаясь доказать мне, что ей теперь нет до меня дела, но я знаю ее лучше. Я знаю, что она не может избавиться от мысли, что я был с другой женщиной.

— Мне пора.

Она встает, чтобы уйти, но я ей не позволяю. Мои пальцы нежно обхватывают ее запястье, упрашивая остаться. Она начинает сомневаться, и я не настаиваю. Я жду, рисуя пальцами маленькие круги на мягкой коже.

— Знаю, о чем ты думаешь, но ты ошибаешься, — пытаюсь убедить ее я.

— Нет, я знаю, что видела. Я видела ее в твоей футболке, — огрызается она и вырывает руку, но подходит ближе.

— Я был не в себе, Тесса, но не трахался с ней.

Я бы не стал этого делать. Мне хватило одного ее прикосновения. Я подумываю, стоит ли рассказать Тессе, как раздражал меня запах табака на губах Джанин, но, похоже, это разозлит ее еще больше.

— Ну конечно. — Она демонстративно закатывает глаза.

— Я очень скучаю по тебе. — Я пытаюсь поднять ей настроение, но она снова закатывает глаза. — Я тебя люблю.

Последняя фраза производит на нее впечатление, и она толкает меня в грудь, чтобы немного отстраниться.

— Прекрати! Ты не можешь просто решить, что хочешь быть со мной, и ждать, что я побегу к тебе со всех ног.

Мне хочется сказать, что она все равно вернется, потому что мы одно целое, и что я никогда не перестану убеждать ее в этом, но лишь качаю головой и улыбаюсь.

— Давай сменим тему. Я просто хотел, чтобы ты знала, как мне тебя не хватает.

— Хорошо, — вздыхает она. Поднеся руку ко рту, она начинает пощипывать губы, и я тут же забываю, что хотел сказать.

— Айфон. — Я снова перевожу внимание на телефон и кручу его в руке. — Поверить не могу, что ты купила айфон и не собиралась рассказать мне. — Взглянув на Тессу, вижу, как ее сдвинутые брови разглаживаются и на лице появляется неуверенная улыбка.

— Велика важность. Мне так гораздо удобнее с расписанием, а Лэндон покажет, как закачивать музыку и фильмы.

— Я могу помочь.

— Не нужно, все нормально, — говорит она, пытаясь отвязаться от меня.

— Я помогу. Могу показать прямо сейчас. — Я открываю цифровой магазин.

Мы проводим так целый час: я листаю каталог, выбирая ее любимую музыку, и показываю, как загрузить дурацкие романтические комедии с Томом Хэнксом, которые ей, видимо, нравятся. Почти все это время Тесса молчит, изредка выдавая «Спасибо» или «Нет, не эта песня», но я не настаиваю на разговоре.

Это я виноват, что она превратилась в тихую, не уверенную в себе девушку и теперь не знает, как вести себя со мной. Это я виноват, что каждый раз, когда я наклоняюсь к ней, она отстраняется, отрывая от моего сердца по кусочку.

Кажется невозможным, что у меня еще осталось что-то для нее, что она уже не владеет каждой моей клеточкой. Однако, когда она мне улыбается, мое тело каким-то образом находит для нее очередную маленькую частичку. Все для нее, и так будет всегда.

— Хочешь, еще покажу, как загружать лучшее порно? — шучу я и удостаиваюсь очередного румянца, вспыхнувшего на ее щеках.

— О, уверена, ты в этом большой знаток, — дразнит она в ответ. Мне это нравится. Мне нравится дразнить ее, как раньше, и я, черт возьми, счастлив, что она мне это позволяет.

— Да не особенно. У меня и здесь много чего есть. — Я касаюсь гипсом лба, и она корчит рожицу. — Исключительно с твоим участием.

Хмурое выражение ее лица не меняется, но я не позволю ей думать иначе. Что за бред думать, что меня заинтересует кто-то, кроме нее. Мне начинает казаться, что она такая же сумасшедшая, как и я. Может быть, это объясняет, почему она оставалась со мной так долго.

— Я не шучу. Я думаю только о тебе. Всегда только о тебе. — Мой тон становится серьезным, слишком серьезным, но мне все равно, и я не буду его менять. Я пытался шутить, вести себя по-дружески, но только ранил ее чувства.

— И как ты меня себе представляешь? — к моему удивлению, спрашивает она.

Я закусываю нижнюю губу: ее образы врываются в мое сознание.

— Ты не захочешь, чтобы я уточнял.

«Тесса раскинулась на кровати, ее ноги раздвинуты, а пальцы сжимают простыни, пока она кончает от моих ласк языком».

«Бедра Тессы описывают медленные, сводящие с ума круги, пока она, оседлав меня, скользит вверх-вниз по члену, наполняя стонами комнату».

«Тесса стоит передо мной на коленях, ее полные губы раскрываются, когда она принимает меня в свой теплый рот».

«Тесса наклоняется вперед, ее обнаженная кожа сияет в мягком свете. Она стоит спиной ко мне и, отвернувшись, опускается на меня всем телом. Я кончаю, а она выкрикивает мое имя».

— Наверное, ты прав, — смеется она, затем вздыхает. — Мы все время это делаем, все время возвращаемся к одному и тому же, — машет она рукой в пространство между нами.

Я отлично понимаю, что она имеет в виду. Это самая худшая неделя в моей жизни, а она смешит меня и заставляет улыбаться над ее чертовым телефоном.

— Это мы, детка. Такие, какие есть. Этого не изменить.

— Мы можем это изменить. Должны. Я должна. — Может, эти слова убедительно звучат для нее самой, но меня ей не одурачить.

— Перестань мудрить. Ты знаешь, как это должно быть: мы дразним друг друга на тему порно, я думаю обо всех пошлостях, которыми занимался и хочу заниматься с тобой.

— Это полный бред. Невозможно. — Она наклоняется ближе ко мне.

— Невозможно что?

— Дело не сводится к одному сексу. — Ее глаза останавливаются на моей промежности, и я вижу, что она пытается отвести взгляд от появившейся там выпуклости.

— Я и не говорил, что сводится. Но ты можешь сделать одолжение нам обоим и перестать вести себя так, будто не думаешь о тех же вещах, что и я.

— Мы не можем.

Но затем я замечаю, что мы дышим синхронно, а она как бы случайно проводит языком по нижней губе.

— Я не предлагал, — напоминаю я.

Я не предлагал, но, черт возьми, не отказался бы. Но мне не может так повезти, она ни за что не позволит прикоснуться к себе. Уж точно не в ближайшем будущем... верно?

— Ты намекнул, — улыбается она.

— А когда я не намекал?

— Действительно. — Она сдерживается, чтобы не захихикать. — Это так сбивает с толку. Нам не следует это делать. Я не доверяю себе, когда нахожусь рядом с тобой.

Черт, я этому рад. Я сам себе не доверяю половину времени.

— Что плохого может произойти? — Я кладу ладонь ей на плечо. От прикосновения она вздрагивает, но это не то отвращение, с которым мне пришлось иметь дело всю прошлую неделю.

— Я могла бы продолжать вести себя как идиотка, — шепчет она, и я начинаю медленно гладить ее руку по всей длине.

— Перестань думать, просто отключи мозг и доверься своему телу. Твое тело хочет меня, Тесса, оно нуждается во мне.

Она качает головой, отрицая очевидную правду:

— Да, хочет.

Я продолжаю прикасаться к ней, теперь ближе к груди, ожидая, что она меня остановит. Если это произойдет, я тут же пойду на попятную. Я бы никогда не стал давить на нее в этом вопросе. Я много чего натворил в жизни, но это не мое.

— Видишь ли, дело в том... что я точно знаю, где к тебе прикоснуться.

Я заглядываю ей в глаза в поисках одобрения, и они сверкают, словно неоновая вывеска. Она не собирается останавливать меня, ее тело по-прежнему жаждет меня, как и раньше.

— Я знаю, как сделать так, чтобы ты кончила, забыв обо всем на свете.

Может быть, если я доставлю наслаждение ее телу, согласится и разум? А когда я одержу верх над разумом и телом, их примеру последует и сердце?

Я никогда не стеснялся, если речь заходила о ее теле и о том, как доставить ей наслаждение. Так зачем стесняться сейчас?

Я воспринимаю ее молчание и то, что она не может оторвать своих глаз от моих, как согласие, и тянусь к ее толстовке. Черт, она тяжелее, чем я думал, да еще гребаный шнурок запутывается у Тессы в волосах. Шлепнув по моей неуклюжей руке, она снимает толстовку и освобождает волосы.

— Я ведь ни к чему тебя не принуждаю? — спрашиваю я.

— Нет, — выдыхает она. — Конечно, это ужасная затея, но я не хочу останавливаться. — Я киваю. — Мне нужно отвлечься от всего. Пожалуйста, помоги мне.

— Отключи мозг. Перестань думать о всяком дерьме и сосредоточься на этом. — Я пробегаю пальцами вдоль линии ее шеи, и мои прикосновения заставляют ее дрожать.

Она застает меня врасплох и прижимается своими губами к моим. За считаные секунды медленный неуверенный поцелуй сменяется привычным. Робость в движениях испаряется, и мы внезапно превращаемся в самих себя. Все остальное отступает на второй план, и есть только я и Тесса: ее губы впиваются в мои, ее язык неистово ласкает мой, ее руки тянут меня за волосы у корней, и это сводит с ума.

Я обнимаю ее и прижимаюсь к ней бедрами, пока ее спина не касается матраса. Ее колено, согнутое и приподнятое, застыло на одном уровне с моей промежностью, и я бесстыдно трусь об него. Она стонет, ощутив мое отчаяние, и перекладывает руку с моих волос на свою грудь. Я чуть не взрываюсь, чувствуя ее под собой, — это уже чересчур, но в то же время недостаточно, и я не могу думать ни о чем другом, только о ней.

Она ласкает себя, сжимая одну из своих больших грудей, и я не могу оторвать от нее глаз, словно позабыв, что еще можно делать, кроме как смотреть на ее прекрасное тело и на то, как она наконец отдалась своим чувствам. Ей это нужно даже больше, чем мне. Ей нужно отвлечься от реального мира, и я с удовольствием окажу ей эту услугу.

Наши движения хаотичны, нами овладевает подлинная страсть. Я огонь, а она мое чертово горючее, и мы не остановимся и не замедлимся, пока что-нибудь не вспыхнет. Я подожду и буду готов защитить ее от пламени, чтобы она не обожглась из-за меня снова. Она проводит рукой по своему телу, а затем начинает ласкать меня, и мне приходится зажать всю волю в кулак, чтобы не кончить от одних ее прикосновений. Я устраиваюсь между ее раздвинутых ног, и она тянется к резинке моих шортов, я помогаю ей, и вот мы оба обнажены ниже пояса.

С наших губ слетает одновременный стон, когда я начинаю тереться о нее, кожа по коже. Пошевелившись, я проникаю в нее, но не до конца, и из ее груди снова вырывается стон. Она прижимается ртом к моему обнаженному плечу и начинает лизать и посасывать мою кожу, а я вхожу в нее глубже. Перед глазами плывет, я пытаюсь сохранить в памяти каждую секунду, каждый момент, который она хочет разделить со мной.

— Я люблю тебя, — говорю я.

Ее губы отстраняются, объятия ослабевают.

— Хардин...

— Выходи за меня замуж, Тесса. Пожалуйста. — Мой член проникает еще глубже, наполняя ее, и я надеюсь застать ее врасплох в момент слабости.

— Если ты будешь говорить такие вещи, мы не сможем этим заниматься, — мягко отвечает она. В ее глазах я вижу боль и нехватку самообладания, когда речь заходит обо мне, и меня тут же настигает чувство вины за упоминание о чертовой женитьбе во время секса.

«Ну ты и придурок, нашел же время».

— Прости, больше не буду, — заверяю я ее поцелуем. Я дам ей время подумать и отложу этот разговор.

Резкими толчками я продолжаю врываться в ее горячую, влажную...

— О боже, — стонет она.

Вместо заверений в вечной любви я буду говорить ей только то, что она хочет услышать.

— Ты так тесно сжимаешься вокруг меня. Прошло столько времени, — шепчу я ей в шею. Ее рука надавливает на мою поясницу, побуждая войти глубже.

Она зажмуривает глаза и сжимает бедра. Я знаю, она уже близко. Даже сейчас, несмотря на то что она меня ненавидит, ей нравятся мои грязные словечки. Я не продержусь долго, впрочем, как и она. Мне этого не хватало: не только настоящего блаженства находиться внутри ее, но и самой нашей близости. Это то, что нужно и мне, и ей.

— Давай, детка. Кончи, позволь мне тебя почувствовать, — произношу я, стиснув зубы.

Она подчиняется: вцепившись в мою руку, зовет меня по имени и откидывает голову на матрас. Ее тело накрывает оргазмом, волна за волной, и я наблюдаю за ней. Наблюдаю, как открывается красивый рот, выкрикивая мое имя. Наблюдаю, как ее глаза находят мои перед тем, как закрыться в экстазе. Меня накрывает с головой прекрасное зрелище: она кончает для меня, отдает всю себя в мою власть. С очередным толчком я, обхватив ее за бедра, изливаюсь в нее.

— Черт. — Я опираюсь на локти рядом с ней — осторожно, чтобы не раздавить весом своего тела.

Ее глаза закрыты, веки отяжелели.

— М-м-м, — соглашается она.

Приподнявшись, я разглядываю ее, пока она не видит. Мне страшно при мысли, что она начнет сожалеть об этом и что ее злость ко мне только возрастет.

— Все хорошо? — Не могу ничего с собой поделать и провожу пальцем по изгибу ее обнаженного бедра.

— Да, — отвечает она хриплым удовлетворенным голосом.

Я безумно рад, что она постучалась в мою дверь. Не знаю, сколько бы я еще выдержал, не видясь с ней и не слыша ее голос.

— Ты уверена? — уточняю я. Мне нужно знать, что это для нее значит.

— Да. — Она открывает один глаз, и я, не в силах сдержаться, расплываюсь в глупой улыбке.

— Отлично, — киваю я.

Я смотрю на нее, расслабленную после пожара страсти, и мне так приятно, что она снова со мной, пусть и всего на несколько мгновений. Она снова закрывает глаза, и в этот момент я кое-то вспоминаю:

— А зачем ты вообще сюда пришла?

Сонливое, довольное выражение тут же исчезает с ее красивого лица, и она широко распахивает глаза, прежде чем вернуть себе невозмутимость.

— В чем дело? — спрашиваю я, и в моих воспаленных мыслях всплывает лицо Зеда. — Пожалуйста, расскажи мне.

— Это Карен. — Она перекатывается на другую сторону кровати, и я заставляю себя не пялиться на ее идеальную грудь.

Какого черта мы, голые, обсуждаем Карен?

— Так... И что с ней?

— Она... ну... — Тесса замолкает, и у меня сжимается в груди от внезапного страха за эту женщину, да и за Кена тоже.

— Что с ней?

— Она беременна.

«Что? Какого черта?»

— От кого?

Мое недоумение смешит Тессу.

— От твоего отца, — говорит она, но быстро исправляется. — От Кена. От кого же еще?

Не знаю, что я ожидал услышать, но уж точно не то, что Карен беременна.

— Что?

— Конечно, это немного неожиданно, но они очень счастливы.

«Немного неожиданно?»

Да это, черт возьми, гораздо больше, чем «немного неожиданно».

— У Кена и Карен будет ребенок? — задаю я нелепый вопрос.

— Да. — Тесса внимательно оглядывает меня. — Что ты об этом думаешь?

Что я думаю? Черт, да откуда мне знать? Я едва знаю этого человека, мы только начали строить отношения, а теперь выясняется, что у него будет ребенок? Другой ребенок, которого в этот раз он не покинет и поможет вырастить?

— Наверное, неважно, что я думаю? — говорю я, безуспешно пытаясь заткнуть рот нам обоим. Ложусь на спину и закрываю глаза.

— Нет, важно. Для них это важно. Они хотят, чтобы ты знал, Хардин: малыш ничего не изменит. Они хотят, чтобы ты был частью их семьи. Ты снова станешь старшим братом.

«Старшим братом?»

Я вспоминаю о Смите и его странной взрослой манере поведения, и мне становится дурно. Слишком много всего для одного человека, а особенно такого запутавшегося, как я.

— Хардин, я знаю, это трудно переварить сразу, но мне кажется...

— Все в порядке. Мне нужно в душ. — Я выбираюсь из кровати и хватаю с пола шорты.

Пока я их натягиваю, Тесса садится на кровати, сбитая с толку и обиженная.

— Если ты хочешь поговорить, я готова выслушать. Я хотела, чтобы ты узнал все от меня.

Это уже слишком. Она даже не хочет быть со мной. Она отказалась выйти за меня замуж.

«Почему она не видит, кто мы? Кто мы, когда вместе».

Мы не можем существовать отдельно друг от друга. Наша любовь — это любовь из романов, лучше любой книжки Остин или Бронте.

Сердце выскакивает из груди, я едва могу дышать.

Она чувствует себя так, будто не живет? Я не могу этого понять. Просто не могу. Я живу, только когда она со мной. Она для меня дыхание жизни, без нее я ничто. Я не смогу ни выжить, ни жить.

Но даже если бы и смог, не захотел бы.

Черт, мрачные мысли пытаются пробиться обратно в мою голову, и я потрясен, сколько сил приходится приложить, чтобы не погас тот крошечный огонек, который зажгла во мне Тесса.

Когда это закончится? Когда дерьмо перестанет всплывать всякий раз, как я наконец начинаю контролировать собственный разум?

Глава 45

Тесса

И вот я, вернее, мы снова завязли в бесконечном круге счастья, вожделения, страсти, всепоглощающей любви и боли. Похоже, боль одерживает победу — она всегда выигрывает, а я устала сражаться.

Наблюдаю, как он проходит по комнате, и заставляю себя не придавать этому значения. Когда закрывается дверь, я хлопаю себя по лбу и потираю виски.

Что со мной, если я, судя по всему, не вижу ничего, кроме него? Как вышло, что, проснувшись утром, я была готова жить без него, а несколько часов спустя оказалась в его постели?

Ненавижу, что у него надо мной такая власть, но, хоть убей, не в силах положить этому конец. Нельзя винить его за мою слабость, иначе я упрекнула бы его в том, что из-за него мне трудно понять разницу между правильным и неправильным. Когда он улыбается, эта граница размывается, и совершенно невозможно бороться с чувством, охватывающим все тело.

Он заставляет меня смеяться так же часто, как и плакать. Он заставляет меня снова чувствовать, хотя я была убеждена, что внутри на всю жизнь осталась только пустота. Я нисколько не сомневалась, что никогда не смогу испытать ни единого чувства, но Хардин выдернул меня из этого состояния: протянул руку, когда остальным было все равно, и вытащил меня на поверхность.

Однако ничто из этого не меняет того, что мы не можем быть вместе. У нас просто ничего не получается, и я не позволю себе снова воскресить надежду только для того, чтобы в очередной раз разочароваться, когда он отвернется, когда заберет обратно все свои признания. Я не согласна, чтобы мое сердце снова и снова рвал на части единственный человек, который меня спасает.

И вот я сижу, закрыв лицо руками, и как ненормальная прокручиваю в голове совершенные ошибки — свои, его, наших родителей. Мои ошибки разъедают разум, отказываясь подарить покой.

Мне удалось ощутить лишь намек на спокойствие и блаженство, когда меня гладили его руки, когда меня целовали его горячие губы, когда его пальцы ласкали чувствительную кожу моих бедер. Однако несколько минут спустя огонь погас, и я снова в одиночестве. В одиночестве, расстроенная и растерянная: история повторяется, только конец еще более жалок, чем в прошлый раз.

Поднявшись с постели, я застегиваю лифчик и натягиваю через голову толстовку Лэндона. Меня не должно быть здесь, когда вернется Хардин. Я не могу прождать следующие десять минут, готовясь к тому, что он решит выкинуть в этот раз. Это повторялось слишком часто, но в конце концов моя потребность в нем перестала быть такой непреодолимой, как раньше. Он больше не хозяин всех моих мыслей и не в ответе за каждый мой вздох. Теперь я способна видеть, что есть жизнь и после него.

А только что я повторно совершила ошибку. Вот что это было. Ужасная ошибка, о которой грубо напоминает тишина в комнате.

К тому времени как открывается дверь ванной, я уже одета и сижу в своей комнате. Шаги звучат громче, и ему хватает всего пары секунд, чтобы понять, что меня нет.

Не постучавшись, — я знала, что он не постучит, — он заходит ко мне.

Я сижу на кровати, скрестив перед собой ноги, будто защищаясь. Должно быть, я кажусь ему жалкой: в глазах застыли слезы сожаления, на коже до сих пор его запах.

— Почему ты ушла? — С его влажных волос стекает на лоб вода, руки упираются в голые бедра, — шорты слишком низко.

— Это не я. Это ты ушел, — упрямо уточняю я.

Несколько секунд он безучастно смотрит на меня.

— Наверное, ты права. Вернешься?

Он высказывает требование в форме вопроса, и я борюсь сама с собой, чтобы не встать с кровати.

— Вряд ли это хорошая мысль. — Я отворачиваюсь от его пристального взгляда, и он, пройдя через всю комнату, садится напротив меня на кровати.

— Почему? Прости, что психанул. Я просто не знал, что и думать, и, если уж совсем начистоту, боялся, что ляпну что-то не то. Поэтому и решил, что лучше выйти из комнаты и остыть.

«Почему он не мог вести себя так раньше? Почему не мог быть честным и уравновешенным, когда было нужно? Почему он захотел измениться только после того, как я его оттолкнула?»

— Ты мог хотя бы намекнуть на это, а не просто оставлять меня там одну, — киваю я, собираясь с остатками сил. — Думаю, нам не следует быть наедине.

В его глазах разгорается бешенство.

— О чем ты говоришь? — рычит он. Вот вам и уравновешенность.

Я не разнимаю скрещенных на груди рук.

— Я хочу быть рядом с тобой и буду, если ты захочешь поговорить о чем-то, или просто высказаться, или если тебе понадобится кто-то близкий, но действительно считаю, что нам лучше общаться на нейтральной территории. Например, в гостиной или на кухне.

— Ты ведь не серьезно? — хмурится он.

— Серьезно.

— Нейтральная территория? И Лэндон в роли Элинор Тилни? Это смешно, Тесс. Мы можем находиться в одной комнате и без чертовой компаньонки.

— Я ничего и не говорила о компаньонках. Думаю, в сложившейся ситуации, — вздыхаю я, — мне лучше на пару дней вернуться в Сиэтл.

До этого момента я не принимала окончательное решение, но теперь, когда слова произнесены, они обрели смысл. Нужно собрать вещи для переезда в Нью-Йорк, и я скучаю по Кимберли. Еще меня ждет визит к врачу, о котором я стараюсь не думать, и нет ничего хорошего в том, чтобы в очередной раз притворяться, что я дома, оставаясь у Скоттов.

— Я поеду с тобой, — запросто предлагает он, словно это самое очевидное решение.

— Хардин...

Не спрашивая разрешения, он садится на кровать: с голым торсом и все такое прочее.

— Я хотел повременить, прежде чем рассказать тебе, но я съезжаю с квартиры и тоже перебираюсь в Сиэтл. Ты хотела этого с самого начала, и я готов. Не знаю, почему мне потребовалось столько времени. — Он проводит рукой по волосам, взъерошивая подсохшие пряди, и они превращаются в торчащее во все стороны безобразие.

Я качаю головой.

— О чем ты говоришь?

«Теперь он хочет переехать в Сиэтл?»

— Я найду нам хорошую квартиру. Конечно, это будет не особняк, как ты привыкла у Вэнса, но лучше, чем любое жилье, которое ты сможешь позволить себе в одиночку.

Я понимаю, что он не хотел обидеть меня своими словами, но они все равно прозвучали как оскорбление, и у меня тут же сдают нервы.

— Как же ты не понимаешь, — всплескиваю я руками. — Ты вообще не понимаешь, в чем суть!

— Суть? С какой стати тут должна быть какая-то суть? — Он придвигается немного ближе. — Почему мы просто не можем быть вместе и почему ты просто не позволишь мне показать, каким я могу стать? Необязательно искать во всем суть, подсчитывать плюсы и минусы и делать себя несчастной из-за того, что ты любишь меня и не разрешаешь себе быть со мной. — Он накрывает мою руку своей.

Я вырываю руку.

— Мне хотелось бы согласиться с тобой и горячо поверить в этот волшебный мир, где у нас могло бы все получиться, но я делала это слишком долго и не в силах продолжать. Ты пытался предупредить меня, давал мне один шанс за другим увидеть неизбежное, но я отказывалась это признать. Но теперь понимаю: мы были обречены с самого начала. Сколько еще раз будет повторяться этот разговор?

Он смотрит на меня своими проницательными зелеными глазами.

— Столько, сколько нужно, чтобы ты изменила свое мнение.

— Я никогда не могла изменить твое. Почему ты думаешь, что это получится у тебя?

— Разве это не ясно после того, что произошло между нами несколько минут назад?

— Я хочу, чтобы ты был частью моей жизни, но не в этом смысле. Не как мой парень.

— Муж? — Его глаза полны юмора и... надежды?

Я изумленно смотрю на него в упор, поражаясь, как он только посмел...

— Хардин, мы не вместе! И ты не можешь тыкать мне в лицо замужеством только потому, что считаешь, будто я передумаю. Я мечтала, чтобы ты хотел жениться на мне, а не использовал это как крайнюю меру.

Его дыхание учащается, но голос остается спокойным:

— Это не крайняя мера. Больше никаких игр, я получил свой урок. Я хочу жениться на тебе, потому что не могу представить свою жизнь без тебя. Можешь продолжать говорить, что я не прав, но мы с тем же успехом могли бы пожениться прямо сейчас. Мы не расстанемся, и ты это знаешь.

Он так уверен в себе и в наших отношениях, а я снова запуталась и не могу решить, злиться мне или радоваться.

Для меня брак уже не имеет той ценности, которой обладал всего несколько месяцев назад. Мои родители не были женаты. Я с трудом в это поверила, когда обнаружила, что они притворились мужем и женой, чтобы задобрить мать и дедушку с бабушкой. Триш и Кен были женаты, но законные узы не спасли тонущий корабль их отношений.

«Какой вообще смысл в браке?»

В любом случае он почти всегда заканчивается провалом, и я начинаю понимать всю нелепость этой затеи. Все наперекосяк: в наших головах просто засела мысль о том, что мы должны обещать себя другому и зависеть от этого человека как от источника счастья.

Мне повезло, и я в конце концов поняла, что мое счастье ни от кого не зависит.

— Сомневаюсь, что мне вообще захочется выйти замуж. Когда-либо.

Хардин резко втягивает воздух и берет меня за подбородок.

— Что? Ты шутишь? — Его глаза изучают мои.

— Нет, не шучу. Какой в этом смысл? Брак всегда разваливается, а развод — процедура не из дешевых. — Я пожимаю плечами и не обращаю внимания на испуганное выражение его лица.

— Какого черта, о чем ты? С каких пор ты стала такой циничной?

Циничной? Я бы не назвала себя циничной. Мне просто нужно реально смотреть на вещи и не ждать, что все закончится как в романах — этого точно не случится. Но я и не собираюсь все время терпеть его метания.

— Не знаю, может, с тех пор, как поняла, какой непроходимой дурой была. Я не виню тебя за то, что ты порвал со мной. Должно быть, моя одержимость жизнью, которой у меня никогда не могло быть, ужасно тебя раздражала.

Хардин отчаянно дергает себя за волосы в своей обычной манере.

— Тесса, что за ерунду ты несешь! Ты не была ничем одержима. Просто я вел себя как придурок. — С отчаянным стоном он опускается передо мной на колени. — Черт, посмотри, как ты теперь думаешь, и все из-за меня! Все перевернулось с ног на голову.

Я встаю, чувствуя себя виноватой за то, что сказала правду о своих чувствах. Меня разрывают противоречия, а от того, что мы с Хардином наедине в этой маленькой комнате, только хуже. Рядом с ним у меня не получается сосредоточиться, и моя защита тает на глазах, когда он смотрит на меня так, будто каждое мое слово — это оружие против него, неважно, насколько оно правдиво. Я по-прежнему сочувствую ему, хотя и не следовало бы.

Я всегда осуждала женщин, которые испытывают подобные чувства. Пока наблюдаешь за чересчур эмоциональными отношениями на экране, легко обозвать женщину слабой, но все не так просто и однозначно.

Столько вещей нужно принять во внимание, прежде чем клеить ярлыки на людей, и я признаю, что, до того, как встретила Хардина, делала это слишком часто. Кто я такая, чтобы осуждать людей за их чувства? Мне неоткуда было знать, насколько сильными бывают эти глупые эмоции. Мне было неведомо, что значит испытывать магнетическое притяжение к другому человеку. Я никогда не понимала, как любовь может одержать верх над здравым смыслом, а страсть — над логикой и как это расстраивает, когда никто не понимает, что ты чувствуешь на самом деле. Никто не смеет осуждать меня за слабость и глупость, никто не имеет права критиковать меня за то, что я чувствую.

Я никогда не буду претендовать на совершенство и каждую секунду борюсь, чтобы удержаться на плаву, но это не так легко, как кажется. Совсем не просто отказаться от человека, когда он в каждой твоей клеточке, когда все мысли о нем, когда всем лучшим и худшим чувствам в жизни ты обязана ему. Никто, даже та моя часть, которая во всем сомневается, не может заставить меня ощутить вину за то, что я страстно люблю и отчаянно надеюсь на великое чувство, о котором читала в романах.

К тому времени, как я заканчиваю искать оправдания своим действиям, подсознание уже разошлось вовсю и не обращает ни на что внимания. Однако облегченно вздыхает, когда я наконец прекращаю заниматься самобичеванием, потакая разбушевавшимся эмоциям.

— Тесса, я переезжаю в Сиэтл. Я не буду пытаться заставлять тебя жить со мной, но хочу быть там же, где и ты. Я буду держать дистанцию, пока ты не окажешься готова к большему, и буду паинькой со всеми, даже с Вэнсом.

— Не в этом дело, — вздыхаю я.

Его целеустремленность восхищает, но ему всегда не хватало постоянства. В конце концов он заскучает и оставит прошлое позади. На этот раз мы зашли слишком далеко.

— Как я уже сказал, я постараюсь сохранять дистанцию, но я еду в Сиэтл. Если ты не поможешь мне с выбором квартиры, придется решать самому, но я позабочусь, чтобы тебе она тоже понравилась.

Ему не нужно знать о моих планах. С помощью мыслей я заглушаю его слова. Если я их услышу, если до меня дойдет их смысл, выстроенный мною барьер между нами рухнет. Пучина выпустила меня на поверхность всего час назад, когда я позволила эмоциям забрать контроль над телом, но нельзя допустить, чтобы это случилось снова.

Через десять минут, в течение которых я продолжала не обращать внимания на его обещания, Хардин уходит из комнаты, и я начинаю собирать вещи в Сиэтл. В последнее время я слишком часто путешествую и с нетерпением жду того дня, когда появится место, которое можно будет назвать домом. Мне нужна безопасность. Мне нужна стабильность.

Как же так вышло, что меня, которая всю жизнь планирует стабильность, носит по миру без собственного угла, без поддержки, вообще без всего?

Когда я спускаюсь на первый этаж, Лэндон стоит, прислонившись к стене. Он останавливает меня мягким прикосновением ладони к моей руке.

— Эй, я хотел поговорить с тобой до того, как ты уедешь.

Я стою перед ним и жду, пока он заговорит. Надеюсь, он не пожалел, что позвал меня в Нью-Йорк.

— Я только хотел удостовериться, не передумала ли ты перевестись со мной в Нью-Йоркский университет. Если передумала, ничего страшного. Мне просто нужно знать, чтобы сказать Кену об изменениях по билетам.

— Нет, я все еще еду. Просто нужно вернуться в Сиэтл и попрощаться с Ким, и... — Мне хочется рассказать ему о визите к врачу, но, наверное, я еще не готова разобраться с этим вопросом. Ничего не ясно, так что пока я предпочитаю об этом не думать.

— Ты уверена? Я не хочу, чтобы ты думала, что должна поехать, и пойму, если ты захочешь остаться здесь, с ним. — В голосе Лэндона столько тепла и понимания, что я не могу удержаться, чтобы не обнять его.

— Ты потрясающий, ты знаешь об этом? — улыбаюсь я. — Я не изменила решения. Я хочу это сделать. Я должна это сделать — ради себя.

— Когда ты собираешься ему рассказать? Как думаешь, что он будет делать?

Я не особенно задумывалась о том, как поступит Хардин, когда узнает о моих планах переехать на другой конец страны. У меня больше нет времени подстраиваться под его мнение.

— Честное слово, не знаю, как он отреагирует. До похорон отца я думала, что ему вообще все равно.

Лэндон уклончиво кивает. До нас доносится шум из кухни, и я вспоминаю, что еще не поздравила его с новостями.

— Поверить не могу, что ты не рассказал мне о ребенке! — восклицаю я, радуясь удобному поводу сменить тему.

— Знаю, прости. Она сказала мне совсем недавно, а ты все время пряталась в своей комнате, — улыбается он, слегка поддразнивая меня.

— Ты расстроен, что уезжаешь, когда малыш на подходе?

Интересно, нравится ли Лэндону быть единственным ребенком в семье. Мы обсуждали это всего несколько раз, но он избегает разговоров об отце, поэтому внимание всегда быстро переключалось обратно на меня.

— Немного. Просто волнуюсь за маму, как она перенесет беременность в одиночку. Я буду скучать по ней и Кену, но готов к этому, — улыбается он. — По крайней мере, думаю, что готов.

Я с уверенностью киваю:

— У нас все будет в порядке. Особенно у тебя: тебя уже приняли. А вот я переезжаю и даже не знаю, зачислят ли меня. Буду болтаться по Нью-Йорку без места учебы, без работы и...

Рассмеявшись, Лэндон закрывает мне рот ладонью.

— Я тоже впадаю в панику, когда начинаю думать о переменах, но заставляю себя думать о хорошем.

— О чем именно? — бормочу я из-под его ладони.

— Ну, это же Нью-Йорк. Пока что больше ничего на ум не приходит, — хохочет он, и я ловлю себя на том, что тоже улыбаюсь во весь рот. В коридоре к нам присоединяется Карен.

— Мне будет не хватать этого смеха, когда вы уедете, — говорит она с сияющими глазами.

Подходит Кен и целует ее сзади в шею.

— Нам всем будет его не хватать.

Глава 46

Хардин

Открыв дверь на стук, я даже не пытаюсь скрыть разочарование при виде неловкой улыбки Кена вместо девочки, которую я жаждал увидеть.

Он замирает в нерешительности, явно ожидая разрешения войти.

— Я хотел поговорить с тобой о ребенке, — неуверенно произносит он.

Я знал, что рано или поздно это случится, и, к моему большому разочарованию, способа избежать этого разговора нет.

— Ну входи.

Я освобождаю ему дорогу и сажусь на стул у стола. Понятия не имею, что он, черт возьми, собирается сказать, что я отвечу и как это все закончится, но начало мне уже не нравится.

Кен не присаживается, а остается стоять у комода, засунув руки в карманы своих свободных серых брюк.

Цвет брюк сочетается с полосками на галстуке, картину дополняет черный вязаный жилет, и весь его вид просто кричит: «Я ректор уважаемого университета!» Но помимо этого я вижу тревогу в его карих глазах и нахмуренные брови. Он не знает, куда деть руки, и это выглядит так жалко, что мне просто хочется избавить его от мучений:

— Все нормально. Наверное, ты думаешь, что я начну ломать мебель и устрою истерику, но, если начистоту, меня не слишком волнует, что у тебя будет ребенок, — наконец говорю я.

Он вздыхает, но, по всей видимости, не испытывает того облегчения, на которое я рассчитывал.

— Ничего страшного, если ты немного расстроен. Конечно, это неожиданно, и я знаю, как ты ко мне относишься. Я просто надеюсь, что твоя неприязнь не вырастет еще больше.

Он переводит взгляд на пол, и я понимаю, что хочу, чтобы Тесса была здесь, со мной, а не с Карен. Мне необходимо увидеться с ней до ее отъезда. Я обещал держаться от нее подальше, но не ожидал, что на меня свалится этот разговор между отцом и сыном.

— Ты понятия не имеешь, что я о тебе думаю.

Черт, да я сам не знаю, что я о нем думаю.

Его терпение со мной просто безгранично.

— Надеюсь, это ничего не изменит и не повлияет на прогресс в наших отношениях, — говорит он. — Разумеется, мне нужно многое исправить, но я очень надеюсь, что ты позволишь мне продолжить начатое.

Услышав эти слова, я чувствую между нами родство, неведомое прежде. Мы оба облажались, оба принимали глупые решения и шли на поводу у своих слабостей, и меня просто бесит, что я унаследовал у него эту черту. Если бы меня вырастил Вэнс, я стал был другим человеком. Не был бы таким придурком.

Не боялся бы, что отец придет домой пьяным, и мне не пришлось бы столько часов просидеть на полу рядом с мамой, пока она рыдала, истекая кровью, и пыталась не потерять сознание после того, как ее избили из-за его ошибок.

Внутри закипает злость, она бурлит в венах, и я уже на волосок от того, чтобы позвать Тессу. Она необходима мне в такие моменты — вернее, необходима всегда, но сейчас особенно. Мне нужно, чтобы ее мягкий голос произнес ободряющие слова. Нужно, чтобы ее свет разогнал тени в моей голове.

— Мне бы хотелось, чтобы ты участвовал в жизни ребенка, Хардин. Мне кажется, это было бы хорошо для всех нас.

— Нас? — усмехаюсь я.

— Да, всех нас. Ты часть нашей семьи. Когда я женился на Карен и взял на себя роль отца Лэндона, ты подумал, что я начал забывать о тебе. Поэтому я не хочу, чтобы ты чувствовал то же самое из-за ребенка.

— Начал забывать? Да ты забыл обо мне задолго до того, как женился на Карен.

Бросая ему в лицо эти жестокие слова, я все же не чувствую былой дрожи, потому что теперь знаю правду о его прошлом и о маме с Кристианом. Мне жаль его за то, во что эта парочка его втянула, но в то же время я чертовски зол: до прошлого года он был дерьмовым отцом. Даже если он не приходится мне биологическим отцом, ответственность за нас лежала на нем, — он принял эту роль, а затем взял и променял ее на алкоголь.

Так что я не могу ничего с собой поделать. Должен, но злость клокочет во мне, и мне необходимо знать. Мне нужно знать, почему он пытается наладить отношения со мной, если даже не уверен, что он мой отец.

— Когда ты узнал, что мама трахается с Вэнсом за твоей спиной? — спрашиваю я, швыряя слова словно гранату.

В комнате нечем дышать, и Кен выглядит так, будто вот-вот упадет в обморок.

— Откуда... — Он замолкает и проводит ладонью по щетине на подбородке. — Кто тебе рассказал?

— Давай не будем. Я все о них знаю. Это и случилось в Лондоне. Я застукал их вместе. Он поимел ее на кухонной стойке.

— О боже, — сдавленно произносит он. Его грудь тяжело поднимается и опускается. — До или после свадьбы?

— До, но она все равно вышла замуж. Почему ты остался с ней, если знал, что она хотела его?

Он пытается отдышаться и блуждает глазами по комнате. Затем пожимает плечами.

— Я ее любил. — Он смотрит мне прямо в глаза, и неприкрытая искренность словно сближает нас. — Другой причины нет. Я любил ее и любил тебя. Надеялся, что когда-нибудь она его разлюбит. Этот день так никогда и не наступил... и это словно пожирало меня заживо. Я знал, чем она и он — мой лучший друг — занимались, но всей душой надеялся. Думал, что в итоге она выберет меня.

— Но она не выбрала, — замечаю я.

Возможно, она выбрала его, чтобы выйти замуж и провести с ним всю жизнь, но не выбрала в том смысле, в котором только и есть смысл.

— Безусловно. Мне следовало сдаться задолго до того, как я начал пить. — В его глазах смирение и стыд.

— Да, следовало. — Все было бы иначе, если бы он это сделал.

— Знаю, ты этого не понимаешь, а мои неверные решения и ложные надежды разрушили твое детство.

Я не жду ни прощения, ни понимания. — Он складывает ладони, будто в молитве, и прикрывает ими рот.

Я молчу: не знаю, что сказать. Мое сознание взбудоражено ужасными воспоминаниями и пониманием того, насколько облажались эти трое моих... так называемых родителей. Даже не знаю, как их называть.

— Наверно, мне казалось, что она рано или поздно поймет, что он в отличие от меня не может предложить ей стабильность. У меня была хорошая работа, и я был не таким безответственным, как он. — Кен замолкает. От тяжелого вздоха жилет на его груди натягивается, и он переводит взгляд на меня. — Думаю, если Тесса выйдет замуж за кого-то другого, он будет чувствовать себя так же. Он всегда будет соревноваться с тобой, и даже если ты уйдешь от нее в сотый раз, он будет соревноваться с воспоминаниями о тебе. — Он не сомневается в своих словах, это видно по его тону и по тому, как он смотрит мне прямо в глаза.

— Я больше никогда ее не оставлю, — цежу я сквозь стиснутые зубы. Мои пальцы сжимаются на кромке столешницы.

— Он тоже так говорил, — вздыхает он и прислоняется к комоду.

— Я не он.

— Да. Я и не утверждаю, что ты похож на Кристиана или что Тесса — на твою мать. Тебе повезло, Тесса видит только тебя. Если бы твоя мать не боролась со своими чувствами к нему, они могли бы быть счастливы вместе. Вместо этого они позволили своим разрушительным отношениям испортить жизнь всем, кто был рядом. — Кен снова потирает щетину. Раздражающая привычка.

На ум приходят Кэтрин и Хитклифф, и меня тошнит от такого сравнения. Возможно, как персонажи Тесса и я — самая настоящая катастрофа, но я не позволю, чтобы наша судьба закончилась так же.

Но все, о чем говорит Кен, не имеет для меня смысла. Почему он вытерпел от меня столько дерьма, если было хотя бы слабое подозрение, что я вообще не его проблема?

— Значит, это правда? Он твой отец, да? — спрашивает он, словно теряя живительную силу, которая поддерживала его существование. Сильный устрашающий мужчина из моего детства исчез, превратившись в человека с разбитым сердцем, готового разрыдаться.

Мне хочется сказать ему, что он идиот, если пытается примириться со мной, и что мы с мамой никогда не забудем тот ад, в который он превратил мое детство. Это его вина, что я подружился с демонами и сражаюсь с ангелами и что теперь меня ждет теплое местечко в аду, а в рай дорога закрыта. Это его вина, что Тесса не хочет быть со мной. Его вина, что я причинял ей боль столько раз, что и сосчитать трудно, и его вина, что только теперь я пытаюсь исправить ошибки, которые совершал двадцать один год.

Но вместо того чтобы высказать все это, я не произношу ни слова. Кен выдыхает.

— С самой первой минуты, как я тебя увидел, я знал, что ты его сын.

Его слова буквально вышибают воздух из моей груди вместе со злыми мыслями из головы.

— Я это знал. — Он пытается не заплакать, но тщетно. Я с досадой отворачиваюсь от слез на его щеках. — Знал. Как я мог не знать? Ты был вылитый он, просто копия, и с каждым годом твоя мать все больше плакала и все чаще ускользала к нему. Я знал. Я не хотел это признавать, потому что ты — все, что у меня было. Твоя мать никогда не принадлежала мне по-настоящему. С той минуты, как я ее встретил, она принадлежала ему. Ты — все, что у меня было, но, позволив злости одержать верх, я и это разрушил.

Он умолкает, чтобы перевести дыхание, и я сижу в неловком молчании.

— С ним тебе было бы лучше, я это знал, но любил тебя — и до сих пор люблю как родного — и могу только надеяться, что ты разрешишь мне остаться в твоей жизни.

Он все еще плачет, слезы градом катятся по его лицу, и я понимаю, что жалею его. С плеч словно спала часть груза, и я чувствую, как годы, полные злости, растворяются во мне. Не знаю, что это за чувство, но оно сильное и дарует свободу. Когда он поднимает на меня глаза, я уже сам не свой. Я — уже не я, и это единственное объяснение, почему мои руки тянутся к его плечам и обнимают его, чтобы утешить.

Он начинает дрожать, а затем рыдать, сотрясаясь всем телом.

Глава 47

Тесса

Дорога была именно такой ужасной, как я и предвидела. Казалось, она просто не желает заканчиваться: каждый элемент желтой разметки — словно одна из его улыбок, одна из его ухмылок. Каждая бесконечная полоса движения словно насмехалась над ошибками, которые я совершила. Каждая машина на дороге — очередной незнакомец, другой человек со своими проблемами. В маленькой машине я чувствовала себя одинокой, слишком одинокой, и только все дальше и дальше уезжала от места, где хотела быть.

«Не глупо ли это с моей стороны? Хватит ли у меня сил бороться с течением в этот раз? И хочу ли я бороться?»

Какова вероятность того, что в этот, уже, наверное, сотый раз все будет по-другому? Или он, отчаявшись, просто использует слова, которые я всегда хотела услышать, потому что понимает, насколько я отдалилась?

Моя голова — будто роман в две тысячи страниц, полный глубоких мыслей, бессмысленной болтовни и дурацких вопросов, на которые я не знаю ответов.

Когда я припарковалась у дома Кимберли и Кристиана, напряжение в плечах стало просто невыносимым. Я буквально чувствую мышцы под натянутой до предела кожей. Пока я стою в гостиной, ожидая Кимберли, напряжение только растет.

На лестнице появляется Смит и брезгливо морщит нос.

— Она сказала, что спустится, как только закончит разминать папину ногу.

Я не могу удержаться от смеха при виде этого мальчишки с ямочками на щеках.

— Хорошо, спасибо.

Открыв мне дверь пару минут назад, он не сказал ни слова. Просто осмотрел меня с головы до ног и, едва улыбнувшись, махнул рукой, приглашая войти. Меня впечатлила эта улыбка, неважно, слабая или нет.

В полном молчании он садится на край дивана. Он сосредоточен на гаджете в руке, а я — на нем. Младший брат Хардина. Так странно, что этот чудесный мальчишка, которому я, похоже, не слишком нравлюсь, все это время был биологическим братом Хардина. В этом есть смысл: он постоянно спрашивал о Хардине и, кажется, наслаждался его компанией, в отличие от большинства других людей.

Он поворачивается и замечает, что я его разглядываю.

— Где твой Хардин?

«Твой Хардин». Каждый раз, как он задает мне этот вопрос, мой Хардин где-то далеко. На этот раз дальше, чем когда-либо прежде.

— Он...

В комнату врывается Кимберли и устремляется ко мне, протягивая руки. Конечно же, она на каблуках и накрашена. По всей видимости, внешний мир продолжает жить своей жизнью, даже если у меня внутри все застыло.

— Тесса! — визжит она, обнимая меня за плечи и сжимая так сильно, что я начинаю кашлять. — Как же давно мы не виделись! — Она еще раз обнимает меня перед тем, как отпустить, и за руку тащит на кухню.

— Как дела? — спрашиваю я и забираюсь на барный стул, на котором всегда сижу.

Стоя у барной стойки, она собирает свои светлые волосы до плеч и завязывает их в растрепанный пучок на макушке.

— Ну, мы все выжили после этой проклятой поездки в Лондон. — Она корчит рожу, и я делаю то же самое. — Еле-еле, но выжили.

— Как нога мистера Вэнса?

— Мистера Вэнса? — смеется она. — Нет, не нужно переходить на «вы» из-за всего случившегося. Думаю, тебе стоит остановиться на Кристиане или Вэнсе. Его нога заживает: к счастью, огонь добрался в основном до одежды, а не кожи. — Она хмурится, по плечам пробегает дрожь.

— У него неприятности с законом? — спрашиваю я, пытаясь не давить.

— Да нет. Кристиан выдумал историю про компанию панков, которые якобы вломились в дом и устроили погром, прежде чем его поджечь. Теперь это дело о поджоге без единой улики.

Покачав головой и закатив глаза, она проводит руками по платью и смотрит на меня.

— Ну а ты как, Тесса? Я очень сожалею о твоем отце. Нужно было звонить тебе почаще, но я была занята — пыталась во всем разобраться. — Кимберли тянется через гранитную столешницу и накрывает мою ладонь своей. — Хотя, конечно, это не оправдание...

— Нет-нет, не извиняйся. На тебя столько всего навалилось, а последнее время я не лучший собеседник. Если бы ты позвонила, я, возможно, даже не была бы в состоянии ответить. Я была в буквальном смысле не в себе. — Я пытаюсь рассмеяться, но даже мне самой заметно, как неестественно и сухо звучит голос.

— Еще бы.

Она скептически меня оглядывает.

— И что тут у нас произошло? — Она проводит передо мной рукой, и я обращаю внимание на замызганную толстовку и грязные джинсы.

— Не знаю, это были долгие две недели, — пожимаю я плечами и заправляю нечесаные волосы за уши.

— Ты явно снова в депрессии. Хардин натворил что-то еще или это все после Лондона?

Кимберли вскидывает бровь дугой, напоминая мне, как, должно быть, заросли мои собственные брови. Мне было совсем не до выщипывания и восковой депиляции волос, но Кимберли одна из тех женщин, которые всегда внушают желание хорошо выглядеть, чтобы не отставать от них.

— Не совсем. Ну, в Лондоне он натворил то же самое, что и обычно, но я в конце концов сказала ему, что между нами все кончено.

Голубые глаза Кимберли полны скептицизма, и я добавляю:

— Я серьезно. Я собираюсь переехать в Нью-Йорк.

— Нью-Йорк? Какого черта? С Хардином? — У нее отвисает челюсть. — Ох, о чем это я, ты ведь только что сказала, что вы расстались. — Она демонстративно хлопает себя по лбу.

— Вообще-то с Лэндоном. Он переводится в Нью-Йоркский университет и спросил, не хочу ли я присоединиться. Я пропущу лето и, если получится, с осени начну учебу.

— Ого, погоди минутку, дай прийти в себя, — смеется она.

— Это хороший шанс. Я это знаю. Просто мне... мне нужно уехать отсюда, а теперь, с переездом Лэндона, все обретает смысл.

Это безумная, абсолютно безумная идея — взять и переехать в другой конец страны, и реакция Кимберли тому доказательство.

— Ты не обязана ничего мне объяснять. Пожалуй, это действительно неплохо. Просто я удивлена. — Ким даже не пытается скрыть усмешку. — Ты переезжаешь в другой город без всякого предварительного плана и даже не берешь перерыв на год, чтобы все обдумать?

— Глупо, правда? — спрашиваю я, не зная, что надеюсь услышать в ответ.

— Нет! С каких это пор ты так в себе не уверена? Девочка моя, я знаю, через какое дерьмо тебе пришлось пройти, но нужно двигаться дальше. Ты молодая, умная и красивая. Жизнь не так уж плоха! Черт, да ты попробуй обработать ожоги жениха после того, как он прикрывал задницу своего взрослого, непонятно откуда взявшегося сына-придурка, так как только что изменил тебе, — она изображает пальцами кавычки и закатывает глаза, — с «любовью всей своей жизни». Попробуй понянчиться с ним, когда только и хочется, что прибить его на месте.

Не знаю, пыталась ли она показаться забавной, но мне приходится прикусить язык, чтобы не расхохотаться от нарисованной картины. Однако когда она слегка усмехается, я перестаю сдерживаться.

— Нет, серьезно, ничего страшного, если ты грустишь. Но если позволить грусти распространить влияние на всю твою жизнь, никакой жизни не будет. — Ее слова отпечатываются во мне где-то между эгоистичным нытьем и переживаниями по поводу спонтанного переезда в Нью-Йорк.

Она права. За последний год мне много пришлось пережить, но что хорошего в том, чтобы идти на поводу у уныния? Зачем постоянно возвращаться к грусти и боли утраты? Как бы мне ни нравилось освобождение от ощущения пустоты, я не была сама собой. Я чувствовала, как с каждой негативной мыслью теряю частичку себя, и уже начала бояться, что никогда не стану прежней. Я до сих пор не пришла в норму, но, может, когда-нибудь это произойдет?

— Ты права, Ким. Я просто не знаю, как остановиться. Я все время злюсь. — Мои кулаки сжимаются, и она кивает. — Или расстраиваюсь. Очень много страданий и боли. Не понимаю, как избавиться от них, и они меня разрушают, подчиняют себе мой разум.

— Ну, все не так просто, как я только что изобразила, но, во-первых, тебе стоит порадоваться. Девочка моя, ты переезжаешь в Нью-Йорк! Веди себя соответственно. Если будешь гулять по Нью-Йорку с кислой миной, никогда не заведешь новых друзей. — Она улыбается, смягчая слова.

— А что, если я не смогу? Что, если постоянно буду чувствовать себя как сейчас?

— Значит, так и будет. Ничего не поделаешь, но сейчас тебе нельзя об этом думать. За свою жизнь, — она ухмыляется, — напоминаю, я не такая уж и старая, я поняла одну вещь: дерьмо случается, просто нужно двигаться дальше. Это тяжело, и, поверь мне, я знаю, что дело в Хардине. Дело всегда в Хардине, но тебе нужно смириться с тем, что он никогда не даст тебе того, чего ты хочешь и в чем нуждаешься. Тебе нужно изо всех сил притвориться, что ты справилась. Если одурачишь его и всех остальных, рано или поздно сама тоже поверишь, и это станет правдой.

— Думаешь, у меня получится? Когда-нибудь забыть о нем? — Я переплетаю пальцы на коленях.

— Я собираюсь солгать, потому что именно это тебе сейчас нужно услышать. — Кимберли подходит к шкафу и достает бокалы для вина. — Тебе нужно выслушать много всего и оценить ситуацию. Для правды еще будет время, а сейчас...

Она роется в ящике под мойкой и достает штопор.

— Сейчас мы будем пить вино, и я расскажу тебе пару историй про расставания, по сравнению с которыми твоя покажется тебе детской забавой.

— Как в фильме ужасов? — спрашиваю я, хотя знаю, что она имеет в виду вовсе не жуткую рыжеволосую куклу[1].

— Нет, всезнайка, — хлопает она меня по бедру. — Я имею в виду женщин, которые жили в браке долгие годы, а их мужья тем временем трахали их сестер. Такие истории заставят тебя понять, что все не так уж и плохо.

Передо мной появляется полный бокал белого вина, и, как только я собираюсь возразить, Кимберли поднимает его и прижимает к моим губам.

На второй бутылке я смеюсь во все горло, и приходится опереться на стойку, чтобы не упасть. Кимберли рассказала кучу историй о сумасшедших отношениях, и я наконец перестала проверять мобильный каждые десять секунд. Я продолжаю напоминать себе, что у Хардина все равно нет моего номера. Но это Хардин, и если он захочет, то достанет мой номер хоть из-под земли.

---

[1] Имеется в виду Чаки — кукла из популярной серии фильмов ужасов, в которую вселился дух маньяка-убийцы.

Некоторые из историй, рассказанных Кимберли за последний час, слишком нереальные, чтобы быть правдой. Наверняка из-за вина она приукрасила каждую, просто чтобы добавить трагизма.

Женщина, которая пришла домой и обнаружила голого мужа в постели с соседкой... и ее мужем.

Перенасыщенная деталями история о женщине, которая хотела заказать убийство своего мужа, но дала наемному убийце не ту фотографию, и тот попытался убить ее брата. Впоследствии жизнь ее мужа сложилась гораздо счастливее, чем ее собственная.

А еще был мужчина, который бросил жену после двадцати лет брака ради женщины вдвое моложе себя, а потом выяснилось, что она его внучатая племянница. Фу (кстати, они до сих пор вместе).

Девушка, которая спала с профессором из университета, растрепала об этом своей маникюрше, а та (сюрприз) оказалась женой этого профессора. Девушка завалила экзамены за тот семестр.

Мужчина женился на француженке, которую встретил в магазине, а потом выяснилось, что она вовсе не из Франции, а из Детройта и зарекомендовала себя довольно успешной аферисткой.

История о женщине, больше года изменявшей мужу с мужчиной, с которым познакомилась в Интернете. В итоге, когда они встретились, он оказался ее мужем.

Невозможно, чтобы женщина застала мужа сначала со своей сестрой, потом с матерью, а затем с адвокатом, которая занималась их разводом. Быть не может, чтобы она бегала за ним по офису, молотя его по голове туфлями на каблуках, а он спасался от нее по коридорам без трусов.

Я смеюсь, по-настоящему смеюсь, а Кимберли держится за живот и заверяет, что своими глазами видела этого человека несколько дней спустя с отпечатком каблука его уже почти бывшей жены прямо посреди лба.

— Я даже не шучу. Это был ужас. Но лучшее в этой истории то, что теперь они снова женаты!

Она ударяет рукой по столу, и я качаю головой от громкости ее голоса, — она пьяна. Хорошо, что Смит ушел наверх, оставив расшумевшихся пьяных женщин одних, и мне не будет стыдно за то, что мы смущаем ребенка смехом над несчастьем других людей.

— Все мужики — засранцы. Все без исключения. — Кимберли подносит свой только что наполненный бокал к пустому моему. — Но, по правде говоря, о женщинах можно сказать то же самое, поэтому единственный выход — найти засранца, с которым ты сможешь справиться. Такого, который заставит тебя быть чуточку лучше.

В этот момент в кухню заходит Кристиан.

— Все ваши разговоры про засранцев слышно в коридоре.

Я вообще забыла, что он где-то поблизости. Миг спустя до меня доходит, что он передвигается в кресле-каталке. У меня вырывается судорожный вздох, а Кимберли смотрит на меня с легкой улыбкой.

— Он поправится, — заверяет она.

Кристиан улыбается невесте, а та начинает ерзать, как делает это всегда, когда он так на нее смотрит. Я удивлена. Я знала, что она собиралась его простить, но не представляла, что это уже свершившийся факт и что она будет выглядеть настолько счастливой.

— Прости.

Она улыбается ему в ответ, и он тянется к ее бедрам, пересаживая к себе на колени. Он морщится, когда она задевает бедром больную ногу, и она быстро смещается на другую сторону.

— Выглядит хуже, чем на самом деле, — говорит он мне, когда замечает, как я мечусь взглядом между металлическим креслом и ожогами на ноге.

— Это правда. Он просто пользуется ситуацией, — дразнит Кимберли, касаясь ямочки на его левой щеке.

Я отворачиваюсь.

— Ты приехала одна? — спрашивает Вэнс, не обращая внимания на игривый взгляд Кимберли, пытаясь укусить ее за палец. Я не могу оторвать от них глаз, даже зная, что в ближайшем будущем, а то и вообще, у меня точно не будет ничего похожего.

— Да. Хардин дома у от...

Запнувшись, я поправляюсь:

— У Кена.

Кристиан выглядит разочарованным. Кимберли перестает смотреть на него, и я чувствую, как дыра внутри меня, затянувшаяся за последний час, снова начинает разрастаться при упоминании имени Хардина.

— Как он? Я бы очень хотел, чтобы этот маленький засранец брал трубку, когда я ему звоню, — ворчит Кристиан.

Наверное, виновато вино, но я огрызаюсь:

— У него и так забот по горло.

Грубость в моем голосе очевидна, и я тут же чувствую себя идиоткой:

— Прошу прощения. Я не хотела, чтобы это так прозвучало. Просто на него сейчас много всего навалилось. Извините мою резкость.

Я предпочитаю не обращать внимания на усмешку Кимберли, появившуюся, когда я начала защищать Хардина.

Кристиан качает головой и смеется:

— Да все в порядке. Я это заслужил. Понятно, что ему нелегко. Мне просто хочется поговорить с ним, но я знаю, что он придет, когда будет готов. А сейчас, дамы, я вас покидаю. Было любопытно, о чем это вы так смеялись и визжали. Хотел убедиться, не мои ли кости перемываете.

Он целует Кимберли, торопливо, но нежно, и выкатывается из комнаты. Я протягиваю бокал за добавкой.

— Подожди-ка, значит, ты больше не будешь со мной работать? — спрашивает Кимберли. — Ты не можешь оставить меня с этими стервами! Ты там единственная, кого я могу терпеть, не считая новой девушки Тревора.

— У Тревора есть девушка?

Я делаю глоток холодного вина. Кимберли была права: вино и смех помогают. Я чувствую, как выбираюсь из своей раковины, пытаясь вернуться к жизни. С каждой шуткой и очередной глупой историей становится легче.

— Да! Рыженькая! Помнишь, та, которая занимается соцсетями?

Я пытаюсь вспомнить, но вино затуманивает голову.

— Я ее не знаю. Давно они встречаются?

— Всего пару недель. Но только послушай... — Глаза Кимберли разгораются от любимого занятия — офисных сплетен. — Кристиан слышал их вместе.

Я делаю глоток вина, ожидая объяснений.

— Ну, в прямом смысле «вместе». В смысле как он трахал ее в офисе! А что еще безумнее, так это то, что именно он слышал... — Она замолкает, чтобы рассмеяться. — Они занимались всякими извращениями. Говорю тебе, Тревор — настоящий шельмец в постели. Они шлепали друг друга, называли всякими грязными словечками, ну и все такое.

Меня разбирает смех, точно впечатлительную школьницу. Школьницу, которая слишком много выпила.

— Да ладно!

Представить себе не могу, чтобы вежливый Тревор кого-то шлепал. От одной этой картины я начинаю смеяться еще громче и, встряхнув головой, пытаюсь об этом не думать. Тревор симпатичный, и даже очень, но он слишком хорошо воспитан и мил.

— Клянусь! Кристиан убежден, что он поимел ее привязанной к столу или что-то в этом духе, потому что позже увидел, как тот отстегивает что-то с углов стола! — Кимберли отчаянно жестикулирует, и холодное вино ударяет мне в нос.

После этого бокала я прекращаю пить. Где Хардин, вечно следящий за тем, сколько я пью, когда он мне так нужен?

Хардин.

Сердце начинает биться чаще, а смех быстро угасает, пока Кимберли не добавляет еще одну грязную деталь к истории Тревора.

— Я слышала, он хранит у себя в офисе стек.

— Стек? — переспрашиваю я, понизив голос.

— Да, разновидность плетки. Набери в поисковике, — смеется она.

— Не могу поверить. Он такой милый и вежливый. Он не мог просто взять и привязать женщину к столу и совокупиться с ней! — Я даже вообразить это не могу. Мое вероломный пьяный разум тут же представляет Хардина, столы, веревки и то, как он меня шлепает.

— И вообще, кто занимается сексом в офисе? Боже, да там стены как бумага.

У меня отвисает челюсть. Реальные образы, воспоминания о Хардине, нагибающем меня через стол, вспыхивают перед глазами, и мои и без того раскрасневшиеся щеки, вспыхивают и заливаются румянцем.

Кимберли одаривает меня проницательной улыбкой и склоняет голову набок.

— Видимо, те же, кто занимается сексом в спорт-зале чужого дома, — хихикает она.

Я пропускаю ее слова мимо ушей, несмотря на смущение.

— Вернемся к Тревору, — говорю я, пряча, насколько это возможно, лицо за бокалом.

— Я знала, что с ним что-то не то. Мужчины, которые каждый день носят костюмы, всегда странные.

— Только в пошлых романах, — возражаю я, думая о книге, которую планировала прочитать. До нее так и не дошли руки.

— Ну а те истории ведь откуда-то взялись? — подмигивает она. — Я так и хожу мимо офиса Тревора в надежде услышать, как он ее шпилит, но не везет... пока.

Несерьезность этой ночи дала мне возможность почувствовать легкость, от которой я уже отвыкла. Я пытаюсь насладиться этим чувством и удержать его в груди как можно дольше — не хочу, чтобы оно ускользало.

— Кто же знал, что Тревор такой ненормальный, а? — Она вскидывает брови, и я качаю головой.

— Гребаный Тревор, — говорю я и замолкаю, а Кимберли разражается хохотом.

— Гребаный Тревор! — визжит она. Я присоединяюсь к ней, думая о том, откуда взялось это прозвище, и мы повторяем его снова и снова в лучших традициях автора.

Глава 48

Хардин

День выдался длинный. Слишком длинный, и я готов уснуть.

Задушевный разговор с Кеном меня совершенно вымотал. А потом еще эта Сара, Соня, или как ее там, и Лэндон, не сводящий с нее глаз за ужином, доконали меня окончательно.

Несмотря на то что я предпочел бы, чтобы Тесса не уезжала, не сказав мне ни слова, мне нельзя пожаловаться вслух: она не обязана отчитываться передо мной.

Я вел себя хорошо, как и обещал ей, и ел молча, а Карен и отец, или кем бы он ни был, осторожно косились на меня, явно ожидая, что я сорвусь и испорчу ужин.

Но этого не случилось. Я сидел тихо и тщательно пережевывал каждый кусок. Даже не клал локти на дурацкую скатерть, которая, по мнению Карен, добавляет весеннего настроения в пастельных тонах или что-то в этом духе, хотя на самом деле это не так. Скатерть просто ужасная, и, пока Карен не видит, кому-нибудь нужно ее сжечь.

После разговора с отцом мне стало немного лучше — чертовски неловко, но лучше. Удивительно, но я продолжаю называть Кена отцом, хотя в подростковые годы мне с трудом удавалось произнести его имя не нахмурившись: я мечтал, чтобы он никуда не исчезал, тогда можно было бы ему врезать. Сейчас, когда я хотя бы отчасти понимаю, через что ему пришлось пройти и почему он так поступил, злость, которая так долго бурлила во мне, утихла.

Странное ощущение, словно что-то выскользнуло из тела. В романах это описывают как прощение, но до сегодняшнего вечера я никогда не испытывал ничего подобного. Не уверен, что оно мне по душе, но, если начистоту, так проще отвлечься от постоянной муки и тоски по Тессе.

Я чувствую себя лучше... счастливее? Не знаю, но теперь все мои мысли о будущем. О будущем, в котором мы с Тессой покупаем ковер и полочки, или чем там еще занимаются женатые люди. Единственные известные мне супруги, которые могут вытерпеть друг друга, это Кен и Карен, и я понятия не имею, что они делают вместе. Кроме того, что строгают детишек, когда им уже за сорок. Я по-детски кривлюсь от этой мысли и делаю вид, что не думал только что об их сексуальной жизни.

Честно говоря, размышлять о будущем гораздо забавнее, чем мне казалось. Раньше я никогда ничего не ждал от него, да и от настоящего тоже. Всегда знал, что буду один, поэтому не строил дурацких планов. Еще восемь месяцев назад мне и в голову не приходило, что бывают такие люди, как Тесса. Я и не предполагал, что где-то поблизости одна несносная блондинка только и ждет, чтобы перевернуть мою жизнь с ног на голову, окончательно свести меня с ума и заставить полюбить себя до последнего вздоха.

Черт, если бы я знал, что она существует, то не тратил бы время впустую, трахая каждую встречную телку. У меня никогда не было такого: сила серо-голубых глаз не вела меня, не сопровождала в моей безумной жизни, поэтому я и совершил слишком много ошибок, и сейчас нужно очень постараться, чтобы все исправить.

Если бы я мог повернуть время вспять, то не прикоснулся бы ни к одной другой девушке. Ни к одной. И если бы я знал, как это прекрасно, — ласкать Тессу, то готовился бы, отсчитывал дни до того момента, как она должна была ворваться в мою комнату в доме братства и начать трогать книги и вещи, несмотря на мое недвусмысленное предостережение этого не делать.

Единственное, что помогает мне более-менее держать себя в руках, — это надежда, что она в конце концов вернется ко мне. Она увидит, что на этот раз я не заберу свои слова назад. Я женюсь на ней, даже если мне придется тащить ее к алтарю силой.

Это еще одна наша проблема — назойливые мысли. Как бы я ни отрицал их вслух, ничего не могу поделать с собой и улыбаюсь, представляя ее в белом платье, сердитую и кричащую на меня, пока я в буквальном смысле тащу ее за ногу по покрытому ковром проходу между скамьями. Играет какая-нибудь дурацкая мелодия на арфе или другом инструменте, который используют только на свадьбах и похоронах.

Если бы у меня был ее номер, я написал бы ей сообщение, просто чтобы убедиться, что у нее все хорошо. Но она не хочет, чтобы он у меня был. Я едва сдержался, чтобы после ужина не вытащить телефон из кармана у Лэндона и не переписать номер.

И вот я лежу на кровати, когда мне следовало бы ехать в Сиэтл. Я мог бы и должен бы это сделать, но нет. Нужно держать дистанцию, или она оттолкнет меня еще дальше. Достав телефон, я начинаю просматривать в темноте ее фотографии. Если в ближайшее время придется довольствоваться только застывшими образами воспоминаний, семисот двадцати двух будет недостаточно, потребуется больше.

Вместо того чтобы продолжать изображать из себя одержимого фотографа, я выбираюсь из кровати и натягиваю штаны. Вряд ли Лэндон или беременная Карен оценят мою наготу. Хотя, может, и да. Улыбнувшись собственным мыслям, я несколько секунд раздумываю над планом. Конечно, Лэндон заупрямится, но его легко уломать. На второй сомнительной шутке о его новой пассии он, покраснев как детсадовец, начнет выкрикивать номер Тессы.

Я стучу дважды, честно предупреждая, что собираюсь войти, и распахиваю дверь. Он спит, лежа на спине, с книгой на груди. Чертов «Гарри Поттер». Следовало догадаться...

Слышится шум, и я вижу слабое мерцание. Словно знак свыше, экран его мобильного начинает светиться, и я хватаю телефон с тумбочки. На экране имя Тессы и начало сообщения: «Привет, Лэндон, спишь? Потому что...»

В режиме предварительного просмотра сообщение не показывается целиком. Мне нужно его дочитать.

Я кручу головой, пытаясь не поддаться ревности.

«Почему она пишет ему так поздно?»

Пытаюсь угадать его пароль, но это гораздо труднее, чем с Тессой. Ее пароль был легким до смешного. Так же как и я, она боялась его забыть и выбрала цифры 1234. Это наш пароль ко всему: ПИН-коды, код к платному кабельному, — мы используем его всегда, когда дело касается цифр.

Мы, черт возьми, и так практически женаты. Нас можно было поженить в тот же момент, когда какой-нибудь хакер вздумал бы красть наши данные.

Я хлопаю Лэндона его же подушкой, и он недовольно стонет.

— Просыпайся, болван.

— Уходи.

— Мне нужен номер Тессы. — Шлепок.

— Нет.

Шлепок. Шлепок. Сильный шлепок.

— Эй! — восклицает он и садится на кровати. — Ладно. Я дам тебе ее номер.

Он тянется к телефону, который я вкладываю ему в руку, и набирает пароль, а я запоминаю цифры — просто на всякий случай. Разблокировав мобильник, он передает его мне. Я благодарю и, забив ее номер в свой телефон, с таким облегчением нажимаю «Сохранить», что меня можно только пожалеть. Но мне все равно.

Я снова шлепаю Лэндона подушкой, просто для ровного счета, и выхожу из комнаты.

Мне кажется, он ругается, пока я, смеясь, закрываю дверь. Наверное, я скоро привыкну к этому чувству… этому похожему на надежду чувству, когда я набираю своей девочке простое сообщение с пожеланием спокойной ночи и, волнуясь, жду ответа. Что до меня, все наконец становится только лучше, но нужно еще заслужить прощение Тессы. Мне требуется лишь крохотная часть надежды, которая была у нее.

«Харррдин?» — приходит ответное сообщение.

Черт, я уже начал бояться, что она меня игнорирует.

«Нет, не Харррдин. Просто Хардин». — Я решаю начать разговор с поддразнивания, несмотря на то что хочется умолять ее вернуться из Сиэтла или хотя бы не испугаться, если я объявлюсь там посреди ночи.

«Извини, трудно печатать на этой клавиатуре. Слишком чувствительная».

Я представляю, как она, лежа на кровати в Сиэтле, щурится и хмурится, набирая каждую букву указательным пальчиком.

«Вот тебе и айфоны, да? Твоя старая клавиатура была огромной — понятно, что у тебя теперь проблемы».

Она отвечает улыбающимся смайликом, и я впечатлен и удивлен тем, насколько быстро она разобралась, как их использовать. Сам я их терпеть не могу и всегда пренебрегал ими, но вот уже скачиваю эту хрень, чтобы ответить подходящей рожицей.

«Ты еще там?» — спрашивает она, как только я отправляю сообщение.

«Да. Почему ты не спишь? Уже поздно. Я видел, что ты написала Лэндону». — Не следовало это отправлять.

Несколько секунд спустя она присылает крошечный бокал с вином. Нетрудно догадаться: она веселится с Ким после всего случившегося.

«Значит, вино?» — пишу я и добавляю смайлик, который, как мне кажется, выражает удивление.

«Почему этих проклятых штук так много? Неужели кому-то может прийти в голову отправить изображение тигра?» — думаю я.

Из любопытства, немного взволнованный тем, что она уделила мне столько внимания, я отправляю чертова тигра и смеюсь про себя, когда она присылает в ответ верблюда. Я смеюсь каждый раз, как она отправляет мне глупую картинку, которой вряд ли можно найти применение.

Мне нравится, что она подыграла: она поняла, что я отправил тигра, потому что в нем нет ни капли смысла. И вот мы играем в игру «случайный смайлик», а я лежу один, в темноте, и смеюсь так, что сводит живот.

«У меня закончились смайлики», — присылает она после пяти минут переписки.

«У меня тоже. Ты устала?»

«Да, выпила слишком много вина».

«Было весело?» — Я с удивлением понимаю, что хочу, чтобы она ответила «да» и действительно хорошо провела время, даже несмотря на то, что меня не было рядом.

«Да. Ты в порядке? Надеюсь, вы хорошо поговорили с отцом».

«Да, хорошо. Может, обсудим это, когда я приеду в Сиэтл?» — Я добавляю к навязчивому сообщению сердечко и что-то напоминающее небоскреб.

«Может быть».

«Прости, что был таким дерьмом. Ты заслуживаешь лучшего, но я тебя люблю».

Не успев остановить себя, я отправляю сообщение. Это правда, и я не могу не сказать об этом. Я уже совершил ошибку, скрывая от нее свои чувства, поэтому теперь она и не торопится верить моим обещаниям.

«Слишком много вина для подобных разговоров. Кристиан слышал, как Тревор занимался сексом в офисе».

При виде его имени на экране я закатываю глаза. Гребаный Тревор.

«Гребаный Тревор».

«Этоттт я и сказала. Ким ксазала ттто же самое».

«Слишком много опечаток. Ложись спать и напиши мне завтра, — набираю я и тут же начинаю новое сообщение. — Пожалуйста. Пожалуйста, напиши мне завтра».

На моем лице появляется улыбка, когда она присылает изображения мобильника, спящей мордашки и чертова тигра.

Глава 49

Хардин

— Скотт! — эхом разносится по узкому коридору знакомый голос Нэта.

«Черт».

Так и знал, что не получится разобраться с делами, не встретившись ни с кем из них. Я приехал в университет поговорить с профессорами: хотел убедиться, что отец сможет передать последние выполненные задания. Когда у тебя есть влиятельные друзья — или родители, — это реально помогает, и мне разрешили пропустить оставшиеся занятия в этом семестре. Я и так пропустил столько, что большой разницы не будет.

Светлые волосы Нэта отросли и теперь, растрепанные, торчат спереди.

— Привет, чувак. Мне показалось, ты меня избегаешь, — говорит он, глядя мне прямо в глаза.

— Проницательный какой, — пожимаю я плечами, не видя смысла отрицать очевидное.

— Всегда не выносил твои словечки, — смеется он.

Я бы не расстроился, если бы не встретил его сегодня, да и вообще никогда. Не имею ничего против

него: он мне нравился даже больше, чем все остальные друзья, но я покончил с ними.

Он решает, что мое молчание — повод продолжить
разговор.

— Я не видел тебя в университете миллион лет.
У тебя же выпуск на носу?

— Да. В середине следующего месяца.

Он не спеша шагает рядом.

— У Логана тоже. Ты ведь пойдешь на вручение
дипломов?

— Ни за что на свете, — смеюсь я. — Что за вопросы?

Перед глазами встает хмурое лицо Тессы, и я закусываю губу, чтобы не улыбнуться. Конечно, она хочет, чтобы я пошел на вручение, но я не сделаю этого
ни за какие коврижки.

«Может, стоит хотя бы подумать?»

— Ладно... — говорит он. Затем указывает на мою
руку. — Откуда гипс?

Я слегка приподнимаю кисть и смотрю на гипс.

— Долгая история.

«Которую я точно не собираюсь тебе рассказывать».

«Видишь, Тесса, я научился себя контролировать».

«И неважно, что я мысленно разговариваю с тобой, хотя ты даже не рядом».

«Ладно, может, у меня до сих пор проблемы с головой, но я нормально веду себя с людьми... Ты могла
бы гордиться».

«Черт, я так этого хочу».

Качая головой, Нэт придерживает дверь, и мы выходим из здания администрации.

— Как вообще дела? — Он всегда был самым бол-
тливым из всей компании.

— Нормально.

— Как она?

Мои ботинки замирают на асфальте, и он отступает на шаг, вскинув руки для защиты.

— Я спрашиваю как друг. Сто лет не видел вас обоих, а ты уже давно не отвечаешь на наши звонки. Зед единственный, кто общается с Тессой.

Он что, хочет вывести меня из себя?

— Зед с ней не общается, — огрызаюсь я, раздраженный тем, что разозлился на Нэта из-за его слов о Зеде.

Нэт нервно подносит руку ко лбу.

— Я не это имел в виду, он просто рассказал нам про ее отца и про то, что ездил на похороны, вот и...

— Вот и ничего. Он для нее никто. Проехали. — Этот разговор ни к чему не приведет, и я в очередной раз понимаю, почему не хочу больше тратить время на общение с ними.

— Хорошо.

Я знаю, что если посмотрю на него, то увижу, как он закатывает глаза. Но, к моему удивлению, он произносит с намеком на эмоции в голосе:

— Знаешь, я ничего плохого тебе не сделал.

Я поворачиваюсь к нему и понимаю, что голос соответствует выражению лица.

— Я не специально веду себя как придурок, — говорю я, чувствуя себя немного виноватым. Он неплохой парень — лучше меня и большинства наших друзей. Его друзей, не моих.

Он смотрит словно сквозь меня:

— А так не скажешь.

— Это правда. Я просто покончил со всем этим дерьмом, понимаешь? — Я поворачиваюсь к нему лицом. — Я покончил со всем: с вечеринками, с выпивкой, со случайным сексом — хватит. Дело не в тебе, я просто вне игры.

Нэт достает из кармана сигарету, и единственный звук, нарушающий молчание между нами, — щелка-

нье зажигалки. Кажется, прошли годы с тех пор, как
я слонялся по кампусу с ним и остальными из нашей
компании.

Кажется, прошли годы с тех пор, как по утрам
я обсуждал других и боролся с похмельем. Кажется,
прошли годы с тех пор, как в моей жизни было что-
то, кроме нее.

— Я понимаю, о чем ты, — произносит он, затя-
нувшись. — Не верится, что это говоришь ты, но я все
понимаю. И надеюсь, ты знаешь, как я жалею, что
принимал участие в той ситуации со Стеф и Дэном.
Я знал, что они что-то замышляют, но понятия не
имел, что именно.

Последнее, о чем мне хочется думать, — это о Стеф
и Дэне и о том, что они устроили.

— Да, мы могли бы продолжать говорить об этом
до бесконечности, но итог тот же самый. Они никогда больше не посмеют приблизиться к Тессе, не будут
дышать с ней одним воздухом.

— Стеф все равно уехала.

— Куда?

— В Луизиану.

Хорошо. Чем дальше она от Тессы, тем лучше.

Надеюсь, Тесса скоро напишет. Она вроде бы согласилась вчера, и я жду, что она сдержит обещание.
Если она не напишет в ближайшее время, я не выдержу и сделаю это первым. Я пытаюсь не лезть в ее личное пространство, но наша переписка из смайликов
прошлой ночью была самым забавным из того, что
я испытывал с тех пор, как... как наполнял ее собой
за несколько часов до этого. Все еще поверить не могу, какой я счастливчик и что она позволила мне быть
рядом.

Потом я повел себя как идиот, но это к делу не относится.

— Тристан уехал с ней, — говорит Нэт.

Ветер крепчает, и теперь, когда я знаю, что Стеф покинула штат, университет кажется прекрасным местом.

— Кретин, — отвечаю я.

— Нет, — возражает Нэт, защищая друга. — Она действительно ему нравится. Наверное, он ее даже любит.

— Ну точно кретин, — фыркаю я.

— Может быть, он в отличие от нас знает ее с другой стороны.

Его слова заставляют меня разразиться тихим негодующим смехом:

— Что там знать? Она безумная стерва.

Он в самом деле защищает Стеф? Ладно, если бы речь шла о Тристане, который снова с ней встречается, хотя она и психопатка и пыталась навредить Тессе.

— Чувак, я не знаю, но Тристан мой друг, и не мне его осуждать, — холодно смотрит на меня Нэт. — Большинство, скорее всего, сказали бы то же самое про вас с Тессой.

— Ты бы лучше сравнил Стеф со мной, а не с Тессой.

— Ясное дело. — Он закатывает глаза и стряхивает пепел с сигареты. — Приходи к нам. Как в старые добрые времена. Не будет толпы, только несколько человек.

— Как насчет Дэна? — В кармане вибрирует телефон, и, вытащив его, я обнаруживаю на экране имя Тессы.

— Не знаю, но могу постараться, чтобы его не было поблизости, пока ты там.

Мы дошли до парковки. Моя машина всего в паре шагов, его мотоцикл стоит в переднем ряду. До сих пор не верится, что он не разбил чертов драндулет. Он перевернулся на нем не меньше пяти раз, когда сдавал на права, и мне известно, что он гоняет по городу без шлема.

— Пожалуй, нет, у меня другие планы, — лгу я и отправляю ответ Тессе.

Надеюсь, мои планы выльются в многочасовой разговор с Тессой. Черт, я почти согласился пойти в дом братства, но мои старые «друзья» по-прежнему общаются с Дэном, и это напомнило мне, почему я выпал из их компании.

— Уверен? Мы могли бы потусоваться в последний раз перед твоим выпускным и пока твоя девочка не залетела. Ты же понимаешь, к чему все идет? — дразнит он. Его язык сверкает на солнце, и я отталкиваю его руку.

— Ты проколол язык? — спрашиваю я, рассеянно проводя пальцем по маленькому шраму около брови.

— Да, с месяц назад. Все еще не могу поверить, что ты снял свои кольца. Кстати, ты отлично увильнул от второй части моего замечания, — смеется он, а я пытаюсь вспомнить, что он сказал.

Что-то про мою девочку... и беременность.

— О, нет. Никто не забеременеет, придурок. Черт, даже не пытайся дразнить меня по этому поводу. — Я толкаю его в плечо, и он смеется громче.

Брак — это одно дело. Дети — совершенно другое.

Я перевожу взгляд на телефон. Поболтать с Нэтом, конечно, неплохо, но мне хочется сосредоточиться на Тессе и ее сообщениях, особенно после ее упоминания о визите к врачу. Я быстро ей отвечаю.

— Посмотри-ка, а вот и Логан.

Нэт отвлекает меня от телефона, и я поднимаю глаза на Логана, идущего в нашу сторону.

— Черт, — добавляет Нэт, и я обращаю внимание на девчонку рядом с Логаном. Она выглядит знакомой, но...

Молли. Это Молли, но волосы у нее теперь черные, а не розовые. Сегодня моя удача просто в ударе.

— Ладно, у меня дела. Мне пора, — говорю я, пытаясь избежать неминуемой катастрофы.

Как только я разворачиваюсь, чтобы уйти, Молли прижимается к Логану и он обнимает ее за талию.

«Что за черт?»

— Они? — выдыхаю я. — Эти двое? Вместе?

Я смотрю на Нэта, и этот засранец даже не пытается скрыть веселье:

— Да. Уже какое-то время. Они никому не рассказывали, все выяснилось недели три назад. Хотя я понял раньше. Когда она перестала все время вести себя как стерва, стало ясно: что-то нечисто.

Молли встряхивает черной шевелюрой и улыбается Логану. Я даже не помню, чтобы она вообще улыбалась. Я ее не выношу, но былой ненависти нет. Она и правда помогла Тессе...

— Даже не думай уйти, пока не скажешь, почему избегаешь нас! — кричит Логан на всю парковку.

— Есть дела поважнее! — кричу я в ответ, снова проверяя мобильный. Почему Тесса опять у врача? В последнем сообщении она не стала отвечать, и мне необходимо все выяснить. Наверняка с ней все в порядке, просто мое любопытство не знает границ.

Губы Молли кривятся в усмешке.

— Дела поважнее? Например, засадить Тессе в Сиэтле?

И как в старые добрые времена, я показываю ей средний палец.

— Да пошла ты.

— Не будь таким неженкой. Мы все знаем, что вы не переставали трахаться с тех пор, как познакомились, — подначивает она.

Я смотрю на Логана, взглядом показывая, чтобы он заткнул ей рот, или это сделаю я, но он лишь пожимает плечами.

— Вы двое — отличная пара, — вскидываю я бровь, обращаясь к старому другу. Наступает его очередь показать мне средний палец.

— По крайней мере, на этот раз она тебя бросила? — огрызается Логан, и я смеюсь. Тут с ним не поспоришь.

— Ладно, где она? — спрашивает Молли. — Не то чтобы мне есть до нее дело, она мне не нравится.

— Мы в курсе, — отвечает Нэт, и Молли закатывает глаза.

— Ты ей тоже не нравишься. Да и вообще никому, — насмешливо напоминаю я.

— Твоя правда, — ухмыляется она и прислоняется к плечу Логана.

Возможно, Нэт прав: она действительно не кажется такой стервой, как раньше. Самую малость.

— Ладно, ребята, приятно было увидеться, — говорю я с сарказмом и поворачиваюсь, чтобы уйти. — Но мне есть чем заняться, так что счастливо оставаться. И, Логан, не переставай ее трахать. Похоже, в этом все дело. — Кивнув им, я сажусь в машину.

Закрывая дверь, слышу:

— Он в хорошем настроении.

— Подкаблучник.

— Я рада за него.

Самое странное, что последняя фраза прозвучала из уст Злобной Стервы.

Глава 50

Тесса

Мне неуютно, немного холодно, и я нервничаю от того, что сижу в одной тонкой больничной сорочке в маленькой смотровой комнате — одной из многих точно таких же вдоль коридора. Им нужно добавить красок, хотя бы немного, но сойдет и фотография в рамке — как во всех смотровых, где я бывала раньше. В этой нет ничего, сплошной белый цвет. Белые стены, белый стол, белый пол.

Нужно было согласиться на предложение Кимберли и позволить ей пойти сегодня вместе со мной. Мне и одной не страшно, но дружеская поддержка и юмор Кимберли помогли бы мне успокоиться. Утром я проснулась в гораздо лучшем состоянии, чем заслуживала, — ни намека на похмелье. Я чувствовала себя хорошо. Заснула с улыбкой на лице, причиной которой были вино и Хардин, и спала гораздо спокойнее, чем в последние недели.

Мысли, не переставая, вертятся по кругу, как это всегда бывает, когда я думаю о Хардине. Читаю и перечитываю наш вчерашний веселый разговор. В который раз пробегаю взглядом по сообщениям, но улыбка не покидает моего лица.

Мне нравится этот милый, терпеливый, игривый Хардин. Мне хотелось бы узнать этого Хардина получше, но, боюсь, надолго его не хватит. Как и меня. Я уезжаю в Нью-Йорк с Лэндоном, и чем ближе к дате, тем все больше нарастает внутреннее волнение. Непонятно, хорошее оно или плохое, но сегодня я не могу его контролировать, и сейчас оно только усиливается.

Ноги свисают с неудобного смотрового стола, и я никак не могу решить, скрестить их или нет. Несложный выбор, но он отвлекает меня от холода и бабочек, порхающих в животе.

Вытаскиваю из сумочки телефон и набираю сообщение Хардину. Конечно, просто для того, чтобы занять себя, пока не придет врач.

Отправляю простое «Привет» и жду, скрещивая и распрямляя ноги.

«Хорошо, что ты мне написала, потому что я собирался подождать еще час и написать тебе сам», — отвечает он.

Я улыбаюсь. Мне не должны нравиться его скрытые притязания, но все наоборот. В последнее время он был так честен, и эта честность мне по душе.

«Я у врача и пока жду. Как у тебя дела?»

«Перестань вести себя так официально, — тут же отвечает он. — Почему ты у врача? С тобой все в порядке? Ты не говорила, что собираешься к врачу. У меня все хорошо, не волнуйся, хотя я сейчас с Нэтом, и он пытается затащить меня на вечеринку — мечтать не вредно».

В груди становится больно при мысли о том, что Хардин веселится со старыми дружками. Не мое дело, чем он занимается и с кем проводит время, но я не могу отделаться от тошнотворного ощущения, которое возникает при воспоминаниях, связанных с ними.

Несколько секунд спустя:

«Конечно, ты не была обязана мне говорить, но могла бы. Я сходил бы с тобой».

«Все нормально. Мне и одной хорошо». Я ловлю себя на том, что мне хотелось бы предоставить ему выбор.

«Ты слишком долго была одна с тех пор, как я тебя встретил».

«Не совсем так». Не знаю, что еще ему написать, потому что голова идет кругом, и я вроде как даже счастлива, потому что он беспокоится обо мне и так открыто выражает свои чувства.

«Лгунья». Ответ приходит вместе с картинкой джинсов и огненного шарика. Я прикрываю рот рукой, чтобы заглушить смех, и в этот момент в смотровую входит врач.

«Пришел доктор, напишу позже».

«Дай знать, если он начнет распускать руки».

Убрав телефон, я пытаюсь стереть с лица глупую улыбку. Доктор Уэст натягивает перчатки из латекса на каждую руку.

— Как поживаете?

«Как я поживаю?»

Он не хочет знать ответ на свой вопрос, у него нет времени, чтобы меня выслушивать. Он лечащий врач, а не психиатр.

— Хорошо, — отвечаю я, и меня передергивает от обязательной пустой болтовни.

Он устраивается поудобнее, чтобы осмотреть меня.

— Я изучил анализы крови с вашего последнего посещения, но там беспокоиться не о чем.

Я испускаю вздох облегчения.

— Однако, — добавляет он не предвещающим ничего хорошего голосом и выдерживает паузу.

Можно было догадаться, что никуда не деться от этого «однако».

— Судя по снимкам, шейка матки у вас очень узкая, и, насколько видно, очень короткая. Давайте покажу вам, что я имею в виду, хорошо?

Доктор Уэст поправляет очки, и я согласно киваю. Короткая и узкая шейка матки. Я изучила достаточно информации в Интернете и знаю, что это означает.

Десять долгих минут спустя я в курсе всех деталей того, о чем я же знаю. Я знала, к какому заключению он придет. Знала это еще две с половиной недели назад, когда уходила с предыдущего приема. Пока я одеваюсь, его слова снова и снова прокручиваются у меня в голове:

«Не невозможно, но очень маловероятно».

«Существуют другие варианты: многие выбирают усыновление».

«Вы еще очень молоды. Когда вы станете старше, вы и ваш партнер сможете найти оптимальный вариант».

«Мне очень жаль, мисс Янг».

Сама того не замечая, набираю номер Хардина, пока иду к машине. Меня трижды приветствует его голосовая почта, прежде чем я заставляю себя перестать звонить.

Сейчас мне не нужен ни он, ни кто-либо другой. Я могу справиться с этим сама. Мне уже все было известно. Я уже подсознательно справилась с этим и отложила проблему в дальний уголок памяти.

Неважно, что Хардин не взял трубку. Со мной все в порядке. Кого волнует, что я не могу забеременеть? Мне всего девятнадцать, и все остальные планы, которые я строила, провалились к чертовой матери. Вполне логично, что и эта последняя часть моих глобальных замыслов пошла прахом.

Из-за пробок обратная дорога к дому Кимберли занимает очень много времени. Решено: я ненавижу водить. Ненавижу людей, которые агрессивно ведут себя за рулем. Ненавижу, что здесь постоянно идет дождь. Ненавижу, что молодые девчонки врубают музыку на полную, опустив окна, даже в дождь. Просто закройте чертовы окна!

Ненавижу, что пытаюсь сохранить позитивный настрой и не превратиться в ту жалкую Тессу, которой я была в последнюю неделю. Ненавижу, что так трудно не думать ни о чем, кроме тела, которое предало меня в самый ответственный и деликатный момент.

Доктор Уэст говорит, что я такой родилась. А как же иначе. Какой бы идеальной я ни старалась стать, как и с моей матерью, этого никогда не произойдет. Единственное хорошее в этом то, что, по крайней мере, мой ребенок не унаследует черт, которые передались мне от нее. Наверное, нельзя винить мать за дефектную шейку матки, но мне хочется. Хочется найти виноватого, но я не могу.

Так устроен мир: если ты желаешь чего-нибудь очень сильно, это вырывается из рук и становится недоступным. Прямо как Хардин. Ни Хардина, ни детей. Эти два пункта никогда бы не пересеклись, но было приятно притворяться, что я могла позволить себе и то и другое.

Когда я вхожу в особняк Кристиана, у меня вырывается вздох облегчения: дома я одна. Не дома, просто здесь. Не проверив телефон, раздеваюсь и иду в душ. Наблюдаю, как, закручиваясь водоворотом, утекает в сток вода, и теряю счет времени. Когда я наконец выхожу из душа, вода холодная. Я натягиваю футболку Хардина — ту, которую он оставил в моем чемодане, когда отправил меня из Лондона.

Я просто лежу в пустой кровати, и к тому времени, как мне начинает хотеться, чтобы Кимберли была дома, от нее приходит сообщение: ее и Кристиана не будет всю ночь, а Смит до утра у няни. В моем распоряжении весь дом, но мне нечем заняться и не с кем поговорить. Ни сейчас, ни в будущем. Не появится малыша, чтобы заботиться о нем и любить.

Я продолжаю жалеть себя и знаю, что это нелепо, но, похоже, не могу остановиться.

«Выпей вина и закажи фильм, мы угощаем!» — присылает Кимберли ответ на мое сообщение, в котором я пожелала ей хорошо провести время.

Телефон начинает звонить, как только я успеваю ее поблагодарить. На экране высвечивается номер Хардина, и меня охватывают сомнения, стоит ли отвечать.

К тому времени как я добираюсь до холодильника с вином, его звонок перенаправляется на голосовую почту, а у меня забронирован билет в первый ряд на сеанс «Вечеринка жалости».

Приканчивая бутылку вина, я лежу на диване в гостиной и досматриваю ужасный боевик, который выбрала в прокате. Это история о морском пехотинце, который стал нянькой, а затем превратился в великого охотника на пришельцев — единственный фильм в списке, в котором нет ни одного намека на любовь, детей и счастье.

Когда я стала такой занудой? Я делаю очередной глоток вина — прямо из бутылки. С тех пор как я перестала пить из бокала, взорвалось уже пять космических кораблей.

Снова звонит телефон, и на этот раз, когда я перевожу взгляд на экран мобильного, мои пьяные пальцы случайно нажимают на прием вызова.

Глава 51

Хардин

— Тесс? — говорю я в трубку, стараясь скрыть тревогу. Она всю ночь не отвечала на звонки, и я с ума сходил, пытаясь понять, что снова сделал не так — что в принципе мог сделать не так на этот раз.

— Да. — Ее голос невнятный, вялый и отрешенный. Одного слова достаточно, чтобы понять: она пьяна.

— Опять вино? — хмыкаю я. — Тебя пора отругать? Я поддразниваю ее, но на линии лишь молчание.

— Тесс?

— Да?

— В чем дело?

— Ни в чем. Я просто смотрю кино.

— С Кимберли? — При мысли, что с ней там кто-то еще, у меня внутри все сжимается.

— Одна. Одна-одинешенька в большу-у-ущем доме. — Ее голос остается безжизненным, даже когда она растягивает слова.

— А где Кимберли и Вэнс? — Не стоит так беспокоиться, но от ее тона я начинаю нервничать.

— Ушли гулять на всю ночь. Смита тоже нет. А я тут одна смотрю кино. Вот так всегда, да? — Она смеется, но как-то отрешенно. Словно совсем ничего не чувствует.

— Тесса, что происходит? Сколько ты выпила?

Она вздыхает в трубку, и я готов поклясться, что слышу, как она делает очередной глоток вина.

— Тесса. Отвечай.

— Со мной все в порядке. Уж выпить-то мне можно, папочка? — Она пытается шутить, но от тона, каким сказано последнее слово, мне становится не по себе.

— Если формально, то нельзя. Во всяком случае, с точки зрения закона.

Не мне читать ей нотации. Так часто прикладываться к спиртному она стала по моей вине, но жгучая паранойя уже успела запустить когти мне в печень. Она пьет в одиночестве, ей, судя по всему, плохо, и это заставляет меня вскочить на ноги.

— Ага.

— Сколько ты выпила? — Я пишу сообщение Вэнсу, надеясь, что он ответит.

— Не так уж и много. У меня все нормально. И знаеш-ш-шь, что странно? — невнятно бормочет Тесса.

Я хватаю ключи. Черт бы побрал этот Сиэтл — он слишком далеко.

— Что? — Я сую ноги в кеды. С ботинками слишком много возни, а времени сейчас в обрез.

— Знаешь, так странно: человек я вроде хороший, но со мной постоянно случается что-то плохое.

«Черт».

Я снова пишу Вэнсу — на этот раз, чтобы он без промедления тащил свою задницу домой.

— Да, знаю. Несправедливо, но это так.

Плохо, что у нее в голове такие мысли. Она хороший человек, лучший из всех, кого я знаю, но в итоге получилось так, что вокруг нее одни придурки, включая меня. Кого я пытаюсь надуть? Сам же хуже всех с ней обошелся.

— Может, стоит и-испортиться.

«Что? Нет. Нет-нет-нет».

Ей нельзя так говорить, нельзя так думать.

— Нет, ни в коем случае. — Я нетерпеливо машу Карен, которая стоит в дверях кухни. Ей наверняка любопытно, куда это я собрался на ночь глядя.

— Я стараюсь не думать об этом, но у меня ничего не получается. Не знаю, как прекратить все это.

— Что сегодня случилось? — Не верится, что я говорю с моей Тессой — девушкой, которая всегда видит в людях лучшее, в том числе и в себе. Она всегда была такой жизнерадостной, такой счастливой, но теперь все изменилось.

В ее голосе не осталось надежды, она подавлена.

Совсем как я.

У меня леденеет кровь в жилах. Я знал, что этим все закончится и что она не останется прежней после того, как я запустил в нее когти. Я откуда-то знал, что после меня она изменится.

Я надеялся, что этого не произойдет, но сегодня ночью все указывает именно на это.

— Ничего особенного, — лжет она.

Вэнс пока что так и не ответил. Лучше бы он ехал сейчас домой.

— Тесса, скажи мне, что случилось. Пожалуйста.

— Ничего. Наверное, это просто карма, — бормочет она, и в трубке эхом отдается щелчок выскочившей из бутылки пробки.

— Какая еще карма? Ты с ума сошла? Ты не сделала ничего такого, чтобы заслужить то дерьмо, которое с тобой произошло.

Она молчит.

— Тесса, по-моему, на сегодня тебе уже хватит пить. Я еду в Сиэтл. Понимаю, тебе нужно личное пространство, но я за тебя волнуюсь и… не могу остаться в стороне. И никогда не мог.

— Ага… — Она даже не слушает.

— Мне больше не нравится, что ты столько пьешь, — говорю я, зная, что она меня не услышит.

— Ага…

— Я уже еду. Выпей воды. Договорились?

— Ага… бутылочку…

Еще ни разу дорога до Сиэтла не казалась такой длинной, и из-за разделяющего нас расстояния я наконец вижу тот замкнутый круг, на который постоянно жалуется Тесса. Сейчас этот круг разорвется: черт возьми, это последний раз, когда я еду в другой город, просто чтобы быть с ней рядом. Хватит этой бесконечной ерунды. Хватит убегать от проблем, больше никаких чертовых отговорок. Хватит гребаных поездок через весь штат Вашингтон, потому что я, видите ли, сбежал.

Глава 52

ХАРДИН

Я звонил ей сорок девять раз.

Черт возьми, сорок девять раз.

Сорок девять.

Представляете, сколько это гудков?

До хрена.

Не сосчитать, да у меня сейчас бы и не получилось — голова не соображает. Так или иначе, это чертова куча гудков.

Если мне удастся продержаться еще три минуты, я сорву с петель входную дверь и разобью телефон Тессы — которым она, по всей видимости, не умеет пользоваться, — об стену.

Ладно, наверное, не стоит разбивать его об стену. Может, я просто наступлю на него пару раз, чтобы экран треснул.

Может быть.

Но, черт возьми, нагоняй ее ждет в любом случае. Она не берет трубку уже часа два, и ей неоткуда знать, как я измучился за время в дороге. Чтобы доехать до Сиэтла как можно быстрее, я превышаю скорость на тридцать километров в час.

Когда я добираюсь до места, на часах три ночи, а Тесса, Вэнс и Кимберли возглавляют мой черный список. Может, им всем разбить телефоны, раз уж они окончательно забыли, как брать трубку?

Когда я подъезжаю к воротам, меня охватывает паника даже сильнее прежнего.

«Что, если они решили заблокировать ворота? Что, если поменяли код?»

«Я вообще помню этот чертов код? Конечно, нет. Мне ответят, если я позвоню и спрошу его? Конечно, нет».

Что, если они не отвечают на звонки, так как с Тессой что-то случилось, и они везут ее в больницу, и ей плохо, а они вне зоны доступа...

Но вот я вижу, что ворота открыты, и это вызывает у меня легкое раздражение.

«Почему Тесса не включила охранную систему, когда она одна дома?»

Петляя по извилистой дорожке, я замечаю, что у большого дома припаркована только ее машина.

Буду знать, как ведет себя Вэнс, когда нужна его помощь... Вот такой он чертов друг. То есть отец, не друг. Черт, сейчас, если честно, — ни то ни другое.

Пока я выбираюсь из машины и подхожу к входной двери, мой гнев и страх только нарастают. То, как она говорила, ее голос... Она словно не отвечала за свои действия.

Дверь не заперта — кто бы сомневался, — и я, миновав гостиную, выхожу в коридор. Дрожащими руками распахиваю дверь в ее спальню, и в груди все сжимается при виде ее пустой кровати. Кровать не просто пуста, а не тронута — идеально заправлена, все уголки подоткнуты совершенно неповторимым образом. Я как-то пробовал — невозможно заправить кровать так, как это делает Тесса.

— Тесса! — кричу я по дороге в ванную напротив. Зажмурившись, включаю свет. Так ничего и не услышав, открываю глаза.

Никого.

Тяжело дыша, я перехожу к следующей комнате.

«Где она, черт возьми?»

— Тесс! — кричу я снова, на этот раз громче.

Обыскав почти весь чертов особняк, я уже начал задыхаться. Где она? Непроверенными остались только спальня Вэнса и запертая комната наверху. Не уверен, что хочу ее открывать...

Поищу на террасе и во дворе, и если ее там нет, то понятия не имею, что сотворю.

— Тереза! Где ты, черт возьми? Клянусь, это не смешно... — Мой крик замирает, когда я замечаю на террасе свернувшуюся калачиком в кресле фигуру.

Подойдя ближе, я вижу, что Тесса лежит, поджав к животу колени и обхватив себя руками, будто уснула в попытке себя удержать.

Я опускаюсь перед ней на колени, и весь мой гнев тут же улетучивается. Откидываю светлый локон с ее лба и заставляю себя совладать с подкатывающей истерикой — теперь, когда точно известно, что с ней все в порядке. Черт, я так за нее волновался.

С колотящимся сердцем я наклоняюсь к ней и провожу большим пальцем по ее нижней губе. Не знаю, зачем я это сделал, просто так вышло само собой, но ни капли не жалею, когда ее ресницы начинают дрожать, и она со стоном открывает глаза.

— Почему ты на улице? — напряженно спрашиваю я.

Она морщится, явно оглушенная моим громким голосом.

«Почему ты на улице? Я чуть с ума не сошел из-за тебя, чего только не передумал за эти часы», — хочется сказать мне.

— Слава богу, ты просто спала, — говорю я вместо этого. — Я звонил тебе, беспокоился.

Она садится прямо, придерживая шею, словно голова вот-вот отвалится.

— Хардин?

— Да, Хардин.

Щурясь в полумраке и потирая шею, она начинает вставать, и на бетонный пол террасы падает и разбивается надвое пустая бутылка из-под вина.

— Прости, — извиняется она и, нагнувшись, пытается собрать осколки.

Я мягко отвожу ее руку и накрываю ее пальцы своими.

— Не трогай. Я сам потом уберу. Давай зайдем в дом. — Я помогаю ей подняться.

— Как… ты здесь… оказался? — Она еле ворочает языком, и я даже подумать боюсь, сколько вина она успела выпить, прежде чем бросила трубку. На кухне я заметил по меньшей мере четыре бутылки.

— Приехал на машине, как же еще?

— Так далеко? Который сейчас час?

Мои глаза скользят по ее телу — телу, прикрытому одной футболкой. Моей футболкой.

Она замечает мой взгляд и принимается одергивать подол, чтобы прикрыть голые бедра.

— Я надеваю ее только... — Запнувшись, она замолкает. — Я надела ее только один раз, — поправляется она, хотя для меня в ее фразе мало смысла.

— Все нормально, я не против, чтобы ты ее носила. Пойдем внутрь.

— Здесь мне нравится больше, — тихо произносит она, уставившись в темноту.

— Здесь слишком холодно. Идем.

Я ловлю ее за руку, но она уворачивается.

— Хорошо-хорошо. Если хочешь, оставайся на улице. Но я побуду с тобой, — говорю я.

Кивнув, она опирается о перила: ноги дрожат, в лице ни кровинки.

— Что случилось сегодня вечером?

Она молчит, по-прежнему вглядываясь во мрак.

Через несколько секунд поворачивается ко мне.

— Тебе никогда не кажется, что твоя жизнь превратилась в один большой анекдот?

— Да все время, — пожимаю я плечами. Непонятно, к чему приведет этот разговор, но грусть в ее голосе просто ужасна. Даже в темноте видно, как она тлеет в глубине этих сверкающих глаз, которые я так люблю.

— Мне тоже.

— Нет, из нас двоих ты любишь жизнь и умеешь радоваться. Циничный придурок — это я, не ты.

— Знаешь, это довольно утомительно — радоваться.

— Ничего подобного. — Я делаю шаг к ней. — Если ты еще не заметила, я совсем не тяну на какого-нибудь лучащегося счастьем ребенка с картинки, — говорю я, пытаясь поднять ей настроение, и она вознаграждает меня наполовину пьяной, наполовину смущенной улыбкой.

Лучше бы она просто рассказала, что с ней произошло накануне. Не знаю, что я смогу для нее сделать, но это моя вина. Все случившееся — моя вина. Ее несчастье — это мой крест, не ее.

Она поднимает руку, чтобы опереться на деревянные перила, но промахивается и едва не налетает лицом на зонтик над столиком.

Я поддерживаю ее за локоть, и она склоняется ко мне:

— Давай все-таки пойдем в дом. Тебе надо поспать, чтобы выветрилось вино.

— Не помню, как уснула.

— Наверное, это потому, что ты не уснула, а скорее отключилась, — указываю я на осколки бутылки неподалеку.

— Не отчитывай меня, — огрызается она и отстраняется.

— И в мыслях не было. — В знак непричастности я поднимаю руки, но от чертовой иронии всей этой ситуации мне хочется кричать. Тесса напилась, а я выступаю трезвым голосом разума.

— Прости, — вздыхает она, — ничего не соображаю.

Я наблюдаю за тем, как она опускается на пол и подтягивает колени к груди, затем поднимает голову, чтобы посмотреть на меня.

— Можно с тобой кое о чем поговорить?

— Конечно.

— И ты будешь абсолютно честен?

— Постараюсь.

Похоже, такой ответ ее устраивает, и я присаживаюсь на край стула поближе к ней. Мне немного страшно, но нужно разобраться, что же с ней происходит, поэтому я молча жду, пока она заговорит.

— Иногда мне кажется, что все вокруг получают то, чего хочу я, — смущенно бормочет она.

Тессе стыдно рассказывать о том, что у нее на душе...

Я едва могу разобрать слова.

— Не то чтобы я не рада за этих людей... — Однако слезы в уголках ее глаз более чем заметны.

Хоть убей, не понимаю, о чем речь, но на ум сразу приходит помолвка Кимберли и Вэнса.

— Дело в Кимберли и Вэнсе? Потому что, если ты об этом, не стоит желать себе того же. Он обманщик, изменщик и... — Я обрываю себя, пока не наговорил лишнего.

— Но он ее любит. Очень сильно, — бормочет Тесса. Ее пальцы обводят узоры на бетонном полу.

— Я люблю тебя еще больше, — говорю я, не задумываясь.

Мои слова оказывают действие, обратное тому, на которое я рассчитывал. Тесса начинает всхлипывать. По-настоящему всхлипывать, обхватив колени руками.

— Это правда. Люблю.

— Любишь, но только временами, — отвечает она, словно это единственное, в чем она уверена в этой жизни.

— Чушь. Ты же знаешь, это не так.

— Но так кажется, — шепчет она, глядя в сторону моря. Лучше бы сейчас был день, тогда вид моря мог бы ее успокоить, раз уж я с этой задачей не справляюсь.

— Я знаю. Знаю, что может так показаться. — Я допускаю, что именно так она это сейчас и воспринимает.

— Когда-нибудь ты будешь любить другого человека постоянно.

«Что?»

— О чем ты говоришь?

— В следующий раз ты будешь любить ее постоянно.

В этот момент я странным образом вижу себя в будущем: лет через пятьдесят я словно заново переживаю острую боль от ее только что прозвучавших слов. Меня охватывает понимание, абсолютное и окончательное понимание.

Она отказалась от меня. От нас.

— Не будет никакого следующего раза! — Я невольно начинаю кричать, кровь вскипает, угрожая разорвать меня на части прямо здесь, на проклятой террасе.

— Будет. Я твоя Триш.

«О чем это она? Понятное дело, она пьяна, но при чем здесь моя мать?»

— Твоя Триш. Это я. Но еще будет Карен, и она родит тебе малыша. — Тесса вытирает слезы, и я, соскользнув со стула, опускаюсь перед ней на колени.

— Понятия не имею, о чем ты говоришь, но ты не права.

Она начинает рыдать, и я обнимаю ее за плечи.

Слов не разобрать, но до меня доносится:

— ... малыш... Карен... Триш... Кен...

Будь проклята Кимберли с таким количеством спиртного в доме.

— Не понимаю, какое отношение Карен, Триш или кого ты там еще вспомнишь, имеют к нам.

Она вырывается из моих объятий, но я усиливаю хватку. Может, она и не хочет, чтобы я был рядом, но сейчас ей это необходимо.

— Ты — Тесса, а я Хардин. Вот и...

— Карен беременна. — Тесса обливается слезами у меня на груди. — У нее будет ребенок.

— И? — Я мягко глажу ее по спине рукой в гипсе, не зная, что говорить и как вести себя с такой Тессой.

— Я была у врача, — произносит она, и я холодею. «Вот черт».

— И? — Я стараюсь сдержать панику.

Она отвечает что-то нечленораздельное. Слышатся какие-то пьяные всхлипы, и я пользуюсь моментом, чтобы сообразить, что происходит. Совершенно очевидно, что она не беременна, иначе не стала бы пить. Я знаю Тессу и уверен, что она никогда в жизни не сделала бы ничего подобного. Она одержима идеей, что когда-нибудь станет матерью, и ни за что не подвергла бы опасности своего нерожденного ребенка.

Она не отстраняется, пока пытается успокоиться.

— Ты бы хотел? — спрашивает она через какое-то время. Я все еще держу ее в объятиях, но поток слез прекратился.

— Что?

— Завести ребенка? — трет она глаза, и я вздрагиваю.

— М-м-м, нет, — качаю я головой. — Ребенка от тебя я не хочу.

Она закрывает глаза и снова начинает всхлипывать. Я прокручиваю свои слова в голове и понимаю, как, должно быть, они прозвучали.

— Я не это имел в виду. Я просто вообще не хочу детей, ты же знаешь.

Она шмыгает носом и, притихнув, кивает.

— Твоя Карен родит тебе ребенка, — произносит она с закрытыми глазами и льнет к моей груди.

Я по-прежнему сбит с толку. Проводя параллель между нами и Карен с отцом, я понимаю, о чем говорит Тесса, но мне не нравится, что она считает себя не моей последней любовью.

Обняв за талию, я поднимаю ее с пола.

— Ну все, тебе пора в постель.

На этот раз она не сопротивляется.

— Да, ты это уже говорил, — бормочет она, обхватывая меня ногами, чтобы было удобнее ее нести. Миновав раздвижные двери, мы идем по коридору.

— Говорил что?

— «Это не должно счастливо закончиться»[1], — цитирует она.

Проклятый Хемингуэй со своим дурацким видением жизни.

— Это была глупость. Я так не думаю, — уверяю я.

— «Я люблю тебя. Чего тебе еще надо? Чтобы я вовсе потерял голову?»[2] — снова цитирует она этого ублюдка. Только Тесса может вспоминать цитаты из классики, когда еле держится на ногах.

— Тс-с, давай будем цитировать Хемингуэя на трезвую голову.

— «Все, что по-настоящему плохо, всегда поначалу безобидно»[3], — выдыхает она мне в шею и еще крепче сжимает руки, когда мы проходим в спальню.

Мне так нравились эти строчки, но я никогда не понимал их значения. Вернее, думал, что понимаю, но только до сегодняшнего дня, пока чертова жизнь не столкнула меня с этим смыслом нос к носу.

Меня начинает охватывать чувство вины, пока я укладываю ее в постель. Я сбрасываю подушки на пол, оставив одну ей под голову.

— Подвинься, — тихо командую я.

Ее глаза закрыты, и она, несомненно, наконец начинает засыпать. Я не включаю свет, надеясь, что она проспит до утра.

— Ты оста-а-анешься? — спрашивает она, растягивая слова.

---

[1] Цитата из книги Эрнеста Хемингуэя «Смерть после полудня».

[2] Цитата из книги Эрнеста Хемингуэя «Прощай, оружие!».

[3] Цитата из книги Эрнеста Хемингуэя «Праздник, который всегда с тобой».

— Хочешь, чтобы я остался? Я могу поспать в соседней комнате, — предлагаю я, хотя и не испытываю такого желания. Она сама не своя, и мне страшно оставлять ее одну.

— М-м-м, — бормочет она и тянется за одеялом. Дергает на себя его угол и раздраженно вздыхает, не сумев укрыться.

Оказав ей помощь, я скидываю кеды и тоже забираюсь в постель. Пока я спорю с самим собой, сколько пространства должно оставаться между нами, она обвивает меня голым бедром за талию и придвигает к себе.

Я перевожу дыхание. Черт, наконец-то я могу нормально дышать.

— Я боялся, что с тобой что-то случилось, — признаюсь я в темноту комнаты.

— Я тоже, — прерывисто отвечает она.

Я просовываю руку ей под голову, и она, двигая бедрами, прижимается ко мне еще сильнее.

Не знаю, что делать дальше. Не знаю, что умудрился натворить, если довел ее до такого.

Хотя нет, знаю. Я вел себя как придурок и пользовался ее добротой. Раз за разом просил дать еще один шанс, словно запас был неисчерпаем. Разрывал в клочья ее веру в меня и бросал ей в лицо каждый раз, когда мне казалось, что я ее не стою.

Если бы я с самого начала принял ее любовь и доверие и ценил жизнь, которую она пыталась вдохнуть в меня, она не была бы сейчас в таком состоянии. Не лежала бы сейчас рядом со мной, пьяная и расстроенная, подавленная и сломленная.

Она возродила меня: склеила крошечные кусочки моей разбитой души в нечто невероятное и даже в каком-то смысле привлекательное. Собрала меня воедино и сделала почти нормальным, но с каждой каплей потраченного на меня клея Тесса теряла частичку себя. А я, дурак, не смог предложить ей ничего взамен.

Все мои страхи претворились в жизнь, и сколько бы я ни старался это предотвратить, теперь я вижу, что делал только хуже. Я изменил ее и разрушил — именно так, как и предсказывал когда-то.

Какое-то безумие.

— Мне жаль, что я разрушил тебя, — шепчу я ей в волосы, когда ее сонное дыхание выравнивается.

— И мне, — выдыхает она. Сожаление понемногу заполняет маленькое пространство между нами, пока она засыпает.

Глава 53

Тесса

Жужжание. Я слышу только непрестанное жужжание, и кажется, что голова может взорваться в любой момент. Жарко. Слишком жарко. Хардин тяжелый и давит гипсом мне на живот, поэтому очень хочется в туалет.

Хардин.

Приподняв его руку, я в прямом смысле слова выползаю из-под него. Первым делом хватаю его телефон с ночного столика и выключаю жужжание. Экран забит сообщениями и пропущенными звонками от Кристиана. Я отвечаю лаконичным «Мы в порядке», отключаю звук и плетусь в ванную.

В груди тяжело, по венам еще текут остатки вчерашних алкогольных возлияний. Не нужно было столько пить. Следовало остановиться после первой бутылки. Или после второй. Или третьей.

Не помню, как уснула и как пришел Хардин. На поверхность сознания всплывает его голос в телефонной трубке, но трудно сосредоточиться, и я не совсем уверена, было ли это на самом деле. Но сейчас он здесь, в моей постели, стало быть, остальное уже мелочи.

Я прислоняюсь бедром к раковине и включаю холодную воду. Плещу себе в лицо, как делают в кино, но это не помогает. Сонливость не проходит, мысли не проясняются, только вчерашняя тушь еще больше размазывается по лицу.

— Тесса? — раздается голос Хардина.

Я выключаю кран и натыкаюсь на Хардина в коридоре.

— Привет, — говорю я, избегая его взгляда.

— Зачем ты встала? Ты уснула всего пару часов назад.

— Наверное, не спалось, — пожимаю я плечами. Ненавижу это неловкое стеснение, которое испытываю в его присутствии.

— Как ты себя чувствуешь? Прошлой ночью ты явно перебрала.

Я следую за ним в спальню и закрываю за собой дверь. Он садится на край постели, а я снова забираюсь под одеяло. Мне совсем не хочется вставать прямо сейчас, но ничего страшного, ведь еще даже не рассвело.

— Голова болит, — признаюсь я.

— Еще бы, тебя полночи рвало, детка.

Меня передергивает от воспоминания: Хардин поддерживает мне волосы и гладит по плечам, пока я в туалете опустошаю желудок.

Сквозь пульсирующую боль в голове пробивается голос доктора Уэста, сообщающий плохие новости — самые плохие из всех возможных. Не выдала ли я их в нетрезвом виде Хардину?

«О нет».

Надеюсь, что нет.

— О чем... о чем я говорила прошлой ночью? — немного настойчиво спрашиваю я.

Вздохнув, он проводит рукой по волосам.

— Ты все время бормотала что-то насчет Карен и моей мамы. Даже знать не хочу, что все это значило. — Он морщится, и вид у него сейчас, наверное, такой же, как и у меня.

— И все? — спрашиваю я с надеждой.

— В основном. Ах да, ты еще цитировала Хемингуэя. — Хардин едва заметно улыбается, и я вспоминаю, каким очаровательным он бывает.

— Не может быть. — Я в смущении прикрываю лицо руками.

— Еще как.

С его губ слетает тихий смешок, и, когда я начинаю подглядывать за ним сквозь пальцы, он добавляет:

— Кроме того, ты сказала, что принимаешь мои извинения и дашь мне еще один шанс.

Он ловит мой взгляд сквозь пальцы, и я, похоже, не могу отвести глаз.

«Неплохо. Весьма неплохо».

— Лжец.

Даже не знаю, смеяться или плакать. Мы снова увязли в старых добрых расставаниях-примирениях. Невозможно не заметить, что теперь все немного по-другому, но я отдаю себе отчет в том, что не могу доверять своей оценке. Каждый раз все казалось по-другому: он постоянно давал обещания, которые не мог сдержать.

— Хочешь поговорить о том, что случилось прошлой ночью? Это было выше моих сил — видеть тебя в таком состоянии. Ты была сама на себя не похожа. Когда мы разговаривали по телефону, ты меня очень напугала.

— Со мной все в порядке.

— Ты была просто в лоскуты. Напилась и уснула на террасе, по всему дому валяются пустые бутылки.

— Не очень-то приятно находить кого-то в таком виде, да? — Как только эти слова срываются с моих губ, я тут же чувствую себя полной идиоткой.

Его плечи опускаются:

— Да, не очень.

Это напоминает мне о ночах, а порой и днях, когда я обнаруживала Хардина пьяным. А к пьяному Хардину всегда прилагались разбитые лампы, дырки в стенах и отвратительные слова, которые били в самое сердце.

— Этого никогда больше не повторится, — произносит он, отвечая на мои мысли.

— Я не была в лос... — начинаю лгать я, но он знает меня слишком хорошо.

— Нет, была. Но ничего страшного, я это заслуживаю.

— В любом случае нечестно было бросать тебе это в лицо. — Мне нужно научиться прощать Хардина, или ни одному из нас не видать покоя в жизни.

Я не слышала вибрации, но он берет телефон с ночного столика и подносит к уху. Я закрываю глаза, чтобы хоть немного унять молоточки в голове, когда он устраивает разнос Кристиану. Машу рукой, чтобы он перестал, но он не обращает на меня внимания, выговаривая ему, какой он засранец.

— Ты мог хотя бы ответить, черт возьми. Если бы с ней что-то случилось, ты бы за это поплатился, черт возьми, — рычит Хардин в телефон, а я стараюсь отключиться от его голоса.

«Со мной все в порядке. Немного перепила, потому что день не задался, но сейчас все в полном порядке. Что тут такого страшного?»

Он кладет трубку, и я чувствую, как постель прогибается под его весом. Он отводит мою руку от глаз.

— Он просит прощения, что не приехал и не проверил, как ты тут, — сообщает Хардин, придвинувшись ко мне почти вплотную.

Я разглядываю щетину на его щеках и подбородке. Непонятно, в чем дело: то ли алкоголь еще не выветрился, то ли я просто ненормальная, но, подняв руку, я обвожу пальцем линию его подбородка. Мои действия его удивляют, и он следит, скосив глаза, как я ласкаю его кожу.

— Что мы делаем? — Он придвигается ближе.

— Не знаю. — Это все, что я знаю. Понятия не имею, что мы делаем, что я делаю, когда речь заходит о Хардине. И так было всегда.

Мне грустно и больно. Кажется, что меня предало собственное тело, да и вообще сама судьба, но я знаю, что Хардину под силу все исправить. Пусть даже на время, но он может прогнать все печали, очистить мой разум — так же как я когда-то наводила порядок в его душе.

Теперь я понимаю. Понимаю, что он имел в виду, когда говорил, что всегда нуждался во мне. Понимаю, почему он меня так использовал.

— Я не хочу тебя использовать.

— Что? — недоумевает он.

— Мне хочется, чтобы ты помог мне забыть обо всем на свете, но я не хочу тебя использовать. Сейчас мне хочется быть с тобой, но насчет всего остального я не передумала, — тараторю я, надеясь, что он поймет то, что я никак не могу облечь в слова.

Он приподнимается на локте и не сводит с меня глаз.

— Мне неважно, зачем или почему, но если я тебе нужен, тебе не обязательно ничего объяснять. Я и так весь твой.

Его губы так близко, что мне стоит только слегка наклонить голову, чтобы до них дотронуться.

— Прости. — Я отворачиваюсь.

Не могу его вот так просто использовать, но, самое главное, не могу притворяться, что этим все и закончится. Он не просто отвлечет меня от проблем с помощью плотских утех — это будет нечто большее, гораздо большее. Я все еще его люблю, хотя иногда и против своей воли. Мне хотелось бы быть сильнее, чтобы все это стало лишь проявлением обычной страсти: без чувств, без ожиданий, просто секс.

Но ни сердцем, ни разумом я на это не способна. Мой образ идеального будущего разлетелся в клочья, но, несмотря на боль, я не могу использовать его таким образом, особенно сейчас, когда он так старается. Это разобьет ему сердце.

Пока я сражаюсь сама с собой, он перекатывается на меня и, оказавшись сверху, сжимает одной рукой оба моих запястья.

— Что ты...

Он вздергивает мои руки за голову.

— Я знаю, о чем ты думаешь.

Он прижимается губами к моей шее, и мое тело одерживает верх над разумом. Я поворачиваюсь так, чтобы ему было легче добраться до чувствительного местечка на шее.

— Это нечестно по отношению к тебе, — ахаю я, когда он начинает пощипывать кожу прямо под ухом.

Он отпускает мои запястья, — только чтобы стянуть с меня футболку и швырнуть ее на пол.

— Ты позволяешь мне прикасаться к тебе после всего, что я натворил, — вот это нечестно, но я этого хочу. Я хочу тебя, всегда хочу и знаю, что ты борешься со своим желанием, но хочешь, чтобы я тебя отвлек. Не противься.

Навалившись всем телом, он прижимает меня бедрами к постели так властно и требовательно, что голова идет кругом еще сильнее, чем от вчерашнего вина.

Он скользит коленом между моих бедер и разводит их в стороны.

— Не думай обо мне. Думай только о себе и своих желаниях.

— Хорошо, — киваю я и начинаю постанывать. Его колено трется у меня между ног.

— Я люблю тебя. И пусть тебя никогда и ничего не заботит, если ты вдруг захочешь, чтобы я это продемонстрировал.

Он говорит так нежно, но вместе с тем одной рукой крепко прижимает мои запястья к постели, а другой проникает в мои трусики.

— Такая влажная, — стонет он, проводя пальцами между моих бедер.

Я стараюсь лежать смирно, и он прикладывает палец к моим губам, раздвигая их.

— Такая сладкая, правда?

Не успеваю я ответить, как он отпускает мои руки и спускается ниже. Он проводит у меня между ног языком, и я вцепляюсь в его волосы. С каждым движением его языка по клитору меня словно уносит далеко-далеко отсюда вместе с ним. Я больше не блуждаю во тьме, меня переполняет радость, а все сожаления и разочарования отступают.

Все, что сейчас есть, — это наши тела. Он стонет, когда я тяну его за волосы. Мои ногти оставляют маленькие яростные царапины на его лопатках, когда он вводит внутрь меня два пальца. Есть только его прикосновения, — он касается меня снаружи и изнутри так, как умеет только он.

Он резко вдыхает, когда я прошу его перевернуться, чтобы доставить ему удовольствие тем же способом, что и он мне. Его джинсы падают на пол, и он буквально сдирает с себя футболку, чтобы не отрываться от меня. Затем сажает меня сверху, и его член оказывается перед моим лицом. Мы никогда не делали этого прежде, но мне нравится, как он стонет, когда я беру его в рот. Его пальцы впиваются в мои ягодицы, и мы ласкаем друг друга губами. Я чувствую, как во мне нарастает напряжение, и слышу непристойные словечки, которыми Хардин помогает мне достигнуть пика.

Я кончаю первая, а затем и он изливается мне в рот. Я чуть не падаю в обморок, — такое облегчение приносит оргазм. Стараюсь не замечать, что почти не чувствую себя виноватой за то, что позволила ему утихомирить мою боль.

— Спасибо, — выдыхаю я в его грудь, когда он притягивает меня к себе.

— Нет, это тебе спасибо, — улыбается он, глядя на меня сверху, и целует в плечо. — Может, все-таки расскажешь, что тебя так огорчило?

— Нет. — Я обвожу кончиком пальца черные линии дерева, вытатуированного на его груди.

— Ладно. А замуж за меня выйдешь? — Его тело сотрясается от легкого смешка.

— Нет. — Я шлепаю его, надеясь, что он шутит.

— Ладно. Переедешь ко мне?

— Нет. — Я переключаюсь на символ бесконечности, нарисованный в виде сердца.

— Будем считать, что это «может быть», — усмехается он и обнимает меня за спину. — Разреши мне пригласить тебя сегодня на ужин.

— Нет, — вырывается у меня.

Он смеется.

— Будем считать, что это «да». — Его смех обрывается, когда по дому эхом разносится звук открываемой входной двери и коридор наполняется голосами.

— Черт возьми! — восклицаем мы оба одновременно.

Он изумленно смотрит на меня после таких слов, а я только пожимаю плечами и начинаю рыться в шкафу в поисках какой-нибудь одежды.

Глава 54

ТЕССА

В воздухе висит такое напряжение, что, готова поклясться, Кимберли уже только из-за этого открыла окно. Мы обмениваемся сочувственными взглядами, стоя в разных концах гостиной.

— Не так уж сложно взять трубку или хотя бы отправить сообщение. Я гнал сюда что есть мочи, а ты ответил всего час назад, — с негодованием отчитывает Хардин Кристиана.

Я вздыхаю, и Кимберли тоже. Не сомневаюсь, она сейчас думает, сколько еще раз Хардин повторит это свое «Я гнал что есть мочи».

— Я уже извинился. Мы отдыхали, и мой телефон, похоже, тоже решил отдохнуть. — Кристиан подкатывает свое кресло к Хардину. — Такое бывает, Хардин. Всего не предусмотришь...

Хардин награждает Кристиана своим фирменным взглядом, затем огибает стойку и встает рядом со мной.

— Думаю, он все понял, — шепчу я.

— Да уж, лучше бы, чтобы понял. — Хардин остается таким же суровым и зарабатывает раздраженную гримасу от своего биологического отца.

— Вижу, ты сегодня не в настроении, несмотря на то чем мы сейчас занимались, — поддразниваю я Хардина, чтобы хоть как-то погасить его гнев.

Он прижимается ко мне, и злоба в его глазах постепенно сменяется надеждой.

— Во сколько ты хочешь поехать поужинать?

— Поужинать? — перебивает Кимберли.

Я оборачиваюсь к ней, очень хорошо представляя, что она думает.

— Ты неправильно поняла.

— Нет, правильно, — говорит Хардин.

Из-за ее любопытства и его самодовольной ухмылки мне хочется отвесить им обоим оплеух. Конечно, я хочу поужинать с Хардином. С самого дня нашей встречи я хочу быть рядом с ним.

Но я не уступлю ему, не вернусь в замкнутый круг наших разрушительных отношений. Нам нужно поговорить, серьезно поговорить обо всем случившемся и о моих планах на будущее. То будущее, в котором я через три недели уезжаю в Нью-Йорк вместе с Лэндоном.

Между нами было слишком много секретов, слишком много ссор, которых можно было избежать, когда эти секреты выплывали наружу, поэтому я не хочу, чтобы на этот раз все обернулось так же. Пора вести себя по-взрослому, проявить твердость и рассказать Хардину о том, что я собираюсь сделать.

Это моя жизнь, мой выбор. Ему, да и никому другому необязательно его одобрять. Но я обязана по крайней мере открыть ему правду, пока это не сделал кто-то еще.

— Когда хочешь, тогда и поедем, — тихо отвечаю я, не обращая внимания на усмешку Кимберли.

Он с улыбкой оглядывает мою мятую футболку и свободные спортивные штаны.

— Ты пойдешь в этом?

У меня не было времени обратить внимание на то, что я на себя натянула. Меня слишком волнова-

ла Кимберли, которая могла постучать в мою дверь
и застать нас без одежды.

— Тс-с, — закатываю я глаза и ухожу.

Слышу, как он идет следом, но, оказавшись в ванной, закрываюсь на замок. Он пробует повернуть дверную ручку, и затем до меня доносится смешок и легкий удар по дереву. Я улыбаюсь при мысли о Хардине, бьющемся лбом в дверь.

Не говоря ему ни слова, я включаю душ, снимаю одежду и ступаю под не успевшие нагреться струи воды.

Глава 55

Хардин

Кимберли стоит посреди кухни, уперев руку в бок. Просто прелестно.

— Ужин, а?

— А? — передразниваю я и прохожу мимо, будто это мой дом, а не ее. — И не смотри на меня так.

Ее каблуки цокают у меня за спиной.

— Впору было принимать ставки на то, как быстро ты сюда примчишься. — Она распахивает дверцу холодильника. — По дороге домой я говорила Кристиану, что мы увидим твою машину на подъездной дорожке.

— Да-да, я уже понял.

Я поглядываю в коридор в надежде, что Тесса быстро ополоснется, отчаянно желая оказаться сейчас вместе с ней. Черт, я был бы счастлив, если бы она позволила мне просто посидеть на полу в ванной и послушать, как она болтает о чем-нибудь, пока принимает душ. Я скучаю по этим моментам. Увидеть бы снова, как она закрывает глаза и зажмуривается изо всех сил, пока моет голову, — «а вдруг» шампунь попадет в глаза.

Однажды я так ее достал, что она открыла глаза, и в них тут же попал большой клочок пены. Она припоминала мне это до тех пор, пока не сошла краснота.

— И что смешного? — Кимберли кладет на стол передо мной картонный коробок с яйцами.

Я и не заметил, что смеюсь, — был слишком поглощен воспоминанием о том, как Тесса с опухшими красными глазами злилась и бросала на меня сердитые взгляды.

— Ничего, — отмахиваюсь я.

На столе появляется всевозможная еда, и Кимберли даже ставит передо мной чашку черного кофе.

— Что это с тобой? Ты сегодня такая милая, чтобы я не напоминал твоему жениху, какой он на самом деле болван? — Я приподнимаю подозрительную чашку с кофе.

Она смеется.

— Нет, я всегда хорошо к тебе относилась. Просто не терплю твое поведение, как остальные. Но я всегда относилась к тебе хорошо.

Я киваю и не знаю, как продолжить разговор.

«Даже не верится. Неужели я беседую с самой противной подругой Тессы? С той самой женщиной, которая собирается выйти замуж за моего чертова донора спермы?»

Она разбивает яйцо о край стеклянной миски.

— Я покажусь тебе не такой уж плохой, когда ты разберешься с этой своей ненавистью ко всему миру.

Я поднимаю на нее взгляд. Она невыносима, но зато очень преданный друг, этого у нее не отнимешь. Верность — редкая штука, особенно в последнее время. Как ни странно, в моих мыслях появляется Лэндон. Он, пожалуй, единственный, кто, кроме Тессы, верен мне. Он всегда оказывал мне поддержку, на которую я не рассчитывал. И уж точно я не ожидал, что можно на него положиться.

Когда в жизни происходит столько всякой ерунды и стараешься не сойти с верного пути — пути, украшенного чертовыми радугами, цветами и прочей чепухой и ведущего к жизни с Тессой, приятно знать, что Лэндон рядом, если мне требуется его помощь. Он скоро уезжает, и это полный отстой, но я знаю, что даже в Нью-Йорке он останется моим другом. Может, большей частью он и становится на сторону Тессы, но он всегда честен со мной. Он ничего не скрывает от меня в отличие от всех остальных.

— Кроме того, — начинает говорить Кимберли, но прикусывает губу, чтобы не рассмеяться, — мы ведь одна семья!

«Вот и снова она треплет мне нервы».

— Смешно, — закатываю я глаза. Если бы это сказал я, это было бы действительно смешно, но ей обязательно нужно разрядить неловкое молчание.

Она отворачивается, чтобы вылить бурду из яиц в сковороду на плите.

— Всем известно, что у меня хорошее чувство юмора.

«На самом деле всем известно, что у тебя язык без костей, но если тебе кажется, что ты забавная, зачем спорить».

— Ну а если серьезно, — оглядывается она через плечо, — я очень надеюсь, что ты поговоришь с Кристианом до того, как уедешь. Он безумно расстраивается и переживает из-за того, что ваши отношения окончательно испорчены. Я не стану винить тебя, если это действительно так. Просто считаю нужным сообщить. — Она отводит взгляд и продолжает заниматься готовкой, позволяя мне собраться с мыслями для ответа.

А нужно ли вообще отвечать?

— Я еще не готов к разговору... Пока что, — наконец произношу я.

Сперва мне кажется, что она меня не услышала, но затем она кивает, и я вижу в уголках ее губ улыбку, когда она тянется за очередным ингредиентом.

Такое ощущение, что прошло часа три, прежде чем Тесса все-таки выходит из ванной. Ее волосы уже сухие и зачесаны назад, на голове ободок. Нетрудно заметить, что она накрасилась. Ей и без макияжа хорошо, но, наверное, это хороший знак, — она пытается вернуться к нормальной жизни.

Я смотрю на нее слишком долго, и она начинает чувствовать себя неловко от моего взгляда. Мне нравится, как она сегодня одета: туфли без каблука, розовый топ и юбка в цветочек. Чертовски красива, вот как это называется.

— Обед вместо ужина? — спрашиваю я, не желая расставаться с ней сегодня ни на секунду.

— Кимберли приготовила завтрак? — шепчет она.

— И что? Скорее всего, та еще гадость, — машу я рукой в сторону уставленного продуктами стола.

На самом деле выглядит неплохо. Но до Карен ей далеко.

— Не говори так. — Тесса улыбается, и я чуть не повторяю те же слова, чтобы она улыбнулась еще раз.

— Ладно. Тогда можно взять тарелку с собой, а потом выкинуть ее, когда окажемся снаружи, — предлагаю я.

Она игнорирует мои слова, но мне слышно, как она просит Кимберли отложить для нас еды, чтобы мы перекусили позже.

«Хардин: 1 очко».

«Кимберли со своими надоедливыми вопросами и противной едой: 0».

Пробки в центре Сиэтла на этот раз не такие ужасные, как обычно. Тесса ведет себя тихо, как я и ожидал. Каждые пять минут я чувствую на себе ее взгляд, но каждый раз, как я поворачиваюсь к ней, она быстро отводит глаза.

Для обеда я выбираю маленький ресторан в современном стиле. Когда мы выходим из машины на практически пустой парковке, это означает одно из двух: или они только что открылись, и толпа еще не успела набежать, или здесь плохо кормят, и сюда просто никто не ходит. Надеясь на первый вариант, мы входим в стеклянные двери, и Тесса оглядывается по сторонам. Внутри мило, затейливая отделка, и ей здесь, похоже, нравится. Это напоминает о том, как я люблю ее реакцию на самые простые вещи.

«Хардин: 2 очка».

Не то чтобы я вел счет или что-то в этом роде...

Но если бы вел... То выигрывал бы.

Мы молча сидим и ждем, пока у нас примут заказ. Официант — молоденький студент — явно нервничает и отводит глаза. Мне этот паршивец в глаза смотреть совсем не хочет.

Тесса заказывает что-то, о чем я никогда не слышал, а я выбираю первое попавшееся знакомое блюдо из меню. За столиком напротив сидит беременная женщина, и Тесса задерживает на ней взгляд чуть дольше, чем нужно.

— Эй. — Я откашливаюсь, чтобы привлечь ее внимание. — Не знаю, помнишь ли ты о том, что я наговорил прошлой ночью, но если помнишь, то прошу прощения. Когда я сказал, что не хочу от тебя детей, я просто имел в виду, что не хочу детей в принципе. Но кто знает... — Мое сердце начинает бешено колотиться. — Может быть, когда-нибудь...

Мне не верится, что я это сказал, и, судя по лицу Тессы, ей тоже. Она замирает с открытым ртом и стаканом воды в руке.

— Что? — моргает она. — Что ты сейчас сказал?

«Ну зачем я это сделал?»

Но ведь я серьезно. Мне кажется. Можно было бы это обдумать. Я не люблю детей: ни младенцев, ни подростков, но и взрослых не жалую. Мне нравится, считай, одна Тесса, так что, может быть, ее маленькая версия — это не так уж и плохо?

— Я просто говорю, может, это не так уж и плохо? — пожимаю я плечами, стараясь скрыть панику.

Она так и не закрывает рот. Я уже начинаю думать, не стоит ли перегнуться через столик и поднять ей челюсть.

— Конечно, не в ближайшее время. Я же не идиот. Конечно, тебе нужно окончить университет и все такое.

— Но ты... — Она явно лишилась дара речи.

— Я знаю, что говорил раньше, но ведь до тебя я ни с кем не встречался, никого не любил, мне ни до кого не было дела. Так что посмотрим. Наверное, спустя какое-то время я мог бы и передумать. Если ты подаришь мне шанс.

Я даю ей пару секунд на то, чтобы собраться с мыслями, но она так и сидит с открытым ртом и вытаращенными глазами.

— Мне еще нужно над многим поработать. Знаю, ты мне пока не доверяешь. Сперва нам нужно окончить университет, и я все-таки должен уговорить тебя выйти за меня замуж.

Я сыплю словами, судорожно пытаясь отыскать то, что ее зацепит и заставит принять мою позицию.

— Я не имею в виду, что сначала мы должны пожениться. Я не до такой степени джентльмен. —

С моих губ срывается нервный смешок, который, видимо, возвращает Тессу к реальности.

— Мы не можем, — произносит она, внезапно побледнев.

— Можем.

— Нет…

Я поднимаю руку, перебивая ее:

— Можем. Я люблю тебя и хочу прожить с тобой всю жизнь. Мне наплевать, что ты еще слишком молода, да и я тоже, и что я слишком плох для тебя, а ты для меня слишком хороша. Черт возьми, я тебя люблю. Да, я наделал кучу ошибок… — Я провожу рукой по волосам.

Оглядев маленький зал ресторана, замечаю, что беременная женщина определенно на меня пялится.

«Разве она не должна заниматься какими-нибудь своими делами? Например, есть за двоих? Или сцеживать молоко?»

Понятия не имею почему, но мне не по себе в ее присутствии, будто она меня осуждает, и вообще, она беременна и все это как-то странно. Почему я решил выплеснуть всю эту чушь на людях?

— И знаю, что говорил это уже… раз тридцать, но ты должна знать: я больше не буду валять дурака. Ты всегда нужна мне. Ссоры, примирения, черт, да можешь даже бросать меня раз в неделю и уходить из дома — что угодно, только пообещай, что будешь возвращаться, и я даже жаловаться ни на что не буду. — Я перевожу дух и смотрю на нее через столик. — Вернее, буду, но не часто.

— Хардин, поверить не могу, что ты это говоришь, — шепчет она, наклонившись ко мне. — Это же… все, о чем я мечтала.

Ее глаза наполняются слезами. Надеюсь, слезами счастья.

— Но детей у нас быть не может. Мы даже...

— Знаю. — Я снова перебиваю ее, но ничего не могу поделать. — Ты меня еще не простила, и я наберусь терпения. Обещаю, что не стану на тебя сильно давить. Просто хочу, чтобы ты понимала: я могу стать тем, кто тебе нужен, могу дать тебе то, чего ты хочешь, и не потому, что этого хочешь ты, а потому, что я сам этого хочу.

Она собирается ответить, но тут возвращается проклятый официант с нашей едой. Он ставит перед Тессой дымящуюся тарелку с какой-то хренью, которую она заказала, кладет передо мной бургер и неловко замирает над нами.

— Вам что-то нужно? — рявкаю я. Не его вина, что я делюсь надеждами на будущее с этой девушкой, а он помешал, но он продолжает стоять на месте и без толку тратить мое время.

— Нет, сэр. Больше ничего не желаете? — спрашивает он, покраснев.

— Нет, ничего, огромное спасибо. — Тесса одаривает его широкой улыбкой, стараясь сгладить неловкость и извиниться за мой дурной характер. Он улыбается ей в ответ и наконец уходит.

— В любом случае я лишь говорю то, что должен был сказать уже давно. Иногда я забываю, что ты не умеешь читать мои мысли и не знаешь всего, что я о тебе думаю. Хорошо бы, если бы умела, тогда ты любила бы меня больше.

— Вряд ли я могла бы любить тебя еще больше. — Она перебирает пальцами.

— Правда? — улыбаюсь я, и она кивает.

— Но мне нужно кое-что сказать тебе, и я не знаю, как ты к этому отнесешься.

Голос у нее слегка срывается, и я начинаю паниковать. Понятно, что она уже поставила на нас крест, но я могу заставить ее передумать. Я в этом уверен. Я настроен решительно как никогда — даже не знал, что такое бывает.

— Говори. — Я стараюсь, чтобы это прозвучало как можно более непринужденно, и откусываю большой кусок бургера. Иначе не заставить себя заткнуться.

— Ты ведь знаешь, я была у врача.

У меня в памяти всплывает, как она плакала и что-то бормотала на эту тему.

— У вас все в порядке? — Перед нами снова возникает этот чертов официант. — Как еда? Может быть, вам принести еще воды, мисс?

«Черт возьми, он это серьезно?»

— Все хорошо, — рычу я в ответ. Рычу в буквальном смысле слова, словно бешеная собака. Он сваливает, а Тесса указывает пальцем на пустой стакан.

— Черт. Вот, возьми. — Я передаю ей свою воду, и она, улыбнувшись, делает глоток. — Что ты там говорила?

— Мы можем поговорить об этом как-нибудь потом. — Она наконец пробует свою еду.

— Ну уж нет. Знаю я этот трюк, сам его придумал. Как только поешь, сразу расскажешь. Пожалуйста.

Она откусывает еще кусочек, стараясь отвлечь меня, но нет, ничего не выйдет. Я хочу знать, что сказал врач и почему она так странно себя ведет. Если бы мы не сидели сейчас на людях, разговорить ее было бы куда проще. Мне наплевать, я и сцену могу закатить, но ей будет неловко, поэтому я стараюсь быть паинькой. У меня получится. Получится найти равновесие между тем, чтобы быть хорошим и сговорчивым, и тем, чтобы не чувствовать себя полным идиотом.

Я жду еще пять минут, пока она соберется с духом, и вот она уже начинает бесцельно ковырять в тарелке.

— Ты поела?

— Не оч... — Она смотрит на свою полную тарелку.

— Что?

— Не очень вкусно, — шепчет она, оглянувшись, чтобы убедиться, что никто не слышит.

Я смеюсь.

— Поэтому ты вся так покраснела и шепчешь?

— Тише, — машет она рукой. — Я очень голодная, но есть это невозможно. Даже не знаю, что это такое. Просто нервничала и ткнула в первое попавшееся блюдо.

— Сейчас скажу, чтобы тебе принесли что-нибудь другое.

Я встаю, но она, перегнувшись через столик, хватает меня за руку.

— Нет, не надо. Пойдем отсюда.

— Прекрасно. Тогда заедем в какой-нибудь фастфуд и возьмем тебе что-нибудь. И ты наконец расскажешь, что у тебя стряслось. Я уже просто с ума схожу.

Она кивает, и вид у нее немного безумный.

Глава 56

ХАРДИН

Одна остановка у кафе с тако, и Тесса сыта, а мое терпение утекает с каждой секундой тишины между нами.

— Я испугал тебя этими разговорами о детях? Наверное, вывалил на тебя слишком много за раз, но последние восемь месяцев я все держу в себе и больше не хочу скрывать свои чувства.

Я хочу рассказать ей про всю ерунду, которая крутится у меня в голове. Мне хочется смотреть на то, как забавно солнце подсвечивает ее волосы, когда она сидит на пассажирском сиденье, — пока не ослепну. Хочется слышать, как она, постанывая, закрывает глаза, когда откусывает от тако, — клянусь, на вкус это как кусок картона, но ей нравится, — пока не оглохну. Мне хочется дразнить ее за пятнышко под коленкой — то, которое она всегда пропускает, когда бреет ноги, — пока не осипну.

— Нет, дело не в этом, — прерывает она мои размышления, и я поднимаю глаза, прекратив пялиться на ее ноги.

— Тогда в чем же? Дай угадаю: насчет свадьбы ты уже сомневаешься, а теперь и детей не хочешь?

— Нет, не то.

— Да уж надеюсь, потому что ты, черт возьми, прекрасно знаешь, что из тебя выйдет отличная мать.

Она со всхлипом хватается за живот.

— Я не могу.

— Мы можем.

— Нет, Хардин, я не могу. — Она с таким выражением смотрит на свой живот и руки, что, слава богу, я сейчас не за рулем, иначе мы вылетели бы на хрен с дороги.

Врач, слезы, вино, разговоры о Карен и ее ребенке и это «не могу», которое я сегодня слышал уже раз сто.

— Не можешь... — Я наконец-то понимаю, что она имеет в виду. — Это из-за меня? Я что-то тебе сделал?

Понятия не имею, что я мог сделать, но так всегда: из-за меня с Тессой случается что-то плохое.

— Нет-нет, ты здесь ни при чем. Просто со мной кое-что не в порядке. — Ее губы дрожат.

— Вот как. — Хотелось бы мне выдавить из себя что-то еще, что-нибудь более подходящее.

— Да. — Она потирает низ живота, и я буквально чувствую, как в тесном салоне становится нечем дышать.

Несмотря на запутанность ситуации, несмотря на то что и сам я ужасно запутался, в груди что-то будто обрывается. Перед мысленным взором проносятся маленькие девочки с каштановыми волосами и серо-голубыми глазами, маленькие зеленоглазые мальчики со светлыми волосами, детские чепчики и крошечные носочки со зверюшками — все то, от чего меня когда-то безудержно тошнило. Голова идет кругом от того, что все это сейчас рассыпалось в прах и унеслось по ветру туда, где умирают несбывшиеся мечты.

— Ну, это возможно, но вероятность очень мала. Будет большой риск выкидыша, и у меня такая чехарда с гормонами, что вряд ли я решусь на эту пытку. Я не смогу пережить потерю ребенка или многолетние безуспешные попытки забеременеть. Видно, просто не судьба мне стать матерью. — Она выпаливает эту чепуху, стараясь меня успокоить, но ее слова неубедительны, и как бы она ни старалась меня убедить, что справилась с ситуацией, кажется, что-то сомневаюсь.

Она смотрит на меня, ожидая, что я скажу что-нибудь, но у меня нет слов. Не знаю, что ей сказать, и не могу на нее не злиться. Это чертовски глупо, эгоистично и абсолютно несправедливо, но я ничего не могу поделать со своими чувствами и боюсь, что, если открою рот, ляпну что-нибудь не то.

Не будь я таким придурком, я бы ее успокоил. Обнял бы и сказал, что все будет хорошо, что не нужно нам никаких детей, можно усыновить ребенка или придумать что-то еще.

Однако в жизни все по-другому: мужчины — не герои из книжек, они не могут измениться за одну ночь, и никто в этом мире не застрахован от ошибок. Я не Дарси, а она не Элизабет.

Она вот-вот расплачется:

— Ну скажи хоть что-нибудь.

— Не знаю, что сказать. — Меня едва слышно, в горле пересохло. Я словно проглотил пригоршню пчел.

— Ты ведь все равно не хотел детей? Я подумала, что в таком случае это все неважно... — Если я сейчас взгляну на нее, то увижу, что она плачет.

— Раньше я так и думал, но теперь, когда знаю, чего лишился...

— О.

Спасибо и на этом, а то неизвестно, что еще могло вырваться.

— Можешь просто отвезти меня обратно в...

Я киваю и завожу машину. Черт возьми, какую же боль причиняет то, чего ты никогда не хотел.

— Прости, я всего лишь... — Я осекаюсь. Похоже, мы оба не в состоянии закончить фразу.

— Все в порядке, я понимаю. — Она прислоняется к окну, и мне кажется, что ей хочется оказаться как можно дальше от меня.

Душой я стремлюсь успокоить ее, подумать о том, как ей сейчас тяжело и что она чувствует.

Но разум сильнее, гораздо сильнее, и я просто злюсь. Не на нее, на ее организм и ее мать. На то, что, чем бы оно ни было, не работает так, как нужно. Я злюсь на весь мир — за то, что получил очередную пощечину, и на себя — за то, что не могу ничего ей сказать, пока мы едем по городу.

* * *

Через пару минут до меня доходит, что тишина оглушает до боли. Тесса старается тихонько сидеть на своем месте, но я слышу, как она дышит, как сдерживается и пытается держать себя в руках.

У меня ужасно сдавило грудь, а она просто переваривает мои слова. Почему ей вечно так достается от меня? Вечно я ляпну что-нибудь не то, а ведь сколько раз зарекался молчать. Сколько бы я ни обещал измениться, всегда одно и то же. Я сбегаю и оставляю ее одну разгребать очередное дерьмо.

Только не в этот раз. Я не могу снова так поступить. Сейчас я нужен ей как никогда, и для меня это шанс доказать ей, что я могу быть рядом, когда это необходимо.

Тесса не смотрит на меня, когда я дергаю руль и сворачиваю на обочину. Включаю аварийку и молюсь, чтобы не придрался какой-нибудь коп.

— Тесс, — пытаюсь я привлечь ее внимание, пока сам собираюсь с мыслями. Она не отрывает взгляда от своих рук на коленях. — Тесса, пожалуйста, посмотри на меня. — Я тянусь к ней, но она отстраняется и ударяется рукой о дверцу машины.

— Эй! — Отстегнув ремень безопасности, я тянусь к ней и, как часто это делаю, обхватываю оба ее запястья.

— Со мной все нормально. — Она слегка вздергивает подбородок, чтобы подтвердить свои слова, но ее влажные глаза говорят совсем о другом. — Не стоило здесь останавливаться, это оживленная магистраль.

— Да плевать я хотел на то, где остановился. Я запутался, у меня голова идет кругом. — Я умолкаю, чтобы подобрать слова. — Мне очень жаль. Мне не стоило говорить такие вещи.

Несколько ударов сердца — и она поворачивает ко мне голову, глядя в лицо, но избегая смотреть в глаза.

— Тесс, пожалуйста, не надо снова замыкаться в себе. Мне очень жаль. Не знаю, чем я думал. В любом случае я никогда и не думал заводить детей, а теперь — дожили, мотаю тебе нервы из-за этой хрени. — Это признание звучит еще хуже, когда я произношу его вслух.

— Ты тоже можешь расстроиться, — отвечает она негромко. — Мне просто хотелось, чтобы ты что-нибудь сказал. Хоть что-нибудь... — Последние слова она произносит так тихо, что я едва могу их расслышать.

— Мне наплевать, если ты не можешь иметь детей, — вырывается у меня.

«Вот дерьмо».

— Я имею в виду, что не стоит расстраиваться насчет того, что у нас с тобой не будет детей.

Я стараюсь исцелить рану, которую сам же и нанес, но, судя по ее лицу, эффект получается совершенно противоположный.

— Я хочу сказать, — и это у меня, черт возьми, абсолютно не получается, — что люблю тебя и что я бесчувственный ублюдок, раз не смог тебя утешить. Я, как обычно, забочусь в первую очередь о себе. Прости меня. — Похоже, я тронул ее этими словами, и она поднимает на меня взгляд.

— Спасибо. — Она освобождает запястье из моей хватки, и я не сразу ее отпускаю, но с облегчением вижу, что она просто вытирает слезы. — Мне жаль, что тебе кажется, что я тебя чего-то лишила.

Я вижу, что ей явно еще есть что сказать.

— Не держи в себе. Я знаю тебя, говори все, что хочешь.

— Мне очень не понравилась твоя реакция, — выдыхает она.

— Знаю, я...

Она прерывает меня, вскинув руку:

— Я не закончила. — Она прочищает горло. — Всегда, сколько себя помню, я хотела стать матерью. Возилась с куклами, как любая девочка, может, немного больше. Для меня всегда было важно иметь детей. Я никогда и мысли не допускала, что может быть по-другому.

— Знаю, я...

— Пожалуйста, дай мне закончить. — Она стискивает зубы.

Мне действительно пора заткнуться, хотя бы в этот раз. В ответ я молча киваю.

— Сейчас я переживаю ужасную потерю. И у меня нет сил думать о том, осуждаешь ты меня или нет. Ты тоже имеешь право горевать. Я хочу, чтобы ты никогда не скрывал от меня того, что чувствуешь, но в этом случае не твои мечты оказались разбиты. Еще десять минут назад ты не собирался заводить детей, поэтому с твоей стороны нечестно так вести себя.

Обождав несколько секунд, я приподнимаю бровь, спрашивая у нее, могу ли заговорить. Она кивает, но тут раздается такой оглушительный гудок фуры, что Тесса чуть ли не выпрыгивает из машины.

— Я поеду обратно к Вэнсу, — говорю я. — Но мне хотелось бы побыть с тобой.

Тесса не смотрит на меня, отвернувшись к окну, но слегка кивает.

— Я имею в виду, чтобы как-то тебя поддержать, что мне и следовало делать с самого начала.

Она так же едва заметно закатывает глаза.

Глава 57

TECCA

Когда мы проходим мимо Вэнса по коридору, они с Хардином обмениваются смущенными взглядами. Так странно, что Хардин снова рядом со мной после всего случившегося. Я не могу не оценить его стараний и самообладания, которое он проявляет, приехав в этот дом, дом Вэнса.

Сложно сосредоточиться на какой-то одной из целого вороха проблем, которые обрушились на нас в последнее время: похождения Хардина в Лондоне, Вэнс и Триш, смерть моего отца, проблемы по женской части.

Слишком много всего, и кажется, что конца этому не будет.

Но все же, после того как я рассказала Хардину о бесплодии, меня не покидает огромное, невероятное облегчение.

Однако впереди всегда подстерегает очередная трудность, только и ждущая, чтобы свалиться нам на голову.

И эта трудность — Нью-Йорк.

Не уверена, стоит ли говорить об этом сейчас, когда у нас опять не все гладко. Реакция Хардина мне совершенно не понравилась, но я благодарна ему за раскаяние, которое он продемонстрировал после того, как с такой черствостью и равнодушием отнесся к моим чувствам. Если бы он не остановил машину и не извинился, вряд ли я нашла бы в себе силы снова с ним разговаривать.

Не сосчитать, сколько раз с нашей встречи я говорила, думала и клялась в том же самом. Но сейчас я в долгу перед самой собой и, скорее всего, не отказалась бы от своих слов.

— О чем ты думаешь? — спрашивает он, закрывая за собой дверь в мою спальню.

— О том, что больше не стала бы с тобой разговаривать, — без промедления честно отвечаю я.

— Что? — Он подходит ближе, и я отступаю назад.

— Если бы ты не извинился, нам было бы не о чем с тобой разговаривать.

Он вздыхает и проводит рукой по волосам.

— Я знаю.

У меня не выходят из головы его слова: «Раньше я так и думал, но теперь, когда знаю, чего лишился...»

Я до сих пор в шоке, это правда. Никогда не ожидала, что услышу от него такое. Казалось невозможным, что он передумает. Но, с другой стороны, как и всегда в наших нездоровых отношениях, он изменил решение только после того, как произошла трагедия.

— Иди ко мне. — Хардин распахивает объятия, но я замираю в нерешительности. — Пожалуйста, дай мне успокоить тебя так, как я должен был это сделать. Давай поговорим, я тебя выслушаю. Прости меня.

Как обычно, я позволяю ему обнять себя. Он словно держит меня по-другому — крепче и увереннее, чем раньше. Его руки сжимаются сильнее, и он прислоняется щекой к моей макушке. Его волосы немного отросли и щекочут мою кожу. Я чувствую, как он целует меня в волосы.

— Расскажи мне, что у тебя на душе. Расскажи мне все, чего ты еще не сказала, — говорит он, усаживая меня на кровать рядом с собой. Я скрещиваю ноги, а он прислоняется к спинке кровати.

Я рассказываю ему обо всем. О том, как я в первый раз решила обратиться к гинекологу, чтобы провериться по поводу бесплодия. О том, что знала о возможных проблемах еще до поездки в Лондон. У него на щеках играют желваки, когда я рассказываю, что не хотела, чтобы он знал, и сжимаются кулаки, когда я объясняю, как опасалась, что он этому только обрадуется. Он молчит и спокойно кивает, пока я не говорю, что собиралась вечно держать все это в тайне.

Он приподнимается на локтях, чтобы придвинуться ко мне ближе.

— Почему? Почему ты так решила?

— Я думала, ты обрадуешься, и не хотела этого слышать, — пожимаю я плечами. — Лучше держать все в себе, чем слушать, какое облегчение ты испытываешь.

— Если бы ты рассказала мне об этом до поездки в Лондон, все было бы по-другому.

Я бросаю на него быстрый взгляд.

— Да, наверняка еще хуже. — Надеюсь, он не поведет себя так, как я думаю. Еще не хватало, чтобы он свалил вину за всю историю в Лондоне на меня.

Похоже, он обдумывает свои слова, прежде чем произнести их вслух, — еще одна перемена к лучшему.

— Ты права. Знаешь, ты права.

— Я рада, что никому не рассказывала, особенно пока еще не была уверена.

— Хорошо, что ты рассказала мне самому первому. — Он испытующе смотрит на меня.

— Ким в курсе. — Мне слегка неловко от того, что он подумал, будто услышал обо всем первым, но тогда его не было рядом.

Хардин хмурит брови:

— Что значит, Ким в курсе? Давно?

— Некоторое время назад я рассказала ей, что это один из возможных вариантов.

— То есть Ким знала, а я нет?

— Да, — киваю я.

— А Лэндон? Лэндон тоже знает? А Карен? Вэнс?

— А Вэнсу-то зачем знать? — не выдерживаю я. Он снова ведет себя просто нелепо.

— С ним могла поделиться Кимберли. Лэндону ты тоже рассказала?

— Нет, Хардин. Только Кимберли. Мне нужно было выговориться, а тебе я не могла вполне доверять.

— Вот как, — резко говорит он, нахмурившись мрачнее тучи.

— Это правда, — тихо говорю я. — Конечно, тебе не нравится это слышать, но от правды никуда не денешься. Ты, похоже, забыл, что не собирался иметь со мной никаких дел, пока не умер мой отец.

Глава 58

Хардин

Не собирался иметь с ней никаких дел? Я давно люблю эту девушку каждой клеточкой своего тела. Как обидно, что она так думает, что она забыла, как я ее обожаю, и свела все лишь к одной моей выходке. Не то чтобы я ее в чем-то упрекаю. Она думает так по моей вине.

— Ты всегда была нужна мне, ты же знаешь. Я просто никак не мог остановиться и продолжал разрушать единственное хорошее, что было в моей жизни, и я прошу за это прощения. Конечно, чертовски неправильно, что на это ушло столько времени, и жаль, что понадобилась смерть твоего отца, чтобы привести меня в чувство, но теперь я здесь. Я люблю тебя больше, чем когда бы то ни было, и мне все равно, если мы не сможем иметь детей.

Мне не слишком нравится ее взгляд, и я в отчаянии выпаливаю:

— Выходи за меня замуж!

Она сердито смотрит на меня.

— Хардин, нельзя так просто кидаться такими словами, перестань это говорить! — Она скрещивает руки на груди, словно защищаясь.

— Ладно. Тогда сперва куплю тебе коль...

— Хардин, — предостерегающе говорит она, плотно сжав губы.

— Ладно, — закатываю я глаза. Мне кажется, она готова отвесить мне пощечину. — Я так тебя люблю, — уверяю я и тянусь к ней.

— Кто бы сомневался, — бормочет Тесса. Как она может быть такой очаровательной и невыносимой одновременно?

— Я любил тебя, даже когда вел себя как придурок в Лондоне.

— Ты этого не показывал. И совершенно не важно, что ты говоришь, если ты не показываешь, как любишь меня, и не даешь мне почувствовать, что твои слова — это правда.

— Да, я тогда слетел с катушек. — Я принимаюсь ковырять растрепавшийся край гипсовой повязки.

«Сколько еще недель ее носить?»

— Ты разрешил носить ей свою футболку после того, как вы переспали. — Тесса отводит глаза и смотрит куда-то в стену за моей спиной.

«Что?»

— О чем ты? — Я мягко беру ее за подбородок и заставляю посмотреть на меня.

— Та девушка, сестра Марка. Вроде бы ее звали Джанин?

У меня отвисает челюсть.

— Ты думаешь, я ее трахал? Я же сказал, что ничего не было. В Лондоне я не притронулся ни к одной девушке.

— Да, говорил. Только почему-то чуть ли не размахивал презервативом у меня перед лицом.

— Я не трахал ее, Тесса. Посмотри на меня. — Я стараюсь ее убедить, но она снова отворачивается. — Понимаю, как это выглядело…

— Это выглядело так, будто на ней твоя футболка.

Мне ужасно не нравилось, как Джанин смотрелась в моей футболке, но пришлось ее отдать, иначе эта девица никогда бы не заткнулась.

— Я знаю, как это выглядело, но я ее не трахал. Ты что, действительно думаешь, что я на такое способен?

У меня сердце заходится от мысли, что на протяжении последних недель она прокручивала в голове эту чушь. Нужно было сразу понять, что наш предыдущий разговор ее не убедил.

— Она вешалась тебе на шею, Хардин. Прямо на моих глазах!

— Она поцеловала меня и хотела отсосать, но это все. Тесса издает писк и прикрывает глаза.

— У меня даже не встал на нее, только на тебя, — пытаюсь объяснить я, но она лишь качает головой и вскидывает руку, останавливая меня.

— Не будем о ней, меня уже тошнит. — Она явно говорит серьезно.

— Меня тоже тошнило. После того как она меня приласкала, я заблевал всю квартиру.

— Ты что? — изумленно смотрит на меня Тесса.

— Меня на самом деле стошнило, я даже в ванную побежал, так мне стало плохо от ее прикосновений. Не мог их вынести.

— Правда? — Даже не знаю, стоит ли обращать внимание на то, что в уголках ее губ появляется улыбка, когда я рассказываю о том, как мне стало дурно.

— Да, — улыбаюсь я, стараясь разрядить обстановку. — И не надо так радоваться, — добавляю я, но если ее настроение улучшится, пусть делает что хочет.

— Отлично. Надеюсь, тебе было очень плохо. — Теперь она улыбается во весь рот.

Мы самая безумная пара на свете.

Безумная, но идеальная.

— Так и было! — восклицаю я, пользуясь моментом. — Это был сплошной кошмар. Прости, что тебе пришлось все это время о ней думать. Понятно, почему ты так на меня злилась.

Все немного прояснилось, хотя в последнее время она постоянно на меня злится.

— Теперь, когда ты знаешь, что я не изменял тебе направо и налево, — я саркастично поднимаю бровь, — примешь ли ты меня обратно и разрешишь ли сделать из тебя честную женщину?

Она вскидывает голову:

— Ты обещал, что перестанешь бросаться такими словами.

— Ничего я не обещал. Я никогда не говорил, что «обещаю» это.

Сейчас она меня точно ударит.

— Ты собираешься кому-нибудь рассказывать про эти дела с бесплодием? — пытаюсь я сменить тему.

— Нет. — Она закусывает губу. — Вряд ли. Во всяком случае, в ближайшее время не собираюсь.

— Не стоит никому об этом знать, пока через несколько лет мы не усыновим ребенка. Наверняка целая куча чертовых детишек только и ждет, пока их купят приемные родители. Все будет в порядке.

Конечно, она пока не согласилась выйти за меня замуж или хотя бы возобновить наши отношения, но надеюсь, сейчас она не станет об этом упоминать.

Она тихо смеется:

— Чертовы детишки? Только не говори, что считаешь, будто где-то в центре есть такой магазин, куда ты можешь прийти и купить ребенка. — Она подносит руку ко рту, чтобы сдержать улыбку.

— А разве нет? — шучу я. — А «Babies "R" Us»[1] тогда что за контора?

— О боже! — Ее голова запрокидывается от смеха.

Я тянусь к ней и беру ее за руку.

— Если в этом чертовом магазине нет кучи детишек, сидящих в ряд и готовых к продаже, тогда я подам на них в суд за ложную рекламу.

Я улыбаюсь ей как можно дружелюбнее, и она, вздохнув, больше не сдерживается и разражается хохотом. Я сразу это вижу. И в точности знаю, о чем она думает.

— Тебе пора к психиатру. — Она отнимает руку и встает.

— Да. — Улыбка исчезает с ее лица. — Да, ты права.

---

[1] «Babies "R" Us» — сеть магазинов товаров для детей в США.

Глава 59

ХАРДИН

— Вы двое проехали из конца в конец штата Вашингтон больше раз, чем любой из моих знакомых, — говорит Лэндон, подняв на меня глаза. Он сидит на диване в гостиной моего отца.

После того как смех снова резко перешел в молчание, я убедил Тессу, что лучше будет вернуться в дом Кена и провести время с Лэндоном, пока он не уехал. Мне казалось, она тут же с готовностью согласится — ей нравится общаться с Лэндоном, — но прежде чем решиться на это, она задумалась на несколько неловких мгновений. Мне пришлось ждать на кровати, пока она по непонятной причине собирала почти все свои вещи, а затем в машине, пока она чересчур долго прощалась с Кимберли и Вэнсом.

Я окидываю Лэндона ничего не выражающим взглядом.

— Ты знаешь не так много народа, чтобы твое утверждение можно было назвать достоверным, — поддразниваю я.

Он бросает взгляд на мать, сидящую рядом в кресле, и я знаю, что он хочет ответить мне какой-нибудь остроумной заумной репликой и наверняка не остался бы в долгу, не будь ее здесь. В последнее время он стал более находчив.

Вместо этого он только закатывает глаза, говорит «ха-ха» и снова утыкается в лежащую на коленях книжку.

— Хорошо, что вы благополучно добрались. Льет как из ведра, и к вечеру дождь только усилится, — мягко говорит Карен, улыбаясь, и я отвожу глаза. — Ужин в духовке, скоро будет готов.

— Пойду переоденусь. Спасибо, что разрешили мне опять у вас остановиться, — говорит Тесса у меня за спиной и, поднявшись по лестнице, исчезает.

Несколько секунд я стою внизу, а затем устремляюсь за ней, как щенок. Когда я вхожу в ее комнату, она стоит полураздетая, на ней только нижнее белье.

— Ничего себе скорость, — бормочу я на пороге, когда она поворачивает голову в мою сторону.

Она пытается прикрыться: сначала грудь, потом бедра, и я не могу сдержать улыбку.

— Немного поздновато для этого, тебе не кажется?

— Тс-с, — произносит она и натягивает через мокрую голову сухую футболку.

— Ты же знаешь, у меня плохо получается сохранять молчание.

— А что получается хорошо? — поддразнивает она и, извиваясь, влезает в штаны. Те самые штаны для йоги.

— Давненько ты их не носила… — Я потираю щетину на подбородке и не свожу глаз с обтягивающих черных штанов, которые сидят на ней как влитые.

— Не начинай.

Она игриво грозит мне пальцем.

— Ты их от меня спрятал, поэтому и не носила, — говорит она с улыбкой, будто сама удивляется тому, как легко получается шутить. Затем становится серьезнее и выпрямляет спину.

— Я их не прятал, — лгу я.

Интересно, когда она умудрилась найти их в шкафу в нашей чертовой квартире? Разглядывая ее задницу в этих штанах, я вспоминаю, почему их спрятал.

— Они были в шкафу.

Представив, какое у нее было лицо, когда она рылась в вещах, я начинаю смеяться, пока мне не приходит в голову, что там лежит кое-что еще, чего она видеть не должна.

Я вглядываюсь в нее, пытаясь понять, не нашла ли она в шкафу ту проклятую коробку.

— Что? — спрашивает она, натягивая носки — жуткого розового цвета, пушистые, с узором в горошек.

— Ничего, — снова лгу я, отгоняя подозрения.

— Ну и хорошо... — Она выходит из комнаты.

Я опять иду за ней следом, как щенок, и сажусь рядом за большой обеденный стол. Эта девица с именем на букву «с» опять здесь и так смотрит на Лэндона, словно он невесть какая драгоценность. Определенно, она со странностями.

Завидев ее, Тесса ослепительно улыбается:

— Привет, София!

София отрывает взгляд от Лэндона, только чтобы улыбнуться Тессе в ответ и помахать мне.

— София помогла мне приготовить окорок, — с гордостью объявляет Карен.

Большой обеденный стол уставлен едой и украшен цветами и горящими свечами. Пока Карен и София нарезают окорок, мы обмениваемся ничего не значащими фразами.

— М-м-м, как вкусно. Соус просто бесподобный, — произносит Тесса, постанывая от удовольствия.

Ох уж эти женщины со своей чертовой едой!

— Можно подумать, что вы обсуждаете порно, — говорю я преувеличенно громко.

Тесса пинает меня под столом, а Карен, прикрыв рукой набитый рот, кашляет от смеха. К общему удивлению, София тоже смеется. Судя по всему, Лэндону неловко, но он расслабляется, видя, что она хохочет от всей души.

— Что за разговоры, — произносит она.

Лэндон жалобно смотрит на нее, и теперь уже и Тесса улыбается.

— Это же Хардин. Такие реплики вполне в его духе, — замечает Карен, в ее глазах искрится смех.

«Ну ладно, это уж и вовсе странно».

— Ты привыкнешь к нему. — Лэндон бросает на меня мимолетный взгляд, прежде чем снова целиком переключиться на свое новое увлечение. — Если пообщаешься с ним. Но ты не будешь с ним общаться. — Он густо краснеет. — Конечно, только если тебе этого не хочется. Хотя вряд ли тебе этого захочется.

— Она тебя поняла, — спасаю я его, и он смотрит так, будто готов обмочиться.

— Да, поняла, — улыбается она Лэндону, и я готов поклясться, что его лицо из красного становится пурпурным. Вот бедняга.

— София, ты надолго в наших краях? — вступает в разговор Тесса, меняя тему, чтобы тактично помочь другу.

— Задержусь еще на пару дней. Возвращаюсь в Нью-Йорк в понедельник. Мои соседки по комнате ждут не дождутся моего приезда.

— Сколько их у тебя? — спрашивает Тесса.

— Трое, все танцовщицы.

Я смеюсь.

Тесса тоже натянуто улыбается:

— Ух ты.

— О боже! Они балерины, а не стриптизерши. — Сара разражается смехом, и я вторю ей, забавляясь облегчением и смущением, отразившимися на лице Тессы.

Тесса почти в одиночку поддерживает беседу, расспрашивая девушку о всякой ерунде, и я, отключившись от разговора, сосредоточиваюсь только на очертаниях губ Тессы. Мне нравится, как она каждые пять минут промокает их салфеткой на тот случай, если к ним что-то пристало.

Ужин продолжается в том же духе, пока меня не одолевает смертная скука, а лицо Лэндона не приобретает более-менее нормальный цвет.

— Хардин, ты решил насчет церемонии вручения дипломов? Знаю, ты хотел отказаться, но, может быть, передумал? — спрашивает Кен, пока Карен, Тесса и Сара убирают со стола.

— Нет, не передумал.

Я ковыряюсь ногтем в зубах. Он нарочно продолжает поднимать эту тему в присутствии Тессы, чтобы загнать меня в душную, битком забитую аудиторию, где тысячи людей будут обливаться потом и вопить как дикие звери.

— Правда? — спрашивает Тесса. Я перевожу взгляд с нее на отца и обратно. — А я думала, что ты передумаешь. — Она знает наверняка, что делает.

— Мне... — начинаю объяснять я.

«Вот же дерьмо».

Тесса смотрит с надеждой, но строго, провоцируя меня засомневаться в своем решении.

— Черт возьми, ладно. Приду на вашу гребаную церемонию, — выдыхаю я. Вот же хрень.

— Спасибо, — благодарит Кен. Только я собираюсь сказать, что, черт возьми, всегда пожалуйста, как понимаю, что он благодарит не меня, а Тессу.

— Вы оба... — начинаю я, но тут же осекаюсь, заметив, как она на меня смотрит. — Вы оба такие классные, — говорю я вместо того, что собирался.

«Вы оба — коварные засранцы», — вертится у меня в голове, а они самодовольно улыбаются друг другу.

Глава 60

ТЕССА

Каждый раз, когда во время ужина София заговаривала о Нью-Йорке, у меня начиналась паника. Понимаю, я сама подняла эту тему. Но мне просто хотелось отвлечь внимание от Лэндона. Ему было не-

ловко, и я сказала первое, что пришло в голову. И так
уж вышло, что это оказалась единственная тема, которую не стоило упоминать в присутствии Хардина.

Нужно рассказать ему сегодня же вечером. Я веду себя трусливо, нелепо и по-детски, скрывая от него
правду. Произошедшие с ним перемены либо помогут
ему справиться с новостями, либо он вспылит. Никогда не знаешь, чего от него ждать, — может случиться
что угодно. Но, как бы там ни было, я не в ответе за
то, как он все воспримет, и он заслуживает того, чтобы я рассказала ему обо всем сама.

Прислонившись к дверному косяку и не заходя
в кухню, я наблюдаю, как Карен протирает поверхность плиты мокрой тряпкой. Кен устроился в кресле
в гостиной и задремал. Лэндон и София молча сидят
за обеденным столом. Лэндон украдкой поглядыва-
ет на девушку, и она, поймав его взгляд, улыбается
в ответ.

Не знаю, что и думать, ведь он только-только покончил с предыдущими долгосрочными отношениями, и уже нашел новую любовь. Но кто я такая, чтобы судить о чужих отношениях? Я и в своих-то не
могу разобраться.

Со своего места мне видно и гостиную, и столовую,
и кухню: передо мной собрались близкие мне люди.
В том числе и самый близкий — Хардин. Он тихонько
сидит на диване в гостиной, уставившись в стену.

Я улыбаюсь при мысли о его июньской церемонии
вручения дипломов. Трудно представить его в мантии
и шапочке, но я точно не откажусь на это посмотреть.
Его согласие очень много значило для Кена. Кен много раз ясно давал понять, что он никогда не думал,
что Хардину удастся окончить университет, и теперь,
когда правда об их прошлом вышла наружу, я уверена, что Кен совсем не ожидал, что Хардин передумает

и примет участие в традиционном выпускном ритуале. Хардин Скотт всегда не как все.

Я прижимаю пальцы ко лбу, чтобы заработала голова.

«Как мне об этом заговорить? Что, если он тоже захочет переехать в Нью-Йорк? Предложит ли он мне это? А если предложит, соглашаться?»

Внезапно я чувствую на себе его взгляд. Должно быть, он смотрит на меня из гостиной. Так и есть: повернувшись в его сторону, я вижу, как он изучает меня своими горящими любопытством зелеными глазами, сжав полные губы в тонкую линию. Я посылаю ему улыбку, означающую «Все в порядке, я просто задумалась», но он, нахмурившись, встает, пересекает комнату несколькими размашистыми шагами и, упершись ладонью в стену, нависает надо мной.

— В чем дело? — спрашивает он.

Лэндон отвлекается от Софии и оборачивается, услышав громкий голос Хардина.

— Мне нужно кое о чем с тобой поговорить, — тихо признаюсь я. Он не выглядит слишком обеспокоенным, хотя волноваться есть о чем.

— Хорошо, что случилось?

Он придвигается ближе, даже слишком близко, и я отстраняюсь, забыв, что он припер меня к стенке. Хардин поднимает вторую руку, чтобы полностью перекрыть мне пути к отступлению, и, когда мы встречаемся взглядом, довольно улыбается.

— Ну так что? — подталкивает он.

Я молча смотрю на него. Во рту пересохло, и я, попытавшись что-то сказать, начинаю кашлять. Похоже, со мной так всегда: и в кино, и в церкви, и во время разговора с кем-нибудь, кто для меня важен. В общем, когда кашлять совсем не к месту. Как вот, например, сейчас: кашляя, я мысленно рассуждаю о кашле, а Хардин смотрит на меня так, будто я умираю у него на глазах.

Он отступает и решительно идет на кухню. Обходит Карен и возвращается со стаканом воды, как уже бывало раз тридцать за последние две недели. Я беру стакан и испытываю настоящее облегчение, когда холодная вода успокаивает мое зудящее горло.

Видимо, мое собственное тело сопротивляется, мешая сообщить Хардину новости, и мне хочется хлопнуть себя по спине и одновременно ударить в челюсть. Если бы я так сделала, Хардин, наверное, посочувствовал бы мне из-за моего ненормального поведения и, возможно, сменил бы тему разговора.

— Что происходит? Твои мысли несутся со скоростью света. — Он смотрит на меня, протягивая руку за пустым стаканом. Я качаю головой, но он не отступает. — Даже не спорь, это видно.

— Может, выйдем наружу? — Я поворачиваюсь к двери, ведущей на террасу, давая ему понять, что хочу поговорить без свидетелей. Черт, возможно, нам стоило бы отправиться обратно в Сиэтл, чтобы все обсудить. Или еще дальше. Чем дальше, тем лучше.

— Наружу? Зачем?

— Я хочу с тобой поговорить. Наедине.

— Ладно, как скажешь.

Обогнав его, я иду впереди, чтобы сохранить баланс сил между нами. Если я поведу его за собой на улицу, то, может быть, и в разговоре получится сыграть главную роль. А тогда появится шанс не позволить Хардину оказать на меня давление. Может быть.

Я не отнимаю руку, когда Хардин обвивает мои пальцы своими. Очень тихо: слышны только отголоски детективного сериала, под который уснул Кен, и жужжание посудомоечной машины на кухне.

Когда мы выходим на террасу, все эти звуки растворяются и со мной остаются лишь мои собственные беспорядочные мысли и песенка, которую Хардин напевает себе под нос. Я благодарна ему за эту песенку, что бы он там ни напевал: это отвлекает и помогает не думать о надвигающейся катастрофе, которой, я уверена, не избежать. Если повезет, до того, как вспыхнет его ярость, в моем распоряжении будет пара минут, чтобы объяснить свое решение.

— Я слушаю, — говорит Хардин, подтягивая к себе по деревянному полу террасы одно из кресел.

Вот и исчезает шанс успокоить его хотя бы на несколько минут: он не намерен ждать. Сев, он облокачивается о столик между нами. Я сажусь напротив и не знаю, куда деть руки. Перекладываю их со стола на бедра, с бедер на колени, с колен обратно на стол, пока он, перегнувшись через стол, не накрывает ладонью мои беспокойные пальцы.

— Расслабься, — мягко говорит он. Его теплая рука почти придает мне толику уверенности, хотя и совсем ненадолго.

— Я кое-что скрывала от тебя, и это сводит меня с ума. Мне нужно непременно тебе рассказать, хотя сейчас и неподходящее время, но ты должен узнать это от меня, а не от кого-нибудь еще.

Он отнимает руку и откидывается на спинку кресла.

— Что ты натворила? — Я чувствую тревогу и подозрительность в его голосе, слышу, как он старается контролировать дыхание.

— Ничего, — быстро отвечаю я. — Ничего такого, о чем ты подумал.

— То есть ты не... — Он несколько раз моргает. — Ты не... ни с кем другим?

— Нет! — вырывается у меня, и я отчаянно трясу головой в подтверждение своих слов. — Нет, ничего такого. Я просто кое-что для себя решила и скрыла это от тебя. Это никак не связано с другим мужчиной.

Даже не знаю, что испытывать: облегчение или обиду из-за того, что первым пришло ему в голову. С одной стороны, мне легче, потому что мой переезд в Нью-Йорк никогда не причинит ему столько боли, как если бы я нашла кого-то другого. С другой стороны, мне досадно: неужели он так плохо меня знает? Разумеется, я тоже вела себя легкомысленно и причинила ему много боли, особенно в том, что касается Зеда, но я никогда не переспала бы с другим.

— Хорошо. — Он проводит ладонью по волосам и, заведя согнутую руку за спину, разминает мышцы на шее. — Тогда все не может быть уж слишком плохо.

Переведя дух, я решаю выложить все как есть и не ходить больше вокруг да около.

— Ну…

Он жестом останавливает меня.

— Подожди. Может, прежде чем расскажешь, в чем дело, сначала объяснишь, почему?

— Почему что? — недоуменно переспрашиваю я, склонив голову набок.

Он вскидывает бровь.

— Почему ты сделала выбор, за который так переживаешь.

— Хорошо, — киваю я.

Он терпеливо смотрит на меня, а я перебираю в уме мысли. С чего начать? Это гораздо труднее, чем просто сказать ему, что я переезжаю, но так все равно гораздо легче все объяснить.

Теперь, размышляя об этом, я понимаю, что у нас вообще никогда не было ничего подобного. Каждый раз, как случалось что-нибудь серьезное и болезненное, мы узнавали об этом от других, что было не менее болезненно.

Взглянув на него в последний раз, я начинаю говорить. Мне хочется изучить каждый миллиметр его лица, рассмотреть и запомнить, какими спокойными могут быть его зеленые глаза. Я замечаю, какими манящими кажутся его розовые губы, но мне также вспоминаются времена, когда я видела их рассеченными посередине и залитыми кровью от последствий драки. Я помню пирсинг и то, как быстро он пришелся мне по душе.

Я будто снова ощущаю, как холодный металл касается моих губ. Я вспоминаю, как он сам его прикусывал, когда задумывался, и как соблазнительно это выглядело.

Я вспоминаю вечер, когда он повел меня кататься на коньках, пытаясь доказать, что может вести себя как «нормальный» парень. Он нервничал и флиртовал, а еще вытащил тогда обе свои серьги. По его словам, он сделал это, потому что так ему захотелось, но по сей день мне кажется, что он просто хотел что-то доказать и себе, и мне. Какое-то время я скучала по ним и до сих пор иногда скучаю, но мне по-своему нравится то, что означает их отсутствие, хотя, не буду отрицать, с ними он смотрелся очень сексуально.

— Хардин вызывает Тессу, прием, — поддразнивает он меня и подается вперед, уперев подбородок в ладонь.

— Так вот, — нервно улыбаюсь я. — Я так решила, потому что какое-то время нам нужно побыть порознь, и мне показалось, что иначе ничего не получится.

— Порознь? До сих пор? — Он пристально смотрит на меня, вынуждая отодвинуться подальше.

— Да, какое-то время. У нас в отношениях полная неразбериха, и мне необходимо, чтобы мы держались подальше друг от друга — на этот раз всерьез. Понимаю, мы каждый раз говорим одно и то же, заводим старую песню, ездим взад-вперед между Сиэтлом и этим городом, а еще добавился Лондон. Мы словно разносим свой бардак по всему земному шару. — Я замолкаю, чтобы услышать его ответ. По его лицу ничего не понять, и я в конце концов отвожу взгляд.

— Неужели все так плохо? — мягко спрашивает Хардин.

— Мы большей частью ссоримся.

— Вот уж неправда. — Он оттягивает ворот своей черной футболки. — Формально и буквально это неправда, Тесс. Тебе, может, так кажется, но если ты оглянешься назад и вспомнишь, сколько мы с тобой вместе пережили, то поймешь, что мы чаще смеялись, разговаривали, дразнили друг друга, ну и, конечно, проводили время в постели. Ну очень много времени в постели. — Он слегка улыбается, и я чувствую, как вся моя решимость улетучивается.

— Мы все проблемы решаем с помощью секса, и это ненормально, — говорю я, перейдя к следующему аргументу.

— Ненормально заниматься сексом? — фыркает он. — У нас прекрасный секс, полный согласия, любви и доверия. — Его глаза горят. — Да, еще его можно назвать восхитительным сексом, от которого сносит крышу, но не забывай, почему мы им занимаемся. Я сплю с тобой не для галочки, а потому что люблю тебя, и мне нравится, что ты доверяешь мне настолько, что позволяешь касаться тебя.

Он говорит совершенно правильные вещи, хотя в них не должно быть никакого смысла. Я соглашаюсь вопреки всем своим стараниям.

Мне кажется, что Нью-Йорк уплывает все дальше и дальше, поэтому решаю пустить в ход тяжелую артиллерию:

— Ты когда-нибудь интересовался признаками насильственных отношений?

— Насильственных? — Ему будто не хватает воздуха. — Ты считаешь, что я могу применить насилие?

Я не поднимал на тебя руку, и этого никогда не случится!

Я не отвожу глаз от своих рук и продолжаю давить честностью.

— Нет, я не это имела в виду. Я хотела сказать, что мы оба ведем себя так, что намеренно причиняем друг другу боль. Речь не о физическом насилии.

Вздохнув, он проводит обеими руками по волосам — явный признак того, что его накрывает паника.

— Ладно, ты определенно хочешь сообщить мне что-то более серьезное, чем то, что не собираешься жить со мной в Сиэтле. — Он замолкает и смотрит на меня ужасающе сосредоточенно. — Тесса, я должен кое-что спросить у тебя и хочу получить честный ответ — никакой чепухи, никаких раздумий. Просто скажи первое, что придет в голову, хорошо?

Я киваю, хотя не понимаю, куда он клонит.

— Чем я обидел тебя больше всего? Что ты можешь вспомнить самого ужасного и отвратительного из того, что было между нами?

Я начинаю перебирать в памяти последние восемь месяцев, но он откашливается, напоминая мне, что просил назвать первое, что придет в голову.

Я ерзаю на стуле, мне не хочется открывать этот шкаф со скелетами ни сейчас, ни когда-либо в будущем.

— Пари. Ты выставил меня полной дурой, а я в тебя влюбилась, — в конце концов выпаливаю я.

На несколько мгновений Хардин весь уходит в свои мысли.

— Ты хотела бы это изменить? Хотела бы, чтобы этой моей ошибки не было?

Я медлю и тщательно все обдумываю, прежде чем заговорить. Я уже много раз отвечала на этот вопрос и еще больше раз меняла свое мнение, но сейчас ответ кажется таким... окончательным. Он кажется окончательным и определенным и словно значит теперь гораздо больше, чем раньше.

Солнце клонится к закату и прячется за ряды массивных деревьев, окружающих жилище Скоттов. На террасе загораются светочувствительные фонари.

— Нет, я не стала бы ничего менять, — говорю я, в основном для себя.

Хардин кивает, будто был заранее уверен в моем ответе.

— Хорошо, а кроме этого? Что еще я сделал самого плохого?

— Не дал мне снять ту квартиру в Сиэтле, — отвечаю я, не задумываясь.

— Правда? — Мой ответ его, похоже, удивляет.

— Да.

— Почему? Что из моих действий тебя так взбесило?

— Ты решил за меня, хотя это было только мое решение, и скрыл это.

Он кивает, затем пожимает плечами:

— Я не ищу себе оправданий. Знаю, что вел себя как придурок.

— И? — Я надеюсь, у него еще есть что сказать.

— Я действительно понимаю, из чего ты исходишь. Мне не стоило этого делать, нужно было поговорить с тобой вместо того, чтобы не пускать в Сиэтл. Я вел себя как ненормальный, да и сейчас не сильно изменился, но я стараюсь это исправить. В этом отличие от того, что было раньше.

Даже не знаю, что на это ответить. Я согласна с тем, что ему не стоило так поступать, и вижу, что сейчас он старается. Я смотрю в его такие честные, сияющие глаза и совсем забываю, что хотела сказать.

— Детка, ты напридумывала себе, что все должно быть легко и просто, или, может быть, увидела это в каком-то дурацком сериале или в книжке прочитала, не знаю. Но реальная жизнь — страшно тяжелая. Не бывает идеальных отношений, и ни один мужчина не обращается с женщиной так, как подобает. — Взмахом руки он пресекает мои возражения. — Я не говорю, что это правильно. Услышь меня: я только хочу сказать, что, если бы ты и, может быть, еще несколько человек в этом запутанном мире, полном критики, обращали больше внимания на то, что не лежит на поверхности, вы бы увидели все в другом свете. Мы не совершенны, Тесса. Я не совершенен и люблю тебя, но ты тоже далека от идеала. — При этих словах он морщится, показывая, что говорит это в самом лучшем смысле слова. — Я столько тебя обижал и, черт возьми, уже тысячу раз говорил одно и то же, но что-то во мне изменилось, и ты знаешь, что это так.

Когда Хардин умолкает, я еще несколько секунд продолжаю смотреть в небо у него за спиной. Солнце садится за деревья, и, прежде чем ответить, я жду, пока оно совсем исчезнет.

— Боюсь, мы зашли слишком далеко. Мы оба совершили так много ошибок.

— Мы лишь потеряем, если сдадимся, вместо того чтобы исправить эти ошибки, и ты, черт возьми, это знаешь.

— Потеряем что? Время? Не так уж много времени у нас осталось, — говорю я, с каждым мгновением приближаясь к неминуемой катастрофе.

— Все время на свете принадлежит нам. Мы еще так молоды! Я почти окончил университет, и мы будем жить в Сиэтле. Да, ты уже устала от этой ерунды, но я эгоистично рассчитываю, что из любви ко мне ты согласишься дать мне последний шанс.

— А как насчет меня? Я оскорбляла тебя, да и вся эта история с Зедом. — При упоминании Зеда я закусываю губу и отвожу взгляд.

Хардин барабанит пальцами по стеклянной столешнице.

— Во-первых, сейчас речь не о Зеде. Ты наделала глупостей, и я тоже. Ни один из нас понятия не имел, как вести себя в отношениях. Может, ты думала по-другому, потому что столько времени встречалась с Ноем, но давай начистоту: вы двое были как кузены, которые иногда целовались. Это было не по-настоящему.

Я сердито смотрю на Хардина и жду, пока он закончит ворошить эту тему.

— А по поводу оскорблений, которых было не так уж много, — улыбается он, и я удивляюсь, что же случилось с настоящим Хардином и кто этот новый человек передо мной, — люди постоянно оскорбляют друг друга. Извини, но даже жене пастора в церкви, куда ходит твоя мать, случается назвать мужа засранцем. Может, вслух она этого и не говорит, но разницы нет. — Он пожимает плечами. — Кстати, я бы предпочел, чтобы такие вещи ты говорила мне в лицо.

— У тебя на все есть объяснение?

— Нет, не на все. На самом деле мало на что, но сейчас ты сидишь напротив меня и стараешься найти выход из этой ситуации, а я, черт возьми, хочу быть до конца уверен, что ты понимаешь, о чем говоришь.

— С каких пор мы общаемся таким образом? — Я не могу не поразиться тому, что мы не кричим друг на друга и не ругаемся.

Хардин скрещивает руки на груди и, потрогав обтрепавшийся край гипса, пожимает плечами.

— С этого момента. По-другому у нас не получалось. Так почему не попробовать что-то еще?

Из-за его беспечности у меня отвисает челюсть.

— По-твоему, это настолько просто? Если бы это было просто, мы могли так общаться и раньше.

— Нет, раньше я был другим человеком. Да и ты тоже. — Он пристально смотрит на меня, ожидая ответа.

— Не все так просто. Важно то, сколько времени у нас на это ушло, Хардин. Важно то, что мы это пережили, но теперь мне нужно побыть одной. Мне нужно время, чтобы понять, кто я, что собираюсь делать со своей жизнью и как мне этого добиться. И я должна дойти до этого самостоятельно. — Я произношу эти слова с показной бодростью, но такое ощущение, будто во рту желчь.

— Значит, ты уже все решила? Ты не хочешь жить вместе со мной в Сиэтле? Поэтому ты так замкнулась в себе и не хочешь услышать то, что я говорю?

— Я тебя слушаю, но я уже все решила... Я больше не могу бегать по замкнутому кругу. Не только в отношениях с тобой, но и с самой собой.

— Я тебе не верю, тем более что ты и сама себе, похоже, не веришь. — Он откидывается на спинку кресла и закидывает ноги на стол. — Где в таком случае ты собираешься остановиться? В каком районе Сиэтла?

— Не в Сиэтле, — коротко отвечаю я. Мой язык внезапно словно налился свинцом, и у меня не получается выговорить ни слова.

— О, и где же тогда? В каком пригороде? — ехидно интересуется он.

— Это Нью-Йорк, Хардин, я хочу переехать...

Тут до него начинает доходить.

— Нью-Йорк?! — Он убирает ноги со стола и встает. — Ты имеешь в виду тот самый Нью-Йорк? Или это какой-то хипстерский район Сиэтла, о котором я пока не слышал?

— Тот самый Нью-Йорк, — уточняю я, а он начинает мерить шагами террасу. — Я уезжаю через неделю.

Хардин молчит, слышен стук звук его шагов по деревянному полу.

— Когда ты это решила? — наконец спрашивает он.

— После Лондона и после того, как умер отец. — Я встаю.

— То есть из-за моего поведения ты решила собрать свое барахло и свалить в Нью-Йорк? Ты и за пределы штата Вашингтон никогда не выбиралась. С чего ты взяла, что сможешь жить в таком месте?

Я невольно начинаю защищаться:

— Я смогу жить везде, где захочу! Не смей меня унижать.

— Унижать тебя? Тесса, ты в тысячу раз лучше меня по всем параметрам. Я не пытаюсь тебя унизить. Я всего лишь спрашиваю, с чего ты решила, что сможешь жить в Нью-Йорке? Где ты вообще собираешься там жить?

— С Лэндоном.

Глаза Хардина вылезают из орбит:

— С Лэндоном?!

Я боялась именно этого взгляда, надеясь, что обойдется без него. Но теперь, к сожалению, мне даже немного полегчало. Хардин все так правильно воспринимал, был таким спокойным и понимающим, как никогда осторожно подбирал слова. Это меня несколько обескураживало.

А этот взгляд мне знаком: Хардин пытается обуздать гнев.

— Лэндон. Ты и Лэндон отправляетесь в Нью-Йорк.

— Да, он и так собирался, а я...

— И чья же это была идея — твоя или его?

Хардин говорит очень тихо, и я понимаю, что он вовсе не так зол, как я ожидала. Однако тут кое-что похуже злости — боль. Хардину больно, и у меня скручивает живот и сдавливает грудь от захлестнувшей его волны удивления и предательства.

Мне не хочется рассказывать Хардину, что это Лэндон предложил переехать в Нью-Йорк. Не хочется рассказывать, что Лэндон и Кен помогли с рекомендательными письмами, копиями документов и заявлениями.

— Я собираюсь пропустить семестр после переезда, — говорю я, надеясь отвлечь его от предыдущего вопроса.

Он поворачивается ко мне. В свете фонарей его щеки горят красным, глаза сверкают от бешенства, руки сжимаются в кулаки.

— Это он придумал? Все это время он знал об этом, а сам, убедив меня, что мы — не знаю — друзья... даже братья, проворачивал свои делишки у меня за спиной.

— Хардин, все совсем не так, — защищаю я Лэндона.

— Конечно, не так! Вы оба совсем не те, кем притворялись! — кричит он, неистово размахивая руками. — Ты слушала, как я выставлял себя дураком, предлагая тебе женитьбу, усыновление и прочую чепуху, хотя знала — черт возьми, прекрасно знала, — что собираешься уехать? — Он дергает себя за волосы и поворачивает к двери, а я пытаюсь его остановить.

— Пожалуйста, не ходи туда в таком настроении. Останься со мной, и мы поговорим об этом. Нам столько всего нужно обсудить.

— Отстань! Черт, просто отстань от меня! — Он сбрасывает мою руку с плеча, когда я дотрагиваюсь до него.

Хардин дергает за дверную ручку и, судя по звуку, срывает дверь с петель. Я не отстаю от него ни на шаг, надеясь, что он не станет делать именно то, о чем я думаю, именно то, что он всегда делает, когда в его жизни, в нашей жизни происходит что-то плохое.

— Лэндон! — врывается Хардин на кухню. Хорошо, что Карен и Кен, по всей видимости, уже поднялись в спальню.

— Что? — отзывается Лэндон.

Я вхожу вслед за Хардином в столовую: Лэндон и София до сих пор сидят за столом, между ними почти опустевшая тарелка со сладостями.

При виде разъяренного Хардина — зубы стиснуты, кулаки сжаты — Лэндон меняется в лице.

— Что происходит? — спрашивает он, с опаской оглядывая сводного брата, прежде чем посмотреть на меня.

— Не отвлекайся, смотри на меня, — рявкает Хардин.

От неожиданности София вздрагивает, но быстро берет себя в руки и переводит взгляд на меня. Я стою перед Хардином.

— Хардин, он не сделал ничего плохого. Он мой лучший друг и просто хотел помочь, — говорю я. Мне известно, на что способен Хардин, и, когда я думаю о том, что может случиться, если его ярость направлена на Лэндона, мне становится дурно.

— Не лезь в это, Тесса, — произносит Хардин не оборачиваясь.

— Ты о чем? — спрашивает Лэндон, хотя совершенно ясно, что он знает причину, почему так разозлился Хардин. — Погоди-ка, это ты про Нью-Йорк?

— Черт возьми, да, про Нью-Йорк! — ревет Хардин.

Лэндон встает, и София одаривает Хардина убийственно-предостерегающим взглядом. Именно тогда я решаю, что не против, если соседская дружба между ней и Лэндоном перерастет в нечто большее.

— Я просто хотел сделать лучше Тессе, когда пригласил ее ехать со мной! Ты ее бросил, и она была раздавлена, просто раздавлена. В Нью-Йорке ей будет лучше всего, — спокойно объясняет Лэндон.

— Ты хоть понимаешь, что ты за ублюдок? Прикидывался моим другом, а сам такое устраиваешь? — Хардин снова начинает ходить взад-вперед, на этот раз на маленьком пятачке свободного пространства столовой.

— Я не притворялся! Ты снова облажался, а я пытался ей помочь! — восклицает Лэндон в ответ. — Я друг вам обоим!

У меня начинает бешено колотиться сердце, когда Хардин, пройдя через комнату, сгребает Лэндона в охапку.

— Помочь ей, забрав ее у меня! — Хардин прижимает Лэндона к стене.

— Тебе-то было наплевать! — кричит Лэндон ему в лицо.

Мы с Софией, застыв, наблюдаем за происходящим. Я знаю Хардина и Лэндона гораздо лучше ее, но даже мне неясно, что сейчас нужно сделать или сказать. Воцарился полный хаос: эти двое кричат друг на друга, Кен и Карен с шумом бегут вниз по лестнице, звенит и дребезжит посуда от того, что Хардин приложил Лэндона о стену.

— Ты ведь, черт возьми, знал, что делал! Я же доверял тебе, ублюдок!

— Ну давай! Врежь мне! — вскрикивает Лэндон.

Хардин заносит кулак, но Лэндон и глазом не моргает. Я зову Хардина по имени, и Кен, кажется, тоже. Краем глаза замечаю, как Карен хватает его за рубашку и оттаскивает назад, чтобы он не втиснулся между двумя парнями.

— Врежь мне, Хардин! Ты у нас такой крутой, чего тебе стоит, давай, врежь мне! — продолжает подначивать Лэндон.

— И врежу! Я... — Хардин опускает руку, но тут же вскидывает ее снова.

Щеки Лэндона раскраснелись от гнева, грудь вздымается, но, похоже, он ни капли не боится Хардина. Он выглядит очень злым, но в то же время собранным. А я наоборот. Не знаю, что сделаю, если двое дорогих мне людей сейчас подерутся.

Я снова перевожу взгляд на Карен и Кена. Они, видимо, не беспокоятся за Лэндона, а спокойно смотрят, как Хардин и Лэндон орут друг на друга.

— Нет, ты этого не сделаешь, — говорит Лэндон.

— Нет, черт возьми, сделаю! Разобью этот чертов гипс о твою...

Тут Хардин осекается. Пристально посмотрев на Лэндона, он оглядывается на меня и поворачивается обратно.

— Да пошел ты! — кричит он.

Опустив кулак, он разворачивается на пятках и выходит из комнаты. Лэндон остается стоять у стены с таким видом, будто сам сейчас готов кого-нибудь ударить. София вскакивает и, подбежав к нему, начинает его успокаивать. Карен и Кен, тихо переговариваясь, тоже подходят к Лэндону, а я стою посреди столовой и пытаюсь понять, что же только что произошло.

Лэндон подначивал Хардина ударить его. Терпение Хардина было на пределе, он думал, что его снова предали и обвели вокруг пальца, но все же сдержался. Хардин Скотт не стал прибегать к насилию даже в такой сложный момент.

Глава 61

ХАРДИН

Я не останавливаюсь, пока не оказываюсь на улице, и только тогда понимаю, что Кен и Карен тоже были в комнате. Почему они не попытались мне помешать? Неужели они откуда-то знали, что я его не ударю?

Даже не знаю, что и думать.

В весеннем воздухе не чувствуется ни свежести, ни запаха чертовых цветов, ничего такого, что могло бы помочь развеяться. Я снова возвращаюсь к прежнему: глаза застилает красная пелена, а мне этого совсем не хочется. Не хочется сорваться и потерять все, чего я так долго добивался. Не хочется потерять нового, гораздо более спокойного себя. Ударь я Лэндона, вбей ему в глотку все зубы, я бы проиграл. Проиграл бы все на свете, в том числе и Тессу.

Хотя она ведь не принадлежит мне по-настоящему. И не принадлежала с тех пор, как я отправил ее собирать вещи в Лондоне. Все это время она планировала свое маленькое бегство. Вместе с Лэндоном. Они оба замышляли это у меня за спиной, собирались бросить меня в этом чертовом штате Вашингтон, а сами двинули бы через всю страну. Она молча сидела и слушала, пока я, как полный дурак, раскрывал перед ней душу.

Лэндон водил меня за нос: я-то считал, что ему не наплевать на меня. Все вокруг используют меня и лгут, и меня от этого уже тошнит. Всем плевать на тупого Хардина — парня, который всегда все узнает последним. Так было и так будет.

Тесса — единственный человек в моей жизни, у кого находилось время позаботиться обо мне, побеспокоиться за меня, дать мне почувствовать, что я стою чьего-то внимания.

Согласен, наши отношения простыми не назовешь. Я совершал ошибку за ошибкой и много всякого наворотил, но никогда не применял насилие, ни в каком смысле. Если она думает обо мне или о наших отношениях иначе, тогда все и правда безнадежно.

Наверное, труднее всего объяснить ей, что есть большая разница между отношениями нездоровыми и насильственными. Многие люди берутся судить об этом, не испытав их на себе.

Ноги унесли меня через лужайку к деревьям на краю окружающего дом участка. Не знаю, куда я иду и что мне делать, когда вернусь. Мне просто нужно отдышаться и собраться с силами, чтобы не сорваться.

Лучше бы чертов Лэндон меня спровоцировал. Лучше бы он меня спровоцировал и сделал так, чтобы я ему врезал. Но в первый раз за всю жизнь я не почувствовал всплеска адреналина, кровь в венах не бурлила, не было предвкушения хорошей потасовки.

Какого черта он вообще кричал, чтобы я его ударил? Да потому что он идиот, вот и все.

Гребаный ублюдок, вот кто он такой.

Скотина.

Засранец.

Тупой гребаный засранец.

— Хардин?

В ночной тишине слышится голос Тессы, и я пытаюсь быстро сообразить, хочу ли с ней разговаривать. Сейчас я слишком зол, чтобы выслушивать всю ее чепуху и выговор за Лэндона.

— Он первый начал, — отвечаю я, шагнув на открытое место между двумя большими деревьями.

Вот вам и спрятался.

«Даже этого не могу сделать толком».

— Ты как? — спрашивает она и, судя по голосу, нервничает.

— А сама как думаешь? — огрызаюсь я, глядя мимо нее в темноту.

— Я...

— Можешь не продолжать. Я и так знаю, что ты собираешься сказать: ты права, а я нет, и не стоило набрасываться на Лэндона.

Она подходит ко мне, и я ловлю себя на том, что невольно тоже делаю шаг навстречу. Как бы я ни злился, меня тянет к ней. Всегда так было и, черт возьми, будет.

— На самом деле я хотела извиниться. Нельзя было скрывать это от тебя, и я хочу признать свою ошибку, а не винить тебя, — мягко говорит она.

«Что?»

— С каких пор?

Я снова напоминаю себе, что все еще злюсь. Правда, это очень трудно, когда хочется, чтобы она просто обняла меня и убедила, что я вовсе не такой ублюдок, каким себя считаю.

— Мы можем поговорить? Так же как на террасе? — Даже после того как я сорвался, она смотрит на меня широко распахнутыми глазами с такой надеждой, что видно и в темноте.

Мое первое побуждение — отказать, напомнить, что у нее была возможность поговорить со мной каждый день с того самого момента, как она решила, что «нам нужно побыть порознь». Вместо этого я тяжело выдыхаю и, соглашаясь, киваю. Не успокаиваю ее прямым ответом, но еще раз киваю и прислоняюсь спиной к дереву.

Она явно не ожидала, что я сдамся так быстро. Я как несносный ребенок радуюсь, что удалось застать ее врасплох.

Она опускается на колени и садится на траву, скрестив ноги. Кладет руки на голые ступни.

— Я горжусь тобой, — говорит она, подняв на меня глаза. В слабом свете фонарей со стороны террасы видно, что она слегка улыбается. Ее глаза мягко светятся похвалой.

— Почему? — Я ковыряю кору, ожидая ответа.

— Потому что ты просто взял и ушел. Я видела, как Лэндон провоцировал тебя, но ты ушел, Хардин.

Это для тебя огромный шаг вперед. Надеюсь, ты понимаешь, как много это для него значит — то, что ты его не ударил.

Будто ему не все равно. Последние три недели он действовал у меня за спиной.

— Ни черта это не значит.

— Значит. Для него это много значит.

Я отрываю от ствола широкую полоску коры и бросаю ее себе под ноги.

— А что это значит для тебя? — спрашиваю я, старательно разглядывая дерево.

— Еще больше. — Она проводит рукой по траве. — Для меня это значит еще больше.

— Достаточно, чтобы ты осталась? Или «еще больше» подразумевает, что ты и правда гордишься мной, я хороший мальчик, но ты все равно уедешь? — Не получается скрыть жалкую мольбу в голосе.

— Хардин... — Она качает головой, определенно стараясь придумать себе оправдание.

— Лэндону лучше других известно, что ты для меня значишь. Он знает, что ты моя единственная надежда, но ему, черт возьми, было все равно. Он возьмет тебя с собой на другой конец страны, забыв обо мне, и это очень больно, ясно?

Вздохнув, она закусывает нижнюю губу.

— Когда ты говоришь такие вещи, я забываю, почему с тобой спорю.

— Что? — Откинув со лба волосы, я сажусь на землю и прислоняюсь спиной к дереву.

— Когда ты говоришь, что я твоя единственная надежда, и признаешься, что тебе больно, я вспоминаю, почему так люблю тебя.

Я смотрю на нее и замечаю, что ее голос звучит очень убежденно, несмотря на ее заверения, что она якобы не уверена в нашем будущем.

— Ты же прекрасно это знаешь. Без тебя я полное дерьмо. — Может, стоило сказать «Без тебя я никто, люби меня», но что вырвалось, то вырвалось.

— Неправда, — нерешительно улыбается она. — Ты хороший человек, даже когда поступаешь плохо. У меня дурная привычка указывать на твои ошибки и не давать тебе о них забыть, хотя на самом деле я нисколько не лучше тебя. Моей вины в том, что наши отношения обречены, не меньше.

— Обречены? — Черт, я слышал это уже слишком много раз.

— Я имею виду, разрушены. В этом столько же моей вины, сколько и твоей.

— С чего это они разрушены? Почему бы нам просто не исправить все?

Она снова вздыхает и слегка откидывает голову, чтобы посмотреть в небо.

— Не знаю, — произносит она и, видимо, удивляется своему ответу не меньше, чем я.

— Не знаешь? — повторяю я, улыбаясь.

«Черт, мы просто ненормальные».

— Не знаю. Я думала, что уже все решила, а теперь сбита с толку, потому что вижу, как ты действительно стараешься.

— Видишь? — Я стараюсь, чтобы это прозвучало как можно более безразлично, но чертов голос подводит меня и вырывается наружу каким-то мышиным писком.

— Да, Хардин, вижу. Только не знаю, что теперь с этим делать.

— Нью-Йорк точно не поможет. Он не будет новым стартом в жизни, или что еще ты там думаешь. Мы оба знаем, что ты просто ищешь легкий способ избавиться от всего этого, — говорю я и машу рукой между нами.

— Ты прав. — Она вырывает из земли пучок травы, и я не могу не порадоваться, что наши отношения длились достаточно долго для того, чтобы я знал, что это у нее такая привычка.

— Сколько времени тебе нужно?

— Не знаю. Сейчас я и правда очень хочу в Нью-Йорк. В Вашингтоне у меня все складывалось не лучшим образом. — Ее лицо омрачается, и я вижу, как она покидает меня, погружаясь в собственные мысли.

— Ты прожила здесь всю жизнь.

Она моргает и, глубоко вздохнув, бросает травинки себе на ногу.

— Вот именно.

Глава 62

Тесса

— Ты готов вернуться в дом? — шепчу я, прерывая молчание. Хардин ничего не говорил, и за последние двадцать минут я тоже так и не придумала, что еще можно сказать.

— А ты? — Он поднимается с земли, опираясь о ствол, и отряхивает свои черные джинсы.

— Если ты готов, то и я тоже.

— Я готов, — ехидно улыбается он, — но если ты хочешь еще поговорить о том, готовы мы или нет, то я не против.

— Ха-ха, — закатываю я глаза, и Хардин подает мне руку, чтобы помочь подняться.

Его пальцы мягко обвивают мое запястье, и он тянет меня вверх. Не отнимая ладони, он только передвигает ее ниже и берет меня за руку. Я ничего не говорю в ответ ни на нежное прикосновение, ни на знакомый взгляд, — он всегда так смотрит, когда его гнев прячется глубоко внутри и уступает место любви ко мне. Этот простой и непосредственный взгляд напоминает мне, что часть меня нуждается в нем и любит этого человека больше, чем я готова признать.

Его жест так естественен, в нем нет никакого расчета: его рука просто скользит по моей талии, и он притягивает меня к себе, пока мы идем по траве к террасе.

Дома никто не говорит ни слова, только Карен смотрит на нас с беспокойством. Ее ладонь покоится на руке мужа, который, наклонившись, тихо разговаривает с Лэндоном, снова сидящим за обеденным столом. Софии не видно, наверное, ушла после того, как кончился скандал. И разве можно ее за это винить?

— Как ты? — Карен переключает внимание на Хардина, когда тот проходит мимо.

Лэндон поднимает голову одновременно с Кеном, и я толкаю Хардина локтем.

— Кто, я? — спрашивает он, сбитый с толку, и останавливается перед лестницей. Я врезаюсь в него.

— Да, милый, ты в порядке? — уточняет Карен. Она заправляет за уши свои каштановые волосы и делает шаг нам навстречу, опустив руку на живот.

— Вы имеете в виду, — откашливается Хардин, — не собираюсь ли я разнести тут все и набить Лэндону морду? Нет, не собираюсь.

Карен качает головой, ее доброе лицо выражает лишь терпение.

— Нет, я хотела спросить, как ты себя чувствуешь. Могу я что-нибудь для тебя сделать? Вот что я имела в виду.

Он моргает, стараясь собраться с мыслями.

— Да, все хорошо.

— Если вдруг что-то изменится, дай мне знать, ладно?

Он кивает и ведет меня вверх по лестнице. Я оглядываюсь, чтобы проверить, не видно ли следом Лэндона, но тот закрывает глаза и отворачивается.

— Мне нужно поговорить с Лэндоном, — говорю я Хардину, когда он открывает дверь в свою комнату.

Он включает свет и отпускает мою руку.

— Сейчас?

— Да, сейчас.

— Прямо сейчас?

— Да.

В тот же момент Хардин прижимает меня к стене.

— В эту секунду? — Я чувствую на шее его теплое дыхание. — Ты уверена?

Я уже вообще ни в чем не уверена.

— Что? — хрипло спрашиваю я. Голова идет кругом.

— Мне показалось, что ты собираешься меня поцеловать.

Он касается своими губами моих, и я невольно улыбаюсь этому безумию, этой вспышке страсти. Его губы сухие и потрескавшиеся, но они чудесны, и я обожаю, когда его язык обволакивает мой и вторгается все глубже в рот, не давая мне возможности ни подумать о чем-либо, ни отпрянуть.

Он кладет руки мне на талию, его пальцы с наслаждением впиваются в мою кожу, и он раздвигает коленом мои ноги.

— Поверить не могу, что ты действительно так далеко уедешь. — Он скользит губами по моей щеке к чувствительному местечку под ухом. — Так далеко от меня.

— Прости, — выдыхаю я, не в силах больше ничего сказать, когда его руки перемещаются от моих бедер к животу и он резким рывком задирает мою футболку.

— Между нами говоря, все у нас по-прежнему, — спокойно произносит он, хотя его ладони торопятся обхватить мою грудь. Я прижата спиной к стене, футболка валяется на полу у ног.

— Да, так и есть.

— Одна цитата из Хемингуэя, и я обещаю, что потом найду своему рту другое применение. — Он улыбается, почти касаясь моих губ, а его руки дразнят и ласкают меня выше талии.

Я киваю, мечтая, чтобы он выполнил то, что пообещал.

— «Уйти от себя, изменив место жительства, увы, невозможно»[1]. — Он просовывает пальцы мне в трусики.

Я издаю стон, потрясенная одновременно и его словами, и прикосновениями. Его слова плывут бесконечным потоком в моей голове, и я отдаюсь во власть его рук. Он уже весь напрягся под «молнией» джинсов и со стоном выдыхает мое имя, пока я сражаюсь с пуговицей на его поясе.

— Не уезжай в Нью-Йорк с Лэндоном, останься со мной в Сиэтле.

«Лэндон».

Я отворачиваю голову и убираю руку с его ширинки.

— Мне нужно поговорить с Лэндоном, это важно. Кажется, он очень расстроен.

— И что? Я тоже расстроен.

— Я знаю, — вздыхаю я. — Но явно не слишком сильно. — Я бросаю взгляд на его член, почти не прикрытый трусами.

— Ну, это потому что я забыл, что сержусь на тебя — и на Лэндона, — запоздало добавляет он.

— Я быстро. — Я отодвигаюсь от него, поднимаю с пола и натягиваю на себя футболку.

— Ладно, мне в любом случае требуется пара минут.

Хардин откидывает волосы назад, и взлохмаченные пряди падают ему на шею. С тех пор как мы познакомились, он ни разу не отращивал волосы длиннее, чем

---

[1] Цитата из романа Эрнеста Хемингуэя «И восходит солнце».

сейчас. Мне нравится, но я немного скучаю по тому, как край татуировки выглядывал у него из-под ворота футболки.

— Пара минут без меня? — спрашиваю я, прежде чем понимаю, с каким отчаянием это прозвучало.

— Да. Ты мне только что сказала, что переезжаешь в другой конец страны, а я сорвался из-за Лэндона. Мне нужно немного времени, чтобы привести мысли в порядок.

— Хорошо, я понимаю.

Я и правда понимаю. Он держится гораздо лучше, чем я ожидала, и мне сейчас не следует прыгать к нему в постель вместо того, чтобы убедиться, что с Лэндоном все в порядке.

— Приму душ, — говорит он, когда я выхожу в коридор.

Спускаясь по лестнице, мысленно я все еще в спальне, вместе с Хардином, прижатая к стене. С каждым шагом ощущения от его прикосновений слабеют, и когда я вхожу в столовую, Карен отходит от Лэндона, а Кен жестом просит ее выйти из комнаты вместе с ним. Проходя мимо меня, она коротко улыбается и слегка пожимает мне руку.

— Эй. — Я пододвигаю стул и сажусь рядом с Лэндоном, но он тут же встает из-за стола.

— Не сейчас, Тесса, — бросает он и уходит в гостиную.

От его резкого тона у меня екает сердце. Видимо, я чего-то не понимаю.

— Лэндон... — Я тоже встаю и иду за ним. — Подожди!

Он останавливается.

— Прости, но, по-моему, уже хватит.

— Чего хватит? — Я сгребаю его за рукав, чтобы задержать.

Не оборачиваясь, он произносит:

— Ваши отношения с Хардином. Одно дело, когда это касалось только вас двоих, но теперь вы втягиваете в них всех вокруг, и это нечестно.

Злость в его голосе больно ранит, и я не сразу понимаю, что он разговаривает со мной. Лэндон всегда был очень чутким и добрым, и я никак не ожидала услышать от него такое.

— Прости, Тесса, но ты знаешь, что это правда. Вам нельзя было вываливать все это на нас. Моя мать ждет ребенка, и сегодняшняя сцена могла сильно ей навредить. Вы оба мечетесь между нашим городком и Сиэтлом, ссоритесь и здесь и там, и вообще везде.

«Так-то».

Я отчаянно ищу нужные слова, но в голову ничего не приходит.

— Я понимаю, и мне очень жаль, что так случилось. Я этого не хотела, Лэндон. Мне нужно было рассказать ему про Нью-Йорк, нельзя было больше скрывать. Мне кажется, он очень хорошо все воспринял. — Голос срывается, и я замолкаю.

Я сама не своя от того, что Лэндон так обижен. Конечно, он не обрадовался, когда Хардин набросился на него, но такой реакции я все же не ожидала.

Лэндон резко оборачивается, чтобы посмотреть мне в глаза.

— «Хорошо воспринял»? Да он меня чуть по стене не размазал... — Вздохнув, он засучивает рукава рубашки и переводит дух. — Хотя, наверное, так и есть. Но это ничего не значит, все становится только хуже. Нельзя же вечно мотаться по свету и то сходиться, то расходиться. Если в одном городе не выходит, с чего вы решили, что получится в другом?

— Я знаю это, поэтому и уезжаю с тобой в Нью-Йорк. Мне нужно прийти в себя, побыть одной. Ну, без Хардина. В этом весь смысл.

Лэндон качает головой:

— Без Хардина? И ты думаешь, он позволит тебе уехать в Нью-Йорк без него? Или он отправится с тобой, или ты останешься здесь и будешь продолжать с ним ругаться.

От его слов мое сердце уходит в пятки.

Все твердят одно и то же о наших с Хардином отношениях. Черт, да я сама думаю точно так же. Я слышала это уже сотню раз, но когда Лэндон бросает мне в лицо свои доводы, один за другим, все иначе. Его слова значат для меня гораздо больше, ранят гораздо больнее и заставляют во всем сомневаться.

— Мне действительно очень жаль, Лэндон. — Я вот-вот разрыдаюсь. — Знаю, что втягиваю в наши трудности всех подряд, но мне очень жаль. Я не нарочно и не хотела, чтобы так вышло, особенно с тобой. Ты мой лучший друг. Я не хочу тебя обижать.

— Но обижаешь. И обижаешь многих других, Тесса.

Эти безжалостные слова пронзают меня насквозь и вонзаются в ту чистую нетронутую часть моего сердца, которая принадлежала Лэндону и нашей с ним нежной дружбе. Это сокровенное место — практически единственное, что оставалось у меня, когда речь заходила об общении с окружающими. Это был уголок безопасности, а теперь там так же темно, как и снаружи.

— Прости.

Мой голос уже напоминает какой-то жалобный вой, а разум явно никак не может осознать, что человек, который говорит мне все эти вещи, — Лэндон.

— Просто... Я думала... Ты на нашей стороне? — спрашиваю я только потому, что должна это сделать. Нужно выяснить, действительно ли все так безнадежно.

Он глубоко вздыхает:

— Ты тоже прости, но сегодня это был перебор. Мама ждет ребенка, Кен пытается наладить отношения с Хардином, я переезжаю, столько всего навалилось. Это наша семья, и нам нужно держаться вместе. А ты этому не помогаешь.

— Прости, — повторяю я, не зная, что еще сказать. Тут не поспоришь. С ним невозможно не согласиться, потому что он прав. Это их семья, не моя. Бессмысленно притворяться, что я — ее часть. Я здесь лишняя. Я оказываюсь лишней везде, где бы ни пыталась прижиться с тех пор, как уехала от матери.

Он смотрит себе под ноги, и я не могу отвести взгляда от его лица.

— Я знаю, что тебе жаль. Прости, что так резко, но я должен был это сказать.

— Да, я понимаю. — Он все еще не смотрит на меня. — В Нью-Йорке все будет по-другому, обещаю. Мне просто нужно немного времени. Я совсем запуталась в жизни и никак не могу разобраться.

Одно из самых неприятных чувств, когда знаешь, что тебя не хотят видеть, но не понимаешь, как уйти. Ужасно неловко, и сперва стараешься понять, не разыгралась ли у тебя паранойя. Но когда лучший друг говорит, что из-за меня у его семьи одни неприятности, хотя другой семьи у меня нет, сомнений не остается. Лэндон не хочет со мной разговаривать, но он слишком хорошо воспитан, чтобы сказать это вслух.

— Насчет Нью-Йорка, — сглатываю я комок в горле, — ты больше не хочешь, чтобы я приезжала?

— Дело не в этом. Я просто думал, что Нью-Йорк — это шанс начать новую жизнь для нас обоих, Тесса. А не очередное место, где вы с Хардином станете выяснять отношения.

— Понятно. — Я пожимаю плечами и впиваюсь ногтями в ладони, чтобы не расплакаться. Я действительно все понимаю. Очень хорошо понимаю.

Лэндон не хочет, чтобы я ехала с ним в Нью-Йорк. В любом случае у меня не было четкого плана. Денег у меня немного, в Нью-Йоркский университет так пока и не приняли, если вообще примут. До этого момента я не понимала, как серьезно была настроена на переезд. Он был мне нужен. Мне было нужно хотя бы попробовать что-то неожиданное и новое, вырваться в настоящую жизнь и самостоятельно встать на ноги.

— Прости, — произносит он, слегка постукивая ногой о ножку стула, чтобы отвлечь внимание от собственных слов.

— Все в порядке, я понимаю.

Я вымученно улыбаюсь своему лучшему другу и успеваю подняться по лестнице, прежде чем из глаз начинают струиться слезы.

Жесткая кровать в комнате для гостей помогает мне не раскиснуть окончательно, когда все мои ошибки проходят перед глазами.

Я была ужасной эгоисткой и даже не понимала этого. Я разрушила столько отношений за последние восемь месяцев. Начав учиться в университете, я встречалась с Ноем, мы были влюблены друг в друга с детства. Затем я много раз изменила ему с Хардином.

Я подружилась со Стеф, которая предала меня и попыталась причинить вред. Я осуждала Молли, хотя на нее вообще не стоило тратить времени. Я заставила себя думать, что освоюсь в университете и что та компания — мои друзья, хотя была для них всего лишь развлечением.

Я боролась и боролась за то, чтобы Хардин оставался со мной. С самого начала боролась за его расположение. Когда он отталкивал меня, я нуждалась в нем еще больше. Я боролась даже с собственной матерью, защищая его. Я боролась с Хардином, защищая Хардина.

Я подарила ему свою девственность, хотя он просто на меня поспорил. Я любила его и дорожила тем моментом, а он с самого начала скрывал от меня свои мотивы. Даже после того, что он сделал, я осталась с ним, и он всегда возвращался с очередными извинениями, каждый раз более серьезными, чем предыдущие. Не всегда дело было в нем, хотя его промахи серьезнее и болезненнее, — я совершала ошибки не реже.

Из чистого эгоизма я использовала Зеда, чтобы заполнять пустоту, которая появлялась почти всегда, когда от меня уходил Хардин. Я целовала Зеда, проводила с ним время, соблазняла его. Я продолжала дружить с ним за спиной у Хардина, совершенно сознательно поддерживая игру, которую эти двое начали давным-давно.

Я столько раз прощала Хардина, но лишь для того, чтобы бросить ему в лицо все его промахи. Я всегда ожидала от него слишком многого и никогда не позволяла забыть об этом. Хардин — хороший человек, несмотря на все его недостатки. Он очень хороший и заслуживает счастья. Он заслуживает всего на свете. Он заслуживает тихую жизнь с любящей женой, которая без труда родит ему детей. Ему не нужны эти игры и плохие воспоминания. Он не должен жить, стараясь соответствовать каким-то моим нелепым невыполнимым ожиданиям.

За эти восемь месяцев я прошла через ад, и вот теперь лежу в постели в одиночестве. Всю жизнь я планировала и расписывала, организовывала и старалась предусмотреть любые мелочи, а теперь сижу с размазанной по щекам тушью, а все планы рухнули. И даже не рухнули — ни один из них не был подготовлен так, чтобы было чему рухнуть. Понятия не имею, куда катится моя жизнь. Мне негде учиться, негде жить, у меня даже не осталось былой веры в романтическую любовь из книжек. Не представляю, что делать.

Так много расставаний, так много потерь. Отец вернулся в мою жизнь только для того, чтобы потерпеть поражение в борьбе с собственными демонами. Я стала свидетелем того, как вся жизнь Хардина оказалась ложью, а его наставник превратился в его биологического отца, чья долгая история взаимоотношений с его матерью заставила человека, который его вырастил, стать алкоголиком. Без особых на то причин его детство обернулось сплошным кошмаром. Годами ему приходилось терпеть пьющего отца. В детстве он повидал такое, чего нельзя видеть никому. С самого начала я наблюдала, как Хардин пытался наладить отношения с Кеном — с того дня, как встретила этого человека в кафе-мороженом, и до того момента, как, став частью их семьи, помогала Хардину простить ему его ошибки. Хардин учится мириться со своим прошлым и стремится простить Кена, и это совершенно невероятно. Злость бушевала в нем всю его жизнь, и теперь, когда он обретает относительный покой, я вижу все в истинном свете. Хардину нужен этот покой. Ему нужно решение проблем, а не постоянный возврат к прошлому и нестабильность. Ему не нужны сомнения и споры, ему нужна семья.

Ему не обойтись без дружбы с Лэндоном и отношений с отцом. Он должен принять то, что он — часть этой семьи, и с радостью наблюдать, как эта семья растет. Ему нужны рождественские обеды, где царят смех и любовь, а не слезы и раздоры. На моих глазах грубый мальчишка в татуировках, с пирсингом и ужасно всклокоченными волосами полностью изменился. Он больше не мальчишка, а мужчина. Мужчина, который становится на верный путь. Он уже не пьет так, как раньше. Ничего не крушит вокруг себя. И он, сдержавшись, не стал бить Лэндона.

Он сумел выстроить свою жизнь так, что его окружают любящие люди, тогда как я умудрилась разрушить все отношения, которые у меня были. Мы спорили и сражались друг с другом, проигрывали и побеждали, и вот моя дружба с Лэндоном пала жертвой Хардина и Тессы.

Как только я мысленно произнесла его имя, словно он какой-нибудь джинн из лампы, которого можно призвать, распахивается дверь, и в комнату входит Хардин, вытирая мокрые волосы полотенцем.

— Как дела? — спрашивает он. Увидев, в каком я состоянии, он тут же роняет полотенце, со всех ног бежит через комнату и опускается передо мной на колени.

Я не скрываю своих слез — не вижу смысла.

— Мы прямо как Кэтрин и Хитклифф, — объявляю я, подавленная тем, что это правда.

Хардин хмурится:

— Что? Что, черт возьми, еще случилось?

— Мы делаем несчастными всех вокруг себя, и не знаю, может, я просто не замечала этого или думала только о себе, но так и есть. Даже Лэндон. Даже Лэндон пострадал из-за нас.

— С чего ты это взяла? — Хардин поднимается на ноги. — Он тебе что-то сказал?

— Нет. — Я тяну Хардина за руку, умоляя не спускаться на первый этаж. — Он всего лишь сказал правду. Теперь я понимаю. Я старалась заставить себя это увидеть, но теперь я все понимаю. — Вытираю глаза и, переведя дух, продолжаю: — Это не ты сломал меня, я сама это сделала. Я изменилась, изменился и ты. Но ты изменился к лучшему. А я нет.

Когда слова произнесены вслух, их легче принять. Мне далеко до идеала. И никогда им не стать. В этом нет ничего страшного, но я не имею права тащить Хардина за собой в пропасть. Мне нужно решить свои проблемы. Нечестно требовать того же от него, не разобравшись в себе.

Он качает головой, не сводя с меня своих прекрасных изумрудных глаз.

— Что за чушь. Ты несешь какую-то чепуху.

— Верно. — Я встаю и заправляю выбившиеся прядки волос за уши. — Но для меня все абсолютно ясно.

Я пытаюсь оставаться как можно более спокойной, но это нелегко, потому что он никак не может понять. Это ведь так ясно, как же можно не понять?

— Мне нужно, чтобы ты сделал кое-что для меня. Пообещай мне кое-что прямо сейчас, — умоляю я.

— Что? Нет, Тесса. Черт возьми, не буду я ничего обещать. Что еще у тебя на уме? — Он нежно берет меня за подбородок и заставляет поднять голову. Другой рукой вытирает слезы на моем лице.

— Пожалуйста, пообещай мне кое-что. Если у нас есть хоть малейший шанс на будущее, ты должен сделать это для меня.

— Ладно-ладно, — быстро соглашается он.

— Я серьезно. Умоляю, если ты любишь меня, то выслушай и сделай, как я говорю. Если не сможешь, у нас точно ничего не получится, Хардин.

Я не пытаюсь вложить в свои слова угрозу. Это мольба. Мне нужно, чтобы он это сделал. Нужно, чтобы он понял, излечился и начал жить собственной жизнью, пока я буду разбираться со своей.

Сглотнув, он встречается со мной взглядом. Ему не по душе соглашаться.

— Хорошо, я обещаю, — все-таки произносит он.

— Не пытайся догнать меня на этот раз, Хардин. Останься здесь, со своей семьей и...

— Тесса, — он обхватывает ладонями мое лицо, — нет, замолчи. Мы разберемся с этим чертовым Нью-Йорком, не пори горячку.

Я качаю головой:

— Я не поеду в Нью-Йорк и клянусь, что не принимаю все близко к сердцу. Наверное, тебе кажется, что я преувеличиваю и веду себя опрометчиво, но это не так. Мы столько пережили за последний год, и, если не сделаем паузу, чтобы убедиться, что это действительно то, что нам нужно, дело закончится тем, что мы потянем за собой всех окружающих, причиним еще больше вреда, чем уже причинили. — Я пытаюсь объяснить, он должен понять.

— Как долго? — Он горбит плечи и откидывает назад волосы.

— Пока оба не поймем, что готовы. — Я настроена тверже, чем за все последние месяцы.

— Что тут понимать? Я и так знаю, чего хочу.

— Мне это нужно, Хардин. Если у меня не получится взять себя в руки, я буду презирать и тебя, и себя. Мне это нужно.

— Хорошо, твоя взяла. Я согласен, но не потому, что мне этого хочется, а потому, что это будет последнее сомнение, которое я потерплю. Я дам тебе время, но когда ты вернешься, — все. Больше ты не сбежишь и выйдешь за меня замуж. Вот что я хочу взамен.

— Договорились.

Если мы справимся, я выйду замуж за этого человека.

Глава 63

Тесса

Хардин целует меня в лоб и закрывает дверцу машины со стороны пассажирского сиденья. Я упаковала сумки в сотый и последний раз, и сейчас Хардин стоит, прислонившись к машине, и прижимает меня к груди.

— Я люблю тебя, пожалуйста, помни об этом, — говорит он. — И позвони мне сразу, как доберешься.

Он совершенно не рад тому, что я уезжаю, но так будет лучше. Нам нужно пожить отдельно друг от друга. Мы так молоды и так запутались, и требуется время, чтобы залечить раны, которые мы нанесли своим близким.

— Обязательно. Не забудь попрощаться с ними за меня. — Я обнимаю его и закрываю глаза. Не знаю, чем все закончится, но это необходимо.

— Конечно. А теперь полезай в машину. Больше не могу этого выносить и притворяться, что счастлив. Теперь я другой человек и могу держать себя в руках, но еще чуть-чуть, и я затащу тебя обратно в кровать — насовсем.

Я обнимаю Хардина, и он кладет мне руки на плечи.

— Я знаю. Спасибо.

— Черт, я так люблю тебя, Тесса. Помни об этом, хорошо? — выдыхает он мне в волосы. Я слышу, что голос у него дрожит, и мое сердце рвется на части от желания его защитить.

— Я люблю тебя, Хардин. И всегда буду любить.

Я прижимаю ладони к его груди и тянусь, чтобы поцеловать. Закрываю глаза и всей душой желаю, жажду, надеюсь, что не в последний раз ощущаю прикосновение его губ, не в последний раз испытываю эти чувства. Даже сейчас, несмотря на грусть и боль расставания, между нами постоянно пробегает искра. Чувствую, какие у него мягкие губы и как сильно он мне нужен, и мне хочется передумать и остаться жить в привычном замкнутом круге. Я чувствую его власть надо мной и свою власть над ним.

Отстраняюсь от него первой, запоминая его тихий протестующий стон, и целую его в щеку.

— Позвоню, когда доберусь.

Снова целую его, — быстрый легкий поцелуй на прощание, и он, разворошив волосы, отходит от машины.

— Береги себя, Тесс, — говорит Хардин, пока я сажусь за руль и захлопываю дверцу.

Я не настолько доверяю себе, чтобы ответить. Машина трогается.

— Пока, Хардин, — шепчу я.

Глава 64

Тесса

Июнь

— Ну как я выгляжу?

Я верчусь перед большим зеркалом, поправляя платье до колен. Прикосновение к бордовому шелку будит воспоминания. Как только я надела это платье, тут же в него влюбилась: ткань и цвет словно переносят меня в прошлое, когда я была совсем другим человеком.

— Нормально?

Это платье отличается от того, первого. То платье сидело свободнее, у него был высокий воротничок и рукава три четверти. Это облегает плотнее, более открытое, по линии декольте узор, без рукавов. Я всегда буду любить то старое платье, но сейчас мне очень нравится, как сидит на мне обновка.

— Конечно, Тереза. — Мать стоит, прислонившись к дверному косяку, и улыбается.

Я пыталась успокоиться, но уже выпила четыре чашки кофе, съела полпакета попкорна и как сумасшедшая мечусь по дому матери.

Сегодня у Хардина вручение дипломов. Я немного опасаюсь, что он не захочет меня видеть и что позвал просто из вежливости, не забрав приглашение, когда мы расстались. Прошло много времени, жизнь идет своим чередом, как это всегда бывает, но на этот раз я не пытаюсь его забыть. На этот раз я вспоминаю, исцеляюсь и думаю о времени, проведенном с Хардином, с улыбкой.

В тот апрельский вечер, когда Лэндон выложил мне все начистоту, я поехала к матери. Позвонив Кимберли, ревела в трубку, пока та не приказала мне забить на все, перестать реветь и взяться за ум.

Я не понимала, какой темной стала моя жизнь, пока снова не научилась видеть свет. Первую неделю провела в полном одиночестве: почти не выходила из своей детской спальни и заставляла себя есть. Все мои мысли были о Хардине и о том, как же сильно я по нему скучаю, нуждаюсь в нем и люблю его.

Через неделю стало полегче: уже не так больно, как прежде, когда мы расставались, но в этот раз кое-что было иначе. В этот раз мне пришлось напоминать себе, что Хардину сейчас хорошо, он в кругу семьи, и я не бросила его на произвол судьбы. Если ему понадобится помощь, рядом с ним его близкие. Карен звонила каждый день, и только это удерживало меня от того, чтобы не съездить и не проверить, как он там. Мне действительно нужно разобраться со своей жизнью, но также необходимо знать, что я не причиняю вреда ни Хардину, ни кому-либо еще.

Я превратилась в человека, от которого у всех вокруг одни неприятности, и даже не понимала этого, потому что не замечала ничего, кроме Хардина. Меня волновало лишь то, что он обо мне думает, и я дни и ночи напролет старалась наладить его жизнь и наши отношения, попутно разрушая все вокруг, включая себя.

Хардин стойко держался первые три недели, но затем его звонки, так же как и звонки Карен, стали все реже, пока не сократились до двух в неделю. Карен уверяет, что у Хардина все в порядке, поэтому не стоит его винить, что он разговаривает со мной не так часто, как я хотела или ожидала.

Больше всего я общаюсь с Лэндоном. На следующее утро после нашего разговора он чувствовал себя ужасно виноватым. Пришел в комнату Хардина, чтобы извиниться, и обнаружил, что тот там один и злой, как черт. Лэндон сразу же позвонил мне и умолял вернуться, говорил, что хочет все объяснить, но я заверила его, что он был прав и мне просто нужно побыть одной. Не меньше, чем отправиться вместе с ним в Нью-Йорк, я хотела вернуться туда, где начала рушиться моя жизнь, и там начать все сначала, в одиночку.

Слова Лэндона, что я не являюсь частью их семьи, ранили меня сильнее всего. Я чувствовала себя нежеланной, нелюбимой и отверженной. Мне казалось, что я просто бесцельно дрейфую, стремясь примкнуть к любому, кто готов меня принять. Я стала слишком зависима от окружающих и, запутавшись, вечно стремилась быть желанной хоть для кого-то. Я ненавидела это ощущение. Ненавидела больше всего на свете. Я понимаю, что Лэндон сказал так только со злости, но он не ошибся. Иногда в гневе высказывается правда.

— Не зевай, иначе никогда не соберешься.

Мать подходит ко мне и открывает верхний ящик моей шкатулки для украшений. Кладет мне на ладонь пару бриллиантовых сережек-гвоздиков и сжимает мои пальцы, накрыв их своими.

— Надень эти. Все будет лучше, чем ты ожидаешь. Просто соберись и не проявляй слабость.

Я смеюсь над ее попыткой меня успокоить и застегиваю вторую сережку.

— Спасибо, — улыбаюсь я ее отражению в зеркале.

Кэрол Янг верна себе: она рекомендует мне зачесать волосы назад, поярче накрасить губы и надеть каблуки повыше. Я вежливо благодарю ее за советы, но не следую им и снова мысленно благодарю за то, что она не настаивает на своем.

Сейчас мы с ней на пути к отношениям, о которых я всегда мечтала. Она свыкается с мыслью, что я взрослая женщина — молодая, но способная принимать собственные решения. А я начинаю осознавать, что она никогда не собиралась становиться такой, как сейчас. Отец сломил ее дух много лет назад, и она так и не смогла оправиться. Сейчас она над этим работает, примерно так же, как я работаю над собой.

Я удивилась, когда она рассказала мне, что у нее кто-то есть и она встречается с ним уже несколько недель. Еще больше я удивилась, когда узнала, что этот мужчина, Дэвид, — не адвокат, не врач и не разъезжает на крутой машине. У него в городе своя пекарня, и я никогда не видела, чтобы кто-то смеялся так много, как он. Его дочке десять лет, и ей явно понравилось примерять мою одежду, которая ей ужасно велика. Еще она не возражает, когда я, используя ее в качестве модели, понемногу учусь наносить макияж и делать прически. Ее зовут Хизер, она милая девочка и лишилась матери, когда ей было семь. Самый большой сюрприз — это то, с какой любовью к ней относится моя мать. Дэвид как-то совершенно особенно на нее действует, и мне доставляет несказанное наслаждение слушать, как она смеется, когда они вместе.

— Сколько еще у меня времени?

Я поворачиваюсь к матери и сую ноги в туфли, не обращая внимания на то, как она закатывает глаза, когда я выбираю самый низкий каблук. У меня и так нервы ни к черту, еще не хватало волноваться о неудобных туфлях.

— Пять минут, если хочешь приехать заранее. А ты хочешь.

Она встряхивает головой и перекидывает светлые волосы на одно плечо. Я с восхищением и удивлением наблюдала за переменами в ней, смотрела, как треснул лед и как она превратилась в улучшенную версию самой себя. Хорошо, что сегодня она меня так поддерживает — особенно сегодня, и я благодарна ей за то, что она оставила при себе свое мнение по поводу моего посещения этой церемонии.

— Надеюсь, дороги не слишком забиты. А что, если где-нибудь авария? Тогда два часа превратятся во все четыре, у меня помнется платье, испортится прическа и...

Мать склоняет голову набок.

— Все будет в порядке. Ты слишком драматизируешь. Ну-ка, накрась губы, и вперед.

Вздохнув, я делаю, как она велит, надеясь, что все пройдет, как запланировано. Хотя бы в этот раз.

Глава 65

ХАРДИН

Увидев в зеркале свое отражение в черной мантии, я испускаю стон. Никогда не пойму, зачем напяливать на себя такое. Почему нельзя пойти на церемонию в нормальной одежде? Тем более мой обычный гардероб полностью соответствует по цвету.

— В жизни не видел более дурацкого прикида, честное слово.

Карен закатывает глаза:

— Да ладно. Просто надень, и всё.

— Беременность провоцирует жестокость, — поддразниваю я ее и отскакиваю, прежде чем она успевает шлепнуть меня по руке.

— Кен торчит в Колизее с девяти утра. Он будет ужасно гордиться, когда увидит, как ты в этой мантии пройдешь по сцене.

Она улыбается, ее глаза блестят. Если она надумала плакать, то мне пора отсюда. Медленно выйду из комнаты и буду надеяться, что из-за навернувшихся слез она за мной не последует.

— Я словно на школьный выпускной собираюсь, — ворчу я, расправляя дурацкую мантию, в которой можно утонуть.

Плечи у меня напряжены, в голове стучит, в груди разгорается предвкушение. И вовсе не из-за церемонии или диплома — на них мне вообще наплевать. Причина невыносимого волнения в том, что там, возможно, будет она. Я иду на это только ради Тессы, это она и уговорила, вернее, обманом заставила меня пойти на церемонию. И если я достаточно хорошо ее знаю, а так оно и есть, то она обязательно придет посмотреть на свой триумф.

И хотя она стала гораздо реже звонить и практически ничего не пишет, сегодня она придет.

Час спустя мы паркуемся у Колизея, где должна состояться церемония вручения дипломов. С сотого раза я согласился ехать вместе с Карен. Я бы предпочел сам быть за рулем, но последнее время от нее не отвяжешься. Знаю, она пытается возместить отсутствие Тессы в моей жизни, но этой пустоты ничто не восполнит.

Никто и ничто не даст мне того, что давала Тесса. Она всегда будет нужна мне. Все, что я делаю каждый день с тех пор, как она уехала, — для того, чтобы стать лучше. Я завел новых друзей — ну, всего двоих. Это Люк и его девушка Кейси. Теперь они мои самые близкие друзья, и с ними неплохо проводить время. Они не слишком много пьют и уж точно не убивают время на вечеринках и не заключают дурацкие пари. Люк на несколько лет старше меня и вынужден еженедельно посещать сеансы парной терапии. Я встретил его, когда пришел на прием к доктору Трану, потрясающему психотерапевту.

Ну, не совсем так. На самом деле он тот еще пройдоха, и я плачу ему сотню баксов в час за то, что два раза в неделю он просто слушает, как я рассказываю ему о Тессе... Но мне становится легче, если я выкладываю кому-то всю ерунду, творящуюся в моей голове, а этот человек меня прилежно слушает.

— Лэндон просил напомнить, что ему страшно жаль, что он не попадет на вручение. У него в Нью-Йорке столько дел, — говорит Карен, въезжая на парковку. — Я пообещала, что сделаю для него кучу фотографий.

— Ура, — улыбаюсь я Карен и вылезаю из машины.

В похожем на амфитеатр здании полно людей, ярусы забиты гордыми родителями, родственниками и друзьями. Я киваю Карен, когда она машет мне со своего места в первом ряду. Видимо, у жены ректора есть свои привилегии. Например, места в первом ряду на «захватывающей» церемонии награждения.

Я невольно ищу в толпе Тессу. Половины лиц не разобрать, потому что проклятые прожекторы практически ослепляют. Хотел бы я знать, во сколько эта церемония обошлась университету. Я нахожу свое имя в списке мест и улыбаюсь сердитой женщине, отвечающей за рассадку. Наверное, она злится из-за того, что я пропустил репетицию церемонии. Но что там может быть сложного? Сесть. Услышать свое имя. Подойти. Забрать никчемный клочок бумаги. Отойти. Сесть обратно.

Само собой, пластиковое сиденье оказывается ужасно неудобным, а сосед потеет, как шлюха в церкви. Ерзает, бубнит что-то себе под нос и трясет коленом. Я уже почти готов сделать ему замечание, как вдруг понимаю, что сам веду себя так же, разве что не потею.

К тому времени, как называют мое имя, проходит, должно быть, часа четыре. От всеобщего пристального внимания мне неловко и немного мутит, и я спешу покинуть сцену, как только замечаю, что у Кена слезы в глазах.

Нужно просто досидеть до конца алфавита, чтобы потом отыскать ее. На букве «ш» я уже готов вскочить с места и сорвать всю церемонию. Интересно, у скольких людей фамилия начинается с «ш»?

Выясняется, что у очень многих.

После того как я прошел все стадии скуки и стихли взрывы аплодисментов, нам наконец разрешают встать с места. Я практически подпрыгиваю с сиденья, но ко мне уже спешит с объятиями Карен. Подождав какое-то приличествующее моменту время, в течение которого мое терпение чуть не лопается, я, извинившись, сбегаю от ее слезных поздравлений и отправляюсь искать Тессу.

Знаю, что она здесь. Чувствую ее.

Мы не виделись два месяца, два нескончаемых чертовых месяца, и я уже готов взорваться от бушующего в крови адреналина, когда наконец замечаю ее у выхода. Так и знал, что она придет, а потом постарается по-тихому слинять до того, как я успею ее найти. Но я не дам ей этого сделать. Если понадобится, я пущусь в погоню за ее машиной.

— Тесса! — Я расталкиваю окружающих, чтобы добраться до нее, и она оборачивается как раз в тот момент, когда я отпихиваю с дороги какого-то мальчишку.

Мы столько не виделись, что меня переполняет облегчение. Именно, черт возьми, переполняет. Она, как всегда, прекрасна. Ее кожа покрыта золотистым загаром, которого не было раньше, глаза сверкают ярче и счастливее. Высохшая оболочка, в которую она превратилась, сгорела в огне радости и жизни. Я замечаю все это, лишь взглянув на нее.

— Привет. — Она улыбается и заправляет прядь волос за ухо — так она делает, когда нервничает.

— Привет, — повторяю я и несколько секунд просто ее разглядываю. Она еще больше похожа на ангела, чем мне запомнилось.

Похоже, она занята тем же, что и я, — оглядывает меня с головы до ног. Жаль, что на мне эта дурацкая мантия. Без нее она бы увидела, какие я накачал мышцы.

— У тебя очень сильно отросли волосы, — прерывает она молчание.

Я тихо смеюсь и провожу рукой по спутанной шевелюре. Наверное, там все торчком стоит из-за шапочки. И тут же обнаруживаю, что шапочка куда-то делась. Но кому она сейчас нужна?

— Да, у тебя тоже, — говорю я первое, что приходит в голову. Рассмеявшись, она подносит руку ко рту. — Я имею в виду, волосы у тебя длинные. Хотя они всегда такие были, — исправляюсь я, но она только снова смеется.

«Да ты оратор, Скотт. Прямо настоящий гребаный оратор».

— Ну что, все было именно так плохо, как ты думал? — спрашивает она.

Она стоит от меня всего в нескольких шагах, и мне кажется, нам нужно присесть. Мне точно нужно присесть.

«Черт возьми, почему я так волнуюсь?»

— Хуже. Ты видела, как все затянулось? Имена называл какой-то древний старикан. — Я надеюсь, что она опять улыбнется. И, когда вижу ее улыбку, улыбаюсь в ответ и откидываю волосы с лица. Мне пора подстричься, но думаю, сейчас с этим можно и подождать.

— Я очень горжусь, что ты все-таки пришел. Уверена, Кен просто счастлив.

— А ты счастлива?

Она поднимает бровь.

— За тебя? Конечно. Я очень рада, что ты участвовал в церемонии. Ничего, что я пришла? — Секунду она смотрит себе под ноги, а затем поднимает взгляд на меня.

Она неуловимо изменилась, держится увереннее, стала... сильнее?

Стоит с ровной спиной, взгляд твердый и сосредоточенный, и, несмотря на то что явно нервничает, в ней нет и следа былой робости.

— Спросишь тоже! Я бы взбесился, если бы мне пришлось явиться сюда просто так.

Я улыбаюсь ей и отмечаю, что, похоже, мы оба стоим и просто улыбаемся друг другу, не зная, куда девать руки.

— Как поживаешь? Прости, что редко звонил. Был дико занят.

Она качает головой:

— Ничего страшного. Я знаю, у тебя было дел по горло. Подготовка к церемонии, нужно подумать о будущем и все такое. — Ее улыбка становится отрешенной. — У меня все хорошо. Я подала заявления во все колледжи в радиусе восьмидесяти километров от Нью-Йорка.

— Ты все еще хочешь поехать туда? Лэндон сказал, что еще вчера ты сомневалась.

— Уже нет. Хочу дождаться ответа хотя бы от одного колледжа, прежде чем переезжать. Когда я перебралась в кампус Сиэтла, это не пошло на пользу моему личному делу. В приемной комиссии Нью-Йоркского университета мне сказали, что из-за этого меня могут посчитать капризной и неподготовленной, поэтому я надеюсь, что хотя бы один колледж мне не откажет. Иначе пойду в муниципальный двухгодичный, пока не получится перевестись обратно. — Она глубоко вздыхает. — Ух ты, какой длинный получился ответ на совсем маленький вопрос.

Она смеется и уступает дорогу заплаканной мамаше, которая идет рука об руку со своей дочерью, облаченной в студенческую мантию.

— Ты уже придумал, что будешь делать дальше?

— Ну, в ближайшие пару недель у меня запланировано несколько собеседований.

— Прекрасно, очень рада за тебя.

— Все не здесь. — Я внимательно наблюдаю за ее реакцией.

— Не здесь — в смысле не в этом городе?

— Нет, не в этом штате.

— А где же, если не секрет? — Она собранна и вежлива, а голос такой тихий и мягкий, что мне приходится подойти ближе.

— Одно в Чикаго и три в Лондоне.

— В Лондоне? — Она пытается скрыть удивление, и я киваю.

Не хотел говорить ей об этом, но я стараюсь использовать любой шанс. Скорее всего, я никуда не уеду — просто изучаю различные варианты.

— Я не знал, что будет дальше. Ну, с нами, — пытаюсь объяснить я.

— Нет, я понимаю. Просто удивилась.

По ее лицу я сразу понимаю, о чем она думает. Практически слышу ее мысли.

— Я тут разговаривал с мамой.

Из моих уст это звучит странно, но еще более странно я чувствовал себя, когда наконец ответил на ее звонок. Еще две недели назад я ее избегал. Я не то чтобы ее простил, но стараюсь как-то справиться со злостью по поводу сложившейся неразберихи. От злости толку никакого.

— Правда? Я так рада это слышать, Хардин. — Она больше не хмурится и так ослепительно улыбается, что мне становится больно в груди от ее красоты.

— Да, поговорил немного, — пожимаю я плечами.

Она так и продолжает улыбаться, словно только что выиграла в лотерею.

— Я так рада, что у тебя все налаживается. Ты заслуживаешь всего самого лучшего.

Даже не знаю, что на это сказать, но я так скучал по ее теплу, что невольно тянусь к ней и заключаю ее в объятия. Она обнимает меня за плечи и кладет голову мне на грудь. Готов поклясться, что с ее губ срывается вздох. Если вдруг мне показалось, просто притворюсь, что так и было.

— Хардин! — слышу я чей-то голос, и Тесса отстраняется. Ее щеки горят. Похоже, она снова занервничала. К нам подходят Люк и Кейси с букетом цветов.

— Только не говори, что эти цветы для меня, — со стоном говорю я, понимая, что это, скорее всего, придумала его девушка.

Тесса стоит рядом и внимательно разглядывает Люка и миниатюрную брюнетку.

— А как же иначе? Я же знаю, что ты просто обожаешь лилии, — издевается Люк, пока Кейси машет Тессе.

Сбитая с толку, Тесса поворачивается ко мне, и ее улыбка — самая красивая из тех, что я видел за последние два месяца.

— Я так рада наконец-то с тобой познакомиться.

Кейси обнимает Тессу, а Люк тычет своим дурацким букетом мне в грудь. Цветы падают на пол, он ругается, и мы наблюдаем, как по ним топчутся идущие потоком, ужасно гордые родители.

— Меня зову Кейси, я приятельница Хардина. Он столько о тебе рассказывал, Тесса.

Девушка немного придвигается, чтобы взять Тессу под руку, и я с удивлением отмечаю, что та улыбается в ответ и, вместо того чтобы искать у меня помощи, тут же включается в разговор об испорченных цветах.

— Похоже, Хардин без ума от цветов? — смеется Кейси, и Тесса хихикает вместе с ней. — Вот откуда у него эти нелепые татуировки с листочками.

Тесса вопросительно поднимает бровь:

— Листочками?

— Ну, это не совсем листочки. Конечно, она несет чепуху, но с нашей прошлой встречи у меня появилась пара новых татуировок. — Непонятно почему, но я чувствую себя немного виноватым.

— Вот как. — Тесса пытается улыбнуться, но я вижу, что улыбка ненастоящая. — Хорошо.

Становится немного неловко, и Люк, рассказывая Тессе про мои новые татуировки в нижней части живота, делает очень большую ошибку.

— Я ему говорил, что не нужно. Мы гуляли вчетвером, Кейси расспрашивала Хардина про его татуировки и тоже решила сделать себе одну.

— Вчетвером? — переспрашивает Тесса, и я вижу в ее глазах разочарование.

Я бросаю на Люка яростный взгляд, а Кейси одновременно толкает его локтем в бок.

— Была еще сестра Кейси, — поясняет Люк, стараясь исправить оплошность, но делает только хуже.

Первый раз, когда я тусовался с Люком, мы встретились за ужином с Кейси. В тот выходной мы собирались в кино, и Кейси взяла с собой сестру. Мы еще несколько раз ходили гулять все вместе, и когда я понял, что девушка на меня запала, попросил объяснить ей ситуацию. Не хотел, не хочу, да мне это и не нужно — отвлекаться на кого-то другого, пока я жду, когда ко мне вернется Тесса.

— Вот как. — Тесса натянуто улыбается Люку и, отвернувшись, начинает разглядывать толпу.

«Черт, как же мне не нравится, как она сейчас смотрит».

Прежде чем я успеваю избавиться от Люка и Кейси и объясниться с Тессой, к нам подходит Кен.

— Хардин, хочу тебя кое с кем познакомить.

Люк и Кейси, извинившись, уходят, и Тесса тоже собирается уйти. Я останавливаю ее, но она лишь отмахивается.

— Мне все равно нужно освежиться. — Улыбнувшись и торопливо поздоровавшись с моим отцом, она уходит.

— Это Крис, я тебе про него рассказывал. Он руководит издательством «Габбер» в Чикаго и специально приехал сюда, чтобы поговорить с тобой. — Кен широко улыбается и хлопает мужчину по плечу, но я не могу ничего с собой поделать — ищу глазами в толпе Тессу.

— Да, спасибо.

Я пожимаю этому коротышке руку, и он заводит разговор. Пытаясь сообразить, что там наговорил ему Кен, чтобы затащить сюда, и беспокоясь, сможет ли Тесса найти туалет, я едва слышу, что он мне предлагает.

После беседы я обхожу все туалеты до единого и дважды звоню ей на мобильный, пока до меня наконец не доходит, что Тесса ушла, не попрощавшись.

Глава 66

Тесса

Сентябрь

У Лэндона маленькая квартира, и кладовка здесь совершенно крошечная, но ему хватает. Вернее, нам. Каждый раз, когда я напоминаю Лэндону, что это его квартира, а не моя, он говорит, что я теперь тоже живу здесь, в этой квартире, в Нью-Йорке.

— Ты точно не против? Не забывай, София приглашала тебя остаться у нее на выходные, если тебе неудобно, — говорит он, складывая стопку чистых полотенец в закуток, который по недоразумению называется кладовкой.

Я киваю, стараясь скрыть волнение по поводу предстоящих выходных.

— Все в порядке, правда. Я все равно почти все время буду на работе.

Сегодня вторая пятница сентября, и рейс Хардина вот-вот приземлится. Я так и не спросила, зачем он приезжает — просто духу не хватило. Когда Лэндон поднял щекотливый вопрос о том, что предложил Хардину остановиться у него, я только кивнула и выдавила улыбку.

— В Ньюарке он возьмет такси и, учитывая пробки, будет здесь примерно через час. — Лэндон проводит рукой по подбородку и закрывает ладонями лицо. — У меня плохое предчувствие. Не нужно было соглашаться.

Я наклоняюсь и убираю его руки от лица.

— Все нормально. Я уже большая девочка и могу немного потерпеть Хардина Скотта, — поддразниваю я его.

Я ужасно нервничаю, но успокаиваю себя тем, что буду на работе и что София живет в паре домов от нас. Как-нибудь переживу эти выходные.

— А ты-знаешь-о-ком-я тоже будет крутиться поблизости? Даже не знаю, во что все это выльется... — Похоже, Лэндон в панике и вот-вот или расплачется, или закричит.

— Нет, он тоже будет работать все выходные.

Я подхожу к дивану и вытаскиваю из кучи чистого белья свой фартук. С Лэндоном отлично живется, несмотря на его недавние проблемы в отношениях. Он любит наводить чистоту, так что мы вполне ладим.

Наша дружба быстро восстановилась, и не возникло ни одного неловкого момента с тех пор, как я приехала сюда около месяца назад. Лето я провела с матерью, ее другом Дэвидом и его дочерью Хизер. Даже научилась пользоваться скайпом, чтобы общаться с Лэндоном, и проводила целые дни, планируя переезд. Я словно заснула в июне, а проснулась уже в августе. Лето пролетело в один миг, и я очень часто вспоминала Хардина. В июле Дэвид снял на неделю коттедж у моря, и в итоге оказалось, что он находится меньше чем в пяти милях от коттеджа Скоттов. Я даже видела тот маленький бар, в котором мы когда-то напились.

Я гуляла по тем же улицам, в этот раз с дочкой Дэвида, и она останавливалась на каждом перекрестке, чтобы сорвать для меня цветок. Мы обедали в том же ресторане, где мне довелось пережить один из самых жутких вечеров в жизни, и даже официант нас обслуживал тот же самый — Роберт. К моему удивлению, он сообщил, что тоже переезжает в Нью-Йорк, чтобы учиться на медицинском. В Нью-Йоркском университете ему предложили гораздо более крупный грант, чем в Сиэтле, поэтому он и сделал такой выбор. Мы обменялись номерами телефонов и все лето переписывались, а затем почти одновременно прибыли в Нью-Йорк. Он приехал на неделю раньше и теперь работает там же, где и я. Кроме того, в эти две недели до начала занятий он, как и я, по уши загружен работой. У меня с учебой не сложилось, я, к сожалению, опоздала к осеннему семестру.

Кен посоветовал подождать по крайней мере до весны, прежде чем переходить в другой университет. Сказал, это подпортит мое личное дело, а в Нью-Йоркском университете к таким вещам относятся довольно щепетильно. Я ничего не имею против небольшого перерыва, хотя и придется основательно потрудиться, чтобы наверстать упущенное. Я собираюсь работать и открывать для себя этот огромный и необычный город.

После церемонии, когда Хардин ушел не попрощавшись, я общалась с ним лишь изредка. Он прислал мне несколько сообщений и электронных писем, но они были такие сухие, нескладные и формальные, что я ответила всего пару раз.

— У вас есть какие-нибудь планы на выходные? — спрашиваю я Лэндона, завязывая фартук на талии.

— Насколько мне известно, никаких. Он просто здесь переночует и в понедельник уедет.

— Ладно. У меня сегодня двойная смена, так что меня не ждите. Я приду не раньше двух.

Лэндон вздыхает:

— Ты слишком много работаешь. Тебе не нужно делить со мной расходы, у меня достаточно денег из гранта. Тем более ты же знаешь, что Кен помогает и все равно не позволяет мне платить по всем счетам.

Я мило улыбаюсь Лэндону и завязываю волосы в низкий хвост, прямо над воротничком моей черной рубашки на пуговицах.

— Я не собираюсь обсуждать это снова. — Покачав головой, я заправляю рубашку в рабочие брюки.

У меня вполне симпатичная форма: черная рубашка, черные брюки и черные туфли. Единственное, что меня раздражает, — это ядовито-зеленый галстук, который я обязана носить. Я две недели привыкала к его виду, но так обрадовалась, когда София устроила меня официанткой в роскошный ресторан, что на цвет галстука было уже плевать. Она шеф-кондитер в «Лукаут» — неоправданно дорогом современном ресторане, недавно открывшемся на Манхэттене. Я стараюсь не лезть в их с Лэндоном... дружбу? Особенно после того как познакомилась с ее соседками по комнате, одну из которых я уже встречала в Вашингтоне. Нам с Лэндоном везет на такие встречи: мир очень тесен.

— Напишешь мне, когда освободишься? — Лэндон снимает с крючка мои ключи и подает их мне. Я соглашаюсь, уверяя его, что меня нисколько не расстраивает приезд Хардина. На этом мы расстаемся, и я ухожу на работу.

Мне нравится ходить пешком до ресторана, это занимает двадцать минут в одну сторону. Я до сих пор осваиваюсь в этом гигантском городе и каждый раз, когда смешиваюсь со спешащими людьми, словно чувствую его ритм. Уличный шум, несмолкающие голоса, сирены и гудки машин не давали мне спать только первую неделю. Теперь, когда я сливаюсь с толпой, это даже немного успокаивает.

Наблюдать за людьми в Нью-Йорке интереснее, чем где бы то ни было на свете. У всех такой важный, такой официальный вид, а мне нравится угадывать их истории: откуда они родом и почему приехали сюда. Не знаю, надолго ли останусь в Нью-Йорке. Понятно, что не насовсем, но сейчас мне здесь нравится. Хотя я очень скучаю по Хардину.

«Хватит».

Нужно перестать о нем думать. Я теперь счастлива, и не остается сомнений, что он устроил свою жизнь и в ней нет для меня места. Я не против. Мне хочется, чтобы он был счастлив, вот и все. Я была рада повидаться с ним и его новыми друзьями на церемонии вручения дипломов. Он был таким собранным, таким… довольным.

Мне не понравилось только то, что он не подождал меня, когда я задержалась в туалете. Я забыла телефон на полочке у раковины, а когда вспомнила об этом и вернулась, его там уже не было. Следующие полчаса я искала бюро находок или хотя бы охранника, чтобы он помог мне его найти. В конце концов телефон обнаружился на мусорном баке, словно кто-то вдруг понял, что взял чужое, а на место вернуть поленился. Как бы там ни было, батарея села. Я вернулась на то место, где рассталась с Хардином, но он уже ушел. Кен сказал, что он ушел с друзьями, и тут все встало на свои места: это конец. Это и правда был конец.

Хотелось ли мне, чтобы он вернулся за мной? Конечно. Но он этого не сделал, и я не могу провести остаток жизни в бесплодных мечтаниях.

На этих выходных я специально взяла несколько дополнительных смен, чтобы загрузить себя по полной и свести время пребывания в квартире к минимуму. У Софии с соседками не самые теплые отношения, поэтому я очень постараюсь не оставаться у нее, но если с Хардином будут какие-то проблемы, то уйду к ней, не промедлив ни секунды. Мы с Софией очень сблизились, но я стараюсь не совать нос в ее дела. Я слишком необъективна из-за дружбы с Лэндоном, поэтому вряд ли мне стоит знать детали их отношений. Особенно если бы ей пришло в голову обсудить, как у них дела в постели. Я с содроганием вспоминаю откровения Кимберли о том, что милый сдержанный Тревор вытворял в офисе.

За два квартала до «Лукаут» я достаю телефон, чтобы посмотреть, который час, и чуть не врезаюсь в Роберта. Он вытягивает руки и останавливает меня, прежде чем мы сталкиваемся.

— Берегись! — сбивчиво произносит он и усмехается, когда у меня вырывается стон. — Смотри, как здорово: мы в работаем в «Лукаут»[1], и я вот... — Он улыбается и забавно поправляет свой ядовито-зеленый галстук.

На нем этот галстук смотрится гораздо лучше, чем на мне, и отлично сочетается с его светлыми взъе-

---

[1] Игра слов: Lookout! — Берегись! (англ.)

рошенными волосами, кое-где стоящими торчком. Я сомневаюсь, напоминать ли ему о Хардине, и молчу, пока мы переходим дорогу вместе со стайкой девочек-подростков, хихикающих и посылающих ему улыбки. Что поделаешь — он симпатяга.

— Просто немного отвлеклась, — наконец признаюсь я, когда мы сворачиваем за угол.

— Он приезжает сегодня?

Роберт открывает передо мной дверь, и я вхожу в полумрак ресторана. Внутри так темно, что приходится подождать несколько секунд, чтобы привыкли глаза. Каждый раз одно и то же: и в разгар дня, и, как сейчас, когда нет еще и полудня. Я следую за Робертом в комнату для персонала и оставляю сумку в запирающемся шкафчике, а он кладет свой телефон на верхнюю полку.

— Да. — Закрыв дверцу шкафчика, я прислоняюсь к нему спиной.

Роберт трогает меня за локоть:

— Ты же знаешь, я нормально отношусь к тому, что мы о нем разговариваем. Я не особенно его люблю, но ты можешь обсуждать со мной все на свете.

— Я знаю, — вздыхаю я. — Я так тебе благодарна за это. Только мне кажется, этот ящик открывать не стоит. Я слишком давно держу его закрытым. — Я смеюсь, надеясь, что вопреки ощущениям это кажется естественным.

Выхожу из комнаты, а Роберт идет следом за мной. Улыбнувшись, он поднимает глаза на настенные часы. Если бы не красная подсветка с темно-синими цифрами, узнать в коридоре который час было бы невозможно. В ресторанных коридорах обычно очень темно, нормальное освещение только на кухне и в служебной комнате.

Моя смена начинается без происшествий, и время летит быстро: едва спадает волна посетителей после ланча, как начинают прибывать те, кто хочет по-ужинать. Я до того окунулась в работу, что о приезде Хардина удалось забыть почти на пять минут, но тут же подходит обеспокоенный Роберт.

— Они здесь. Лэндон и Хардин. — Роберт утира-ет лоб краем фартука. — Спрашивают столик в твоей секции.

Неожиданно для себя я не испытываю того ужаса, какого опасалась. Кивнув, просто иду к двери. Усили-ем воли заставляю себя искать глазами именно клет-чатую рубашку Лэндона. Нервно осматриваюсь по сторонам, переводя взгляд от одного лица к другому, но так его и не нахожу.

— Тесс. — Кто-то трогает меня за руку, и я вздра-гиваю от неожиданности.

Это тот самый голос — красивый низкий голос с британским акцентом, который долгие месяцы зву-чал у меня в голове.

— Тесса? — Хардин снова прикасается ко мне, на этот раз привычно обвивая свои пальцы вокруг моего запястья.

Я не хочу оборачиваться и встречаться с ним взгля-дом — вернее, хочу, но очень боюсь. Боюсь увидеть его, увидеть лицо, которое навсегда врезалось мне в память и вопреки ожиданиям даже не думает рас-плываться или меркнуть. Его лицо, сердитое и вечно хмурое, навсегда останется для меня таким же ярким и живым, как при первой встрече.

Резко очнувшись от задумчивости, я поворачи-ваюсь. На то, чтобы собраться с мыслями, у меня всего несколько секунд, и я стараюсь сначала сфо-кусировать взгляд на Лэндоне, а не Хардине, но что толку?

Невозможно не заметить эти глаза, эти неповто-римо прекрасные зеленые глаза.

Хардин улыбается мне, и я пару секунд стою, не в состоянии вымолвить ни слова. Нужно взять себя в руки.

— Привет, — говорит он.

— Привет.

— Хардин захотел прийти сюда, — слышу я голос Лэндона, но глаза совершенно меня не слушаются.

Хардин тоже смотрит на меня не отрываясь, его пальцы плотно сжимают мое запястье. Нужно от-страниться, а то он по пульсу поймет, что я чувствую после трех месяцев разлуки.

— Если ты занята, мы можем уйти и поесть где-нибудь еще, — добавляет Лэндон.

— Нет, все в порядке. Правда, — заверяю я своего лучшего друга.

Знаю, о чем он сейчас думает: чувствует себя ви-новатым и беспокоится, что приход Хардина испортит новую Тессу. Тессу, которая смеется и шутит, Тессу, которая нашла саму себя, хотя, может, и проявив при этом слишком много упрямства. Но ничего подобно-го не случится. Я держу себя в руках и контролирую ситуацию. Я абсолютно спокойна и сдержанна. Абсо-лютно.

Я осторожно высвобождаюсь из мягкого захвата Хардина и беру со стойки два меню. Киваю сбитой с толку администратору зала Келси, давая понять, что сама провожу этих посетителей к столику.

— Сколько ты здесь работаешь? — спрашивает Хардин, идя рядом.

Он одет в своем обычном стиле: та же черная фут-болка, те же ботинки, те же узкие черные джинсы, хотя эти немного порваны у колена. Мне приходится напоминать себе, что с тех пор, как я уехала от мате-ри, прошло всего несколько месяцев. А кажется, будто прошло куда больше времени — годы.

— Всего три недели, — отвечаю я.

— Лэндон сказал, ты сегодня здесь с полудня?

Я киваю. Указываю на небольшую кабинку у задней стены, и Хардин с Лэндоном садятся друг напротив друга.

— А когда ты заканчиваешь?

«Заканчиваю? Неужели он на что-то намекает?»

Спустя столько времени я не понимаю, что у него на уме.

«Хочу ли этих намеков?»

Тоже непонятно.

— Мы закрываемся в час, поэтому, когда я работаю в последнюю смену, домой обычно добираюсь к двум.

— К двум ночи? — От удивления у него отвисает челюсть.

Я кладу перед ними меню, и Хардин снова тянется к моему запястью. На этот раз я отстраняюсь и делаю вид, что ничего не заметила.

— Да. Она так почти каждый день работает, — говорит Лэндон.

Я сердито смотрю на него — мог бы и помолчать об этом, — но потом сама себе удивляюсь. Хардину наверняка нет никакого дела до того, сколько времени я здесь провожу.

После этого Хардин умолкает. Изучив меню, указывает на равиоли с бараниной и просит стакан воды. Лэндон делает свой обычный заказ, спрашивает, занята ли сейчас София на кухне, и посылает мне гораздо больше виноватых улыбок, чем следует.

Со следующим столиком приходится повозиться. Женщина пьяна и никак не может решить, что будет есть, а ее муж уткнулся в телефон и ни на что не обращает внимания. Я даже благодарна ей, что она три раза отсылает свое блюдо обратно. Из-за нее я подхожу к столику Лэндона и Хардина всего дважды: чтобы налить воды и забрать тарелки.

София это София: она списала их счет. Хардин это Хардин: он оставил мне огромные чаевые. А я это я: заставила Лэндона забрать деньги и вернуть их Хардину дома.

Глава 67

ХАРДИН

Я выругался, наступив на какую-то пластиковую хрень, но не очень громко, потому что в этой квартире слышен каждый шорох. Здесь всего пара окон, поэтому так темно, что не видишь, куда ставишь ногу. Вот я и стараюсь на ощупь пробраться к дивану из крошечной ванной. Это мне наказание за то, что я выпил столько воды в ресторане, — надеялся, что Тесса будет почаще останавливаться у нашего столика. Не сработало: мне несколько раз наполнял стакан водой другой официант. Зато теперь я всю ночь бегаю в туалет.

Я сплю на диване и с ума схожу от того, что больше похожая на каморку комната Тессы до сих пор пуста. Как она может разгуливать среди ночи по этому чертову городу? Лэндон получил от меня взбучку за то, что отдал ей меньшую из двух «спален», но он клянется, что Тесса не позволила ему поменяться комнатами.

Поди тут разберись. Она осталась такой же упрямой, как и была, и меня это совсем не удивляет. Очередной тому пример: она работает до двух ночи, а потом идет домой одна.

Нужно было подумать об этом раньше: подождать ее у того нелепого заведения и проводить домой.

Схватив с дивана телефон, я смотрю, сколько сейчас времени. Еще только час ночи. Можно взять такси и меньше чем через пять минут уже быть там.

Спустя пятнадцать минут из-за того, что, видимо, ночью в пятницу поймать такси практически невозможно, я стою у дверей ресторана, где работает Тесса, и жду.

Нужно было отправить эсэмэску, но не хочется давать ей возможность отказаться, особенно когда я уже на месте.

Мимо снуют прохожие, в основном мужчины, и я начинаю еще больше беспокоиться из-за того, что ей приходится возвращаться с работы в такой поздний час. Размышляя о ее безопасности, я слышу смех. Ее смех.

Двери ресторана открываются, и она выходит наружу, смеясь и прикрывая рот рукой. Ее спутник придерживает дверь. У него знакомое, очень знакомое лицо...

«Это кто еще такой, черт возьми?»

Клянусь, где-то я его уже видел, но не могу вспомнить, где...

Официант. Официант из того ресторана недалеко от летнего коттеджа.

«Как такое возможно? Что он, черт возьми, делает в Нью-Йорке?»

Тесса прижимается к нему, по-прежнему смеясь, и, когда я делаю шаг к ним из темноты, мы с ней немедленно встречаемся взглядом.

— Хардин? Что ты здесь делаешь? — громко восклицает она. — Ты меня до смерти напугал!

Я смотрю на него, потом на нее. Я месяцами учился управлять гневом, месяцами разговаривал о всякой ерунде с доктором Траном, чтобы контролировать свои эмоции, и все зря, к такому не подготовишься. Я допускал, что у Тессы может появиться парень, но никогда не думал, что это может произойти на самом деле.

Стараясь говорить как можно безразличнее, я пожимаю плечами.

— Хотел убедиться, что ты нормально доберешься до дома.

Тесса и ее спутник переглядываются, а потом он кивает и тоже пожимает плечами.

— Напиши мне, когда будешь дома, — говорит он и, легко прикоснувшись к ее руке, уходит.

Тесса смотрит ему вслед, затем поворачивается ко мне с улыбкой. Вроде бы она не недовольна.

— Я поймаю такси, — говорю я, пытаясь успокоиться. На что я рассчитывал? Что она так и будет до сих пор копаться в себе?

Наверное, да.

— Обычно я хожу пешком.

— Пешком? Одна? — Я жалею о втором вопросе, как только произношу его вслух. Через мгновение делаю вывод: — Он тебя провожает.

Она морщится:

— Только если мы работаем в одну смену.

— Как давно ты с ним встречаешься?

— Что?

Она останавливается, не успеваем мы и за угол свернуть.

— Мы с ним не встречаемся, — сводит она брови.

— А так не скажешь, — пожимаю я плечами, изо всех сил стараясь не вести себя как придурок.

— Нет, мы не встречаемся. Мы часто проводим время вместе, но я ни с кем не встречаюсь.

Я смотрю на нее и пытаюсь понять, правду ли она говорит.

— Он этого хочет. Судя по тому, как он трогал тебя за руку.

— Зато я не хочу. Пока что.

Пока мы переходим улицу, она смотрит себе под ноги. Людей на улицах гораздо меньше, чем раньше вечером, но нельзя сказать, что совсем пусто.

— Пока что? И ты ни с кем не встречалась? — Я наблюдаю, как продавец сворачивает на ночь фруктовую лавку, и молюсь, чтобы она сказала то, что я хочу услышать.

— Нет, и в ближайшем будущем я не собираюсь ни с кем встречаться. — Я чувствую на себе ее взгляд. — А ты? Я имею в виду, встречаешься с кем-нибудь?

Облегчение от того, что у нее никого нет, не выразить словами. Я поворачиваюсь к ней и улыбаюсь:

— Нет. Я ни с кем не встречаюсь. — Надеюсь, она поймет мою шутку.

Она и правда улыбается:

— Это я уже слышала.

— Я парень старомодный, ты ведь помнишь?

Она смеется, но ничего на это не отвечает, и мы шагаем, минуя квартал за кварталом. Нужно поговорить с ней по поводу столь поздних возвращений. Ночь за ночью, неделя за неделей я пытался представить, как ей тут живется. Мне и в голову не приходило, что она целыми днями работает официанткой и бродит по ночному Нью-Йорку.

— Почему ты работаешь в ресторане?

— Меня устроила София. Это хорошее место, и я зарабатываю больше, чем ты, наверное, думаешь.

— Больше, чем имела бы у Вэнса? — спрашиваю я, уже зная ответ.

— Для меня это не очень важно. Зато я занята делом.

— Вэнс сказал, ты даже не попросила рекомендацию, а ведь он собирается и тут тоже что-то открывать, и тебе это известно.

Теперь она смотрит вперед, бездумно разглядывая проезжающие машины.

— Да, но я хочу добиться чего-то самостоятельно. Пока меня не взяли в Нью-Йоркский университет, моя работа мне вполне нравится.

— Тебя до сих пор не взяли? — восклицаю я, не сдержав удивления.

«Почему мне никто ничего не сказал?»

Я заставляю Лэндона держать меня в курсе всего, что происходит в жизни Тессы, но он, оказывается, скрывает от меня самое важное.

— Еще нет, но я рассчитываю на весенний семестр. — Покопавшись в сумке, она достает ключи. — В этот раз я не успела к сроку подачи документов.

— Тебя это не беспокоит? — Удивительно, что она так спокойно об этом рассказывает.

— Да, мне же всего девятнадцать. Все будет в порядке, — пожимает она плечами, и мне кажется, что мое сердце вот-вот остановится. — Могло быть и лучше, но у меня есть время все наверстать. Можно ведь брать дополнительные предметы. Я даже могу выпуститься раньше, чем обычно, как и ты.

Не знаю, что и сказать этой... спокойной и рассудительной Тессе. Тессе, у которой нет четкого плана на будущее. Но я так счастлив быть с ней рядом.

— Да, наверное, ты могла бы...

Не успеваю я закончить фразу, как перед нами появляется человек. Его давно не бритое, заросшее щетиной лицо, запачкано грязью. Я инстинктивно толкаю Тессу себе за спину.

— Привет, малышка, — говорит бродяга.

Мои подозрения уступают желанию защитить Тессу, и я выпрямляюсь в полный рост, готовый к любым выходкам этого придурка.

— Привет, Джо, как ты? — Тесса мягко отстраняет меня и вытаскивает из сумки небольшой сверток.

— Хорошо, малышка, — улыбается мужчина и тянется за свертком. — Что ты сегодня мне принесла?

Я заставляю себя остаться на месте, но не отпускаю от себя Тессу слишком далеко.

— Картошку фри и те маленькие бутерброды, которые ты так любишь. — Она улыбается, и человек, ухмыльнувшись в ответ, раскрывает бумажный пакет и подносит его к лицу, чтобы понюхать содержимое.

— Ты слишком добра ко мне.

Он запускает руку в пакет, вытаскивает полную пригоршню жареной картошки и заталкивает ее в рот.

— Хотите? — спрашивает он нас обоих, а изо рта у него торчит кусок картошки.

— Нет, — хихикает Тесса, отмахиваясь. — Приятного аппетита, Джо. До завтра.

Она подзывает меня жестом, и, когда мы сворачиваем за угол, вводит код на двери в дом Лэндона.

— Откуда ты знаешь этого мужика?

Она останавливается перед рядом почтовых ящиков в холле и открывает один из них ключом, а я жду ее ответа.

— Он там живет, на том углу. Я встречаю его каждую ночь и, если на кухне что-то остается, приношу ему.

— Это не опасно? — Я оборачиваюсь, пока мы идем по пустому холлу.

— Кого-то подкармливать? Нет, — смеется она. — Я больше не такая хрупкая, как раньше. — Она искренне улыбается и совсем не обиделась, а я даже не знаю, что еще сказать.

Когда мы оказываемся в квартире, Тесса снимает туфли и галстук. Я старался не особенно пялиться на ее тело, пытался сосредоточиться на лице, волосах, черт, даже на ушах. Но теперь, когда она расстегивает свою черную рубашку, под которой только майка, я совершенно обалдел и даже вспомнить не могу, почему избегал восхищаться такой красотой. У нее идеальное тело, даже слюнки текут, и я каждый день мечтаю о ее соблазнительных формах.

— Я спать, мне завтра рано на работу, — бросает она через плечо и уходит на кухню.

Я дожидаюсь, пока она допьет стакан воды.

— Ты и завтра работаешь?

— Да, весь день.

— Почему?

Она вздыхает:

— Ну, счета нужно как-то оплачивать.

Это ложь.

— И? — не отступаю я.

Минуту она водит рукой по столу.

— И, наверное, я пыталась тебя избегать.

— Ты уже достаточно долго избегала меня, тебе не кажется? — Я вопросительно поднимаю бровь.

Она сглатывает:

— Я тебя не избегала. Ты почти не общаешься со мной.

— Потому что ты меня избегаешь.

Она проходит мимо меня, распуская волосы.

— Я не знала, что сказать. Мне было обидно, когда ты просто ушел после церемонии и...

— Это ты ушла, а не я.

— Что? — Она останавливается и поворачивается ко мне.

— Это ты ушла после церемонии. Я тебя потом полчаса искал, прежде чем тоже ушел.

Похоже, мои слова ее задели.

— Нет, это я тебя искала. Правда. Я бы никогда не ушла не попрощавшись.

— Ладно, я запомнил все несколько по-другому, но какой смысл теперь спорить.

Она опускает глаза и, судя по всему, соглашается.

— Ты прав. — Она наливает себе еще воды. И делает маленький глоток.

— Только посмотри: даже не ссоримся на хрен, — поддразниваю я.

Она облокачивается о стол и закрывает кран.

— «На хрен», — повторяет она с улыбкой.

— На хрен.

Рассмеявшись, мы продолжаем смотреть друг на друга.

— Все не так плохо, как я думала, — говорит Тесса. Она начинает развязывать фартук, но не может справиться с узлом.

— Помочь?

— Нет, — поспешно отвечает она, дергая за тесемки.

— Точно?

Спустя пару минут ее попытки так ни к чему и не приводят, и она, нахмурившись, поворачивается ко мне спиной. Я моментально развязываю узел, и она начинает пересчитывать чаевые.

— Почему ты не найдешь другую стажировку? Работа официантки не для тебя.

— В этом нет ничего такого, и я не собираюсь работать официанткой всю жизнь. Нет ничего страшного в том...

— Ты не хочешь просить помощи у Вэнса. — Ее глаза распахиваются. Покачав головой, я откидываю волосы со лба. — Тесс, будто я тебя не знаю.

— Дело не только в этом. Мне нравится, что на эту работу я устроилась сама. Ему пришлось бы подключать очень серьезные связи, чтобы выбить для меня здесь стажировку, а следующие пару месяцев я даже не буду учиться в университете.

— С работой тебе помогла София, — уточняю я. Не хочу ее задеть, но нужно, чтобы она сказала правду. — На самом деле ты просто хотела, чтобы это было никак не связано со мной. Я прав?

Она переводит дух и избегает смотреть мне в глаза.

— Да, прав.

Мы стоим в тишине крошечной кухни, так близко и в то же время так далеко друг от друга. Через несколько секунд она выпрямляется и убирает фартук и стакан.

— Мне пора спать. Завтра работать весь день, а уже поздно.

— Возьми выходной, — небрежно говорю я, хотя мне хочется этого потребовать.

— Я не могу просто взять выходной, — лжет она.

— Нет, можешь.

— Я еще ни одного дня не пропустила.

— Ты там работаешь всего три недели. Тебе было просто некогда взять выходной, а между прочим именно этим люди в Нью-Йорке по субботам и занимаются. Берут выходной и проводят его в компании хороших людей.

В уголках ее пухлых губок появляется игривая улыбка.

— Ты и есть тот хороший человек?

— Конечно. — В доказательство я провожу руками вдоль тела.

Она оглядывает меня и явно задумывается, не отпроситься ли.

— Нет, не могу, — в конце концов заявляет она. — Прости, но я просто не могу. Вдруг мне не найдут замену. Это не понравится руководству, а мне нужна эта работа. — Она хмурится, весь ее игривый настрой, тут же улетучившись, сменяется озабоченностью.

Я чуть не говорю, что не нужна ей никакая работа, что все, что ей нужно, — это собрать вещи и вернуться со мной в Сиэтл, но прикусываю язык. Доктор Тран считает, что мое стремление все контролировать вредит нашим отношениям, поэтому я «должен найти баланс между контролем и указаниями».

Доктор Тран меня просто бесит.

— Понятно, — пожимаю я плечами, мысленно проклиная этого хорошего доктора, и улыбаюсь Тессе. — Тогда иди спать.

Она разворачивается и уходит в свою каморку, а я остаюсь на кухне в одиночестве, затем в одиночестве лежу на диване и в одиночестве погружаюсь в сон.

Глава 68

ТЕССА

Во сне я слышу голос Хардина, он громко и четко просит меня прекратить.

«Просит меня прекратить? Это что еще такое...»

Открываю глаза и сажусь на постели.

— Прекрати, — снова цедит он сквозь зубы.

Я не сразу понимаю, что это не сон, что это происходит на самом деле.

Выбегаю из комнаты в гостиную. Хардин спит на диване. Он уже не кричит и не мечется по кровати, как прежде, но почти умоляет:

— Пожалуйста, прекрати.

Мое сердце уходит в пятки.

— Хардин, проснись. Пожалуйста, проснись, — спокойно произношу я, проводя пальцами по влажной коже его плеча.

Он открывает глаза и тянется руками к моему лицу. Толком не проснувшись, садится и, схватив меня, прижимает к себе. Я не сопротивляюсь. Это бесполезно.

Какое-то время мы сидим молча, потом он роняет голову мне на грудь.

— И как часто? — Я просто разрываюсь от жалости.

— Где-то раз в неделю. Я сейчас пью таблетки, но сегодня пропустил время приема.

— Мне очень жаль.

Я заставляю себя забыть, что мы не виделись несколько месяцев. Не стоит думать о том, что мы уже снова касаемся друг друга. Мне наплевать. Я никогда не отвернусь от него и всегда постараюсь поддержать, что бы там ни было.

— Ничего, все в порядке. — Он зарывается носом мне в шею и обнимает за талию. — Прости, что разбудил.

— Ничего. — Я откидываюсь на спинку дивана.

— Я скучал по тебе. — Зевнув, он привлекает меня к себе и ложится на спину, не отпуская меня, и я по-прежнему не сопротивляюсь.

— Я тоже.

Я чувствую, как он целует меня в лоб и дрожу, наслаждаясь знакомым теплом его губ. Как же получилось, что я так легко и естественно снова оказалась в его объятиях?

— Мне очень нравится это ощущение, — шепчет он. — От этого никуда не деться, ты ведь понимаешь?

— Теперь у каждого из нас своя жизнь, — произношу я, пытаясь призвать остатки здравого смысла.

— Я все еще жду, когда ты поймешь.

— Пойму что? — Он не отвечает, и я, подняв голову, вижу, что он, закрыв глаза и разомкнув губы, спит.

Я просыпаюсь от сигнала кофеварки на кухне. Первое, что я вижу, — это лицо Хардина, но даже не знаю, что и думать.

Я отстраняюсь от него, убираю его руки с моей талии и встаю с постели. Из кухни с чашкой кофе выходит Лэндон. На его лице застыла недвусмысленная улыбка.

— Что? — спрашиваю я, потягиваясь.

Со времени расставания с Хардином я ни с кем не делила постель. Однажды Роберту пришлось заночевать у нас, потому что у него захлопнулась дверь в квартиру, но он спал на диване, а я — в своей кровати.

— Ничего-о-о-о. — Лэндон улыбается еще шире и пытается это скрыть, делая глоток дымящегося кофе.

Я закатываю глаза, сдерживая улыбку, и ухожу в свою комнату за телефоном. На часах половина двенадцатого, и меня охватывает ужас. Я ни разу не просыпалась так поздно с тех пор, как сюда переехала, и вот теперь нет времени даже принять душ перед работой.

Я наливаю чашку кофе и ставлю ее остудиться в холодильник, пока чищу зубы, умываюсь и одеваюсь. Холодный кофе стал мои любим напитком, но нет никакого смысла переплачивать за него втридорога в кофейнях: они всего-навсего добавляют туда лед. Мой домашний вариант на вкус такой же. Лэндон тоже так думает.

Когда я ухожу, Хардин еще спит, и я неожиданно для себя склоняюсь над ним и едва не целую на прощание. К счастью, в комнате как нельзя вовремя появляется Лэндон и останавливает мое безумие.

«Что со мной такое?»

По дороге на работу я не переставая думаю о Хардине: как приятно было спать в его объятиях и проснуться у него на груди. Я в смятении, как и всегда после встречи с ним, и теперь нужно поспешить, чтобы не опоздать на работу.

Когда я забегаю в комнату для персонала, Роберт уже там. Увидев меня, он открывает для меня мой шкафчик.

— Я опоздала, кто-нибудь заметил? — Я торопливо закидываю сумку и закрываю дверцу.

— Нет, ты опоздала всего на пять минут. Как прошла ночь? — Его голубые глаза горят от почти неприкрытого любопытства.

Я пожимаю плечами.

— Нормально. — Мне известно, как Роберт ко мне относится, и с моей стороны нечестно рассказывать ему про Хардина, даже если он спрашивает.

— Значит, нормально? — улыбается он.

— Лучше, чем я ожидала. — Я решаю держаться коротких ответов.

— Все в порядке, Тесса. Я знаю твое отношение к нему. — Он касается моего плеча. — Знал с первого дня нашего знакомства.

Меня обуревают эмоции, и мне хочется, чтобы Роберт не был так добр ко мне, чтобы Хардин не приезжал в Нью-Йорк на эти выходные — хотя нет, пусть лучше остается подольше.

Роберт больше ничего не спрашивает, и мы так погружаемся в работу, что до часу ночи мне совершенно некогда думать ни о чем, кроме обслуживания посетителей. Даже перерывы пролетают незаметно, я только и успеваю, что уплести тарелку фрикаделек с сырным соусом.

После закрытия ресторана я покидаю его последняя. Я заверила Роберта, что он спокойно может уйти пораньше, чтобы пропустить стаканчик с другими официантами. Что-то подсказывает мне, что, когда я выйду из ресторана, меня будет ждать Хардин.

Глава 69

ТЕССА

И я права. Снаружи, прислонившись к стене, разрисованной под Бэнкси, стоит Хардин.

— Ты не говорила, что Делайла и Саманта — соседки по комнате, — говорит он мне с ходу. И улыбается так широко, что у него даже кончик носа задирается.

— Да, кошмар, — качаю я головой, закатывая глаза. — Особенно потому, что их зовут совсем не так, и ты это знаешь.

Хардин смеется.

— Но это очень прикольно. Каковы шансы, а? — Он прижимает руку к груди и весь трясется от смеха. — Прямо какая-то чертова мыльная опера.

— И ты говоришь это мне? Именно мне приходится иметь с этим дело. Бедный Лэндон, ты бы видел его лицо, когда мы в тот вечер встретились с Софией и ее подругами, чтобы посидеть в каком-нибудь уютном месте. Он чуть со стула не упал.

— Ой, не могу больше, — хохочет Хардин.

— Только не смейся над этим при Лэндоне, ему и так нелегко разбираться с ними обеими.

— Да-да, конечно. — Хардин закатывает глаза.

В этот момент поднимается ветер, и длинные волосы Хардина начинают колыхаться вокруг его головы. Не удержавшись, я показываю на него пальцем и разражаюсь смехом. Лучше уж смеяться, чем, например, спрашивать Хардина, зачем он приехал в Нью-Йорк.

— Так я гораздо красивее, и девушкам есть за что подергать, — шутит он, но от этих слов мне становится не по себе.

— Вот как, — отвечаю я, продолжая смеяться, чтобы он не понял, как у меня кружится голова и как больно в груди от мысли, что к нему прикасаются другие женщины.

— Эй. — Дотянувшись до меня, он заставляет меня посмотреть ему прямо в глаза, словно мы на тротуаре совершенно одни. — Я просто пошутил. Это была абсолютно тупая, идиотская, дебильная шутка.

— Да ладно, все нормально, — улыбаюсь я ему, заправляя за ухо выбившуюся прядь.

— Может, теперь тебе все нипочем, и ты даже бродяг уличных не боишься, но врать ты так и не научилась, — говорит он с вызовом.

Я стараюсь обратить все в шутку:

— Эй, не смей так говорить о Джо. Он мой друг. — Я показываю Хардину язык, как раз когда мы проходим мимо целующейся парочки на скамейке.

— Ставлю пять баксов, что меньше чем через две минуты он засунет руку ей под юбку, — намеренно повысив голос, произносит Хардин.

Я игриво толкаю его в плечо, и он обнимает меня за талию.

— Не распускай руки, Джо это не понравится! — Я грозно сдвигаю брови, и Хардин хохочет:

— У тебя что, какая-то любовь к бездомным?

В голове сразу всплывает образ отца, и я прекращаю смеяться.

— Черт, я не это хотел сказать.

Я поднимаю руку и улыбаюсь:

— Все в порядке. Правда. Давай просто надеяться, что Джо не окажется моим дядюшкой. — Хардин смотрит на меня так, будто у меня выросла еще одна пара глаз, и я смеюсь над ним: — Все хорошо! Я теперь понимаю шутки и научилась относиться к себе не слишком серьезно.

Он, похоже, доволен и даже улыбается Джо, когда я передаю тому пакет с остатками сома и кукурузными оладьями.

Когда мы добираемся до квартиры, внутри кромешная тьма. Наверное, Лэндон давно спит.

— Ты ел? — спрашиваю я Хардина, когда он идет за мной на кухню.

Усевшись за маленький двухместный столик, он укладывает на него локти.

— Вообще-то нет, не ел. Собирался стащить тот пакет с едой, но Джо меня опередил.

— Хочешь, что-нибудь приготовлю? Я тоже голодная.

Двадцать минут спустя я уже макаю палец в водочный соус, пробуя его на вкус.

— А со мной поделишься? — спрашивает Хардин у меня за спиной. — Я уже не первый раз ем с твоего пальца, — поддразнивает он. — Больше всего мне нравится Тесса в сахарной глазури.

— Ты это помнишь? — Я подаю ему немного соуса на ложке.

— Я помню все, Тесса. Ну, если только не был слишком пьяным.

Он хмурится, и его игривая улыбка исчезает. Я макаю палец в ложку с соусом и предлагаю ему. Это срабатывает, и он снова улыбается.

Он касается моего пальца теплым языком и проникновенно смотрит на меня, слизывая соус. Затем захватывает палец губами, обсасывает его и не останавливается, даже когда на нем уже ничего нет.

— Я хотел кое о чем поговорить с тобой. Это к разговору о том, как хорошо я все помню.

Его мягкие губы на моей коже совсем выбивают меня из колеи.

— Прямо сейчас?

— Необязательно сегодня, — шепчет он, дотягиваясь языком и до моего среднего пальца.

— Что мы делаем?

— Ты меня уже сто раз спрашивала, — улыбается он и встает.

— Мы так давно с тобой не виделись. Это не самая лучшая идея, — говорю я, хотя думаю совершенно наоборот.

— Я скучал по тебе и ждал, пока ты тоже по себе заскучаешь. — Он кладет руку мне на бедро и сжимает его через ткань моей рабочей рубашки. — Мне не нравится, когда ты вся в черном. Тебе не идет. — Он наклоняется и трется носом о мою щеку.

Мои пальцы возятся с пуговицами на рубашке, неловко скользя по пластмассовым кружочкам.

— А вот я рада, что ты не изменил своим обычным цветам.

Он улыбается мне в щеку:

— Я не слишком изменился, Тесс. Просто хожу к врачам и больше тренируюсь.

— По-прежнему не пьешь? — Моя рубашка падает на пол, и он прижимает меня к кухонной стойке.

— Пью, но немного. Обычно только вино или светлое пиво. Но бутылку водки я больше в себя не опрокину.

Я вся горю, а мой разум медленно пытается осознать, как же так получилось, что после стольких месяцев мои руки только и ждут разрешения снять с него футболку. Он словно читает мои мысли и, взяв мои ладони в свои, кладет их на тонкую ткань.

— Ты помнишь, что в этом месяце мы празднуем годовщину? — спрашивает он, пока я стягиваю с него футболку и смотрю на его голый торс.

Мои глаза внимательно обшаривают его тело в поисках новых татуировок и с радостью обнаруживают только листики. По-моему, Хардин говорил, что это папоротник. Для меня это просто причудливые листики с толстыми краями и длинным, идущим снизу стеблем.

— Нет у нас никаких годовщин, ты просто сумасшедший. — Я невольно стараюсь заглянуть ему за спину, но смущаюсь, когда он ловит мой взгляд и поворачивается сам.

— Нет, есть, — возражает он. — На спине только твоя, — коротко поясняет он, а я таращусь на мышцы плеч и спины, которые появились совсем недавно.

— Я рада, — тихо признаюсь я. Во рту у меня пересохло.

Его глаза загораются весельем.

— Ну а ты? Неужели до сих пор не решилась хотя бы на одну татуировку?

— Нет. — Я шлепаю его, а он отступает, упираясь в стойку, и тянется ко мне.

— Ничего, что я так к тебе прикасаюсь?

— Ничего, — вырывается у меня, прежде чем я успеваю подумать.

Он начинает водить пальцами по вырезу моей майки.

— А так?

Я киваю.

Мое сердце так громко стучит в груди, что, наверное, это слышно даже ему. Я чувствую себя такой бодрой, такой живой и изголодавшейся по его прикосновениям. Столько времени прошло, и вот он здесь, передо мной, говорит и делает то, что я так люблю. Но в этот раз он ведет себя осторожнее и терпеливее.

— Мне так не хватало тебя, Тесса.

Его губы почти вплотную приблизились к моим. Пальцами он чертит круги на моих голых плечах. Я словно опьянела, в голове туман.

Когда он прижимается ко мне губами, я полностью в его власти. Я переношусь туда, где есть только Хардин: прикосновения его пальцев к моей коже, его ласки, его нежные покусывания уголков моих губ и мои тихие стоны, когда я расстегиваю его джинсы.

— Ты опять хочешь воспользоваться мной ради секса? — улыбается он и напористо накрывает мой язык своим, чтобы я не могла ответить. — Шучу, — бормочет он и наваливается на меня всем весом. Я обвиваю его руками за шею и ворошу его волосы.

— Если бы я не был джентльменом, я бы трахнул тебя прямо здесь, на кухне. — Он накрывает ладонями мою грудь и подцепляет пальцами бретельки лифчика и майки. — Я бы усадил тебя на стойку, стянул с тебя эти жуткие брюки, раздвинул твои бедра и взял бы тебя прямо здесь.

— Ты говорил, что никакой ты не джентльмен, — напоминаю я ему, едва дыша.

— Я передумал. Теперь я наполовину джентльмен, — дразнит он.

Я так завелась, что боюсь вспыхнуть и поджечь кухню. Я опускаю руку на его промежность и закатываю глаза.

— Черт, Тесс.

— Наполовину? Что это значит? — постанываю я, когда его пальцы легко проникают за пояс моих брюк.

— Это значит, что как бы я ни хотел тебя, как бы сильно ни желал трахнуть тебя на этой стойке, как бы ни мечтал о том, чтобы ты выкрикивала мое имя, и весь квартал знал о том, кто заставляет тебя кончить, — он посасывает мою кожу, поднимаясь вверх по шее, — ничего этого не будет, пока мы не поженимся.

Мои руки застывают: одна на его трусах, другая на спине.

— Что? — хриплю я.

— Что слышала. Мы не будем трахаться, пока не поженимся.

— Да брось, ты ведь не серьезно?

«Пожалуйста, только не это. Мы столько месяцев даже не разговаривали. Он, должно быть, шутит. Ведь так?»

— Я даже не думаю шутить. Никаких шуток. — Его глаза горят весельем, а я чуть не топаю ногами по кафельному полу.

— Но мы же не... Мы даже не... — Я собираю свои волосы в кулак и пытаюсь переварить то, что он сказал.

— Ты ведь не думала, что я просто так сдамся?

Он наклоняется и прижимается губами к моей горящей щеке.

— Разве ты меня не знаешь?

Он улыбается, а мне хочется ударить его и поцеловать одновременно.

— Но ты уже сдался.

— Нет, я просто держался от тебя подальше, как ты меня и заставила. Я верю, что в конце концов твоя любовь ко мне поможет тебе обрести равновесие. — Он вскидывает бровь и дарит мне ту самую улыбку и те дьявольские ямочки на щеках. — Однако тебе требуется просто до хрена времени.

«Какого черта?»

— Но... — Я в прямом смысле слова лишилась дара речи.

— Только не причиняй себе боли. — Он смеется и накрывает ладонями мои щеки. — Будешь опять спать со мной на диване? Или это для тебя слишком большое искушение?

Я закатываю глаза и иду следом за ним в гостиную, пытаясь понять, зачем ему все это, да и мне тоже. Нам нужно о стольком поговорить, столько вопросов и ответов обсудить.

Но пока что я собираюсь уснуть на диване рядом с Хардином и притвориться, что хотя бы сейчас все у меня прекрасно.

Глава 70

Тесса

— Доброе утро, детка, — слышу я над ухом.

Открыв глаза, я первым делом вижу перед собой чернильное пятно в форме ласточки. Хардин загорел сильнее обычного, а мускулы на его груди стали гораздо рельефнее с тех пор, как я видела его в последний раз. Он и всегда-то потрясающе выглядел, а сейчас ну просто невероятно привлекателен, и это самая сладкая пытка — лежать, прижавшись к его обнаженной груди, когда он обнимает тебя одной рукой, а другой откидывает волосы с твоего лица.

— Доброе утро. — Я упираюсь подбородком в его грудь и с прекрасного ракурса любуюсь его лицом.

— Выспалась? — Он нежно гладит меня по волосам и чудесно улыбается.

— Да.

Я на секунду закрываю глаза, чтобы собраться с мыслями, которые растекаются кашей от звука его хриплого сонного голоса. Даже его акцент становится более заметным. Вот проклятие.

Не говоря больше ни слова, он прикладывает большой палец к моим губам.

Я распахиваю глаза, когда слышу, как открывается дверь спальни Лэндона. Порываюсь встать, но Хардин только крепче обнимает меня.

— Не пущу, — смеется он. Приподнявшись, он садится со мною на руках.

В комнату входит полуголый Лэндон, за ним появляется София. На ней вчерашняя одежда. Черная униформа и сияющая улыбка ей очень идут.

— Привет. — Щеки Лэндона заливаются краской, а София берет его за руку и улыбается мне. По-моему, она мне подмигнула, но я еще не совсем пришла в себя после пробуждения вместе с Хардином.

Она тянется к Лэндону и нежно целует его в щеку.

— Позвоню тебе после смены.

Я все никак не могу привыкнуть к густой растительности на лице Лэндона, но ему идет. Улыбнувшись в ответ, он открывает Софии дверь.

— Ну, теперь понятно, почему Лэндон не вышел к нам прошлой ночью, — шепчет мне на ухо Хардин, обдавая жарким дыханием.

Возбужденная и напряженная, я снова пытаюсь отстраниться.

— Хочу кофе, — заявляю я.

Это, должно быть, какие-то волшебные слова, потому что он кивает и разрешает слезть с его колен. Мое тело мгновенно реагирует на отсутствие Хардина рядом, но я заставляю себя добраться до кофеварки.

Стараясь не обращать внимания, как Лэндон качает головой и улыбается, я иду на кухню. Кастрюлька с нетронутым водочным соусом по-прежнему на плите, а открыв духовку, я обнаруживаю противень с куриными грудками.

Даже не помню, как выключила плиту и духовку, но прошлой ночью мне было совершенно не до этого. Голова отказывалась думать о чем бы то ни было, кроме Хардина и того, как сливались наши губы после долгих месяцев воздержания. Я вся горю от этих воспоминаний, он так нежно касался меня, словно поклоняясь моему телу.

— Хорошо, что я тут все выключил, правда? — Хардин заходит на кухню в одних спортивных штанах, низко сидящих на бедрах. Его новые татуировки подчеркивают пресс, и я невольно опускаю взгляд к низу его мускулистого живота.

— М-м-м, да.

Я откашливаюсь и пытаюсь сообразить, почему так взбесились гормоны. Меня накрывает так же, как при нашей первой встрече, и это не может не беспокоить. Всегда есть опасность скатиться обратно в разрушительные отношения, имя которым Хесса, поэтому нельзя терять остатки разума.

— С какого часа ты сегодня работаешь? — Хардин прислоняется к кухонной стойке напротив меня и наблюдает за тем, как я начинаю наводить порядок.

— С двенадцати. — Я выливаю соус в раковину. — У меня только одна смена. Буду дома около пяти.

— Тогда мы идем на ужин.

Улыбнувшись, он скрещивает руки на груди. Склонив голову набок, я приподнимаю бровь и включаю измельчитель мусора.

— Думаешь, как бы засунуть туда мою руку, верно? — указывает Хардин на гремящий измельчитель. Его смех такой мягкий и завораживающий, что у меня начинает кружиться голова.

— Может быть, — улыбаюсь я. — Поэтому тебе стоит сказать то же самое, но в виде вопроса.

— Узнаю свою любимую дерзкую Терезу, — поддразнивает он, водя руками по стойке.

— Тереза? Опять? — Я пытаюсь нахмуриться, но не могу сдержать улыбки.

— Да, опять. — Он кивает и делает то, что ему совсем не свойственно — достает из-под раковины маленькое мусорное ведро и начинает помогать убирать со стола.

— Так что, не окажешь ли ты мне честь и не уделишь ли несколько часов своего драгоценного времени, чтобы поужинать со мной сегодня вечером в каком-нибудь приличном заведении?

От его игривого сарказма мне становится смешно. Лэндон заходит на кухню и молча смотрит на нас, прислонившись к стойке.

— С тобой все нормально? — спрашиваю я.

Лэндон бросает недоуменный взгляд на занятого уборкой человека, вселившегося в тело Хардина, и поворачивается ко мне, явно сбитый с толку.

— Да, просто не выспался. — Он трет кулаками глаза.

— Представляю себе, — многозначительно двигает бровями Хардин, и Лэндон толкает его в плечо.

Я не могу отвести глаз от этого зрелища, — будто попала в параллельную вселенную, в которой Лэндон хлопает Хардина по плечу, а смеющийся Хардин называет его придурком, но не злится и не угрожает.

И мне эта вселенная нравится. Хотелось бы остаться в ней подольше.

— Все совсем не так. Заткнись. — Лэндон насыпает в кофеварку молотый кофе, достает из шкафа три чашки и ставит на стойку.

— Конечно-конечно, — закатывает глаза Хардин.

Лэндон передразнивает его, имитируя британский акцент.

Я слушаю, как они подтрунивают друг над другом и шутливо толкаются, пока я достаю коробку хлопьев с верхней полки. Стоя на цыпочках, я чувствую, как Хардин подтягивает мои шорты вверх, пряча голую кожу.

Мне отчасти хочется задрать их еще выше или вообще снять, чтобы посмотреть на выражение его лица, но, помня о присутствии Лэндона, я отказываюсь от этой мысли.

Позабавленная поведением Хардина, я, закатив глаза, открываю пакет хлопьев.

— Как насчет хлопьев в глазури? — спрашивает Хардин.

— В шкафу, — отвечает Лэндон.

У меня в голове всплывает картина: Хардин с отцом пререкаются из-за того, что отец съел все его хлопья. Я улыбаюсь и отгоняю эту картину прочь. Воспоминания об отце больше не отзываются болью в груди. Я научилась радоваться, думая о его шутках, и восхищаться его оптимизмом, хоть мы и были знакомы совсем недолго.

Я отправляюсь в ванную, чтобы принять душ перед работой. Лэндон рассказывает Хардину, как его нового любимого хоккеиста переманила к себе другая команда. Удивительно, но Хардин остается на кухне с Лэндоном вместо того, чтобы последовать за мной.

Спустя час я одета и готова отправиться пешком в ресторан. Когда я захожу в гостиную, Хардин сидит на диване и натягивает ботинки.

— Готова? — поднимает он голову и улыбается.

— К чему? — Я беру со стула фартук и кладу телефон в передний карман.

— К прогулке до работы, к чему же еще? — говорит он, словно ответ очевиден.

Мне нравится, как он себя ведет, поэтому я киваю и с идиотской улыбкой следую за ним к входной двери.

Немного странно гулять вместе с Хардином по нью-йоркским улицам. Он смотрится здесь очень органично, но в то же время такое ощущение, что его голос звучит на всю улицу, а выразительная мимика расцвечивает красками серую действительность.

— Вот что мне не нравится в этом городе, — взмахивает он рукой. Я жду пояснений, и он добавляет: — Солнца нет.

Хардин громко топает ботинками по тротуару, и мне очень нравится этот звук. Мне его не хватало. Это лишь одна из тех мелочей, которые, как выяснилось только после нашего расставания, мне безумно нравились. Я бродила в одиночестве по шумным улицам этого города и скучала по тому, как Хардин вечно грохотал своими ботинками.

— В Вашингтоне всегда дождливо, как же тебе может не хватать солнца в Нью-Йорке? — спрашиваю я.

Он смеется и меняет тему, спрашивая у меня всякую ерунду про работу официантов. Остаток прогулки проходит просто прекрасно: Хардин задает вопрос за вопросом о моей жизни за последние пять месяцев, а я рассказываю про мать, Дэвида и его дочку. Вспоминаю о том, что Ной попал в футбольную команду в своем колледже в Калифорнии и что мать и Дэвид взяли меня с собой на отдых в тот же пригород, куда мы ездили с семьей Хардина.

Я рассказываю ему, как провела первые две ночи в городе, не в состоянии заснуть из-за уличного шума, а на третью вылезла из постели и пошла гулять вокруг дома — так и познакомилась с Джо. Рассказываю, что этот добрый бродяга чем-то напоминает мне отца, и мне нравится, что, подкармливая его, я в какой-то мере делаю то, чего не смогла сделать для родного мне человека.

После этого откровения Хардин берет меня за руку, и я не отстраняюсь.

Я рассказываю, что очень переживала из-за переезда и что очень рада, что он нас навестил. Он предпочитает не напоминать о том, как дразнил меня и отказывал в сексе, пока я не уснула в его объятиях. Не говорит, что предложил мне руку и сердце, и меня это вполне устраивает. Я все еще никак не могу решить, что думаю по этому поводу, хотя и с теми чувствами, которые я к нему испытываю с тех пор, как он ворвался в мою жизнь год назад, тоже пока не определилась.

Роберт встречает меня на углу — как обычно, когда у нас совпадают смены, и Хардин придвигается ко мне ближе и крепче сжимает мою руку. Оба почти ничего не говорят, только оглядывают друг друга с головы до ног, а я закатываю глаза от того, как двое мужчин могут вести себя в присутствии женщины.

— Буду ждать тебя здесь, когда ты закончишь.

Хардин наклоняется, чтобы прижаться губами к моей щеке, и заправляет выбившуюся прядь волос мне за ухо.

— Не слишком там напрягайся, — шепчет он. Судя по голосу, он улыбается, но чувствуется, что сказано это не совсем беспечно.

Конечно, смену он мне сглазил. Нас затягивает в бесконечный поток мужчин и женщин, которые злоупотребляют вином и бренди и платят втридорога за крошечные, красиво сервированные порции еды. Одному ребенку приходит в голову, что мне пора сменить имидж, и он опрокидывает на меня тарелку спагетти. Мне некогда даже присесть, и к концу смены, спустя пять часов, ноги просто отваливаются.

Хардин, как и обещал, ждет меня в холле ресторана. Рядом со скамейкой, на которой он сидит, стоит София. Ее волосы собраны в высокий пучок, привлекая внимание к великолепному лицу. У нее экзотическая красота: высокие скулы, полные губы. Я опускаю взгляд на свою грязную форму и морщусь, чувствуя запах чеснока и кетчупа, пятнами расползшегося по рубашке. Хардин делает вид, что не замечает моей замызганной одежды, но, когда мы выходим наружу, вытаскивает что-то у меня из хвостика.

— Даже знать не хочу, что там было, — тихо смеюсь я. Улыбнувшись, он достает платок — нет, салфетку — и подает мне.

Я стираю косметику с глаз. Я так вспотела, что поплывшая подводка вряд ли добавляет мне привлекательности. Хардин поддерживает разговор, интересуясь, как прошла смена, и мы быстро добираемся до квартиры.

— Ноги болят.

Я со стоном скидываю и отбрасываю в сторону туфли. Хардин провожает их взглядом, и я почти слышу саркастические замечания, которые вертятся у него в голове, насчет того, что я развожу бардак.

— Естественно, через минуту я их уберу.

— Я так и подумал. — Улыбнувшись, он садится рядом со мной на постель. — Иди ко мне.

Он хватает меня за щиколотки, и, обернувшись, я вижу, как он кладет их к себе на колени. Его пальцы начинают растирать мои усталые ступни, и я ложусь на спину, стараясь не думать о том, сколько часов провела в обуви.

— Спасибо.

Я едва сдерживаю стон. Глаза закрываются сами собой от немедленного расслабления, которое дарят руки Хардина, массирующие мои ступни, но я хочу смотреть на него. Я столько месяцев страдала, не имея этой возможности, поэтому теперь не собираюсь отворачиваться.

— Не за что. Я готов терпеть запах, лишь бы видеть это неземное блаженство в твоих глазах. — Я пытаюсь шлепнуть его, но он только смеется и продолжает творить свое волшебство.

Его руки перемещаются к моим лодыжкам, а потом и к бедрам. Я даже не стараюсь сдерживать стоны, срывающиеся с губ. Его прикосновения расслабляют и успокаивают.

— Садись впереди меня, — командует он, осторожно скидывая мои ступни с коленей.

Я приподнимаюсь и, передвинувшись ближе, устраиваюсь между его ног. Перейдя к плечам, он разминает мои затвердевшие мышцы и выдавливает из них все напряжение до последней капли.

— Без рубашки было бы еще лучше, — замечает Хардин.

Я начинаю смеяться, но тут же вспоминаю, как он дразнил меня на кухне прошлой ночью. Подавшись вперед, я берусь за край свободной рабочей рубашки и вытаскиваю ее из-за пояса брюк. Мне слышно, как из груди Хардина вырывается вздох, когда я стягиваю ее через голову вместе с майкой.

— Что? Ты сам предложил, — напоминаю я, прижимаясь к нему спиной.

Теперь его движения жестче, он растирает мою кожу еще энергичнее, и я роняю голову ему на грудь.

Он что-то бормочет себе под нос, и я мысленно хвалю себя за то, что надела красивый лифчик. Это один из двух приличных лифчиков, которые я ношу, но их никто не видит, кроме меня и Лэндона, когда мы случайно путаем белье в прачечной.

— Новый. — Хардин просовывает палец под бретельку, снимает ее, а затем возвращает на место.

Я ничего не говорю, только слегка сдвигаюсь назад, крепче прижимаясь спиной к его раздвинутым ногам. Застонав, он обхватывает меня за шею и нежно проводит пальцами от подбородка до чувствительного местечка под ухом.

— Так хорошо? — спрашивает он, прекрасно зная ответ.

— М-м-м-м, — вот и все, что я могу ответить.

Он смеется, и я, придвинувшись еще плотнее, начинаю тереться о его промежность, а затем стягиваю бретельку.

Хватка Хардина на моем горле усиливается.

— Не дразни меня, — предупреждает он и снова накидывает бретельку на плечо той рукой, которой продолжает делать массаж.

— Куда уж мне до тебя, — жалуюсь я и снова скидываю бретельку.

Это просто сводит с ума — сидеть вот так перед ним полуголой и пытаться избавиться от лифчика, когда его руки мешают довести дело до конца. Я уже на взводе, и Хардин только подогревает мое возбуждение, когда так тяжело дышит и прикасается ко мне.

— Не дразни, — повторяю я за ним.

Я не успеваю посмеяться над его ответом — он кладет руки мне на плечи и разворачивает лицом к себе.

— Я ни с кем не трахался уже пять месяцев, Тереза. И уже едва сдерживаюсь, — отрывисто шепчет он прямо мне в губы.

Я проявляю инициативу и прижимаюсь к его рту. Прямо как в первый раз, когда мы поцеловались в его комнате в том чертовом доме братства.

— Правда? — выдыхаю я, благодаря небо за то, что он ни с кем не переспал за время нашей разлуки. Я это словно чувствовала, знала, что так будет. Ну, или заставляла себя думать, что он не прикоснется к другой женщине.

Он уже не тот человек, каким был год назад. Больше не использует сексуальность и грубость, чтобы добиться желаемого. Ему уже не нужна новая девушка каждую ночь, он стал сильнее... Он все тот же Хардин, которого я люблю, но теперь гораздо сильнее.

«Я и не замечал, что у тебя серые глаза», — сказал он тогда. Этого хватило. Алкоголь и его неожиданная доброта сделали свое дело: я не удержалась и поцеловала его. У его рта был, конечно же, мятный вкус, а пирсинг холодил мои губы. Это казалось необычным и опасным, но мне понравилось.

Я забираюсь к Хардину на колени — точно так же, как в далеком прошлом, и он обнимает меня за талию и укладывает рядом с собой, вытягиваясь на кровати.

— Тесс, — стонет он, прямо как в моих воспоминаниях. Это заводит еще сильнее, и я погружаюсь в пучину нашей страсти. Растворяюсь в ней без остатка и ни за что на свете не хочу возвращаться обратно.

Мои бедра сжимаются вокруг его торса, а пальцы зарываются в его волосы. Я вся горю, совершенно обезумела от желания и больше не могу думать ни о чем, кроме его пальцев, которые нежно спускаются по моей спине.

Глава 71

Хардин

Итак, весь мой план полетел к чертям. У меня нет ни единого гребаного шанса остановить ее. Нужно было заранее понять, что ничего не выйдет. Я люблю ее. Такое ощущение, что я любил ее всю жизнь. И я скучал по ней и в этом плане тоже.

Я скучал по чертовски сексуальным стонам, слетающим с ее губ. Скучал по тому, как она двигает своими округлыми бедрами, скользя по мне. Я накаляюсь до предела, и все мои мысли только о том, как же я ее люблю и как же хочу показать ей, насколько мне с ней хорошо и эмоционально, и физически.

— Я безумно хотел тебя каждую секунду каждого чертова дня, — шепчу я в ее приоткрытый рот.

Ее язык обвивается вокруг моего, и я обхватываю его губами, игриво посасывая. У Тессы перехватывает дыхание. Она дергает край моей футболки и пытается стащить ее через голову. Я сажусь, приподнимая ее полуголое тело вместе с собой, — так ей будет проще раздеть меня.

— Ты и представить не можешь, как часто я думал о тебе, как часто гладил свой член, вспоминая, каково это — чувствовать на себе твои руки, твой горячий рот.

— О боже.

Ее стон только подстегивает меня.

— Тебе этого не хватало? Того, как мои слова заводят тебя, того, как ты становишься насквозь мокрой?

Она кивает и снова стонет, а мой язык скользит вниз по ее шее, медленно целуя и лаская солоноватую кожу. Я так скучал по этим ощущениям: по тому, как она может полностью взять надо мной контроль, а затем одним прикосновением вернуть к реальности.

Я обнимаю ее за талию и переворачиваю так, что теперь лежу сверху. В считаные секунды мои пальцы расстегивают ее брюки и стягивают их вниз к щиколоткам. Тесса нетерпеливо дрыгает ногами, стряхивая брюки на пол.

— Сними свои тоже, — командует она.

Ее щеки горят румянцем, руки подрагивают, покоясь на моей спине. Я люблю ее. Черт возьми, я так люблю ее, и она тоже меня любит, несмотря на все эти месяцы.

Мы неизбежно возвращаемся друг к другу, даже время не может стать между нами.

Я делаю то, что велено, и снова укладываюсь сверху, стянув с нее трусики, пока она выгибает спину.

— Черт.

Меня завораживает вид ее бедер, они так и кричат о том, чтобы я впился в них. Что я и делаю, и она пристально смотрит на меня своими невозможными серо-голубыми глазами, которые помогли мне пережить долгие часы всякой чепухи с доктором Траном. За последние месяцы из-за этих глаз я даже пару раз позвонил Вэнсу.

— Пожалуйста, Хардин, — поскуливает Тесса, приподнимая задницу над матрасом.

— Я знаю, детка.

Я провожу рукой между ее бедер и поглаживаю ее указательным пальцем, который тут же становится мокрым. Мой член сводит судорогой, а она вздыхает, требуя большего. Я продолжаю ласки уже внутри, поглаживая большим пальцем клитор, и заставляю ее стонать подо мной, — это самый сексуальный звук из всех, что я когда-либо слышал. В этот же момент засовываю в нее еще один палец.

«Черт».

«Черт».

— Так хорошо, — выдыхает она, судорожно сжимая простыни с идиотским рисунком в цветочек, которыми застелена крошечная кровать.

— Хорошо? — подстегиваю я ее, все быстрее двигая большим пальцем в самом чувствительном месте. Она лихорадочно кивает, а ее руки находят мой член и, крепко сжав его, начинают медленно скользить вверх-вниз.

— Я хотел попробовать тебя на вкус, прошло так много времени. Но если я не вставлю свой член в тебя прямо сейчас, то кончу прямо на простыню.

Ее глаза распахиваются шире, и я еще несколько раз провожу пальцами внутри ее, прежде чем соединить наши тела. Она по-прежнему держит и направляет меня в себя. Как только я наполняю ее, она закрывает глаза.

— Я люблю тебя. Я, черт возьми, так сильно люблю тебя, — говорю я ей, опускаясь на локти и двигаясь толчками вперед-назад, вперед-назад. Одной рукой она царапает мне спину, а другую запускает в волосы и тянет за них, когда я приподнимаюсь и раздвигаю ее бедра шире.

После месяцев кропотливой работы над собой, научившись восприятию действительности с лучшей стороны и прочей ерунде, так чертовски хорошо быть с ней рядом. Вся моя жизнь вращается вокруг этой девушки. Кто-то может назвать это болезнью, или манией, или даже сумасшествием, но знаете что?

Мне наплевать, глубоко наплевать на мнение этих людей. Я люблю ее, и она для меня все. Если у кого-то есть желание высказать свое идиотское мнение, пусть он засунет его куда подальше, потому что никто, черт возьми, не идеален, а Тесса делает меня настолько близким к идеалу, насколько это вообще возможно.

— Я люблю тебя, Хардин. И всегда любила.

Ее слова заставляют меня замереть, и еще один осколок души встает на место. Тесса — все для меня. И слушать, как она говорит эти слова, видеть выражение ее лица, когда я наклоняюсь к ней, — это все для меня.

— Ты должна была знать, что я буду всегда тебя любить. Ты сделала из меня... того, кто я есть, Тесса, и я никогда это не забуду. — Я снова вхожу в нее, надеясь, что не разревусь во время секса, как девчонка.

— И ты сделал для меня то же самое, — вторит она и улыбается, будто мы в каком-то любовном романе.

Двое любовников, не видевшихся долгие месяцы, волшебным образом воссоединяются в большом городе. Улыбки, смех и море секса. Мы все уже об этом читали.

— Кто же еще, кроме нас, станет вести сентиментальные разговоры в такие моменты, — поддразниваю я, запечатлев поцелуй у нее на лбу. — Хотя, с другой стороны, когда еще выплеснуть чувства? — Я целую ее улыбающиеся губы, а она обхватывает меня ногами за талию.

Я уже близко. По позвоночнику пробегает дрожь, я вот-вот кончу. Ее дыхание учащается, и она крепче сжимает бедра.

— Ты сейчас кончишь, — шепчу я ей на ухо. Она тянет меня за волосы, доводя до исступления. — Ты кончишь вместе со мной, и я залью тебя всю, — обещаю я, зная, как ей нравятся мои грязные словечки. Может, теперь я не такой придурок, как раньше, но не хочется терять уровень.

С моим именем на устах Тесса кончает. И я — следом за ней, испытывая самое сильное в мире чувство бесконечного облегчения, граничащее с настоящей магией. Это был мой самый долгий период без секса, и я бы с радостью воздерживался еще целый год, ожидая ее.

— Знаешь, — завожу я разговор, скатываясь с нее и ложась рядом. — Занявшись со мной любовью, ты только что согласилась выйти за меня замуж.

— Тс-с, — морщит она нос. — Не порть момента.

— Ну, учитывая, насколько бурно ты кончила, сомневаюсь, что существует хоть что-то, способное испортить этот твой момент, — смеюсь я.

— Наш момент, — поддразнивает она меня и, зажмурившись, ухмыляется как сумасшедшая.

— Серьезно, раз ты согласна, когда планируешь купить платье? — не унимаюсь я.

Она переворачивается на спину, и ее грудь оказывается прямо у меня перед носом. Приходится собрать всю волю в кулак, чтобы не прижаться к ней и не начать облизывать. Меня не в чем упрекнуть — у меня не было секса чертову уйму времени.

— Ты все такой же сумасшедший, я ни за что не выйду за тебя прямо сейчас.

— Терапия помогает справиться с гневом, а не с навязчивым желанием всегда быть рядом с тобой.

Она удивленно распахивает глаза и неосознанно пытается прикрыть лицо рукой.

— Это правда, — смеюсь я и игриво стаскиваю ее с кровати.

— Что ты вытворяешь? — взвизгивает она, когда я забрасываю ее на плечо. — Ты надорвешься! — Она пытается сползти с меня, но я только крепче держу ее.

Не знаю, дома ли Лэндон, поэтому на всякий случай громко его предупреждаю. Последнее, что ему следует видеть, — это то, как я несу обнаженную Тессу по коридору крошечной квартиры.

— Лэндон! Если ты здесь, не выходи из своей комнаты!

— Пусти меня! — Она снова брыкается.

— Тебе нужно принять душ. — Я звонко шлепаю ее по заднице, и она, вскрикнув, тоже шлепает меня в отместку.

— Я сама могу дойти до душа!

Теперь она смеется, хихикая и повизгивая, как школьница, и мне это чертовски нравится. Хорошо, что я по-прежнему могу заставить ее развеселиться и что она дарит мне такие прекрасные звуки.

Наконец я как можно аккуратнее ставлю ее на пол в ванной и включаю воду.

— Я так скучала по тебе, — говорит она, пристально глядя на меня.

Мою грудь словно сдавливает. Черт возьми, я хочу провести с этой женщиной всю свою жизнь. Мне нужно рассказать ей о том, чем я занимался с тех пор, как она от меня ушла, но сейчас не время. Завтра, я все расскажу ей завтра.

Сегодня ночью я буду наслаждаться ее дерзкими замечаниями, смаковать ее смех и пытаться заполучить как можно больше проявлений ее любви.

Глава 72

Тесса

Утро понедельника застает меня в кровати одну. Я знаю, что у Хардина сегодня что-то вроде собеседования или деловой встречи, но он толком не сказал, в чем дело и в какой части города все состоится. Понятия не имею, вернется ли он до того, как мне будет пора уходить на работу.

Перекатившись на другую сторону кровати, я зарываюсь в простыни, которые все еще хранят его запах, и прижимаюсь щекой к матрасу. Прошлая ночь... прошлая ночь была прекрасна. Хардин был прекрасен, мы были прекрасны. Притяжение, взрывоопасное притяжение между нами неистребимо. И наконец мы оба в состоянии понимать свои ошибки, ошибки друг друга, принимать их и работать над ними так, как было невозможно раньше.

Нам была необходима эта разлука. Нам было важно суметь выстоять в одиночку, прежде чем быть вместе. Я так благодарна, что мы справились, пройдя через тьму, ссоры, боль, и возродились, став сильнее, чем когда бы то ни было.

Я люблю его. Боже, как же я люблю этого человека. Несмотря на расставания, несмотря на неразбериху, он смог проникнуть ко мне в душу и оставить в ней свой несмываемый след. У меня никогда не получилось бы забыть его, хотя я и пыталась. Месяцами старалась жить дальше, день за днем загружая себя делами, чтобы не думать о нем.

Разумеется, это не сработало. Мысли о нем никогда не прятались слишком глубоко. И сейчас, согласившись, что нам нужно вместе во всем разобраться, я наконец чувствую, что у нас может что-то получиться. Мы сможем добиться того, о чем я когда-то мечтала больше всего на свете.

«Ты должна была знать, что я буду всегда тебя любить. Ты сделала из меня... того, кто я есть, Тесса, и я никогда это не забуду», — говорил он, двигаясь во мне.

Он изнемогал, был нежен и горел от страсти. Я растворялась в его прикосновениях, когда он пробегал пальцами вдоль моего позвоночника.

Звук открывающейся входной двери наконец вырывает меня из мечтаний и воспоминаний о прошлой ночи. Я вылезаю из постели, поднимаю с пола и натягиваю шорты. На голове у меня воронье гнездо. Идиотская затея — дать волосам самим высохнуть после душа с Хардином. Они спутались и свернулись в кудри, и я как можно тщательнее расчесываю их пальцами, прежде чем завязать в хвост.

Когда я подхожу к гостиной, там стоит Хардин и прижимает к уху телефон. По своему обыкновению он во всем черном, его длинные волосы в таком же диком беспорядке, как и у меня, но ему это очень идет.

— Да, я в курсе. Бен сообщит вам о моем решении. — Он замечает меня у дивана. — Я перезвоню. — Он говорит отрывисто, почти нетерпеливо, а затем вешает трубку. Раздражение на его лице исчезает, когда он делает шаг мне навстречу.

— Все в порядке?

— Да, — кивает он, снова переключив внимание на телефон. Затем проводит рукой по волосам, и я обхватываю его запястье.

— Ты уверен?

Не хочу показаться чересчур назойливой, но он выглядит подавленным. Раздается звонок, и Хардин смотрит на экран своего мобильника.

— Мне нужно ответить, — вздыхает он. — Скоро вернусь. — Поцеловав меня в лоб, он выходит в коридор и закрывает за собой дверь.

Мой взгляд падает на лежащую на столе папку. Она открыта, и из нее торчит стопка листков. Я узнаю эту папку и улыбаюсь. Мой подарок. Здорово, что он ей все еще пользуется.

Любопытство берет верх, и я открываю папку. На первой странице напечатано:

«”После”. Хардин Скотт».

Я переворачиваю страницу.

«Он познакомился с ней осенью. Большинство людей волновали такие вещи, как меняющие цвет листья и постоянно висящий в воздухе в это время года запах горящего дерева, но не его. Его волновало только одно — он сам».

Что? Я пролистываю страницу за страницей, пытаясь найти хоть какое-то объяснение тому хаосу и замешательству, что воцарились в голове. Это не может быть то, о чем я думаю...

«Ее недовольство было практически невозможно вынести. Он не хотел, чтобы она бросала ему в лицо худшее, что в нем было. Он хотел, чтобы она считала его идеальным. Таким, какой он считал ее».

Мои глаза наполняются слезами, и я вздрагиваю, когда несколько листков падают на пол.

«Вдохновившись примером Дарси, он оплатил похороны ее отца подобно тому, как Дарси покрыл расходы на венчание Лидии. В этом случае он пытался притушить стыд, который испытывала семья из-за отца-наркомана, а не скрыть позор несовершеннолетней сестры, внезапно вышедшей замуж, но исход был один и тот же. И если его жизнь обернется подобием романа, то этот добрый жест вернет Элизабет в его объятия».

Я чувствую, как комната вращается вокруг меня. Понятия не имела, что Хардин оплатил похороны моего отца. Тогда у меня возникло слабое подозрение, но я решила, что с расходами помогла церковь матери.

«Несмотря на невозможность иметь детей, она не отпускала эту мечту. Он знал об этом, но все равно ее любил. Он прикладывал все силы, чтобы не скатиться к эгоизму, но не мог не думать о маленьких версиях себя, которых она никогда не сможет ему подарить. Он переживал за нее больше, чем за себя, но не мог ничего с собой поделать и оплакивал эту потерю бессчетное количество ночей».

Как только я понимаю, что больше не могу это читать, открывается входная дверь и появляется Хардин. Его взгляд сразу же натыкается на беспорядочно разбросанные листки, на которых чернеют отвратительные слова, и его телефон падает на пол, присоединяясь к всеобщему хаосу.

Глава 73

Хардин

Сложности.

С ними сталкиваются все, но моя жизнь, похоже, забита ими под завязку, и они, переливаясь через край, выплескиваются нескончаемым потоком. Волна за волной, сложности захлестывают меня в самые важные моменты моей жизни, но я просто не могу позволить испортить этот момент.

Если я сохраню спокойствие, если я, черт возьми, сохраню спокойствие и постараюсь объясниться, то смогу остановить цунами, которое уже готово обрушиться на крошечную гостиную.

Я вижу, как оно формируется в сероватой голубизне ее глаз. Вижу, как замешательство и гнев закручиваются в водоворот, рождая настоящую бурю, подобно волнующемуся морю перед вспышками молний и раскатами грома. Вода безмятежная и спокойная, только легкая рябь пробегает по поверхности, но уже близится шторм.

Листок белой бумаги, зажатый в дрожащих руках, и выражение лица Тессы, не предвещающее ничего хорошего, предупреждают меня об опасности.

Черт возьми, понятия не имею, что ей сказать, с чего начать. Это давняя и сложная история, а я полный болван, когда заходит речь о решении проблем. Нужно взять себя в руки, нужно приложить все усилия к тому, чтобы правильно сложить слова, чтобы придумать объяснение, которое не позволит ей снова от меня убежать.

— Что это? — Пробежав глазами страницу, она подбрасывает ее в воздух, а затем сминает уголки небольшой стопки, оставшейся у нее в другой руке.

— Тесса. — Я осторожно делаю шаг в ее сторону.

Она пристально смотрит на меня. На ее лице застыло непривычное жесткое выражение. Она отступает назад.

— Выслушай меня, пожалуйста, — умоляю я, вглядываясь в ее омраченные черты. Я чувствую себя дерьмом, полным дерьмом. Мы ведь только что наладили отношения, и я наконец вернулся к ней, а теперь такое, после недолгих мгновений вместе.

— О, я тебя внимательно слушаю, — громко говорит она, в голосе чувствуется сарказм.

— Не знаю, с чего начать. Дай мне минутку, и я все объясню.

Я провожу рукой по волосам, подергивая их у корней, и больше всего на свете хочу забрать себе ее боль и выдрать свои волосы с корнем. Да уж, как все запуталось.

Тесса стоит, внешне спокойная, но нетерпеливо пробегает взглядом страницу за страницей. Ее брови то поднимаются, то опускаются, она то прищуривается, то вновь широко распахивает глаза.

— Перестань это читать. — Я подхожу и забираю у нее рукопись. Листки падают на пол, присоединяясь к тем, что валяются у ее ног.

— Объясни. Сейчас же, — требует она. Ее глаза серые и холодные, как грозовая туча. Это приводит меня в ужас.

— Хорошо-хорошо. — Я резко поворачиваюсь вокруг своей оси. — Я писал.

— Когда? — Она подходит ко мне. Я поражен тем, как мое тело отшатывается от нее, словно ему страшно.

— Давно. — Я пытаюсь скрыть правду.

— Ты все мне расскажешь. И сделаешь это сейчас же.

— Тесс...

— Какая я тебе Тесс, мерзавец. Я уже не та маленькая девочка, с которой ты познакомился год назад.

Или расскажешь мне все прямо сейчас, или катись отсюда к чертовой матери.

Она намеренно наступает на страницу, и я не могу ее винить.

— Конечно, я не могу вышвырнуть тебя, потому что это квартира Лэндона, но я уйду, если ты не объяснишь мне все это дерьмо. Сейчас же, — добавляет она, демонстрируя, несмотря на злость, свой добрый характер.

— Я писал давно, с самого начала наших отношений, но не собирался ничего с этим делать. Просто выплескивал на бумагу свои чувства, пытался таким образом разобраться со всей чертовщиной, засевшей в голове. Потом возникла эта идея.

— Когда? — Ее пальцы упираются мне в грудь — по всей видимости, она думает, что так сможет заставить меня во всем сознаться, но она как никогда далека от истины. Я не расскажу об этом. Не сейчас.

— После того как мы поцеловались.

— В первый раз?

Она начинает толкать меня в грудь, и я, понимая, что она не успокоится, обхватываю и сжимаю ее ладони.

— Ты использовал меня. — Она вырывается и запускает пальцы в свои длинные волосы.

— Нет, не использовал! Все было не так! — возражаю я, пытаясь не повышать голос. Это сложно, но у меня получается говорить достаточно сдержанным тоном.

Она кружит по маленькой комнате, кипя от злости. Упирает руки в бока, затем снова начинает ими размахивать.

— Одни секреты. Слишком много секретов. С меня хватит.

— С тебя хватит? — изумленно повторяю я. Она по-прежнему бездумно мечется по комнате. — Поговори со мной, расскажи, что ты чувствуешь из-за всей этой ситуации.

— Что я чувствую? — Она качает головой и бросает на меня разъяренный взгляд. — Я чувствую себя так, будто прозвонил будильник, и я проснулась в реальном мире, в котором нет места нелепым надеждам последних нескольких дней. Вот это мы и есть. — Она машет рукой между нами. — Всегда наготове какая-то бомба, готовая взорваться, а я не такая дура, чтобы ждать, пока она меня уничтожит. Хватит.

— Это не бомба, Тесса. Ты ведешь себя так, словно я писал это специально для того, чтобы причинить тебе боль!

Она собирается что-то ответить, но так ничего и не произносит — явно не может подобрать слова. Затем все же собирается с мыслями:

— И как, по твоему мнению, я должна была себя почувствовать, увидев это? Ты понимал, что рано или поздно я узнаю, так почему просто не рассказал обо всем? Ненавижу это ощущение.

— Какое ощущение? — осторожно спрашиваю я.

— Ощущение, будто что-то сгорает в груди, когда ты вытворяешь такие вещи. Ненавижу его. Я так давно не испытывала ничего подобного и ни за что на свете не хотела бы испытать это снова, однако вот, пожалуйста. — В ее мягком голосе отчетливо слышится поражение, и моя кожа покрывается мурашками, когда она отворачивается от меня.

— Иди ко мне.

Я беру ее за руку и притягиваю к себе настолько близко, насколько она позволяет. Она скрещивает руки на груди, когда я с силой прижимаю ее к себе. Не пытается избавиться от моих объятий, но и не обнимает меня, просто стоит неподвижно, и я не уверен, что самое худшее позади.

— Расскажи мне, что ты чувствуешь. — Мой голос звучит неловко и отрывисто. — О чем ты думаешь?

Она толкает меня в грудь, на этот раз не так сильно, и я ее отпускаю. Опустившись на колени, она поднимает один из листков.

Изначально я начал писать для самовыражения и, если честно, потому, что было совсем нечего читать. Я закончил одну книгу и пока не начал другую, а Тесса, на тот момент Тереза Янг, меня заинтриговала. Она начала раздражать меня, сводить с ума, и с каждым днем я думал о ней все больше и больше.

Когда она занимала мои мысли, в голове не оставалось места ни для чего другого. Она стала моим наваждением, и я убедил себя, что это часть игры, но в глубине души знал правду, просто еще не был готов ее принять. Помню, что почувствовал, когда впервые увидел ее, помню, какие у нее были пухлые губы и как меня передернуло от ее наряда.

На ней были туфли без каблука и нелепая юбка до пяток, и, двигаясь, она подметала ею пол. Произнося свое имя в первый раз, она смотрела вниз: «Эм-м... да. Меня зовут Тесса», — и я помню, что подумал, какое странное у нее имя. После знакомства я обращал на нее не слишком много внимания. Нэт был очень мил с ней, а я раздражался от того, как она пялилась на меня своими серыми глазами, словно оценивая.

Она мучила меня целыми днями, даже когда не разговаривала со мной, — в такие дни особенно.

— Ты вообще меня слушаешь? — Ее голос прорывается сквозь воспоминания, и я вижу, что она снова начинает заводиться.

— Я... — неуверенно отзываюсь я.

— Ты даже не слушал, — обвинительно произносит она, и заслуженно. — Поверить не могу, что ты оказался способен на такое. Вот чем ты занимался каждый раз, когда я возвращалась домой, а ты прятал эту папку подальше. Вот что я нашла в шкафу, прежде чем обнаружить отца...

— Я не буду рассыпаться в извинениях, но половина того дерьма, что там написано, — плод моего больного воображения.

— «Дело дрянь. — Тесса внимательно изучает страницу, которую держит в руке. — Она не умеет пить и, пошатываясь, идет по комнате, не разбирая дороги, прямо как вульгарные девицы, которые, перебрав с алкоголем, пытаются произвести впечатление на окружающих».

— Прекрати читать это дерьмо, эта часть вообще не про тебя. Клянусь, это правда, и ты знаешь, что я не лгу. — Я вырываю страницу из ее рук, но она тут же отбирает ее обратно.

— Нет! Ты не можешь написать мою историю и сказать, что я не имею права ее читать. Ты так ничего и не объяснил. — Она идет через гостиную к входной двери, обувается и поправляет шорты.

— Куда ты собралась? — Я готов бежать за ней.

— Пойду прогуляюсь. Мне нужно побыть на свежем воздухе. Нужно выбраться отсюда. — Могу поклясться, она мысленно проклинает себя за то, что выдала мне хоть какую-то информацию.

— Я пойду с тобой.

— Нет, не пойдешь. — С ключами в руках она скручивает свои растрепанные волосы в узел на макушке.

— Ты полураздета, — замечаю я.

Она бросает на меня убийственный взгляд и, не проронив ни слова, выходит из квартиры, хлопнув дверью.

Мне не удалось ничего добиться, ситуация так и осталась неразрешенной. Я собирался держать сложности под контролем, но мой план обернулся полнейшей катастрофой, и все стало только хуже. Опустившись на колени, я борюсь с желанием догнать ее, закинуть на плечо, — конечно, она будет брыкаться и кричать, — запереть в комнате и продержать там до тех пор, пока она не будет готова поговорить со мной.

Нет, я не могу так поступить. Это сведет на нет весь «прогресс», которого я достиг. Поэтому я просто собираю с пола измятые страницы и перечитываю некоторые абзацы, напоминая себе, почему вообще решил что-то сделать с этой чертовой рукописью.

«— Что это ты там пытаешься припрятать? — наклонился к нему Нэт, вечно сующий нос не в свои дела.

— Ничего, чувак, занимайся своими делами.

Хардин нахмурился, высматривая что-то во дворе. Он и не заметил, как начал сидеть здесь каждый день, в одно и то же время. Это никак не было связано с утренними встречами Тессы и этого надоедливого засранца Лэндона в кафетерии. Абсолютно никак не связано.

Он не хотел видеть эту невыносимую девчонку. Правда, не хотел.

— Я слышал вас с Молли прошлой ночью в коридоре, ты просто псих. — Нэт стряхнул пепел с сигареты и состроил гримасу.

— Ну, я не собирался пускать ее к себе в комнату, а отказ ее бы не устроил, — рассмеялся Хардин, гордый тем, что она так сильно хотела отсосать у него, что была готова сделать это даже в коридоре около его комнаты.

Однако он никому не рассказал, что послал ее куда подальше, а сам в итоге мастурбировал, мечтая о некой блондинке.

— Ну ты и засранец, — покачал головой Нэт.

К обшарпанному столику подошел третий парень.

— Согласен? — спросил Нэт у Логана.

— Конечно. — Логан протянул руку, чтобы взять у Нэта сигарету, а Хардин пытался не смотреть на девушку, которая в тот момент собиралась переходить дорогу. Ее юбка напоминала картофельный мешок.

— Однажды ты влюбишься, и я, черт возьми, повеселюсь как следует. Ты будешь умолять поласкать ее языком в коридоре, а девчонка не будет пускать тебя в свою комнату. — Нэт наслаждался, высмеивая его подобным образом, но Хардин едва ли его слышал.

«Почему она так одевается?» — недоумевал он, наблюдая, как она подворачивает длинные рукава своей кофты.

С ручкой в руке Хардин смотрел, как она подходит ближе, уставившись на дорожку прямо перед собой, и слишком долго извиняется, столкнувшись с щуплым парнишкой, выронившим книгу.

Она наклонилась, чтобы помочь, и улыбнулась ему, а Хардин не смог удержаться от воспоминаний о том, какие мягкие у нее были губы, когда она поцеловала его той ночью. Он был чертовски удивлен, — ему и в голову не приходило, что она из тех, кто делает первый шаг. К тому же он был абсолютно уверен, что до него она целовалась только со своим никчемным парнем. Это было ясно по тому, как она ловила ртом воздух и как сгорала от желания прикоснуться к нему.

— Так что там с пари? — кивнул Логан в сторону Тессы.

Она широко улыбнулась, заметив своего друга-зубрилу с рюкзаком на плече, идущего ей навстречу.

— Ничего нового, — мгновенно отозвался Хардин, прикрывая рукой листок.

Откуда ему знать, как дела у болтливой, плохо одетой девчонки? Она практически не разговаривала с ним после того, как в субботу утром под дверью в ее комнату объявились ее сумасшедшая мамаша и никчемный парень.

Почему именно ее имя оказалось написанным на листке? И почему у Хардина такое ощущение, что его неминуемо прошибет пот, если Логан не перестанет на него смотреть так, будто что-то знает?

— Она меня раздражает, но по крайней мере я нравлюсь ей больше, чем Зед.

— Горячая штучка, — произнесли оба парня одновременно.

— Будь я засранцем, поспорил бы против вас двоих, все равно я тут самый симпатичный, — заявил Нэт, подхватив смех Логана.

— Я не хочу связываться с этим дерьмом. Это все чертовски глупо. Тебе не нужно было трахать его девушку, — упрекнул Логан Хардина, который только рассмеялся.

— Оно того стоило, — ответил тот, оглядываясь на дорожку во дворе. Девушка исчезла, и он перевел разговор на намечающуюся в выходные вечеринку.

Пока двое парней спорили о том, сколько брать пива, Хардин сам не заметил, как принялся писать о том, какой испуганной она была в пятницу, когда чуть не вышибла его дверь, спасаясь от омерзительного Нила, который пытался к ней приставать. Он ублюдок и наверняка до сих пор бесится из-за того, что в воскресенье Хардин вылил ему в постель бутылку отбеливателя. Не то чтобы Хардину было хоть какое-то дело до девчонки, это был вопрос принципа».

Дальше слова лились на бумагу сами собой, я уже не контролировал себя. И после каждого столкновения с ней писал что-то новое. О том, как она с отвращением морщила нос, рассказывая мне, что ненавидит кетчуп. Ну как вообще можно ненавидеть кетчуп?

С каждой новой мелочью, которую я о ней узнавал, мои чувства расцветали. Поначалу я отрицал их, но они никуда не исчезали.

Когда мы жили вместе, писать стало сложнее. Я писал куда реже, а когда это делал, прятал листки в шкафу, в коробке из-под обуви. До сегодняшнего дня я понятия не имел, что Тесса нашла их, и вот теперь сижу и задаюсь вопросом, когда же перестану усложнять свою чертову жизнь.

Воспоминания снова наводняют мой разум, и мне хочется просто посадить ее к себе в голову, чтобы она прочитала мои мысли и разобралась в моих намерениях.

Если бы она оказалась в моей голове, то услышала бы разговор с издателями, из-за которого я и приехал в Нью-Йорк. Я никогда этого не планировал. Так получилось. Я записал столько моментов, столько наших памятных моментов. Первый раз, когда признался ей в любви. Второй раз, когда уже не взял свои слова обратно. Пока я навожу порядок, эти воспоминания захлестывают и переполняют меня, и я уже не могу от них избавиться.

«Он стоял, прислонившись к футбольным воротам, злой и избитый. Зачем он вообще ввязался в драку с теми парнями прямо в разгар костра? Ах да, потому что Тесса ушла с Зедом, а тот, в свою очередь, бросил трубку после того, как с издевкой сообщил Хардину, что они с Тессой в его квартире.

Это взбесило его куда больше, чем должно было. Он хотел забыться, выбросить эту мысль из головы, почувствовать физическую боль вместо непрошеной вспышки ревности.

«Она переспит с ним? — не переставая думал он. — Он выиграет?»

А в выигрыше ли было дело? Он и сам не знал. Все перепуталось. Хардин не мог сказать точно, когда это произошло, но в том, что это случилось, он был совершенно уверен.

Он сидел на траве и утирал окровавленный рот, когда появилась Тесса. Перед глазами у Хардина слегка плыло, но он помнил, что видел ее отчетливо. На обратном пути к дому Кена она казалась беспокойной, неуверенной в себе и вела себя так, будто он какой-то бешеный зверь.

— Ты меня любишь? — спросила она, глядя себе под ноги.

Хардин был удивлен — чертовски удивлен и абсолютно не готов отвечать на этот вопрос. Он уже однажды признался ей в любви, а потом взял свои слова обратно. И вот она сидит рядом, такая же сумасшедшая, как и всегда, и спрашивает, любит ли он ее, в то время как его лицо распухает и наливается синяками.

Конечно, он ее любил. Кого, черт возьми, он пытался обмануть?

Какое-то время Хардин избегал отвечать на ее вопрос, но откладывать дальше стало просто невыносимо, и в конце концов слова сами по себе выплеснулись наружу: «Тебя. Больше всех я люблю тебя». Это правда, как бы ни было стыдно и сложно ее принять. Он любил ее и с того самого момента знал, что после нее его жизнь уже не будет прежней.

Даже если она его покинет, если проведет остаток своей жизни не с ним, его жизнь все равно не будет прежней. Она его изменила. И вот он стоял с окровавленными кулаками и мечтал стать лучше — ради нее».

На следующий день я дал пачке измятых, заляпанных кофейными пятнами листков название: «После».

Я все еще не был готов это печатать, даже не думал об этом, пока несколько месяцев назад не совершил ошибку и не принес рукопись на один из сеансов групповой терапии. Люк вытащил папку из-под моего стула, когда я рассказывал о том, как спалил дом матери. Это был вымученный рассказ — ненавижу вспоминать об этом дерьме. Но, глядя поверх любопытных глаз, я представлял, что Тесса рядом и что она улыбается и гордится тем, что я в состоянии поделиться своими самыми тяжелыми переживаниями с группой таких же ненормальных незнакомцев, как я сам... вернее, каким был я сам.

Когда доктор Тран отпустил группу, я наклонился, чтобы достать папку, и испытал краткий приступ паники. Затем мой взгляд наткнулся на Люка, и я обнаружил папку в его руках.

— Что это такое? — спросил он, просматривая страницу.

— Если бы мы встретились месяц назад, ты бы уже глотал свои гребаные зубы, — свирепо бросил я, выхватив у него папку.

— Прости, чувак, я не силен в этических нормах. — Он неловко улыбнулся, и я каким-то образом почувствовал, что могу ему доверять.

— Заметно, — закатил я глаза, запихивая вынутые листки обратно.

Он рассмеялся:

— Расскажешь мне, что это такое, если я угощу тебя корневым пивом?[1]

— Нет, ну ты только посмотри! Парочка реабилитирующихся алкоголиков торгуется, чтобы прочитать чье-то жизнеописание.

Я покачал головой, удивляясь, как докатился до такого в столь молодом возрасте. Но я был очень благодарен Тессе: если бы не она, я бы до сих пор прятался во тьме, брошенный там на погибель.

— Ну, после корневого пива тебе не придет в голову жечь дома, а мне — говорить гадости Кейси.

---

[1] Газированный напиток, обычно изготовленный из коры дерева Сассафраса. Популярен в Северной Америке, производится двух видов: алкогольный и безалкогольный. Крепость алкогольного варианта — 0,4%.

— Хорошо. Корневое пиво — так корневое пиво. — Я знал, что он ходит к доктору Трану не только на парную терапию, но решил не вести себя как придурок и не совать нос в его дела.

Мы дошли до ресторанчика за углом. Я заказал кучу еды за его счет и дал ему прочитать пару страниц моей исповеди.

Двадцать минут спустя пришлось положить этому конец. Он прочитал бы все до конца, дай я ему такую возможность.

— Это потрясно. Правда, чувак. Местами... запутанно, но я понимаю. Это говорил не ты, а демоны.

— Демоны, хм? — Я одним глотком допил пиво.

— Да, демоны. Когда ты пьян, они завладевают тобой, — улыбнулся он. — Часть того, что я сейчас прочитал, написано не тобой. Должно быть, дело в демонах.

Я покачал головой. Конечно, он был прав, я не мог избавиться от мысли о дурацком красном дракончике, сидящем на моем плече и пишущем тот бред, который был на некоторых страницах.

— Ты дашь ей это прочитать, когда закончишь?

Я макнул сырную палочку в соус и, сдержавшись, не выругался на него за то, что он сбил меня с забавных мыслей о маленьких демонах.

— Нет, я ни за что не дам ей прочитать это дерьмо.

Я постучал пальцем по кожаной обложке папки, вспомнив, как Тессе хотелось, чтобы я ею пользовался, когда она мне ее подарила. Естественно, тогда я был против, но сейчас очень люблю эту дурацкую вещь.

— Ты должен. Я хочу сказать, просто выкинь кое-что из твоих чокнутых мыслей, особенно насчет ее бесплодия. Это просто неправильно.

— Знаю. — Я не смотрел на него. Уставившись в стол, я испытывал отвращение к самому себе, теряясь в догадках, что за чертовщина творилась в моей голове, когда я писал это дерьмо.

— Ты должен подумать, как поступить с этим дальше. Я не какой-нибудь литературный эксперт или Хемингуей, но то, что я прочитал, просто здорово, по-настоящему здорово.

Я сглотнул, пытаясь не обращать внимания на неправильно произнесенную фамилию писателя.

— Опубликовать это? — усмехнулся я. — Ни за что.

На этом мы закончили разговор.

Я ходил на одно собеседование за другим, и мне было так скучно, так чертовски скучно. Каждый раз я чувствовал себя все менее мотивированным — никак не мог представить, что сижу в одном из этих гребаных офисов. Я собирался работать в издательстве, правда, собирался. Однако, перечитывая страницу за страницей свои дурацкие мысли, все больше вспоминал и все больше хотел, даже нуждался в том, чтобы что-то с этим сделать.

Рукопись лежала передо мной и буквально молила хотя бы попробовать, и у меня возникла мысль, что, если Тесса прочитает ее после того, как я выброшу некоторые неприятные куски, она придется ей по душе. Это стало навязчивой идеей. И я был удивлен, какой интерес вызывала у людей история другого человека на пути к восстановлению.

Странно, но ее проглотили с удовольствием. С помощью агента, с которым я познакомился еще у Вэнса, я отправил копию рукописи по электронной почте всем потенциальным издателям. Очевидно, то время, когда я мог принести пачку наполовину написанных от руки, наполовину напечатанных листков, прошло.

На этом, как я думал, все должно было закончиться. Я считал, что эта книга станет широким жестом, который был ей так нужен, чтобы пустить меня об-

ратно в свою жизнь. Книгу должны были издать только через несколько месяцев, и в распоряжении Тессы
еще оставалось время, чтобы заниматься тем, чем она
занимается в этом гребаном Нью-Йорке.

Я больше не могу здесь сидеть. У моего недавно
обретенного терпения тоже есть предел, и я его достиг. Меня охватывает абсолютное омерзение при
одной только мысли о том, что Тесса, злясь на меня,
бродит по огромному городу в одиночестве. Ее нет
уже довольно долго, а мне еще предстоит объяснить
ей очень многое.

Я хватаю и засовываю в карман последнюю страницу книги, не позаботившись о том, чтобы ее сложить. Затем отправляю сообщение Лэндону, чтобы
он не запирал дверь, если вернется домой или пойдет
куда-то, и выбегаю из квартиры, чтобы найти Тессу.

Однако мне не приходится долго искать. Выбе-
жав на улицу, я обнаруживаю ее сидящей на ступенях
дома. Ее глаза устремлены в пустоту, взгляд тяжелый и сосредоточенный. Она не замечает меня, когда
я приближаюсь. Только когда я усаживаюсь рядом,
она поднимает голову, но выражение ее лица все такое же отстраненное. Я внимательно смотрю, как ее
взгляд постепенно смягчается.

— Нам нужно поговорить.

Она кивает и отводит глаза, ожидая объяснения.

Глава 74

Хардин

— Нам нужно поговорить, — повторяю я и смотрю
на нее, усилием воли заставляя свои руки спокойно
лежать на коленях.

— Да уж, — выдавливает она улыбку. Ее коленки
испачканы, и на них проступают вспухшие красные
царапины.

— Что произошло? Ты в порядке? — Мой план держать руки при себе летит ко всем чертям, когда я дотрагиваюсь до ее ног, внимательнее изучая ранки.

Она отворачивается: щеки и глаза покраснели.

— Я просто споткнулась.

— Ничего из того, что сейчас произошло, не должно было случиться.

— Ты написал книгу о нас и показывал ее разным издателям. Хочешь сказать, это было непреднамеренно?

— Нет, я имею в виду вообще все. Тебя, меня, все остальное. — Из-за повышенной влажности подбирать слова оказывается гораздо сложнее, чем я думал. — За этот год я словно прожил целую жизнь. Узнал столько всего нового о себе, о жизни и о том, какой должна быть жизнь. У меня был такой идиотский взгляд на все. Я ненавидел себя, ненавидел всех, кто был рядом.

Тесса молчит, но по ее дрожащей нижней губе я понимаю, что она прилагает усилия, чтобы сохранять невозмутимое выражение лица.

— Да, это трудно понять, большинство людей не понимает, но самое ужасное чувство в мире — ненависть к себе. А я сталкивался с ней каждый божий день. Это не оправдание моим действиям. Мне никогда нельзя было так относиться к тебе, и ты имела полное право уйти от меня, что и сделала. Единственное, на что я надеюсь, — что ты прочитаешь книгу целиком, прежде чем принять решение. Ты не можешь судить о книге, не прочитав ее от начала до конца.

— Я стараюсь не осуждать, Хардин, правда, но это слишком. Я отвыкла от таких вещей, совсем не ожидала, что это произойдет, и до сих пор не могу во всем разобраться. — Она трясет головой, будто пытаясь избавиться от стремительных мыслей, вспыхивающих в глубине ее прекрасных глаз.

— Я знаю, детка, знаю. — Когда я беру ее за руку, она вздрагивает. Я нежно переворачиваю ее ладонь кверху, чтобы осмотреть ранки. — Больно?

Она кивает, позволяя мне провести вокруг царапин кончиком пальца.

— Кто вообще захочет ее читать? Вряд ли она приглянется хоть одному издателю. — Тесса отворачивается от меня и внимательно смотрит на город, который каким-то образом продолжает жить своей жизнью, такой же суетливый, как и всегда.

— Многие, — пожимаю я плечами, и я говорю правду.

— Почему? Это ведь настолько... нетипичная любовная история. Я прочитала только небольшой отрывок, но поняла, сколько в ней безысходности.

— Даже проклятым нужно поведать свою историю, Тесс.

— Ты не проклят, Хардин, — говорит она, несмотря на то что наверняка до сих пор чувствует себя преданной.

Я вздыхаю, отчасти соглашаясь с ней:

— Возможно, дело в надежде на спасение? А может, и нет. Конечно, некоторым людям хочется читать только обычные счастливые истории о любви, но есть и другие, и их миллионы. Они не идеальны и прошли через кучу дерьма в своей жизни. Может, поэтому они связывают нашу историю с собой? Может, кто-то из них увидит во мне себя и, черт, — я провожу дрожащей рукой по шее, — черт, может, кого-то наши ошибки смогут чему-то научить.

Я извергаю слова на бетонные ступени, и теперь она не сводит с меня глаз. Я все еще вижу на ее лице неуверенность, и это заставляет меня говорить дальше:

— Может быть, иногда все не делится только на черное и белое. Может быть, не каждый человек идеален. За свою жизнь я причинил много боли и тебе, и другим людям. Я сожалею и никогда не забуду об этом, это больше никогда не повторится. Но дело в другом. Эта книга стала для меня возможностью выплеснуть накопившееся. Еще одна разновидность терапии. Я мог писать все, что хотел и чувствовал. Это я и моя жизнь, и я не единственный человек, который совершал ошибки, целую кучу ошибок. Если люди будут судить меня по темной части моей истории, это их право. При всем желании я не могу угодить всем, но знаю, что больше таких людей, как мы с тобой, Тесса, и они захотят увидеть, как кто-то признал свои проблемы и боролся с ними по-настоящему.

Уголки ее губ приподнимаются, и она вздыхает, слегка покачивая головой:

— А что, если им не понравится? Что, если они даже не станут читать книгу, но возненавидят нас за ее содержание? Я не готова к подобному вниманию. Не хочу, чтобы люди обсуждали мою жизнь и меня.

— И пусть себе ненавидят. Кому какое дело до того, что они думают? Они все равно бы это не прочитали.

— Просто... Я не могу решить, что сама думаю по этому поводу. Что это вообще за любовная история? — Ее неуверенный голос дрожит.

— Это любовная история, которая не обошлась без настоящих проблем. Это история о прощении и безусловной любви, показывающая, насколько может измениться, по-настоящему измениться человек, если только приложит достаточно усилий. Это история о том, что все возможно, когда речь заходит о восстановлении себя. Если есть на кого положиться, если кто-то любит тебя и не сдается, можно выбраться из тьмы. Это история о том, что, неважно, какие родители у тебя были или на что ты подсел, можно преодолеть что угодно и стать лучше. Вот о чем история «После».

— «После»? — Она вскидывает подбородок, прикрыв рукой глаза от солнца.

— Так она называется. — Я отвожу взгляд, внезапно смутившись. — Она о моем пути после встречи с тобой.

— Насколько там все плохо? О боже, Хардин, почему ты просто не рассказал мне все?

— Не знаю, — честно признаюсь я. — Там не все так плохо, как тебе кажется. Ты уже прочитала самое худшее. Те страницы, которых ты не видела, являются сутью истории. Они о том, как я тебя люблю, как ты помогла мне обрести цель, и о том, что встреча с тобой стала лучшим событием в моей жизни. На непрочитанных страницах остался наш смех и моя борьба — наша борьба.

Она закрывает лицо руками, пытаясь справиться с грустью.

— Ты должен был сказать мне, что пишешь это. Было столько намеков, как же я могла не заметить?

Я откидываюсь спиной на ступени.

— Ты права, но к тому моменту, когда я это понял и начал менять то, что сделал неправильно, мне хотелось, чтобы история стала идеальной. Мне в самом деле очень жаль, Тесса. Я люблю тебя. Прости, что ты узнала об этом таким вот образом. Я не хотел ни причинить тебе боль, ни обмануть, и мне жаль, что ты чувствуешь себя именно так. Я уже не тот человек, от которого ты ушла, Тесса. И ты это знаешь.

— Я не знаю, что сказать, — отвечает она едва слышно.

— Просто прочитай. Прочитай книгу целиком, прежде чем принимать решение. Это все, о чем я прошу, просто прочитай ее.

Она закрывает глаза и придвигается ко мне, упираясь коленом в мое плечо.

— Хорошо, я ее прочитаю.

Воздух возвращается в мои легкие, часть груза падает с плеч, и я никакими словами не могу выразить облегчение.

Она встает, почесывая расцарапанные коленки.

— Я принесу что-нибудь, чем можно их заклеить.

— Все в порядке.

— Когда ты наконец перестанешь бороться со мной? — пытаюсь я поднять ей настроение.

Сработало, и она с трудом сдерживает улыбку:

— Никогда.

Она начинает подниматься по ступеням, и я тоже встаю, чтобы последовать за ней. Хочется пойти с ней в квартиру и сидеть рядом, пока она не прочитает всю книгу, но я знаю, что не стоит этого делать. Собрав остатки здравого смысла, я решаю прогуляться по этому грязному городу.

— Подожди! — кричу я, когда она доходит до верха, залезаю в карман и достаю измятый листок. — Пожалуйста, прочитай это в конце, это последняя страница.

Она раскрывает ладонь и протягивает руку.

Я быстро взбегаю по лестнице, перепрыгивая через ступеньку, и отдаю ей комок бумаги.

— Пожалуйста, не подглядывай, — умоляю я.

— Не буду. — Тесса отворачивается и, оглянувшись, посылает мне улыбку.

Одно из самых моих больших желаний в жизни — чтобы она поняла, действительно поняла, какая она удивительная. Она одна из немногих людей в этом мире, способных прощать, и хотя многие назвали бы ее слабой, на самом деле все наоборот. Она оказалась достаточно сильной, чтобы бороться за того, кто ненавидел себя. Достаточно сильной, чтобы показать мне, что я не проклят и достоин любви, хотя вырос

с совершенно противоположными мыслями. Достаточно сильной, чтобы уйти от меня и чтобы любить
безусловно. Тесса сильнее большинства людей, и я надеюсь, что она это знает.

Глава 75

Тесса

Войдя в квартиру, я несколько секунд собираюсь
с мыслями, разлетающимися в разные стороны. На
столе лежит папка, и все листки засунуты в нее в полном беспорядке.

Моя рука тянется за первой страницей, и я затаив
дыхание готовлюсь начать читать.

«Заставят ли меня его слова передумать? Причи-
нят ли мне боль?»

Я даже сомневаюсь, готова ли это узнать, но понимаю, что должна сделать это ради себя. Нужно прочитать то, что было у него на уме, узнать все, что он
чувствовал все то время, когда я не могла прочитать
его мысли.

«Тогда он и понял. Именно тогда он, черт возьми,
и понял, что хочет провести всю свою жизнь с ней,
что его жизнь будет пустой и бессмысленной без того
света, который приносит в нее Тесса. Она подарила
ему надежду. Заставила его почувствовать, что, возможно, только возможно, у него получится перебо-
роть свое прошлое».

Я роняю страницу на пол и берусь за следующую:

«Он жил только для себя, но потом все изменилось. Жизнь стала чем-то большим, чем подъем
утром и сон ночью. Она дала ему все то, что ему было
нужно и о чем он даже не подозревал.

Он поверить не мог, что говорит такое дерьмо. Он
был отвратителен. Причинял боль людям, которые
его любили, и просто не мог остановиться.

«Почему они меня любят? — постоянно задавался он вопросом. — Кому может прийти в голову меня любить? Я этого не стою».

Эти мысли все время прокручивались в его голове, неотвязно преследовали его, как бы он ни прятался, и всегда возвращались.

Он хотел смахнуть поцелуем ее слезы, хотел объяснить, что ему жаль и что он испорченный человек, но не получалось. Он был трусом и сломленным до такой степени, что это нельзя было исправить. То, каким образом он с ней обращался, заставляло его ненавидеть себя еще больше.

Ее смех был звуком, который вывел его из тьмы и направил к свету. Ее смех вытащил его за шиворот из дерьма, затуманившего сознание и отравившего мысли. Он не похож на своего отца и, когда она ушла от него, решил, что больше никогда не позволит ошибкам родителей влиять на его жизнь. Он решил, что эта девушка достойна куда большего, чем может предложить сломленный человек, и поэтому сделал все, что в его силах, чтобы ей соответствовать».

Я продолжаю читать страницу за страницей, признание за признанием. Слезы заливают мое лицо, а вместе с ним и некоторые страницы его удивительной, но все же такой неправильной истории:

«Ему нужно было сказать ей, как он сожалеет о том, что посмел упрекнуть ее в бесплодии. Он был эгоистом и думал только о том, как сделать ей побольнее, но не был готов признать, чего на самом деле хочет от жизни с ней. Он не был готов сказать, что из нее вышла бы прекрасная мать и что она никогда не стала бы похожей на женщину, которая ее вырастила. Не был готов сказать, что выложился бы до конца, чтобы помочь ей воспитывать ребенка. Не был готов сказать, что ужасно боялся повторить ошибки собственного отца, и не был готов признаться, что страшится провала. Он не мог найти слов, чтобы объяснить, что не хочет приходить домой пьяным, и не желает, чтобы его дети убегали и прятались от него так, как он прятался от своего отца.

Он хотел жениться на ней и провести остаток жизни рядом, наслаждаясь ее добротой и теплом. Он не представлял себе жизни без нее и пытался найти способ сказать ей это, показать, что он действительно может измениться и стать достойным ее человеком».

Время идет, и вскоре уже сотни страниц разбросаны по полу. Трудно сказать, сколько я так просидела, и я не в состоянии сосчитать, сколько вытекло слез или сколько всхлипов сорвалось с губ.

Но я все равно продолжаю читать. Я прочитываю каждую страницу: в случайном порядке, первую, попадающую под руку, но стараюсь впитать каждое слово человека, которого я люблю, единственного мужчины, кроме отца, которого я когда-либо любила. Когда стопка страниц подходит к концу, в квартире уже начинает темнеть, а солнце спешит скрыться за горизонтом.

Я оглядываю беспорядок, который устроила, и стараюсь осознать увиденное. Мои глаза пробегают по полу и останавливаются на смятом листке бумаги на столике у входа. Хардин сказал, что это последняя страница, самая последняя страница нашей истории, и я пытаюсь успокоиться, прежде чем взяться за нее.

Руки у меня дрожат, когда я поднимаю и разглаживаю скомканную бумагу, а затем я читаю то, что там написано:

«Он надеется, что однажды она это прочтет и поймет, каким сломленным он был. Он не просит у нее ни жалости, ни прощения, только хочет, чтобы она поняла, как сильно повлияла на его жизнь. Она, прекрасная незнакомка с добрым сердцем, попалась ему на жизненном пути и сделала его тем человеком, которым он стал. Он надеется, что, прочитав эти слова, неважно, какими жесткими они могут показаться, она будет гордиться, что вытащила грешника из ада и вознесла его на свои небеса, даруя ему спасение и свободу от демонов прошлого.

Он умоляет, чтобы она прочувствовала сердцем каждое слово, и, возможно, только возможно, она по-прежнему будет любить его после всего, через что им пришлось пройти. Он надеется, что она сможет вспомнить, за что полюбила его и почему так упорно боролась.

И последнее, на что он надеется, — что, где бы она ни находилась, читая эту книгу, она сделает это с легким сердцем и найдет его, даже если эти слова дойдут до нее спустя долгие годы. Она должна знать, что он не сдался. Тесса должна знать, что этот человек всегда будет любить ее и ждать до конца своих дней, неважно, вернется она к нему или нет. Он хочет, чтобы она знала: она была его спасением, и он никогда не сможет отблагодарить ее за все, что она для него сделала. Он любит ее всей душой, и ничто в мире не сможет этого изменить.

Он хочет напомнить ей, что, из чего бы ни были сделаны их души, это души очень близких людей. Их любимая книга тому подтверждение».

Я собираю остатки мужества и оставляю беспорядочно разбросанные по полу листки, по-прежнему сжимая в руке последнюю страницу.

Глава 76

Тесса

Два года спустя

— Ты просто сногсшибательна, очень красивая невеста, — восторгается Карен.

Согласно кивнув, я поправляю бретельки платья и снова смотрюсь в зеркало.

— Он будет сражен наповал. До сих пор поверить не могу, как быстро наступил этот день, — улыбаюсь я, закалывая последнюю «невидимку» на волну густых, блестящих в ярком свете ламп волос, уложенных локонами.

По-моему, я немного переборщила с блестками.

— Что, если я споткнусь? А если он не явится к алтарю? — У великолепной невесты Лэндона мягкий голос, но в нем так и сквозит нервное напряжение. Кажется, что она может сорваться в любой момент.

— Явится. Кен привез его в церковь еще с утра, — смеется Карен, успокаивая нас обеих. — Если бы что-то произошло, мой муж нас бы уже предупредил.

— Лэндон не сбежит ни за что на свете, — обещаю я. У меня нет сомнений, ведь я видела его лицо и вытирала выступившие на его глазах слезы, когда он показывал мне купленное для нее кольцо.

— Надеюсь, ты права. Иначе я очень разозлюсь. — У нее вырывается нервный смешок. Несмотря на беспокойство, проступающее на ее красивом лице, она держится довольно хорошо и ее улыбка просто очаровательна.

Аккуратно приколов прозрачную фату к темным кудрям, я смотрю на ее лицо в зеркале и пожимаю ее обнаженное плечо. В карих глазах стоят слезы, и она нервно покусывает нижнюю губу.

— Все в порядке, все будет хорошо, — обещаю я. На свету мое платье отливает серебром, и я восторгаюсь каждой деталью этого венчания.

— Мы не слишком торопимся? Мы помирились всего несколько месяцев назад. Тесса, как ты думаешь, мы торопимся? — спрашивает она.

Я так сроднилась с ней за прошедшие два года, что без труда улавливаю ее беспокойство, когда она дрожащими пальцами помогает мне застегнуть платье подружки невесты.

Я улыбаюсь.

— Вы не торопитесь. Вам и так пришлось пережить слишком многое за последние два года. Ты просто накручиваешь себя. Уж я-то знаю.

— Переживаешь по поводу встречи с ним? — спрашивает она, внимательно вглядываясь в мое лицо.

«Да. Ужасно. Я на грани паники».

— Нет, мы не виделись всего пару месяцев.

— Слишком долго, — бормочет мать Лэндона себе под нос.

На сердце становится тяжело, и я отгоняю прочь слабую боль, которой сопровождается каждая мысль о нем. Я проглатываю ответ, который могла или даже должна была произнести вслух.

— Вам, наверное, не верится, что ваш сын сегодня женится? — побыстрее меняю я тему разговора.

Моя уловка срабатывает, и Карен, как по волшебству, тут же начинает улыбаться, попискивать и плакать одновременно.

— Ох, макияж будет испорчен. — Она проводит кончиками пальцев под глазами и качает головой так, что ее светло-каштановые волосы рассыпаются по плечам.

Мы умолкаем, услышав стук в дверь.

— Дорогая? — мягко и нерешительно зовет Кен. Посещение комнаты невесты, полной расчувствовавшихся женщин, еще и не такое сотворит с любым мужчиной.

— Эбби проснулась, — говорит он жене, открывая дверь, и появляется перед нами с дочкой на руках. Ее темно-каштановые волосы и светло-карие глаза сверкают, словно освещая каждую комнату, в которую она попадает. — Я никак не могу найти сумку с подгузниками.

— Она вон там, рядом с креслом. Можешь ее покормить? Боюсь, она запачкает мне гороховым пюре все платье, — смеется Карен, беря Эбби на руки. — Кризис двух лет начался у нас слишком рано.

Маленькая девочка улыбается, демонстрируя целый ряд наполовину прорезавшихся зубиков.

— Мама, — зовет круглолицая малышка и тянет ручки к бретельке платья Карен.

Мое сердце тает каждый раз, когда я слышу, как Эбби разговаривает.

— Привет, мисс Эбби, — щекочу я девочку за щечку, и она начинает хихикать. Это прекрасный звук. Я стараюсь не замечать, с каким сочувствием смотрят на меня Карен и будущая жена Лэндона.

— Привет. — Эбби прячет мордашку в мамино плечо.

— Дамы, вы уже готовы? Осталось всего десять минут до того, как начнет играть музыка, а Лэндон с каждой секундой нервничает все больше, — предупреждает Кен.

— С ним все в порядке, ведь правда? Он все еще хочет жениться на мне? — спрашивает встревоженная невеста своего будущего свекра.

Кен улыбается, и в уголках его глаз собираются морщинки.

— Разумеется, хочет, дорогая. Лэндон ужасно переживает, но Хардин помогает ему взять себя в руки. — Все мы, включая меня, смеемся над этой фразой.

Невеста в шутку закатывает глаза и качает головой.

— Если «помогает» Хардин, мне лучше отменить медовый месяц.

— Нам пора. Я не буду много кормить Эбби, чтобы она дотерпела до торжества. — Кен целует жену в губы, прежде чем забрать малышку, и выходит из комнаты.

— Хорошо. И, пожалуйста, не волнуйтесь за меня, все нормально, — говорю я обеим женщинам.

Все нормально. У меня уже довольно давно все нормально с неким подобием отношений на расстоянии с Хардином. Да, я постоянно скучаю по нему, но разлука пошла нам на пользу.

Самое худшее в этой «нормальности» в том, что она совсем не напоминает счастье. Это серое, безотрадное состояние, и ты можешь просыпаться каждое утро, продолжать жить своей жизнью, даже часто улыбаться и смеяться, но не ощущать ни малейшего веселья. Ты не ждешь с нетерпением каждую секунду нового дня, не берешь от жизни все. Большинство людей, включая меня, привыкли к этому состоянию. Мы притворяемся, что «все нормально» — это хорошо, хотя это вовсе не так, и большая часть нашего времени уходит на то, чтобы что-то изменить в привычном порядке вещей.

Он дал мне почувствовать, какой прекрасной может быть жизнь вне этой «нормальности», и с тех пор мне очень не хватает тех ощущений.

Долгое время у меня все было нормально, и теперь я не знаю, как от этого избавиться, но очень жду того дня, когда смогу сказать «Все отлично» вместо «Все нормально».

— Вы готовы, миссис Гибсон? — улыбаюсь я счастливой женщине передо мной.

— Нет, — отвечает она. — Но буду, как только его увижу.

Глава 77

Хардин

— Последняя возможность сбежать, — говорю я Лэндону, помогая завязать галстук.

— Спасибо, болван, — огрызается он и отталкивает мои руки, чтобы самому разобраться с помятым галстуком. — За свою жизнь я надевал тысячи галстуков, но именно этот отказывается распрямляться.

Он нервничает, и я ему сочувствую. В какой-то степени.

— Тогда не надевай его вообще.

— Я не могу не надеть галстук. Я женюсь, — закатывает он глаза.

— Вот именно поэтому и не надо его надевать. Это твой день, и это ты тратишь на него кучу денег. Если не хочешь надевать гребаный галстук, не надевай. Черт, если бы сегодня женился я, всем бы повезло, если бы я надел штаны.

Мой лучший друг смеется. Его пальцы перекручивают непослушный кусок ткани.

— Тогда хорошо, что женишься не ты. Я бы не пришел на такой спектакль.

— Мы оба знаем, что я никогда не женюсь, — пристально смотрю я на свое отражение.

— Может быть. — Лэндон встречается со мной взглядом в зеркале. — Ты как? Она здесь. Твой отец ее видел.

«Черт, конечно же, нет».

— Да, все в порядке. Ты ведешь себя так, будто я не знал, что она придет, или будто ни разу не встречался с ней за последние два года.

Я не видел ее уже довольно давно, но ей нужно было побыть от меня на расстоянии.

— Она твой лучший друг и подружка невесты. Так что неудивительно, что она здесь. — Я снимаю свой галстук и отдаю ему. — Держи, раз уж твой никуда не годится. Можешь взять мой.

— Но тебе нужен галстук, это часть твоего костюма.

— Ты же прекрасно знаешь: тебе чертовски повезло, что я вообще напялил эту штуку, — говорю я и дергаю себя за полу тяжеленного смокинга.

Лэндон на мгновение закрывает глаза и затем выдыхает с облегчением и раздражением одновременно.

— Наверно, ты прав, — улыбается он. — Спасибо.

— А за то, что я пришел одетым на твою свадьбу?

— Заткнись. — Он закатывает глаза и оправляет рукава своего черного с иголочки смокинга. — Что, если она не явится к алтарю?

— Явится.

— А что, если нет? Я с ума сошел, раз решил жениться так быстро?

— Да.

— Ну спасибо.

Я пожимаю плечами:

— Быть сумасшедшим не всегда плохо.

Он внимательно оглядывает меня, пристально всматриваясь в лицо и выискивая какой-нибудь признак того, что я могу слететь с катушек.

— Попробуешь с ней поговорить?

— Разумеется.

Я пытался поговорить с ней во время репетиции свадебного ужина, но Карен и невеста Лэндона ходили за ней как приклеенные. Меня удивило то, что Тесса помогала с подготовкой свадьбы. Никогда не думал, что ей это интересно, но, несомненно, ей все удалось.

— Она сейчас счастлива. Не абсолютно, но по большому счету.

Ее счастье — самое главное, и не только для меня. Мир становится другим, если Тесса Янг несчастна. Я знаю, о чем говорю, ведь я целый год провел, вытягивая из нее жизнь, лишь изредка заставляя светиться. Все это запутанно и не несет большого смысла для окружающих, но мне плевать и всегда будет плевать на весь остальной мир, если речь идет об этой девушке.

— Пять минут, парни, — доносится из-за двери голос Кена.

Комната тесная и пахнет кожей и нафталином, но это день свадьбы Лэндона. А мои жалобы могут подождать и до конца церемонии.

Возможно, я пойду жаловаться непосредственно Кену. Подозреваю, что он как раз и платит за всю эту хрень, учитывая финансовое положение родителей невесты и все прочее.

— Готов, кретин ненормальный? — спрашиваю я Лэндона в последний раз.

— Нет, но буду, когда увижу ее.

Глава 78

Тесса

— Где Роберт?

Карен оглядывается по сторонам в толпе гостей, пришедших на скромную свадебную церемонию.

— Тесса, ты не знаешь, куда он сбежал? — обеспокоенно спрашивает она.

Роберт взял на себя ответственность за развлечение малышки, пока женщины занимались прическами и наносили макияж. Теперь, когда церемония вот-вот начнется, он должен снова вернуться к своей роли шафера, но его нигде нет, а Карен не может держать Эбби и одновременно помогать с первой частью венчания.

— Давайте я позвоню ему еще раз.

Я вглядываюсь в толпу, пытаясь отыскать его. Эбби вертится на руках у Карен, и женщину снова охватывает паника.

— О, подожди! Вот он...

Но я не слышу окончания фразы Карен. Меня совершенно отвлек звук голоса Хардина. Он выходит из длинного коридора слева от меня. Его губы медленно двигаются, как это всегда бывает. Он разговаривает с Лэндоном.

Волосы стали длиннее по сравнению с тем, что я видела на последних фотографиях. Ничего не могу с собой поделать и читаю все интервью с ним, каждую статью о нем, неважно, правдивы они или нет. И возможно, только возможно, я отправила пару возмущенных писем блогерам, которые писали омерзительные вещи о нем и его истории. Нашей истории.

К моему удивлению, в его губе виднеется металлическая серьга, хотя я и знала, что он ее снова надел. У меня совсем выветрилось из памяти, как она ему идет. Я захвачена, целиком поглощена встречей с ним, отброшена обратно в мир, в котором я упорно сражалась и проиграла почти все битвы, встретившиеся на пути, и все только для того, чтобы уйти без того, за что билась, — без него.

— Нам нужен кто-нибудь, чтобы пройти с Тессой, ее парень не появился, — говорит кто-то.

Услышав мое имя, Хардин вглядывается вперед и спустя полсекунды замечает меня. Я первая отвожу глаза, опустив взгляд на свои туфли на высоких каблуках, едва виднеющиеся из-под длинного платья.

— Кто пойдет с подружкой невесты? — спрашивает сестра невесты всех, кто стоит рядом. — Полная неразбериха, — с раздражением бросает она, проходя мимо.

Я приложила гораздо больше усилий к организации этой свадьбы, чем она, но, судя по ее напряженности, можно подумать наоборот.

— Я, — говорит Хардин, поднимая руку.

Он выглядит таким собранным, таким потрясающе красивым в черном смокинге без галстука. Над воротничком белой рубашки выглядывают черные завитки татуировок, и я ощущаю мягкое прикосновение к руке. Я моргаю, стараясь не думать о том, что вчера мы и двух слов не сказали друг другу и что не репетировали, как полагается, совместный проход. Кивнув, я прочищаю горло и отвожу взгляд от Хардина.

— Отлично, тогда начинаем, — повелительно произносит сестра невесты. — Жених, к алтарю, пожалуйста. — Она хлопает в ладоши, и Лэндон быстро проходит мимо, на ходу нежно сжав мою руку.

Вдох. Выдох. Это займет всего пару минут, даже меньше. Не так уж сложно. Мы друзья. Я справлюсь.

Конечно, это ради свадьбы Лэндона. Секунду я борюсь с мыслью о том, как сама могла бы идти к алтарю в наш с ним особый день.

Хардин молча стоит рядом со мной, начинает играть музыка. Он пристально смотрит на меня, я это знаю, но не могу заставить себя поднять на него глаза. В этих туфлях я почти одного роста с ним, и он стоит так близко, что я слышу мягкий аромат одеколона, исходящий от его смокинга.

Маленькая церковь превратилась в очаровательное, но не вычурное место для праздника. Гости тихо заполнили практически все ряды. Красивые цветы, такие яркие, что их можно принять за неоновые, украшают старые деревянные скамьи, проходы между ними застелены белой тканью.

— Немного ярко, тебе не кажется? По-моему, обычных красных и белых лилий было бы достаточно, — говорит Хардин, удивляя меня. Он просовывает свою руку под мою, когда высокомерная сестра невесты машет нам, чтобы мы начали двигаться к алтарю.

— Да, лилии были бы великолепны. Но и так очень мило, — мямлю я.

— Твой парень-доктор просто молодец, — подкалывает меня Хардин.

Я поворачиваю к нему голову и вижу, что он улыбается, только в глубине зеленых глаз притаилась насмешка. Его подбородок стал еще более выразительным, а взгляд — более пронзительным и не таким настороженным, как раньше.

— Он учится на медицинском, он еще не доктор. И да, он просто молодец. И ты знаешь, что он не мой парень, так что замолчи.

Последние два года этот разговор между мной и Хардином повторяется снова и снова. Роберт стал для меня близким другом, но не больше. Примерно через год после того, как я нашла рукопись Хардина в своей квартире в Нью-Йорке, мы разок сходили на свидание, но из этого ничего не вышло. Нельзя встречаться с кем-то, если твое сердце принадлежит другому. Поверьте, ничего не выйдет.

— Как вы оба поживаете? Ведь уже год прошел, верно? — Его голос выдает эмоции, которые он пытается скрыть.

— А ты сам? Как там твоя блондинка? Как ее звали? — Путь к алтарю куда длиннее, чем казалось из коридора. — Ах да, Элиза или что-то в этом роде.

— Ха-ха, — усмехается он.

Мне нравится подкалывать его по поводу фанатки, одержимой манией преследования. Ее зовут Элиза. Мне известно, что он не спал с ней, но очень нравится дразнить его, когда мы видимся.

— Детка, последняя блондинка, побывавшая в моей постели, — это ты, — улыбается он. Я спотыкаюсь, и Хардин хватает меня за локоть, прежде чем я успеваю упасть ничком на покрытый белой тканью проход к алтарю.

— Правда?

— Ага. — Он продолжает смотреть в ту часть церкви, где стоит Лэндон.

— У тебя снова пирсинг на губе, — меняю я тему, пока не умудрилась поставить себя в еще более неловкое положение.

Мы проходим мимо моей матери, которая тихонько сидит рядом со своим мужем Дэвидом. Она выглядит слегка обеспокоенной, но я отдаю ей должное, когда она при виде нас улыбается. Дэвид наклоняется к ней и что-то шепчет, и она, кивнув ему, снова улыбается.

— Сейчас она кажется куда счастливее, — шепчет Хардин.

Наверное, не стоит разговаривать, пока мы идем к алтарю, но мы с Хардином хорошо известны тем, что делаем недозволенные вещи.

Я скучала по нему больше, чем готова признать. За последние два года я видела его всего шесть раз, и с каждым разом мне становилось все больнее.

— Так и есть. Дэвид очень повлиял на нее.

— Я знаю, она мне рассказывала.

Я снова останавливаюсь. На этот раз Хардин улыбается, помогая мне продолжить этот бесконечный путь к алтарю.

— Что ты имеешь в виду?

— Я пару раз разговаривал с твоей мамой, ты об этом знаешь.

Представления не имею, о чем он говорит.

— Месяц назад, когда вышла моя вторая книга, она пришла на раздачу автографов.

«Что?»

— Что она тебе рассказала? — Я произношу последнюю фразу слишком громко, и несколько гостей смотрят на нас дольше, чем нужно.

— Поговорим, когда все закончится. Я обещал Лэндону, что не испорчу его свадьбу.

Хардин улыбается мне, когда мы доходим до алтаря, и я стараюсь, на самом деле стараюсь, думать только о свадьбе моего лучшего друга.

Но не могу ни отвести глаз, ни избавиться от мыслей о шафере.

Глава 79

ХАРДИН

Вечеринка после церемонии — наиболее приемлемая часть свадьбы. Все перестают быть чересчур скованными, становятся более разговорчивыми после пары бокалов бесплатной выпивки и ужина, за который организаторы свадьбы явно переплатили втридорога.

Венчание вышло безупречным: жених плакал больше, чем невеста, и я горжусь тем, что пялился на Тессу только девяносто девять процентов всего времени. Клянусь, я даже частично расслышал слова клятв. Правда, на этом все. Судя по тому, как руки Лэндона покоятся на талии жены, и по тому, как она смеется в ответ на его реплики во время их танца перед гостями, свадьба удалась на славу.

— Содовую, если есть, — обращаюсь я к женщине за барной стойкой.

— С водкой или джином? — спрашивает она, указывая на ряд бутылок со спиртным.

— Ни то ни другое, просто содовую. Без алкоголя.

Она секунду пристально смотрит на меня, затем, кивнув, наливает содовую со льдом в чистый стакан.

— Вот ты где, — слышу я знакомый голос, и кто-то трогает меня за плечо. У меня за спиной стоит Вэнс со своей беременной женой.

— Вы меня искали? — ехидно спрашиваю я.

— Нет, — улыбается Кимберли, прижав ладонь к огромному животу.

— У тебя все нормально? С этой штукой ты выглядишь так, будто в любой момент можешь рухнуть на пол. — Я смотрю на ее отекшие ноги, затем перевожу взгляд на мрачное выражение лица.

— Эта штука — мой ребенок. Я на девятом месяце, но это не помешает мне тебе врезать.

Ну, судя по всему, ее дерзость никуда не делась.

— Если, конечно, дотянешься через живот, — поддразниваю я.

Она доказывает, что я ошибался, и бьет меня по руке. Меня ударила беременная женщина на свадьбе.

Я потираю руку, словно Кимберли и правда сделала мне больно. Она смеется, а Вэнс обзывает меня засранцем за то, что я разозлил его жену.

— Вы мило смотрелись, когда шли к алтарю, — говорит он, с намеком подняв бровь.

У меня перехватывает дыхание, и я прочищаю горло, обшаривая взглядом темный зал в поисках ее длинных светлых волос и соблазнительного атласного платья.

— Да, я не собирался заниматься никакой фигней, связанной с праздником, кроме того, чтобы побыть шафером Лэндона, но вышло не так уж плохо.

— Тот парень тоже тут, — многозначительно произносит Ким. — Но на самом деле он не ее парень. Ты же не купился на эту чушь? Она проводит с ним время, но, судя по их поведению, между ними нет ничего серьезного. Не то что у вас.

«Было у нас».

Ким коварно улыбается и кивком указывает на самый близкий к бару столик. Там сидит Тесса, и ее шелковое платье сверкает в разноцветных подвижных лучах. Она смотрит на меня, а может быть, и на

Кимберли. Нет, она смотрит на меня, но быстро отводит взгляд.

— Видишь, все, как я сказала, — как у вас.

Самодовольная беременная Кимберли смеется надо мной, а я выпиваю содовую и выкидываю стаканчик в мусор, прежде чем заказать воды. Желудок завязывается узлом, и я веду себя сейчас как долбаный подросток — стараюсь не смотреть на прекрасную девушку, которая давно похитила мое сердце.

Она не просто его похитила. Сначала она его нашла. Именно она обнаружила, что у меня вообще есть сердце, и вытащила его на свет. Сражение за сражением — она никогда не сдавалась. Она нашла мое сердце и сберегла его. Спрятала от этого чокнутого мира. Более того, она скрыла его и от меня, пока я не оказался в состоянии заботиться о нем самостоятельно. Она пыталась вернуть его два года назад, но мое сердце отказалось покидать ее. Оно никогда и ни за что ее не покинет.

— Вы самые упрямые люди из всех, кого я знаю, — говорит Вэнс, заказывая воду для Кимберли и бокал вина для себя. — Ты виделся с братом?

Я оглядываю комнату в поисках Смита и нахожу его сидящим в одиночестве через несколько столиков от Тессы. Я указываю на мальчика, и Вэнс просит меня узнать, не хочет ли он что-нибудь попить. Парень достаточно взрослый, чтобы самостоятельно заказать себе напиток, но мне уже надоело разговаривать с мистером и миссис Самодовольство, поэтому я иду к пустому столику и сажусь рядом с младшим братом.

— Ты был прав, — говорит Смит, глядя на меня.

— На счет чего на этот раз? — Я откидываюсь на украшенный стул и удивляюсь, как могут Лэндон и Тесса искренне называть эту свадьбу «скромной и простой», если здесь каждый стул обтянут какой-то хренью, похожей на штору.

— Насчет того, что свадьба — это скучно, — улыбается Смит.

У него не хватает нескольких зубов, в том числе одного переднего. Для умника, которому плевать на большинство людей, он выглядит достаточно мило.

— Надо было поспорить с тобой на деньги, — смеюсь я, возвращаясь взглядом к Тессе.

Смит тоже смотрит на нее.

— А она сегодня хорошенькая.

— Я предупреждал тебя не один раз: держись от нее подальше, парень. Не заставляй меня превращать свадьбу в похороны. — Я легонько бью его по плечу, и он демонстрирует мне кривую щербатую улыбку.

Мне хочется подойти к Тессе, скинуть со стула ее недоделанного доктора и занять его место рядом с ней. Хочется сказать ей, как она красива и как я горжусь тем, что она успешно учится в Нью-Йоркском университете. Мне хочется посмотреть, как она справится со своими нервами, хочется услышать ее смех и увидеть, как ее улыбка озаряет весь зал.

Я наклоняюсь к Смиту:

— Сделай мне одно одолжение.

— Какое?

— Можешь пойти поговорить с Тессой?

Залившись румянцем, он что есть силы мотает головой:

— Ни за что.

— Да ладно. Просто сделай это.

— Нет.

Упрямый ребенок.

— Помнишь, как ты хотел тот навороченный поезд, который папа тебе не купит?

— Да? — Ему становится интересно.

— Я куплю его тебе.

— Подкупаешь меня, чтобы я с ней поговорил?

— Ты чертовски прав.

Парнишка искоса смотрит на меня:

— Когда ты купишь?

— Если пригласишь ее потанцевать с тобой, то на следующей неделе.

Он торгуется:

— Нет, за танец поезд должен быть у меня завтра.

— Ладно. — Черт, трудно его в этом деле переплюнуть.

Он смотрит на столик Тессы, потом на меня.

— По рукам, — говорит он, вставая.

Что ж, это было легко.

Я наблюдаю, как он идет в ее сторону. Даже с расстояния в два столика от адресованной Смиту улыбки Тессы у меня захватывает дух. Подождав секунд тридцать, я подхожу к ее столику. Не обращаю внимания на сидящего рядом с ней парня и испытываю огромное счастье, когда при виде меня ее лицо озаряется радостью.

— Вот ты где, — говорю я, кладя руки на плечи мальчика.

— Потанцуешь со мной, Тесса? — спрашивает мой младший брат.

Такого она не ожидала. От смущения ее щеки заливаются румянцем, но я ее знаю: она ему не откажет.

— Конечно, — улыбается она Смиту, и как-его-там встает и помогает ей подняться. Вежливый ублюдок.

Тесса идет за Смитом на танцпол, и я благодарен Лэндону и его новоиспеченной жене за любовь к медленным сопливым песням. Они начинают танцевать: Смит выглядит несчастным, а Тесса заметно нервничает.

— Как у тебя дела? — спрашивает меня доктор, пока мы оба наблюдаем за одной и той же женщиной.

— Нормально, а у тебя? — Нельзя грубить этому парню, он все-таки встречается с девушкой, которую я буду любить всю жизнь.

— Хорошо, я сейчас на втором курсе медицинского.

— Так что, осталось только десять лет? — смеюсь я, пытаюсь быть настолько любезным, насколько это возможно по отношению к парню, который неравнодушен к Тессе.

Я заканчиваю разговор и иду к Тессе и Смиту. Она замечает меня первой и застывает на месте, когда встречается со мной взглядом.

— Не помешаю? — говорю я и оттаскиваю Смита за его парадную рубашку в сторону, пока кто-нибудь из них не надумал возразить. Мои руки немедленно ложатся на ее талию, касаясь бедер. Лишившись дара речи, я двигаюсь вслед за ней и чувствую, как от этих прикосновений меня захлестывают эмоции.

Прошло так много времени, слишком много времени с тех пор, как я в последний раз держал ее в объятиях. Несколько месяцев назад она приезжала в Чикаго на свадьбу подруги, но не позвала меня в качестве сопровождающего. Она пошла одна, но позже мы встретились и поужинали. Все прошло очень мило: она выпила бокал вина, мы съели напополам огромную порцию мороженого, обсыпанного конфетками и в избытке политого горячим шоколадом. Она предложила зайти к ней в отель и выпить еще — вино для нее и содовая для меня, — и мы уснули, после того как я занялся с ней любовью на полу ее номера.

— Подумал, что стоит спасти тебя, Смит немного низковат. Ужасный партнер для танцев, — произношу я, когда наконец получается что-то связно выговорить.

— Он рассказал мне, что ты его подкупил, — улыбается она, качая головой.

— Вот ведь гаденыш. — Я бросаю сердитый взгляд на предателя, который садится обратно на свое место, по-прежнему один.

— Вы очень сблизились, по крайней мере с тех пор, когда я в последний раз вас видела, — восторженно замечает она, и я, как бы ни старался, ничего не могу поделать с румянцем, заливающим щеки.

— Да, наверное, — пожимаю я плечами. Она крепче обнимает меня за плечи, и я вздыхаю. Черт возьми, вздыхаю в буквальном смысле слова, и знаю, что она меня слышит.

— Ты отлично выглядишь. — Она пристально смотрит на мой пирсинг. Я решил вставить кольцо обратно через несколько дней после того, как мы встретились в Чикаго.

— Отлично? Не знаю, хорошо ли это. — Я прижимаюсь к ней еще больше, и она не возражает.

— Очень хорошо, красавчик. Очень сексуально. — Последняя фраза слетает с ее пухлых губ случайно. Это ясно по тому, как широко раскрываются ее глаза и как она прикусывает нижнюю губу.

— Ты самая сексуальная женщина в этой комнате и всегда такой была.

Она слегка опускает голову, пытаясь спрятаться в лавине длинных светлых кудряшек.

— Не прячься. Не от меня, — тихонько говорю я. От этих знакомых слов меня охватывает ностальгия, и, судя по выражению ее лица, она чувствует то же самое.

Она торопится сменить тему:

— Когда выходит твоя новая книга?

— В следующем месяце. Ты ее прочитала? Я отправил тебе сигнальный экземпляр.

— Да, прочитала. — Я пользуюсь возможностью и притягиваю ее к груди. — Я прочла все твои книги, помнишь?

— И что думаешь? — Песня заканчивается, начинается другая. Когда женский голос наполняет комнату, мы смотрим друг другу в глаза.

— Эта песня, — тихо смеется Тесса. — Ну конечно, куда же без этой песни.

Я убираю выбившийся локон от ее глаз, и она, медленно моргнув, сглатывает.

— Я так рада за тебя, Хардин. Ты потрясающий автор, борец за восстановление самого себя и противник алкоголизма. Я видела интервью о твоем непростом детстве, которое ты дал «Таймс». — В ее глазах стоят слезы. Не сомневаюсь, что, если она заплачет, я потеряю остатки самообладания.

— Ничего особенного, — пожимаю я плечами, еще сильнее любя ее за то, что она мной гордится, но при этом испытывая вину из-за эмоций, которые в ней пробудил. — Ты должна знать, что я никогда не ожидал ничего подобного. Я имею в виду, что не хотел, чтобы тебе было перед всеми стыдно за то, что я написал эту книгу. — Я говорил ей это уже сотни раз, и она всегда отвечала одинаково.

— Не беспокойся об этом, — улыбается она, глядя на меня снизу вверх. — Все было не так плохо. Знаешь, ты многим помог. Очень многие любят твои книги. В том числе и я. — Тесса краснеет, и я тоже.

— Это должна быть наша свадьба, — выпаливаю я.

Она вдруг останавливается, и ее ослепительная кожа словно утрачивает сияние.

— Хардин, — сердито смотрит она на меня.

— Тереза, — поддразниваю я. Мне не до шуток, и она это знает. — Я думал, что, прочитав последнюю страницу, ты передумаешь. Я правда так думал.

— Пожалуйста, прошу общего внимания, — говорит сестра невесты в микрофон.

Эта женщина раздражает меня до чертиков. Она стоит на сцене посреди зала, но я едва могу рассмотреть ее из-за стоящего перед ней стола — такая она низкая.

— Нужно подготовиться к моей речи, — со стоном жалуюсь я, проводя рукой по волосам.

— Ты будешь произносить речь? — Тесса идет за мной к столику, предназначенному для свиты молодоженов. Должно быть, она забыла про своего доктора, но мне глубоко на это плевать. Признаться, я этому безумно рад.

— Да, я же шафер, забыла?

— Я помню. — Она нежно толкает меня в плечо, и я беру ее за руку. Я собирался поцеловать ее запястье, но меня останавливает черный кружок-татуировка.

— Что это еще за хрень? — Я подношу ее руку ближе к лицу.

— Я проиграла пари на свой двадцать первый день рождения, — смеется она.

— Ты и правда сделала себе татуировку в виде смайлика? Какого черта?

Я не могу сдержать смех, рвущийся наружу. Крошечная улыбающаяся рожица настолько нелепа и так плохо выполнена, что это даже забавно. Но я все равно хотел бы оказаться рядом, чтобы посмотреть, как его делали, не говоря уж про день рождения.

— Конечно, сделала, — гордо кивает она, проводя указательным пальцем по татуировке.

— У тебя есть еще татуировки? — спрашиваю я, надеясь, что она ответит отрицательно.

— Нет, только эта.

— Хардин! — зовет меня низкорослая женщина, и я осуществляю свое намерение поцеловать запястье Тессы. Она отдергивает руку — но не от отвращения, а от удивления. По крайней мере, я на это надеюсь, пока иду к сцене.

Лэндон с женой сидят во главе стола: он обнимает ее сзади, ее ладони покоятся на его руке. Ах, молодожены. Жду не дождусь следующего года, когда в это же самое время они будут готовы оторвать друг другу голову.

Хотя, возможно, у них все будет по-другому.

Я забираю микрофон у этой неприятной женщины и откашливаюсь:

— Привет.

Мой голос звучит чертовски странно, и по лицу Лэндона видно, что он будет наслаждаться моим выступлением.

— Как правило, я не люблю выступать перед толпой. Черт, обычно я вообще не люблю находиться рядом с людьми, так что буду краток, — обещаю я гостям. — Наверняка большинство из вас уже пьяны или подыхают со скуки, так что можете смело меня игнорировать.

— Ближе к делу, — смеется невеста Лэндона, поднимая бокал с шампанским. Лэндон согласно кивает, и я на глазах у всех показываю им средний палец. Тесса, стоящая в первом ряду, смеется, прикрывая рот рукой.

— Знаете, я все записал — не хотел забыть слова.

Я достаю из кармана смятую салфетку и расправляю ее.

— Познакомившись с Лэндоном, я его сразу возненавидел.

Все смеются, будто я пошутил, но это не так. Я действительно его ненавидел, но только потому, что ненавидел себя.

— У него было все, чего мне не хватало в жизни: семья, девушка, планы на будущее.

Когда я встречаюсь взглядом с Лэндоном, он улыбается и его щеки слегка краснеют. Скорее всего, дело в шампанском.

— Так или иначе, за прошедшие годы мы стали друзьями, даже семьей, и я многому научился у него касательно того, что значит быть мужчиной. Особенно в последние два года, учитывая все трудности, которые пришлось пережить этим двоим.

Я улыбаюсь Лэндону и его невесте, не желая слишком погружаться в эту наводящую тоску чепуху.

— Я скоро закончу. Главное, что я хочу тебе сказать, — это спасибо. Спасибо, Лэндон, за то, что оставался честным человеком и что задавал мне жару, когда это было необходимо. Можно сказать, что я тебя очень уважаю. И хочу, чтобы ты знал: ты заслуживаешь быть счастливым и женатым на любви всей своей жизни, и неважно, как быстро вы оба на это решились.

Толпа опять смеется.

— Вы никогда не поймете, насколько вам повезло провести жизнь со своей второй половинкой, пока вам не придется провести жизнь без нее.

Опустив микрофон, я кладу его на стол и в тот же момент краем глаза замечаю росчерк серебра в толпе. Гости опустошают бокалы после моего тоста, а я спешу покинуть сцену, чтобы устремиться за моей девочкой.

Когда я наконец догоняю Тессу, она распахивает дверь женского туалета и исчезает внутри. Я, не теряя ни секунды, забегаю следом и вижу, что она склоняется над мраморной раковиной, упершись в нее обеими руками.

Она поднимает голову и поворачивается ко мне, когда понимает, что я вбежал за ней. Ее глаза покраснели, а щеки залиты слезами.

— Ты не можешь так запросто говорить о нас. О наших душах. — Она заканчивает предложение, чуть ли не визжа.

— Почему нет?

— Потому что... — Похоже, ей сложно найти объяснение.

— Потому что ты знаешь, что я прав? — поначиваю я.

— Потому что нельзя говорить о таких вещах публично. Ты делаешь это и в своих интервью. — Она упирает руки в боки.

— Я пытался привлечь твое внимание. — Я делаю шаг ей навстречу.

Ее ноздри раздуваются, и на мгновение мне кажется, что она затопает ногами.

— Ты меня бесишь. — Ее голос смягчается, и ей никуда не деться от того, как она сейчас на меня смотрит.

— Конечно-конечно.

Я протягиваю к ней руки.

— Иди ко мне, — прошу я.

Она сдается, и я заключаю ее в объятия. Обнимать ее вот так в тысячу раз лучше любого секса. Ее по-прежнему тянет ко мне так, как можем понять только мы с ней, и это делает меня самым счастливым сукиным сыном на свете.

— Я очень по тебе скучал, — выдыхаю я в ее волосы.

Она кладет руки на мои плечи и стягивает с меня тяжелый смокинг. Дорогая тряпка падает на пол.

— Ты уверена? — Я держу ее прекрасное лицо в ладонях.

— С тобой я всегда уверена. — Я чувствую ее уязвимость и сладкое облегчение, когда она прижимается ко мне дрожащими губами, дыша медленно и глубоко.

Я отстраняюсь от нее слишком быстро, и ее руки падают с моего ремня.

— Только закрою дверь.

Хорошо, что в женском туалете есть стулья. Я подпираю двумя из них дверь, чтобы никто не мог войти.

— Мы правда это делаем? — спрашивает Тесса, когда я наклоняюсь, чтобы подтянуть ее длинное платье к талии.

— Ты удивлена? — смеюсь я между поцелуями.

За последние годы мне доставались только маленькие дозы ее любви.

— Нет. — Она торопливо расстегивает мои брюки, и у меня захватывает дух, когда она трогает мой член через трусы.

Прошло столько времени — слишком много времени.

— Когда ты последний раз?..

— С тобой в Чикаго, — говорю я. — А ты?

— Тоже.

Я отстраняюсь, чтобы заглянуть ей в глаза, и вижу в них только правду.

— Серьезно? — спрашиваю я, хотя могу читать ее лицо, как открытую книгу.

— Да, больше ни с кем. Только с тобой. — Она стягивает с меня трусы, и я, приподняв, сажаю ее на стойку и развожу ее широкие бедра.

— Черт, — прикусываю я язык, когда обнаруживаю, что на ней нет трусиков.

Она смущенно смотрит вниз:

— Из-за них на платье была складка.

— Ты сведешь меня в могилу, женщина. — Я тверд, как камень, когда ее ладошки начинают скользить по всему моему телу.

— Нужно поторопиться, — отчаянно поскуливает она, изнывая от желания.

Я чувствую, какая она мокрая, поглаживая ее клитор. Она стонет, ее голова откидывается к зеркалу, а ноги раздвигаются шире.

— Презерватив? — спрашиваю я, неспособный четко мыслить.

Когда она не отвечает, я засовываю в нее палец и обвиваю ее язык своим. В каждом поцелуе признание.

«Я люблю тебя», — пытаюсь показать я ей.

«Ты мне нужна», — посасываю я ее нижнюю губу. «Я не могу снова потерять тебя». — Я вставляю член, заполняя ее, и с наших губ одновременно срывается стон.

— Черт, как тесно, — выдыхаю я.

Похоже, я опозорюсь и кончу через пару секунд, но дело не в сексуальном удовлетворении. Я хочу показать ей и себе, что наша любовь действительно неизбежна. Мы — сила, с которой нельзя не считаться, сколько бы ни мы, ни кто-либо еще не боролись с ней.

Мы принадлежим друг другу, и это бесспорно.

— О боже.

Она впивается ногтями в мою спину, когда я выхожу из нее, а затем захожу снова, на этот раз на всю длину. Сливаясь со мной воедино, ее теплые недра приспосабливаются к моему члену, как это всегда было раньше.

— Хардин, — стонет Тесса, уткнувшись мне в шею.

Она покусывает меня, и я чувствую, как по позвоночнику пробегает дрожь, близится облегчение. Я кладу одну руку ей на спину, прижимая ближе к себе, и слегка приподнимаю, чтобы войти еще глубже, а другой сгребаю в охапку ее полную грудь. Она выскальзывает из платья, а я, посасывая кожу и лаская губами твердые соски, со стоном зову ее по имени и кончаю.

Пока я глажу ее клитор, она с каждым движением выдыхает мое имя. Звука, с которым шлепаются о меня ее бедра, и нагревшейся стойки достаточно, чтобы мой член снова затвердел. Черт, прошло столько времени, а никого лучше ее для меня просто быть не может. Ее тело требует, полностью порабощает меня.

— Я люблю тебя.

Ее голос напряжен, она кончает. Теряет себя со мной и снова находит. Оргазм Тессы кажется бесконечным, и мне это чертовски нравится. Ее тело расслабляется, она прислоняется ко мне и, примостив голову на груди, пытается восстановить дыхание.

— Знаешь, я ведь это расслышал. — Я целую ее покрытый бисеринками пота лоб, а она улыбается, как безумная.

— У нас все так запуталось, — шепчет она, поднимая голову и встречаясь со мной взглядом.

— Бесспорно, прекрасно, хаотично запуталось.

— Не надо изображать со мной писателя, — поддразнивает она, до сих пор не отдышавшись.

— Не прячь от меня свои чувства. Я знаю, что ты тоже скучала.

— Да-да. — Она обнимает меня за талию, а я убираю волосы с ее лба.

Я счастлив, черт возьми, просто в восторге: после всего, что между нами было, она здесь, со мной, в моих объятиях, улыбающаяся, смеющаяся, игривая, и я ни за что не испорчу этот момент. Я прошел трудный путь к пониманию того, что жизнь не обязательно должна быть сражением. Иногда тебе с самого начала протягивают руку помощи, а иногда ты делаешь ошибку за ошибкой, но надежда есть всегда.

Всегда наступает следующий день, всегда есть способ исправить то, что натворил, и загладить вину перед людьми, которым причинил боль. И всегда есть тот, кто любит тебя, даже если кажется, что ты совсем один и просто плывешь по течению в ожидании очередной неприятности. Впереди всегда есть что-то хорошее.

Его сложно разглядеть, но оно есть. Тесса всегда была рядом, несмотря на все мое дерьмо и ненависть к себе. Тесса была рядом, несмотря на мои пороки, самобичевание и идиотское поведение. Она была рядом, пока я искал свой путь, держала меня за руку, помогая преодолеть трудности. Она все равно была рядом, даже после того, как ушла от меня.

Я никогда не терял надежду, потому что Тесса и есть моя надежда.

Всегда была и будет.

— Останешься со мной сегодня ночью? Можем уехать прямо сейчас. Просто останься со мной, — умоляю я.

Отстранившись, она прячет грудь в платье и поднимает на меня глаза. У нее поплыл макияж, щеки раскраснелись.

— Могу я с тобой кое о чем поговорить?

— С каких пор ты спрашиваешь о таких вещах? — Я легонько касаюсь указательным пальцем кончика ее носа.

— Действительно, — улыбается она. — Меня бесит, что ты не приложил больше усилий.

— Но я...

Она вздевает палец кверху, призывая меня к молчанию.

— Меня бесит, что ты не приложил больше усилий, но я не имею права даже заговаривать об этом, потому что мы оба знаем, что это я тебя оттолкнула. Я продолжала давить и давить, ожидая от тебя слишком многого, и очень сердилась из-за книги и всего того нежеланного внимания. Я позволила случившемуся управлять моими мыслями. Мне казалось, что я не могла простить тебя из-за мнения окружающих, но сейчас я жутко злюсь на себя, что вообще их слушала. Мне плевать, что говорят о нас или обо мне. Важно только то, что думают обо мне близкие, а они любят и поддерживают меня. Я просто хочу сказать, что сожалею о том, что прислушивалась к чужим голосам.

Я стою перед стойкой, на которой по-прежнему сидит Тесса, и молчу. Не ожидал. Не ожидал такого

поворота. На этой свадьбе я надеялся получить хотя
бы ее улыбку.

— Я не знаю, что и сказать.

— Что ты прощаешь меня? — нервно шепчет она.

— Конечно, прощаю, — смеюсь я. Она что, сошла
с ума? Конечно, я ее прощаю. — А ты простишь меня
за все? Или почти за все?

— Да, — кивает она и берет меня за руку.

— Теперь я и правда не знаю, что сказать. — Я провожу рукой по волосам.

— Может быть, скажешь, что все еще хочешь на мне
жениться? — Ее глаза широко распахнуты, а у меня
такое ощущение, что мои сейчас вылезут из орбит.

— Что?

Она заливается румянцем:

— Ты меня слышал.

— Жениться на тебе? Десять минут назад ты меня
ненавидела. — Она точно сведет меня в могилу.

— Вообще-то десять минут назад мы занимались
сексом на этой стойке.

— Ты серьезно? Ты хочешь за меня замуж? — Поверить не могу, что она это говорит. Черт возьми, быть
такого не может. — Ты пила? — Я пытаюсь вспомнить, чувствовался ли привкус алкоголя на ее языке.

— Нет, я выпила бокал шампанского больше часа
назад. Я не пьяна, просто устала бороться с этим. Мы
неизбежно возвращаемся друг к другу, помнишь? —
шутит она с чудовищным британским акцентом.

Я закрываю ей рот поцелуем.

— Мы самая неромантичная пара в целом мире,
ты ведь знаешь об этом? — Я провожу языком по ее
мягким губам.

— «Романтика переоценивается, нынче в моде ре-
ализм», — цитирует она мою последнюю книгу.

Я люблю ее. Черт, я безумно люблю эту женщину.

— Ты выйдешь за меня? Правда, выйдешь?

— Не сегодня и не завтра, но я подумаю об этом. — Она слезает со стойки и поправляет платье.

— Конечно, — улыбаюсь я.

Я привожу в порядок одежду, пытаясь осознать все происходящее. Тесса вроде как согласилась выйти за меня замуж. Охренеть!

Она игриво пожимает плечами.

— Вегас. Поехали в Вегас прямо сейчас. — Порывшись в кармане, я достаю ключи от машины.

— Ни за что. Я не выйду замуж в Вегасе. Ты сумасшедший.

— Мы оба сумасшедшие, кому какое дело?

— Ни за что, Хардин.

— Почему нет? — умоляю я, беря ее лицо в свои ладони.

— До Вегаса ехать пятнадцать часов, — сердито смотрит она на меня, потом на наше отражение в зеркале.

— Тебе не кажется, что пятнадцать часов — как раз вполне достаточное количество времени, чтобы все обдумать? — шучу я, отодвигая стулья от двери.

Затем Тесса удивляет меня по-настоящему.

— Да, думаю, ты прав, — говорит она, склонив голову набок.

Эпилог

ХАРДИН

Поездка в Вегас была ошеломляющей. Первые два часа мы потратили на придумывание всяких сценариев идеального венчания в Вегасе. Раскрасневшаяся Тесса смотрела на меня, поигрывая кончиками своих вьющихся волос, с такой счастливой улыбкой, какой я давно не видел.

— Интересно, так ли легко пожениться в Вегасе, как говорят? В последнюю минуту. Как Росс и Рэйчел[1], — спросила она, уткнувшись в телефон.

— Ты ищешь в Интернете? — Я переложил руку ей на бедро и открыл окно взятой напрокат машины.

Где-то недалеко от Бойсе, столицы штата Айдахо, мы остановились перекусить и заправиться. Тесса начала засыпать, ее голова клонилась вперед, и она с трудом держала глаза открытыми. Я припарковался у переполненного придорожного кафе и нежно потряс ее за плечо, чтобы разбудить.

— Уже Вегас? — пошутила она, прекрасно зная, что мы проехали едва ли половину пути.

Мы выбрались из машины, и я последовал за ней в туалет. Мне всегда нравились такие заправки: хорошо освещенные и с забитыми парковками. Меньше шансов, что тебя убьют и все такое.

Когда я вышел из туалета, Тесса стояла у одного из многочисленных стеллажей со снеками. В руках у нее

---

[1] Герои популярного в США ситкома «Друзья», которые поженились в Лас-Вегасе.

уже была куча всякой всячины, которую она с трудом могла удержать: пакетики с чипсами, шоколадки, энергетики.

Я сделал шаг назад и секунду просто внимательно разглядывал стоящую передо мной девушку. Девушку, которая станет моей женой всего через несколько часов. Моей женой. После всего, через что нам пришлось пройти, после всех ссор насчет свадьбы, в которую, если честно, ни один из нас уже не верил, мы едем в Вегас, чтобы связать себя узами брака в маленькой часовне. В двадцать три года я стану мужем — мужем Тессы — и не могу представить ничего другого, что могло бы подарить мне больше счастья.

Даже такого ублюдка, как я, ждет счастливый конец. Она будет улыбаться мне, сдерживая слезы, а я буду отпускать глупые шутки насчет двойника Элвиса, прошедшего мимо во время церемонии.

— Ты только посмотри, Хардин. — Тесса локтем показала на огромное количество разнообразных снеков.

На ней были спортивные штаны — да, те самые. Она ехала на свадьбу в штанах для йоги и толстовке на «молнии» с логотипом Нью-Йоркского университета, но собиралась переодеться, когда мы заселимся в какой-нибудь отель. Однако на ней не будет свадебного платья, как я всегда мечтал.

— Ничего, что у тебя нет свадебного платья? — выпалил я.

Ее глаза немного расширились, она улыбнулась и покачала головой:

— Откуда такие мысли?

— Просто интересно. Ведь у тебя будет не такая свадьба, о какой мечтают все женщины. Ни цветов, ни прочей ерунды.

Она сунула мне в руки пакет каких-то ядовито-оранжевых кукурузных палочек. Мимо прошел пожилой мужчина и улыбнулся ей, но, встретившись со мной взглядом, быстро отвернулся.

— Цветы? Да ладно! — Она закатила глаза, и пошла дальше, проигнорировав, то, что я закатил глаза в ответ. Я бросился за ней, чуть не споткнувшись о вертлявого ребенка в кроссовках с подсветкой, который шел, держа мать за руку.

— А как же Лэндон? А твоя мама и Дэвид? Разве тебе не хочется, чтобы они были рядом? — спросил я.

Она повернулась ко мне, и я увидел, что она задумалась. Во время поездки наши головы были настолько затуманены решением пожениться в Вегасе, что мы оторвались от реальности.

— Ох, — вздохнула она, глядя на меня, пока я ее догонял.

Мы шли к кассе, и я точно знал, о чем она думает: Лэндон и ее мама должны присутствовать на нашей свадьбе. По-другому и быть не может. И Карен — если Карен не увидит, как я женюсь на Тессе, ее сердце будет разбито.

Мы заплатили за нашу неполезную еду и кофеин. Вернее, она настояла и заплатила сама. Я не стал возражать.

— Ты не передумала? Детка, говори как есть. Мы можем подождать, — сказал я, пристегиваясь. Она открыла пакет с оранжевыми кукурузными палочками и засунула одну в рот.

— Нет, не передумала, — ответила она.

Но я чувствовал, что мы поступаем неправильно. Она хотела выйти за меня замуж, и я знал, что хочу провести с ней всю жизнь, но нельзя, чтобы все начиналось так. Мне хотелось, чтобы наши семьи были на свадьбе. Мне хотелось, чтобы мой младший брат и малышка Эбби принимали участие в церемонии: шли вдоль рядов, разбрасывали цветы и рис и делали всю ту фигню, которую поручают детишкам во время свадеб. Я помню, как сияли глаза Тессы, когда она с гордостью рассказывала о том, сколько сил вложила в организацию свадьбы Лэндона.

Мне хотелось идеальной свадьбы для моей Тессы, поэтому, когда спустя полчаса она заснула, я развернул машину и отвез ее обратно в дом Кена. Проснувшись, она удивилась, но совсем не рассердилась и, отстегнув ремень безопасности, забралась ко мне на колени и поцеловала меня. По ее щекам струились теплые слезы.

— О боже, как же я люблю тебя, Хардин, — прошептала она, уткнувшись мне в шею.

Мы еще целый час просидели в машине, я держал ее на коленях. Когда я рассказал ей, что хочу, чтобы Смит разбрасывал рис на нашей свадьбе, она рассмеялась, подметив, что он, наверное, будет делать это с огромной тщательностью, бросая одно зернышко за другим.

Два года спустя

ТЕССА

В день окончания университета я очень гордилась собой. Все в моей жизни было прекрасно, за исключением того, что я больше не хотела работать в издательском деле. Да, Тереза Янг, помешанная на планировании каждой детали своего будущего, передумала в середине учебы.

Все началось с того, что невеста Лэндона не захотела оплачивать услуги свадебного организатора. Она твердо стояла на своем, хотя не имела ни малейшего представления, как устраиваются свадьбы. Лэндон, будучи идеальным возлюбленным, помогал: сидел с нами допоздна, просматривая журналы, пропускал занятия, чтобы продегустировать по два раза десяток разных тортов. Мне нравилось чувствовать себя ответственной за такой важный для многих людей день. Это моя отличительная черта: я хорошо умею планировать и придумывать что-то для других.

Во время свадьбы я думала, что не отказалась бы заниматься этим — просто в качестве хобби. Однако с течением времени зачастила на свадебные выставки, а потом вдруг обнаружила, что руковожу организацией свадьбы Кимберли и Кристиана.

Я продолжала работать в нью-йоркском отделении «Вэнс», потому что нужны были деньги. Хардин переехал в Нью-Йорк, и мы жили вместе. Я запретила ему оплачивать мои счета, пока разбиралась с тем, чем заниматься дальше. Конечно, я очень гордилась своим дипломом, но мне просто уже не хотелось работать в этой сфере. Моя любовь к чтению навечно останется неизменной — книги навсегда связаны с моей душой, но я просто передумала. Так уж вышло.

Хардин постоянно зудел по этому поводу, ведь я всегда была так уверена насчет выбора профессии. Но прошли годы, я выросла и поняла, что не имела ни малейшего представления, кто я такая, когда поступала в Центральный Вашингтонский университет. Разве можно ожидать от людей осознанного выбора в том, чем они будут заниматься до конца жизни, если их жизнь только начинается?

Лэндон уже определился с работой: учитель пятых классов в средней школе Бруклина. У Хардина, попавшего в список авторов бестселлеров «Нью-Йорк таймс» всего в двадцать пять лет, вышло уже четыре книги. Что до меня, то я все еще искала свой путь, но меня это вполне устраивало. Я не спешила, как раньше. Мне хотелось выждать и убедиться, что каждый выбор, который я делаю, ведет к счастью. Впервые в жизни я считала свое счастье важнее счастья других людей, и это было здорово.

Я разглядывала свое отражение в зеркале. За прошедшие четыре года мне часто казалось, что не удастся окончить учебу, но вот она я — выпускница университета. Хардин аплодировал, а мать плакала. Они даже сели вместе.

Мать зашла в ванную комнату и замерла рядом.

— Я так горжусь тобой, Тесса.

На ней было вечернее платье, не очень подходящее для церемонии вручения дипломов, но ей хотелось произвести впечатление, впрочем, как и всегда. Ее светлые волосы были завиты и идеально уложены, а ногти выкрашены в цвет моего выпускного наряда и шапочки. Это было уже чересчур, но она мною очень гордилась, и мне не хотелось портить ей настроение. Она воспитала меня так, чтобы я добилась в жизни того, чего не удалось ей, и теперь, будучи взрослой, я это поняла.

— Спасибо, — отозвалась я, когда она протянула мне свой блеск для губ. Я с радостью приняла его, хотя не собиралась поправлять макияж, да и необходимости в этом не было. Она осталась довольна, когда я не стала спорить.

— Хардин еще там? — спросила я. Блеск был слишком липким и, на мой вкус, чересчур темным, но я все равно улыбнулась.

— Он развлекает Дэвида. — Мать тоже улыбнулась, и на душе у меня стало теплее. Она пробежала пальцами по локонам. — Пригласил его на свое выступление на том благотворительном мероприятии.

— Это будет интересно.

Отношения между матерью и Хардином были уже не такими напряженными, как раньше. Хардин никогда не станет ее любимчиком, но за прошедшие годы он заслужил ее уважение, чему раньше я бы ни за что не поверила.

Я тоже научилась заново уважать Хардина Скотта. Больно оглядываться на последние четыре года моей жизни и вспоминать, каким он был раньше. Я тоже не была идеальной, но он так крепко держался за свое прошлое, что сломил меня. Он совершал ошибки — огромные и разрушительные, — но заплатил за них сполна. Он никогда не будет самым спокойным, приятным и дружелюбным человеком на свете, но он мой. И всегда был моим.

Когда я переехала в Нью-Йорк с Лэндоном, мне нужно было побыть на расстоянии от Хардина. Мы виделись «время от времени», если вообще можно так про нас выразиться. Он не настаивал, чтобы я переехала в Чикаго, а я не просила его перебраться в Нью-Йорк. Только где-то через год после свадьбы Лэндона он наконец переехал. До этого мы поддерживали отношения, навещая друг к друга при первой возможности, — Хардин делал это чаще, чем я. Внезапные «рабочие поездки», требующие его присутствия в Нью-Йорке, всегда вызывали у меня подозрения, но я была страшно счастлива, когда он наведывался, и каждый раз не хотела его отпускать.

Мы сняли скромную квартиру в Бруклине. Несмотря на его огромные заработки, Хардин хотел поселиться в таком месте, за которое я тоже смогу платить. В промежутках между планированием свадеб и подготовкой к занятиям я работала в ресторане, и он почти не жаловался.

Мы до сих пор не поженились, и это сводило его с ума. Я по-прежнему колебалась. Да, я хотела стать его женой, но устала развешивать ярлыки на все подряд. Мои убеждения изменились, и ярлык брака был мне уже не нужен.

Словно прочитав мои мысли, мать наклонилась и поправила мое ожерелье.

— Вы уже назначили дату? — спросила она уже в третий раз за неделю.

Мне нравилось, когда мать, Дэвид и его дочка приезжали к нам в гости, но она сводила меня с ума своей новой навязчивой идеей — моей свадьбой. Вернее, ее отсутствием.

— Мама, — предостерегла я.

Я вытерпела ее нескончаемые попытки воспитывать меня и утром даже разрешила выбрать мне украшения, но по этому поводу развлечься за мой счет не получится.

Она примирительно подняла руки и улыбнулась:

— Ладно.

Она слишком быстро сдалась. Когда она поцеловала меня в щеку, я поняла, что здесь что-то нечисто, и вышла вслед за ней из ванной. Мое раздражение тут же улетучилось — я увидела Хардина, подпирающего стену. Он завязывал свои длинные волосы в хвост. Мне нравилось, когда у него были длинные волосы. При виде Хардина, занимающегося волосами, мать сморщила нос, и ее отвращение заставило меня по-детски рассмеяться.

— Я как раз спрашивала Тессу, не назначили ли вы дату свадьбы? — спросила она. Хардин обнял меня за талию и уткнулся лицом в шею. Я почувствовала его дыхание, когда он сдавленно фыркнул.

— Был бы рад вам ее сообщить, — проговорил он, подняв голову. — Но вы же знаете, какая она упрямая.

Мать согласно кивнула, а я ощутила раздражение и одновременно гордость за то, что эти двое объединились против меня.

— Знаю. Она переняла это у тебя, — подколола она Хардина.

Подошел Дэвид и поднес ее руку к губам.

— А ну-ка хватит. Она только что закончила университет, дайте ей хоть немного времени.

Я благодарно ему улыбнулась, а он подмигнул, снова целуя мамину руку. Он был с ней очень нежен, и я это ценила.

Еще два года спустя

ХАРДИН

Мы уже больше года пытались забеременеть. Тесса знала, что шансы невелики. Я понимал, что все было против нас, впрочем, как и всегда. Но мы все равно надеялись. Надеялись, следя за благоприятными для зачатия днями и сроками овуляции. Мы беспрерывно трахались, при каждом удобном случае неустанно занимались любовью. Она перепробовала самые смехотворные бабушкины советы, и я даже выпил какой-то горько-сладкий отвар с непонятными комками — Тесса клялась, что он помог мужу ее подруги.

В семье Лэндона через три месяца должна была родиться девочка, и нас попросили стать крестными маленькой Эдделин Роуз. Я вытирал слезы со щек Тессы, когда она помогала планировать праздник для будущих родителей, и прятал грусть, когда мы помогали раскрашивать детскую Эдди.

Было обычное утро. Я только закончил разговаривать с Кристианом. Мы обсуждали поездку Смита, который должен был навестить нас этим летом и остаться на пару недель. Кристиан сделал вид, что звонил только для этого, но на самом деле пытался подкинуть мне идею. Он хотел, чтобы я опубликовал свою очередную книгу в «Вэнс». Честно говоря, это была отличная мысль, но я прикидывался, что это не так. Хотел попарить ему мозги и притворялся, что жду лучшего предложения.

Тесса ворвалась в квартиру, одетая в спортивный костюм. Ее щеки раскраснелись от холодного мартовского воздуха, а волосы растрепались на ветру. Она вернулась со своей обычной прогулки до дома Лэндона. Однако казалось, что она в спешке, даже в панике. У меня в груди сжалось сердце.

— Хардин! — воскликнула она и прошла через гостиную на кухню. В ее глазах виднелись красные прожилки, и мое сердце рухнуло в бездну.

Я встал, но она вскинула руку, показывая, чтобы я подождал минутку.

— Смотри, — сказала она, порывшись в кармане куртки. Я молча и нетерпеливо ждал, пока она раскроет ладонь.

Там была маленькая палочка. За прошедший год я повидал слишком много неудачных тестов на беременность, чтобы придавать им какое-то особенное значение, но по тому, как дрожала ее рука и как надломился голос, когда она заговорила, все сразу стало понятно.

— Да? — вот и все, что я смог сказать.

— Да, — кивнула она.

Ее голос был едва различим, но полон жизни. Я посмотрел на нее, и она коснулась руками моего лица. Я даже не заметил, что плачу, пока она не начала вытирать мои слезы.

— Ты уверена? — спросил я как дурак.

— Да, точно.

Она попыталась засмеяться, но потом вслед за мной расплакалась от счастья. Я обнял ее и посадил на стойку, а затем приложил голову к ее животу и пообещал малышу, что стану лучшим отцом, чем оба моих папаши вместе взятые. Лучшим, чем кто бы то ни был до меня.

Тесса собиралась на свидание с Лэндоном и его женой, а я листал один из многочисленных свадебных журналов, которые она разбрасывала по квартире, когда услышал какой-то звук. Почти нечеловеческий звук.

Он доносился из ванной рядом с нашей спальней, и я, вскочив, помчался туда.

— Хардин! — снова позвала Тесса. Я уже добежал до двери, и на этот раз мука в ее голосе была еще более явной.

Я распахнул дверь и увидел, что она сидит на полу возле унитаза.

— Что-то не так! — воскликнула она, обхватив живот своими ручками. Ее покрытые кровью трусики валялись рядом, и, увидев их, я поперхнулся и лишился дара речи.

Через мгновение я плюхнулся рядом и обхватил ладонями ее лицо.

— Все будет хорошо, — солгал я, доставая из кармана телефон.

Интонация нашего доктора и понимающий взгляд Тессы подтвердили мои самые страшные опасения.

Я отнес любимую в машину и во время этой долгой, очень долгой дороги до больницы понемногу умирал с каждым ее всхлипом.

Через тридцать минут мы получили ответ. Нам очень тактично сообщили, что Тесса потеряла ребенка, но это никак не могло сдержать пронизывающую боль, которая появлялась каждый раз, когда я замечал полнейшее опустошение в ее глазах.

— Мне жаль, так жаль, — плакала она у меня на груди, когда медсестра оставила нас одних.

Я взял ее за подбородок и заставил посмотреть мне в глаза.

— Нет, детка. Тебе не за что просить прощения, — повторял я снова и снова. Нежно убрав волосы с ее лица, я изо всех сил старался не думать о том, что мы потеряли самое важное в нашей жизни.

Когда той ночью мы вернулись домой, я напомнил Тессе, как я ее люблю, какой чудесной матерью она однажды станет, а она плакала у меня на руках, пока не уснула.

Убедившись, что она не проснется, я вышел в коридор, прошел в детскую и, открыв стенной шкаф, упал на колени. Еще было слишком рано, чтобы узнавать пол ребенка, но последние три месяца я собирал разные вещички и складывал их здесь в мешочки и коробочки. Мне нужно было взглянуть на них еще раз перед тем, как выкинуть. Нельзя показывать это Тессе. Нельзя, чтобы она увидела крошечные желтые ботиночки, присланные Карен. До того как она встанет, я избавлюсь от всего этого и разберу колыбельку.

На следующее утро я проснулся от того, что Тесса меня обнимает. Я лежал на полу пустой детской комнаты. Она ни слова не сказала по поводу исчезнувшей мебели и пустого шкафа. Просто села рядом со мной, положила голову мне на плечо и водила пальцем по контурам татуировок на руках.

Спустя десять минут у меня в кармане завибрировал телефон. Я прочитал сообщение, но не знал, как Тесса отреагирует на эту новость. Она приподнялась и сосредоточилась на экране телефона.

— Эдди на подходе, — прочитала она вслух. Я обнял ее крепче, и она, грустно улыбнувшись, выскользнула из моих объятий, чтобы сесть прямо.

Я долго смотрел на нее, по крайней мере так казалось, и думали мы об одном и том же. Поднявшись с пола несостоявшейся детской комнаты, мы нацепили улыбки и приготовились поддержать своих лучших друзей.

— Когда-нибудь и мы станем родителями, — пообещал я моей девочке, когда мы ехали в больницу, чтобы поприветствовать нашу крестницу в этом мире.

Еще год спустя

ХАРДИН

Мы как раз решили сделать перерыв в попытках забеременеть. Я ясно помню, что была зима. Тесса вприпрыжку влетела в кухню. На ней было светло-розовое кружевное платье, а волосы собраны в изящный пучок. По непонятной причине она еще и накрасилась не как обычно. Она буквально светилась, и я, отодвинув стул, на котором сидел, предложил ей забраться ко мне на колени. Она прижалась ко мне: ее волосы пахли ванилью и мятой, а тело было таким мягким. Я коснулся губами ее шеи, и она вздохнула, положив руки на мои разведенные колени.

— Привет, детка, — сказал я, не отрываясь от ее кожи.

— Привет, папочка, — прошептала она в ответ.

Я приподнял бровь. Это ее «папочка» заставило мой член дернуться, а она медленно провела руками вверх по моим бедрам.

— Значит, папочка? — хрипло произнес я, а она захихикала — глупо и не к месту.

— Не тот папочка, о котором ты подумал. Извращенец. — Она нежно и игриво шлепнула меня по выпуклости на брюках. Я положил руки ей на плечи и повернул к себе.

Она снова усмехнулась, а потом и вовсе разулыбалась. Я никак не мог взять в толк, о чем она говорит.

— Видишь?

Она засунула руку в карман платья и что-то достала. Это была какая-то бумажка. Конечно, я ничего не понял. Но всем хорошо известно, что до меня никогда не доходит сразу всякая важная хрень. Она развернула листочек и вложила его мне в руку.

— Что это? — уставился я на расплывчатый текст.

— Ты ужасно портишь момент, — проворчала она.

Я рассмеялся и поднес бумажку к лицу.

«Тест мочи положительный», — было написано там.

— Черт, — воскликнул я и от удивления что было сил сжал листочек.

— Черт? — засмеялась она.

Ее серо-голубые глаза светились волнением.

— Боюсь слишком радоваться раньше времени, — торопливо призналась она.

Я потянулся к ее руке и смял бумажку между нашими пальцами.

— Не бойся. — Я поцеловал ее в лоб. — Мы не знаем, что произойдет, поэтому можем радоваться как угодно, если, черт возьми, нам того хочется. — И снова прижал губы к ее лбу.

— Нам нужно чудо, — кивнула она, пытаясь пошутить, но ее слова прозвучали серьезно.

Спустя семь месяцев на свет появилось маленькое светловолосое чудо, которое мы назвали Эмери.

Еще шесть лет спустя

ТЕССА

Я сидела за кухонным столом нашей новой квартиры и стучала по клавишам ноутбука. На мне висела организация сразу трех свадеб, и я была беременна нашим вторым ребенком. Маленьким мальчиком. Мы решили назвать его Оден.

Оден должен был родиться большим мальчиком — мой живот раздуло, а кожа снова покрылась растяжками. Беременность подходила к концу, и я очень устала, но твердо решила работать до конца. До первой из трех свадеб оставалась всего неделя, поэтому сказать, что я была занята, значит ничего не сказать. Ноги у меня отекли, и Хардин ворчал насчет того, что я слишком много работаю, но понимал, когда стоит остановиться. Я наконец стала неплохо зарабатывать и понемногу приобретала известность. Пробиться в сферу брачных услуг в Нью-Йорке — не самое легкое дело, но мне это все-таки удалось. Благодаря помощи подруги мой бизнес расширялся, а телефон и электронная почта трещали по швам от заказов.

Одна из невест была в панике: ее мать в последний момент решила взять с собой на свадьбу нового мужа, и теперь нужно было менять рассадку гостей. Ничего сложного.

Входная дверь распахнулась, и Эмери промчалась мимо меня по коридору. Ей уже исполнилось шесть. Ее волосы, еще более светлые, чем у меня, были скручены в растрепанный пучок, — утром перед школой Хардин делал ей прическу, пока я была у доктора.

— Эмери? — позвала я, когда она хлопнула дверью своей комнаты.

То, что Лэндон работает в школе, которую посещают Эдди и Эмери, значительно облегчает мою жизнь, особенно когда приходится так много работать.

— Оставь меня в покое! — закричала она.

Я встала, и мой живот коснулся стойки, когда я двинулась вперед. Хардин вышел из нашей спальни, голый по пояс, в черных джинсах, висящих на бедрах.

— Что это с ней? — спросил он.

Я пожала плечами. Наша маленькая Эмери выглядела такой же милой, как ее мама, но характером пошла в папу. Эта гремучая смесь делала нашу жизнь очень колоритной.

— Я вас слышу! — громко выкрикнула Эмери, и Хардин слегка рассмеялся.

Ей всего шесть, но она уже была настоящим торнадо.

— Я поговорю с ней, — сказал он и, сходив в спальню, вернулся с черной футболкой в руках.

Наблюдая, как он натягивает ее через голову, я вспомнила парня, которого повстречала во время своей первой недели в университете.

Когда он постучался в комнату Эмери, она начала сердиться и жаловаться, но он все равно вошел. Когда дверь закрылась, я подошла и прижалась к ней ухом.

— Что с тобой, малышка? — раскатился по комнате голос Хардина.

Эмери была бойцом, но обожала Хардина, и мне очень нравилось, как они общаются. Он был очень терпеливым и забавным отцом.

Я опустила руку вниз и, погладив живот, обратилась к маленькому мальчику, который был там:

— Ты будешь любить меня больше, чем своего папочку.

У Хардина уже есть Эмери, Оден будет моим. Я часто повторяла это Хардину, на что он только смеялся и говорил, что я слишком слабый соперник для Эмери, поэтому она и любит отца больше.

— Эдди плохо себя ведет, — сердито заявила моя маленькая копия, принадлежащая Хардину.

Я представила, как она расхаживает по комнате, совсем как ее отец, и откидывает светлые волосы со лба.

— Правда? Но почему? — В голосе Хардина послышался сарказм, но вряд ли Эмери его заметила.

— Просто она такая. Я больше не хочу с ней дружить.

— Ну, детка, она член нашей семьи. От этого никуда не денешься. — Наверное, Хардин улыбался, наслаждаясь драматизмом мира шестилетнего ребенка.

— А можно завести новую семью?

— Нет, — усмехнулся он, а я, прикрыв ладонью рот, тихо рассмеялась. — Когда я был моложе, то довольно долго хотел другую семью, но так не бывает. Ты должна попытаться быть счастливой с той семьей, которая у тебя есть. Если у тебя будет новая семья, значит, будут новые мама и папа и...

— Нет! — Похоже, Эмери настолько не понравилась эта мысль, что она даже не дала ему договорить.

— Вот видишь, — сказал Хардин. — Тебе нужно научиться принимать Эдди и ее плохие поступки. Мама тоже иногда принимает плохие поступки папы.

— Ты тоже плохо себя ведешь? — спросила она тоненьким голосом.

Мое сердце затрепетало.

«Да, черт возьми, еще как», — хотелось сказать мне.

— Да, черт возьми, еще как, — сказал он за меня.

Я закатила глаза и поставила себе мысленную пометку напомнить ему, чтобы не выражался при дочери. Он уже делает это не так часто, как раньше, но все равно.

Эмери начала рассказывать, как Эдди объявила, что они больше не лучшие подруги. Хардин, будучи прекрасным отцом, внимательно слушал и комментировал каждую фразу. К тому моменту, как они закончили разговор, я заново влюбилась в своего мрачного парня.

Когда он вышел из комнаты и закрыл за собой дверь, я стояла, прислонившись к стене. Увидев меня, он улыбнулся.

— Жизнь в первом классе — тяжелая штука, — рассмеялся он, и я обняла его за талию.

— Ты так хорошо с ней ладишь. — Я прижалась к нему, но живот не давал приблизиться вплотную.

Еще десять лет спустя

ХАРДИН

— Папа, ты что, серьезно? — Сидя за кухонной стойкой, Эмери сверлила меня взглядом, постукивала накрашенными ноготками по гранитной столешнице и закатывала глаза, прямо как ее мама.

— Да, серьезно. Я уже сказал: маленькая ты еще, чтобы отправляться в такие поездки.

Я дотронулся до повязки на руке. Вчера вечером я подправил некоторые из моих татуировок. Удивительно, сколько из них потускнели с годами.

— Мне семнадцать. Это поездка для старшеклассников. Дядя Лэндон разрешил Эдди в прошлом году! — громко воскликнула моя красавица дочь.

У нее прямые светлые волосы ниже плеч. Она накручивала их на палец, а ее зеленые глаза излучали трагизм, пока она продолжала отстаивать свою позицию, утверждая, что я худший отец на свете и все такое.

— Это нечестно. У меня средний балл «четыре», и ты говорил...

— Хватит, милая.

Я отправил тарелку с завтраком прямо к ней по кухонной стойке, и она уставилась на яичницу так, будто та виновата в том, что ее жизнь рухнула, не меньше меня.

— Прости, но ты не едешь. Если только не передумаешь и не возьмешь меня сопровождающим.

— Нет. Ни за что, — упрямо покачала она головой. — Только не это.

— Значит, поездка не состоится.

Она выбежала в коридор, и спустя буквально несколько секунд на кухню вошла Тесса. Эмери пряталась у нее за спиной.

Вот черт.

— Хардин, мы это обсуждали. Она едет. И мы уже заплатили за поездку, — напомнила мне Тесса прямо перед Эмери.

Я знал, что таким образом она показывает, кто здесь главный. У нас было правило, всего одно правило в нашем доме: никаких ссор в присутствии детей. Мои дети никогда не услышат, как я кричу на их маму. Никогда.

Но это не означало, что Тесса перестала временами сводить меня с ума. Она была упрямой и дерзкой, и с возрастом эти милые черты ее характера только усилились.

На кухне появился Оден с рюкзаком за плечами и наушниками в ушах. Он был помешан на музыке и живописи, и мне это нравилось.

— А вот и мой любимец, — сказал я.

Тесса и Эмери фыркнули и свирепо уставились на меня. Я рассмеялся, а Оден кивнул — так теперь здороваются подростки. Что сказать? Для своего возраста он был весьма саркастичен, совсем как я раньше.

Оден поцеловал маму в щеку и схватил со стола яблоко. Тесса улыбнулась, ее взгляд потеплел. В отличие от дерзкой, упрямой и своевольной Эмери Оден был милым, терпеливым, никогда не повышающим голоса мальчиком. Ни один из них не был лучше другого, они просто были разные. Что удивительно, они прекрасно ладили друг с другом. Эмери проводила кучу времени с младшим братом, возила его на репетиции по музыке и на выставки живописи.

— Значит, решено. Я так здорово повеселюсь в этой поездке! — Эмери захлопала в ладоши и бросилась к входной двери. Оден попрощался с нами и, последовав за сестрой, отправился в школу.

— Как у нас могли вырасти такие дети? — спросила Тесса, покачав головой.

— Хрен его знает, — рассмеялся я и распахнул объятья. — Иди ко мне.

Моя красивая девочка подошла ко мне и прижалась всем телом.

— Это был длинный путь, — вздохнула она, а я коснулся ее плеч и начал массаж.

Она обмякла и мгновенно расслабилась, затем повернулась ко мне. В ее серо-голубых глазах было море любви, которую она так и не растеряла за все эти годы.

После всех выпавших на нашу долю испытаний мы добились своего. Из чего бы ни были сделаны наши души, это души очень близких людей.

Благодарности

А-а-а, свершилось! КОНЕЦ. Гребаный конец этого сумасшествия под названием «После». Эти благодарности будут самыми короткими, потому что я практически все сказала в предыдущих книгах.

Спасибо моим читателям за то, что вы прошли со мной весь этот путь. Теперь мы стали даже ближе, чем раньше. Вы все мои друзья, и я счастлива, что вы по-прежнему поддерживаете меня и мои книги. У нас получилась самая настоящая семья. Благодаря вам из моей причуды получилась серия из четырех книг. С ума сойти! Я всех вас люблю и никогда не устану повторять, насколько каждый из вас ценен и важен для меня.

Спасибо Адаму Уилсону — лучшему редактору во вселенной (да, я говорю нечто подобное в каждой книге). Ты помог сделать эти книги тем, что они сейчас собой представляют, всегда был прекрасным учителем и другом. Я отправила тебе огромное количество сообщений, слишком много советов оставила без внимания, но ты всегда отвечал и никогда не жаловался (и за это заслужил награду, даже тридцать наград)! Не могу дождаться, чтобы снова с тобой поработать!

Спасибо производственному отделу и редакторам-корректорам, особенно Стиву Бреслину и Стивену Болдту, а также команде по продажам «S&S» — вы просто молодцы и отлично поработали над этой серией.

Кристин Двайер, ты просто супер! Спасибо за все, я мечтаю работать вместе с тобой всю жизнь (в моих словах лишь капелька жути). Ха!

Спасибо всем в «Wattpad»[1] за то, что подарили мне дом, в который я всегда могу вернуться.

Спасибо моему мужу. Ты моя вторая половинка и всегда поддерживаешь меня во всех начинаниях. И спасибо Эшеру. Ты лучшее, что когда-либо случалось со мной.

---

[1] Сообщество для писателей и читателей, в котором пользователи могут размещать статьи, рассказы, фанфики, стихи и романы в режиме онлайн или через одноименное приложение.

Оглавление

Литературно-художественное издание

МОДНОЕ ЧТЕНИЕ

Анна Тодд

ПОСЛЕ — ДОЛГО И СЧАСТЛИВО

Ответственный редактор *Ю. Раутборт*
Младший редактор *А. Черташ*
Художественный редактор *П. Петров*
Технический редактор *Г. Романова*
Компьютерная верстка *Е. Кумшаева*
Корректор *Н. Овсяникова*

В оформлении обложки использована фотография:
Wavebreak Media / Thinkstock / Gettimages.ru

ООО «Издательство «Э»
123308, Москва, ул. Зорге, д. 1. Тел. 8 (495) 411-66-86; 8 (495) 956-39-21.
Өндіруші: «Э» АҚБ Баспасы, 123308, Мәскеу, Ресей, Зорге көшесі, 1 үй.
Тел. 8 (495) 411-68-86; 8 (495) 956-39-21.
Тауар белгісі: «Э»
Қазақстан Республикасында дистрибьютор және өнім бойынша арыз-талаптарды қабылдаушының
өкілі «РДЦ-Алматы» ЖШС, Алматы қ., Домбровский көш., 3«а», литер Б, офис 1.
Тел.: 8 (727) 251-59-89/90/91/92, факс: 8 (727) 251 58 12 вн. 107.
Өнімнің жарамдылық мерзімі шектелмеген.
Сертификация туралы ақпарат сайтта Өндіруші «Э»
Сведения о подтверждении соответствия издания согласно законодательству РФ
о техническом регулировании можно получить на сайте Издательства «Э»
Өндірген мемлекет: Ресей
Сертификация қарастырылмаған

Подписано в печать 01.10.2015.
Формат 84х108 1/32. Гарнитура «Svetlana».
Печать офсетная. Усл. печ. л. 28,56.
Тираж 17 000 экз. Заказ 7544.

Отпечатано с готовых файлов заказчика
в АО «Первая Образцовая типография»,
филиал «УЛЬЯНОВСКИЙ ДОМ ПЕЧАТИ»
432980, г. Ульяновск, ул. Гончарова, 14

Оптовая торговля книгами Издательства «Э»:
142700, Московская обл., Ленинский р-н, г. Видное,
Белокаменное ш., д. 1, многоканальный тел.: 411-50-74.

По вопросам приобретения книг Издательства «Э» зарубежными оптовыми покупателями обращаться в отдел зарубежных продаж
International Sales: International wholesale customers should contact
Foreign Sales Department for their orders.

По вопросам заказа книг корпоративным клиентам,
в том числе в специальном оформлении, *обращаться по тел.:*
+7 (495) 411-68-59, доб. 2115/2117/2118; 411-68-99, доб. 2762/1234.

Оптовая торговля бумажно-беловыми
и канцелярскими товарами для школы и офиса:
142702, Московская обл., Ленинский р-н, г. Видное-2,
Белокаменное ш., д. 1, а/я 5. Тел./факс: +7 (495) 745-28-87 (многоканальный).

Полный ассортимент книг издательства для оптовых покупателей:
В Санкт-Петербурге: ООО СЗКО, пр-т Обуховской Обороны, д. 84Е.
Тел.: (812) 365-46-03/04.

В Нижнем Новгороде: 603094, г. Нижний Новгород, ул. Карпинского, д. 29,
бизнес-парк «Грин Плаза». Тел.: (831) 216-15-91 (92/93/94).

В Ростове-на-Дону: ООО «РДЦ-Ростов», пр. Стачки, 243А.
Тел.: (863) 220-19-34.

В Самаре: ООО «РДЦ-Самара», пр-т Кирова, д. 75/1, литера «Е».
Тел.: (846) 269-66-70.

В Екатеринбурге: ООО«РДЦ-Екатеринбург», ул. Прибалтийская, д. 24а.
Тел.: +7 (343) 272-72-01/02/03/04/05/06/07/08.

В Новосибирске: ООО «РДЦ-Новосибирск», Комбинатский пер., д. 3.
Тел.: +7 (383) 289-91-42.

В Киеве: ООО «Форс Украина», г. Киев,пр. Московский, 9 БЦ «Форум».
Тел.: +38-044-2909944.

Полный ассортимент продукции Издательства «Э»
можно приобрести в магазинах «Новый книжный» и «Читай-город».
Телефон единой справочной: 8 (800) 444-8-444.
Звонок по России бесплатный.

В Санкт-Петербурге: в магазине «Парк Культуры и Чтения БУКВОЕД»,
Невский пр-т, д.46. Тел.: +7(812)601-0-601, www.bookvoed.ru/

Розничная продажа книг с доставкой по всему миру.
Тел.: +7 (495) 745-89-14.

ISBN 978-5-699-83939-1

ИНТЕРНЕТ-МАГАЗИН
ИНТЕРНЕТ-МАГАЗИН
ИНТЕРНЕТ-МАГАЗИН
ИНТЕРНЕТ-МАГАЗИН

18+

Вы можете общаться
с Анной Тодд на Wattpad

Автор этой книги, Анна Тодд,
начинала с того, что, как и
вы, читала истории на Wattpad
и общалась с их авторами.
**Скачайте приложение Wattpad уже сегодня,
чтобы связаться с автором:**

Ш Wattpad sensation imaginator1D

Роман **Лауры Дейв** – это не история утраты иллюзий и разочарования в них, а попытка объяснить, что одними иллюзиями жить все-таки нельзя.

Серия
«**Т**АК ПОСТУПАЮТ ВСЕ ЖЕНЩИНЫ»

2014-282